고급영재수학 02

수학에서의
정적분
문제와 풀이

곽성은·우경수 지음

KM 경문사

머리말

  2014년 5월에 예비대학생과 대학생들을 위해 해석학, 대수학, 기하학, 응용수학 등 다양한 부분에서 문제 중심의 수학책을 발간하였다. 일반 고등학교에서 수학Ⅱ 및 미분적분의 개념을 정확히 이해한 학생이면 모두 풀 수 있게 문제들을 구성하였다. 모든 문제들을 숙련된 풀이 방식의 접근이 아니라 독창적인 생각으로 각각 다르게 접근하여 풀어보면 수학의 참맛을 느낄 수 있을 것이라 생각했다.

  실제로 일반 학생들은 어떤 문제를 보고 금방 푸는 학생도 있었고, 몇 시간 동안 고민하면서 문제를 해결하기도 하겠지만, 풀이 과정을 잘 몰라서 풀이를 자세히 해달라는 이메일도 여러 번 받았기에 우선 수학 분야에서의 정적분 문제에 대한 풀이를 구체적으로 생각해보았다. 여러 가지 풀이법이 있겠지만, 관련된 수학적 이론을 바탕으로 하여 정리화하고 필요한 정리는 증명하였고, 각 문제에 대한 풀이를 실었다.

  초・중・고등학생들에게는 생활과 관련된 다양한 형태의 수학이 지금 많이 다루어지고 있다. 본 저자들도 전국규모의 수학체험전도 2004년부터 3년 주기로 세 번 개최하였으며 2003년부터는 해마다 지역규모의 수학체험전을 하고 있다. 또한 전국스도쿠대회와 지역스도쿠대회를 개최하는 등 수학 관련 다양한 체험활동을 통하여 학생들과 일반시민들이 수학에 대해 흥미를 갖고 관심을 가지도록 노력하고 있다. 그러나 좀 더 수학에 관심을 가지는 학생들을 위해서는 이 책과 같은 문제와 풀이도 필요하다고 생각하기에 이 책을 만들게 되었다.

2018년 3월
곽성은, 우경수

차례

Chapter 1

관련 수학 정리

정리 001 Jensen inequality

(1) $\forall t_i \geq 0, \sum_{i=1}^{n} t_i = 1, f''(x) < 0 \Rightarrow \sum_{k=1}^{n} t_k f(x_k) \leq f\left(\sum_{k=1}^{n} t_k x_k\right)$

(2) $\forall t_i \geq 0, \sum_{i=1}^{n} t_i = 1, f''(x) > 0 \Rightarrow \sum_{k=1}^{n} t_k f(x_k) \geq f\left(\sum_{k=1}^{n} t_k x_k\right)$

정리 002 Lagrange's mean-vaule theorem

$f(x):[a,b]$연속, (a,b)미분가능 $\Rightarrow \exists c \in (a,b), \ \dfrac{f(b)-f(a)}{b-a} = f'(c)$

정리 003 Cauchy-Schwarz inequality

$$\left(\sum_{k=1}^{n} a_k b_k\right)^2 \leq \left(\sum_{k=1}^{n} a_k^2\right)\left(\sum_{k=1}^{n} b_k^2\right)$$

정리 004 Nesbitt's inequality

$$a,b,c > 0 \Rightarrow \frac{3}{2} \leq \frac{a}{b+c} + \frac{b}{c+a} + \frac{c}{a+b}$$

정리 005 Vasc's inequality

$$a,b,c > 0 \Rightarrow 3\left(\sqrt{a^3 b} + \sqrt{b^3 c} + \sqrt{c^3 a}\right) \leq (a+b+c)^2$$

정리 006 Kwak seong-eun inequality

$$s,t \in N, s < t \Rightarrow \sqrt[s]{\frac{\sum_{k=1}^{n} a_k^s}{n}} \leq \sqrt[t]{\frac{\sum_{k=1}^{n} a_k^t}{n}}$$

정리 007 Schur's inequality

$$x,y,z,t > 0 \Rightarrow 0 \le x^t(x-y)(x-z) + y^t(y-z)(y-x) + z^t(z-x)(z-y)$$

정리 008 Huygen's inequality

$$\forall\, a_i, b_i > 0,\ \sum_{i=1}^{n} t_i = 1 \Rightarrow \prod_{k=1}^{n} a_k^{t_k} + \prod_{k=1}^{n} b_k^{t_k} \le \prod_{k=1}^{n} \left(a_k + b_k\right)^{t_k}$$

정리 009 Minkowski inequality

$$x_i, y_i, m_i > 0, p > 1 \Rightarrow \sqrt[p]{\sum_{i=1}^{n}(x_i + y_i)^p m_i} \le \sqrt[p]{\sum_{i=1}^{n} x_i^p m_i} + \sqrt[p]{\sum_{i=1}^{n} y_i^p m_i}$$

정리 010 Holder inequality

$$x_i, y_i, m_i > 0, p,q > 1, \frac{1}{p} + \frac{1}{q} = 1 \Rightarrow \sum_{i=1}^{n} x_i y_i m_i \le \sqrt[p]{\sum_{i=1}^{n} x_i^p m_i} \cdot \sqrt[q]{\sum_{i=1}^{n} y_i^q m_i}$$

정리 011 Ptolemy's theorem

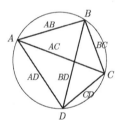

$$\Rightarrow\ \overline{AC} \cdot \overline{BD} = \overline{AB} \cdot \overline{CD} + \overline{BC} \cdot \overline{AD}$$

정리 012 Pell equation

$$\left(x_0, y_0\right)\colon x^2 - dy^2 = 1\ \text{작은 해} \Rightarrow (x, y) = \left(\frac{z_0^n + \left(\overline{z_0}\right)^n}{2},\ \frac{z_0^n - \left(\overline{z_0}\right)^n}{2\sqrt{d}} \right),$$

$$\left(z_0 = x_0 + y_0\sqrt{d},\ \overline{z_0} = x_0 - y_0\sqrt{d}\,\right)$$

정리 013 Fermat's theorem

$$p:\text{소수},\ p \nmid a \Rightarrow a^{p-1} \equiv 1 \pmod{p}$$

정리 014 Wilson's theorem

$$p:\text{소수} \Leftrightarrow (p-1)! \equiv (-1) \pmod{p}$$

정리 015 Chebyshev's inequality

(i) $a_1 \geq a_2 \geq \dots \geq a_n,\ b_1 \geq b_2 \geq \dots \geq b_n$

$$\Rightarrow \left(\sum_{i=1}^{n} a_i\right)\left(\sum_{i=1}^{n} b_i\right) \leq n\left(\sum_{i=1}^{n} a_i b_i\right)$$

(ii) $a_1 \geq a_2 \geq \dots \geq a_n,\ b_n \geq b_{n-1} \geq \dots \geq b_1$

$$\Rightarrow \left(\sum_{i=1}^{n} a_i\right)\left(\sum_{i=1}^{n} b_i\right) \geq n\left(\sum_{i=1}^{n} a_i b_i\right)$$

정리 016 Menelaus theorem

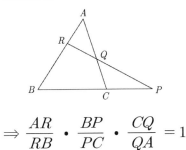

$$\Rightarrow \frac{AR}{RB} \cdot \frac{BP}{PC} \cdot \frac{CQ}{QA} = 1$$

정리 017 Ceva theorem ①

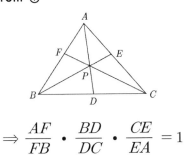

$$\Rightarrow \frac{AF}{FB} \cdot \frac{BD}{DC} \cdot \frac{CE}{EA} = 1$$

정리 018 Simson theorem

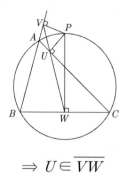

$$\Rightarrow U \in \overline{VW}$$

정리 019 Stewart's theorem

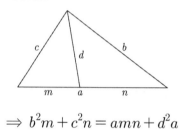

$$\Rightarrow b^2m + c^2n = amn + d^2a$$

정리 020 Cardano's formula

$$x^3 + bx^2 + cx + d = 0, \ \omega = \frac{-1+\sqrt{3}\,i}{2}, \ \omega^2 = \frac{-1-\sqrt{3}\,i}{2}$$

$$\Rightarrow \begin{cases} x_1 = \sqrt[3]{A} + \sqrt[3]{B} - \dfrac{b}{3} \\[2mm] x_2 = \sqrt[3]{A}\,\omega + \sqrt[3]{B}\,\omega^2 - \dfrac{b}{3} \\[2mm] x_3 = \sqrt[3]{A}\,\omega^2 + \sqrt[3]{B}\,\omega - \dfrac{b}{3} \end{cases}, \quad \begin{aligned} & p = c - \frac{b^2}{3} \\[2mm] & q = d - \frac{bc}{3} + \frac{2}{27}b^3 \end{aligned}$$

$$A = -\frac{q}{2} + \sqrt{\left(\frac{q}{2}\right)^2 + \left(\frac{p}{3}\right)^3}, \ B = -\frac{q}{2} - \sqrt{\left(\frac{q}{2}\right)^2 + \left(\frac{p}{3}\right)^3}$$

정리 021 Kwak Seong–Eun trigonometry

① $\dfrac{2\sin\theta}{\cos3\theta} = \tan3\theta - \tan\theta$ ② $\tan\left(\dfrac{\pi}{2n+2}\right)\tan\left(\dfrac{n\pi}{2n+2}\right) = 1$

③ $\sec\theta + \tan\theta = \dfrac{1}{\sec\theta - \tan\theta}$ ④ $\tan\theta = \cot\theta - 2\cot2\theta$

⑤ $\sin2\theta = \dfrac{2\tan\theta}{1+\tan^2\theta}$

⑥ $\tan\dfrac{\theta}{2} = \sqrt{\dfrac{1-\cos\theta}{1+\cos\theta}}\,,(0 \le \theta \le \pi)$

⑦ $\sec\left(\theta - \dfrac{\pi}{4}\right) = \dfrac{\sqrt{2}}{\sin\theta + \cos\theta}$ ⑧ $\tan\left(\dfrac{\theta}{2} + \dfrac{\pi}{4}\right) = \tan\theta + \sec\theta$

⑨ $\tan\theta\tan(\theta+1) = \dfrac{\tan(\theta+1) - \tan\theta}{\tan1} - 1$

⑩ $\tan\theta = \dfrac{\sin2\theta}{1+\cos2\theta}$

⑪ $\tan\theta\tan2\theta\tan3\theta = \tan3\theta - \tan2\theta - \tan\theta$

⑫ $\cos2\theta = \dfrac{1-\tan^2\theta}{1+\tan^2\theta}$ ⑬ $(1+\tan n)\left(1+\tan\left(\dfrac{\pi}{4} - n\right)\right) = 2$

⑭ $\sin3\theta = 4\sin\theta\sin(60°+\theta)\sin(60°-\theta)$

⑮ $(\cot\theta - \cot2\theta)^2 = 1 + \cot^2 2\theta$

⑯ $\tan3\theta = \tan(60°-\theta)\tan\theta\tan(60°+\theta)$

⑰ $\cos3\theta = 4\cos\theta\cos(60°+\theta)\cos(60°-\theta)$

⑱ $\displaystyle\sum_{k=1}^{n}\operatorname{cosec}\left(\dfrac{\pi}{2^k}\right) = \cot\left(\dfrac{\pi}{2^{n+1}}\right)$

⑲ $\displaystyle\sum_{k=1}^{n}\operatorname{cosec}(2^k x) = \cot x - \cot(2^n x)$

정리 022 Newton's sum

$$x_1, x_2, \ldots, x_n : a_n x^n + a_{n-1} x^{n-1} + \ldots + a_1 x + a_0 = 0의 \ 근, s_k = \sum_{i=1}^{n} x_i^k$$

$$\Rightarrow \begin{cases} a_n s_1 + a_{n-1} = 0 \\ a_n s_2 + a_{n-1} s_1 + 2a_{n-2} = 0 \\ a_n s_3 + a_{n-1} s_2 + a_{n-2} s_1 + 3a_{n-3} = 0 \\ \bullet \quad \bullet \quad \bullet \quad \bullet \end{cases}$$

정리 023 Bernoulli's inequality

$$x > -1, \begin{cases} 0 \leq r \leq 1 \quad \Rightarrow \ 1 + rx \geq (1+x)^r \\ r \leq 0, r \geq 1 \ \Rightarrow \ 1 + rx \leq (1+x)^r \end{cases}$$

정리 024 Kwak Seong-Eun Integration

① $\displaystyle \int_a^b f(x)\,dx = \int_a^b f(a+b-x)\,dx$

② $\displaystyle \int_a^b f(x)\,dx = \int_{-\frac{b-a}{2}}^{\frac{b-a}{2}} f\left(\frac{a+b}{2} - x\right) dx$

③ $\displaystyle \int_a^b f(x)\,dx = \int_0^{\frac{b-a}{2}} f\left(\frac{a+b}{2} - x\right) + f\left(\frac{a+b}{2} + x\right) dx$

④ $\displaystyle \int_{a^{-1}}^a f(x)\,dx = \int_{a^{-1}}^a \frac{1}{x^2} f\left(\frac{1}{x}\right) dx$

⑤ $f(x+T) = f(x) \Rightarrow \displaystyle \int_a^{a+nT} f(x)\,dx = n \int_0^T f(x+a)\,dx$

⑥ $F'(x) = f(x) \Rightarrow \displaystyle \lim_{x \to \infty} \frac{F(x)}{x} = \frac{1}{T} \int_0^T f(x)\,dx$

⑦ $\displaystyle \int_{-a}^a f(x)\,dx = \int_0^a f(x) + f(-x)\,dx$

⑧ $\displaystyle\int_0^a f(x)dx = \frac{1}{2}\int_0^a f(x)+f(a-x)\,dx$

⑨ $\displaystyle\int_0^a x f(x)dx = \frac{a}{2}\int_0^a f(x)\,dx$

⑩ $\displaystyle\int f\!\left(x,\sqrt{ax^2+bx+c}\right)dx$ 경우. $\alpha < \beta : ax^2+bx+c=0$의 근

   (a) $a>0 \Rightarrow \sqrt{ax^2+bx+c}=t-x\sqrt{a}$ 치환

   (b) $c>0 \Rightarrow \sqrt{ax^2+bx+c}=tx+\sqrt{c}$ 치환

   (c) $a<0, b^2-4ac>0 \Rightarrow \sqrt{\dfrac{x-\alpha}{\beta-x}}=t$ 치환

   (d) α :중근 $\Rightarrow \sqrt{ax^2+bx+c}=(x-\alpha)t$ 치환

⑪ $\displaystyle\int f(c,\sin x,\cos x)\,dx \Rightarrow \tan\frac{x}{2}=t$로 치환

⑫ $\displaystyle\int x^m\!\left(a+bx^n\right)^p dx$ 경우, $(m,n\in Z)$

   (a) $p\in N \Rightarrow \left(a+bx^n\right)^p$: 이항전개

   (b) $p\in Q^-, k=LCM(m,n) \Rightarrow x=t^k$ 치환

   (c) $\dfrac{m+1}{n}\in Z, s:p$의 분모 $\Rightarrow \left(a+bx^n\right)=t^s$ 치환

   (d) $\dfrac{m+1}{n}+p\in Z, s:p$의 분모 $\Rightarrow \left(a+bx^n\right)=t^s x^n$ 치환

⑬ $\displaystyle\int f'(ax+b)\left[f(ax+b)\right]^n dx = \frac{\left[f(ax+b)\right]^{n+1}}{a(n+1)}$

⑭ $\displaystyle\int_0^\pi x f(\sin x)\,dx = \frac{\pi}{2}\int_0^\pi f(\sin x)\,dx, \int_0^{2\pi} x f(\cos x)\,dx = \pi\int_0^{2\pi} f(\cos x)\,dx$

⑮ $f(x+T) = f(x), a \in R \Rightarrow \displaystyle\int_a^{a+T} f(x)dx = \int_0^T f(x)dx$

⑯ $f(x) + f\left(\dfrac{1}{x}\right) = a \Rightarrow \displaystyle\int_0^\infty \dfrac{f(x)}{1+x^2}dx = \dfrac{a\pi}{4}$

⑰ $f(a-x) = f(x), f\left(\dfrac{a}{2}+x\right) + f\left(\dfrac{a}{2}-x\right) = 1 \Rightarrow \displaystyle\int_0^a xf(x)dx = \dfrac{a^2}{4}$

⑱ $\displaystyle\int_0^{2\pi} f(x)\sin x\, dx = \int_0^\pi [f(x) - f(x+\pi)]\sin x\, dx$

⑲ $\displaystyle\int_0^1 \dfrac{\ln x}{a+1-x} - \dfrac{\ln x}{a+x}dx = \dfrac{1}{2}\left(\ln\dfrac{a}{a+1}\right)^2$

정리 025 Rolle's theorem

$$f(x) : [a,b] \text{연속}, \ f(x) : (a,b)\text{미분가능}, \ f(a) = f(b) = 0$$
$$\Rightarrow \exists c \in (a,b),\ f'(c) = 0$$

정리 026 Cauchy's mean theorem

$$f(x), g(x) : [a,b]\text{연속}, \ (a,b)\text{미분가능}$$
$$\Rightarrow \exists c \in (a,b),\ \dfrac{f(b)-f(a)}{g(b)-g(a)} = \dfrac{f'(c)}{g'(c)},\ g'(x) \neq 0$$

정리 027 L'Hospital's theorem

$$f(x), g(x) : \text{미분가능}, \ g'(x) \neq 0, \ f(a) = g(a) = 0$$
$$\Rightarrow \lim_{x \to a} \dfrac{f(x)}{g(x)} = \lim_{x \to a} \dfrac{f'(x)}{g'(x)}$$

정리 028 Maclaurin series

$$f(x) : \text{미분가능} \Rightarrow f(x) = \sum_{n=0}^\infty \dfrac{f^{(n)}(0)}{n!} x^n$$

정리029 Taylor series

$$f(x) : \text{미분가능} \Rightarrow f(x) = \sum_{n=0}^{\infty} \frac{f^{(n)}(a)}{n!}(x-a)^n$$

정리 030 Taylor's theorem (1)

$$f^{(n)}(x) : [a,b]\text{연속}, \ (a,b)\text{미분가능} \ , \ \exists\, c \in (a,x)$$

$$\Rightarrow f(x) = f(a) + \sum_{k=1}^{n} \frac{f^{(k)}(a)}{k!}(x-a)^k + \frac{f^{(n+1)}(c)}{(n+1)!}(x-a)^{n+1}$$

정리 031 Taylor's theorem (2)

$$f^{(n)}(x) : [a,b]\text{연속}, \ (a,b)\text{미분가능}$$

$$\Rightarrow f(x) = f(a) + \sum_{k=1}^{n} \frac{f^{(k)}(a)}{k!}(x-a)^k + \frac{1}{n!}\int_{a}^{x}(x-t)^n f^{(n+1)}(t)\,dt$$

정리 032 Stolz-Cesaro's theorem

$$\{a_n\} : \text{가수열}, \ \lim_{n\to\infty} a_n = \infty, \ \exists\, l = \lim_{n\to\infty}\frac{b_{n+1}-b_n}{a_{n+1}-a_n} \Rightarrow \lim_{n\to\infty}\frac{b_n}{a_n} = l$$

정리 033 Euler's formula

$$i = \sqrt{-1} \ \Rightarrow \ e^{i\theta} = \cos\theta + i\sin\theta$$

정리 034 Wallis' formula

$$\frac{\pi}{2} = \frac{2 \cdot 2 \cdot 4 \cdot 4 \cdot 6 \cdot 6 \cdot \cdot \cdot}{1 \cdot 3 \cdot 3 \cdot 5 \cdot 5 \cdot 7 \cdot 7 \cdot \cdot}$$

정리 035 Recurrence theorem

① $a_1, \ a_2, \ a_{n+2} = pa_{n+1} + qa_n \ , \ (p,q \in R)$

(1) $\alpha, \ \beta : x^2 - px - q = 0$의 근 $\Rightarrow \ a_n = u\alpha^n + v\beta^n$

(2) $\alpha : x^2 - px - q = 0$의 중근 $\Rightarrow \ a_n = u\alpha^n + nv\alpha^n$

② $a_1, a_2, a_3, a_{n+3} = pa_{n+2} + qa_{n+1} + ra_n, (p,q,r \in R)$

(1) $\alpha, \beta, \gamma : x^3 - px^2 - qx - r = 0$의 근 $\Rightarrow a_n = u\alpha^n + v\beta^n + w\gamma^n$

(2) α, β(중근): $x^3 - px^2 - qx - r = 0$근 $\Rightarrow a_n = u\alpha^n + v\beta^n + wn\beta^n$

정리 O36 Kwak Seong-Eun recurrence

$$a_1, a_2, a_{n+2} = pa_{n+1} + qa_n + r, (p,q,r \in R)$$

(1) $(p,q) = (2,-1) \Rightarrow a_n - a_{n-1} = (n-2)r + (a_2 - a_1)$

(2) $p + q = 1, (p,q) \neq (2,-1) \Rightarrow a_n - a_{n-1} = (p-1)^n b_2 - \dfrac{r}{p-2}$

여기서 $\left(b_2 = a_2 - a_1 + \dfrac{r}{p-2} \right)$.

(3) $a_n = b_n + \dfrac{r}{1-p-q}$ 치환 $\Rightarrow b_n$:특성다항식 사용.

정리 O37 Cavalieri's principle

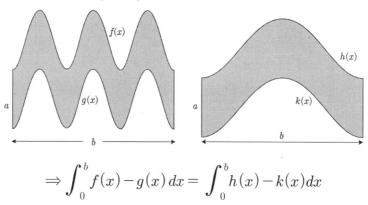

$$\Rightarrow \int_0^b f(x) - g(x)\, dx = \int_0^b h(x) - k(x)\, dx$$

정리 O38 Simpson formula

$$a = x_0 < x_1 < x_2 < \dots < x_{2n} = b$$

$$\int_a^b f(x)\, dx \approx \frac{b-a}{6n}\left[f(x_0) + f(x_{2n}) + \sum_{k=1}^{n-1} 2f(x_{2k}) + \sum_{k=1}^{n} 4f(x_{2k-1}) \right]$$

정리 039 Lagrange's identity

$$\| \vec{a} \times \vec{b} \|^2 = \| \vec{a} \|^2 \| \vec{b} \|^2 - (\vec{a} \cdot \vec{b})^2$$

정리 040 Lagrange's trigonometric identity

$$1 + \sum_{k=1}^{n} \cos(k\theta) = \frac{1}{2} + \frac{\sin\left[\left(n + \frac{1}{2}\right)\theta\right]}{2\sin\left(\dfrac{\theta}{2}\right)}$$

정리 041 De Moiver's formula

$$(\cos\theta + i\sin\theta)^n = \cos(n\theta) + i\sin(n\theta)$$

정리 042 Fourier series

$$f(x) = \frac{a_0}{2} + \sum_{k=1}^{\infty} \left(a_k \cos kx + b_k \sin kx\right)$$

$$a_k = \frac{1}{\pi} \int_0^{2\pi} f(x)\cos kx\, dx, \ b_k = \frac{1}{\pi} \int_0^{2\pi} f(x)\sin kx\, dx$$

정리 043 van Heuraet length

$$\text{그래프의 길이} : L = \int_a^b \sqrt{1 + [f'(x)]^2}\ dx$$

정리 044 Pappus and Guldin theorem

역 R을 직선 l에 대하여 회전시킨 입체의 체적: $V = (2\pi b)A$

($A : R$의 면적, $b : R$의 무게중심에서 직선 l까지 거리)

정리 045 Green theorem

$$\int_C M(x,y)dx + N(x,y)dy = \iint_R \left(\frac{\partial N}{\partial x} - \frac{\partial M}{\partial y}\right)dxdy$$

(C: 영역 R의 경계)

정리 046 Jacobian multiple integrals

$$\iint_R F(x,y)\,dxdy = \iint_{R'} G(u,v)\left|\frac{\partial(x,y)}{\partial(u,v)}\right|dudv$$

$$\iiint_R F(x,y,z)\,dxdydz = \iiint_{R'} G(u,v,w)\left|\frac{\partial(x,y,z)}{\partial(u,v,w)}\right|dudvdw$$

정리 047 Holder's integral inequality

$$\left[\int_a^b f(x)g(x)dx\right]^2 \leq \left(\int_a^b f^2(x)dx\right)\left(\int_a^b g^2(x)dx\right)$$

정리 048 Vieta's theorem

$$x_1, x_2, ..., x_n : a_n x^n + a_{n-1}x^{n-1} + .. + a_1 x + a_0 = 0 \text{ 의 근}$$

$$\Rightarrow \begin{cases} x_1 + x_2 + ... + x_n = -\dfrac{a_{n-1}}{a_n} \\[2mm] x_1 x_2 + x_1 x_3 + ... + x_{n-1}x_n = \dfrac{a_{n-2}}{a_n} \\[2mm] x_1 x_2 x_3 + x_1 x_2 x_4 + .. + x_{n-2}x_{n-1}x_n = -\dfrac{a_{n-3}}{a_n} \\[2mm] \bullet \quad \bullet \quad \bullet \\[2mm] x_1 x_2 x_3 \ \bullet \ \bullet \ \bullet \ x_n = (-1)^n \dfrac{a_0}{a_n} \end{cases}$$

정리 049 Kwak Seong-Eun integral inequality

$$\sqrt{\int_a^b [f(x)+g(x)]^2 dx} \leq \sqrt{\int_a^b f^2(x)dx} + \sqrt{\int_a^b g^2(x)dx}$$

정리 050 Heviside's law

$$\vec{a} \cdot (\vec{b} \times \vec{c}) = \vec{b} \cdot (\vec{c} \times \vec{a}) = \vec{c} \cdot (\vec{a} \times \vec{b})$$

정리 051 Leibnitz's theorem

$$\{f(x)g(x)\}^{(n)} = {}_nC_0f^{(n)}(x)g(x) + {}_nC_1f^{(n-1)}(x)g'(x) + \cdots$$
$$+ {}_nC_{n-1}f'(x)g^{(n-1)}(x) + {}_nC_nf(x)g^{(n)}(x)$$

정리 052 Euler's inverse trigonometry

$$\tan^{-1}\frac{1}{2} + \tan^{-1}\frac{1}{3} = \frac{\pi}{4}$$

정리 053 Machin's inverse trigonometry

$$4\tan^{-1}\frac{1}{5} - \tan^{-1}\frac{1}{239} = \frac{\pi}{4}$$

정리 054 Clausen's inverse trigonometry

$$2\tan^{-1}\frac{1}{3} + \tan^{-1}\frac{1}{7} = \frac{\pi}{4}$$

정리 055 Rutherford's inverse trigonometry

$$4\tan^{-1}\frac{1}{5} - \tan^{-1}\frac{1}{70} + \tan^{-1}\frac{1}{99} = \frac{\pi}{4}$$

정리 056 Kwak seong-eun's inverse trigonometry

① $\tan^{-1}\dfrac{1}{1+n+n^2} = \tan^{-1}\dfrac{1}{n} - \tan^{-1}\dfrac{1}{n+1}$

② $\cot^{-1}(1+n+n^2) = \cot^{-1}n - \cot^{-1}(n+1)$

③ $\tan^{-1}\left(1 + \dfrac{2}{n^2+n}\right) - \tan^{-1}\left(\dfrac{1}{n^2+n+1}\right) = \dfrac{\pi}{4}$

④ $\tan^{-1}\left(\dfrac{2n-1}{1+n-n^2}\right) = \tan^{-1}n + \tan^{-1}(n-1)$

⑤ $\sin^{-1}n + \cos^{-1}n = \dfrac{\pi}{2}$ ⑥ $\tan^{-1}n + \tan^{-1}\dfrac{1}{n} = \dfrac{\pi}{2}$

⑦ $\tan^{-1}\dfrac{1}{2n^2} = \tan^{-1}(2n+1) - \tan^{-1}(2n-1)$

⑧ $\tan^{-1}\left(\dfrac{8n}{n^4 - 2n^2 + 5}\right) = \tan^{-1}\dfrac{2}{(n-1)^2} - \tan^{-1}\dfrac{2}{(n+1)^2},\ (n \geq 2)$

⑨ $\tan^{-1}n + \cot^{-1}n = \dfrac{\pi}{2}$

⑩ $\tan^{-1}\dfrac{2}{n^2} = \tan^{-1}(n+1) - \tan^{-1}(n-1)$

⑪ $\sin^{-1}x + \sin^{-1}\sqrt{1-x^2} = \sin^{-1}1$ ⑫ $\tan^{-1}n - \tan^{-1}\left(\dfrac{n-1}{n+1}\right) = \dfrac{\pi}{4}$

⑬ $\tan^{-1}\left(\dfrac{1}{1-x+x^2}\right) \doteqdot \tan^{-1}(x) - \tan^{-1}(x-1)$

⑭ $\tan^{-1}\left(\dfrac{x}{x+1}\right) + \tan^{-1}\left(\dfrac{1-x}{2-x}\right) = \tan^{-1}\left(\dfrac{1+2x-x^2}{2}\right)$

⑮ $\cos^{-1}x + \cos^{-1}(-x) = \pi$

정리 O57 Weizenbock's inequality

$$\triangle ABC = S \implies 4\sqrt{3}\,S \leq a^2 + b^2 + c^2$$

정리 O58 Hadwiger–Finsler inequality

$$\triangle ABC = S \implies (a-b)^2 + (b-c)^2 + (c-a)^2 + 4\sqrt{3}\,S \leq a^2 + b^2 + c^2$$

정리 O59 L.K.Schulz von Strassnitzkey inverse trigonometry

$$\tan^{-1}\dfrac{1}{2} + \tan^{-1}\dfrac{1}{5} + \tan^{-1}\dfrac{1}{8} = \dfrac{\pi}{4}$$

정리 O60 F.C.M.Stermer inverse trigonometry

$$\tan^{-1}\dfrac{1}{2} + \tan^{-1}\dfrac{1}{4} + \tan^{-1}\dfrac{1}{13} = \dfrac{\pi}{4}$$

정리 O61 C.Hutton inverse trigonometry

$$\tan^{-1}\dfrac{1}{3} + \tan^{-1}\dfrac{1}{3} + \tan^{-1}\dfrac{1}{7} = \dfrac{\pi}{4}$$

정리 ○62 Fubini's theorem

$$R : \begin{cases} a \le x \le b \\ f_1(x) \le y \le f_2(x) \end{cases}, \begin{cases} c \le y \le d \\ g_1(y) \le x \le g_2(x) \end{cases}$$

$$\Rightarrow \iint_R f(x,y)\, dA = \int_a^b \int_{f_1(x)}^{f_2(x)} f(x,y)\, dy\, dx = \int_c^d \int_{g_1(x)}^{g_2(x)} f(x,y)\, dx\, dy$$

정리 ○63 Vieta formula

$$\frac{2}{\pi} = \sqrt{\frac{1}{2}}\ \sqrt{\frac{1}{2}+\frac{1}{2}\sqrt{\frac{1}{2}}}\ \sqrt{\frac{1}{2}+\frac{1}{2}\sqrt{\frac{1}{2}+\frac{1}{2}\sqrt{\frac{1}{2}}}}\ \cdots$$

정리 ○64 Leibniz's formula

$$\frac{\pi}{4} = 1 - \frac{1}{3} + \frac{1}{5} - \frac{1}{7} + \frac{1}{9} - \cdots$$

정리 ○65 Lord Brouncker formula

$$\frac{\pi}{4} = \cfrac{1}{1 + \cfrac{1^2}{2 + \cfrac{3^2}{2 + \cfrac{5^2}{2 + \cdots}}}}$$

정리 ○66 Euler series

$$\sum_{n=1}^{\infty} \frac{1}{n^2} = \sum_{n=1}^{\infty} \frac{3\left[(n-1)!\right]^2}{(2n)!} = \frac{\pi^2}{6}$$

정리 ○67 Lagrange multiplier method

조건 $\phi(x,y,z) = 0$에서 $F(x,y,z)$: 최대, 최소 구하는 방법.

$G(x,y,z) = F(x,y,z) + \lambda\phi(x,y,z),\ \lambda \in R$ 두고, $G_x = G_y = G_z = 0$

을 만족하는 λ을 찾고, 최대, 최소인 점(x,y,z)을 구한다.

정리 068 Jacobian determinant

$$\frac{\partial(x,y,z)}{\partial(u,v,w)} = \begin{vmatrix} x_u & x_v & x_w \\ y_u & y_v & y_w \\ z_u & z_v & z_w \end{vmatrix} \quad , \quad \frac{\partial(x,y)}{\partial(u,v)} = \begin{vmatrix} x_u & x_v \\ y_u & y_v \end{vmatrix}$$

$$\Rightarrow \frac{\partial(x,y)}{\partial(u,v)} = \frac{1}{\left(\dfrac{\partial(u,v)}{\partial(x,y)}\right)}$$

정리 069 Lodovico Ferrari formula

$$x^4 + bx^3 + cx^2 + dx + e = 0$$

$$\Rightarrow \left(x^2 + \frac{b}{2}x + \frac{y}{2}\right)^2 = \left(\frac{b^2}{4} - c + y\right)x^2 + \left(\frac{by}{2} - d\right)x + \frac{y^2}{4} - e,$$

$$D = 0, (i.e)\left(\frac{by}{2} - d\right)^2 - 4\left(\frac{b^2}{2} - c + y\right)\left(\frac{y^2}{4} - e\right) = 0 \Rightarrow y = y_1$$

$$\Rightarrow x^2 + \frac{b}{2}x + \frac{y_1}{2} = \pm(sx + t)$$

정리 070 Lagrange method of variation of parameters

$$\frac{dy}{dx} + p(x)y = q(x) \quad \Rightarrow \quad y = e^{-\int p(x)dx}\left[\int q(x)e^{\int p(x)dx}dx + c\right]$$

정리 071 Bernoulli differential equation

$$\frac{dy}{dx} + p(x)y = q(x)y^n$$

$$\Rightarrow \frac{1}{y^n}\frac{dy}{dx} + p(x)\frac{1}{y^{n-1}} = q(x), \quad \frac{1}{y^{n-1}} = z : \text{치환}$$

정리 072 Jacobi differential equation

$$p(x,y) : m\text{차 동차식}, \ q(x,y), r(x,y) : n\text{차 동차식}$$

$$p(x,y)(xdy - ydx) + q(x,y)dx + r(x,y)dy = 0 \Rightarrow y = vx : \text{치환}$$

정리 073 Riccati differential equation

$$y_1 : 특수해, \; \frac{dy}{dx} + p(x) + q(x)y + r(x)y^2 = 0$$

$$\Rightarrow y = y_1 + \frac{1}{v} : 치환, \; \frac{dv}{dx} - \left[q(x) + 2r(x)y_1 \right]v = r(x)$$

정리 074 Clairaut differential equation

$$y = xp + f(p), \; \left(p = \frac{dy}{dx} \right) \Rightarrow 양변에 \; x로 \; 미분.$$

정리 075 Euler–Cauchy differential equation

$$x^2 y'' + axy' + by = 0 \Rightarrow y = x^m : 대입법.$$

정리 076 Wronskian differential equation

$$y'' + p(x)y' + q(x)y = r(x) \Rightarrow y = y_h + y_p$$

$$y'' + p(x)y' + q(x)y = 0 \Rightarrow y_h = c_1 y_1 + c_2 y_2$$

$$W = y_1 y_2' - y_2 y_1', \; y_p = -y_1 \int \frac{y_2 r(x)}{W} dx + y_2 \int \frac{y_1 r(x)}{W} dx$$

정리 077 Gauss elimination

$$
\begin{cases}
a_{11}x_1 + a_{12}x_2 + \cdots + a_{1n}x_n = b_1 \\
a_{21}x_1 + a_{22}x_2 + \cdots + a_{2n}x_n = b_2 \\
\quad\quad\quad \vdots \\
a_{n1}x_1 + a_{n2}x_2 + \cdots + a_{nn}x_n = b_n
\end{cases}
\Rightarrow
\begin{bmatrix}
a_{11} & a_{12} & \cdots & a_{1n} & b_1 \\
a_{21} & a_{22} & \cdots & a_{2n} & b_2 \\
\vdots & \vdots & \vdots & \vdots & \vdots \\
a_{n1} & a_{n2} & \cdots & a_{nn} & b_n
\end{bmatrix}
$$

$$
\Downarrow
$$

$$
\begin{bmatrix}
1 & 0 & \cdots & 0 & c_1 \\
0 & 1 & \cdots & 0 & c_2 \\
\vdots & \vdots & \ddots & \vdots & \vdots \\
0 & 0 & \cdots & 1 & c_n
\end{bmatrix}
$$

정리 078 Markov Inequality

$$확률변수 X, \; 임의의 \; \epsilon > 0 \;\; \Rightarrow \frac{E(X)}{\epsilon} \leq P(X \geq \epsilon)$$

정리 079 Chebychev Inequality

확률변수 X, 임의의 $\epsilon > 0 \Rightarrow \dfrac{V(X)}{\epsilon^2} \le P(|X - \mu| > \epsilon)$, $\mu = E(X)$

정리 080 Apollonios' circle

$$|z - \alpha| : |z - \beta| = t : 1 \Rightarrow \left| z - \frac{\alpha - t^2\beta}{1 - t^2} \right| = \left| \frac{t(\alpha - \beta)}{1 - t^2} \right|$$

정리 081 Gamma function

$$\Gamma(x) = \int_0^\infty t^{x-1} e^{-t}\, dt, \ (x > 0), \ \Gamma(n) = (n-1)!, (n \in N)$$

$$\Gamma(x) = (x-1)\Gamma(x-1)$$

정리 082 Beta function

$$B(m,n) = \int_0^1 x^{m-1}(1-x)^{n-1}\, dx$$

정리 083 Wallis' formula

① $\displaystyle \int_0^{\frac{\pi}{2}} \cos^r\theta\, d\theta = \frac{\Gamma\left(\dfrac{r+1}{2}\right)}{\Gamma\left(\dfrac{r}{2}+1\right)} \frac{\sqrt{\pi}}{2}, \ (r > -1)$

② $\displaystyle \int_0^{\frac{\pi}{2}} \sin^r\theta\, d\theta = \frac{\Gamma\left(\dfrac{r+1}{2}\right)}{\Gamma\left(\dfrac{r}{2}+1\right)} \frac{\sqrt{\pi}}{2}, \ (r > -1)$

정리 084 Parseval's equality

$f(x)$: 주기 $2L$인 주기함수이고 연속함수

$$\Rightarrow \frac{1}{L}\int_{-L}^{L} [f(x)]^2\, dx = \frac{a_0^2}{2} + \sum_{n=1}^\infty \left(a_n^2 + b_n^2\right)$$

정리 ○85 Diophantine equation

$a, b, c \in Z,\ x_0, y_0$:초기 해, $d = \gcd(a, b),\ ax + by = c$

$$\Rightarrow x = x_0 + \frac{b}{d}t,\ y = y_0 - \frac{a}{d}t,\ (t \in Z)$$

정리 ○86 Mersenne number

$$n \in N \Rightarrow 2^n - 1 = M_n : \text{Mersenne number}$$

정리 ○87 Fermat number

$$n \in N \Rightarrow 2^{2^n} + 1 = F_n : \text{Fermat number}$$

정리 ○88 Euler's theorem on homogeneous function

$$F(x_1, x_2, \ldots, x_n) : p-\text{동차식} \Rightarrow x_1 \frac{\partial F}{\partial x_1} + x_2 \frac{\partial F}{\partial x_2} + \cdots + x_n \frac{\partial F}{\partial x_n} = pF$$

정리 ○89 Stirling's formula

$$n : \text{큰 수} \Rightarrow n! = \sqrt{2\pi n}\ n^n e^{-n} = \Gamma(n+1)$$

정리 ○90 Landen's transformation

$$\tan\phi = \frac{\sin 2\phi_1}{k + \cos 2\phi_1},\ k_1 = \frac{2\sqrt{k}}{1+k}$$

$$\Rightarrow \int_0^\phi \frac{d\phi}{\sqrt{1 - k^2 \sin^2 \phi}} = \frac{2}{1+k} \int_0^{\phi_1} \frac{d\phi_1}{\sqrt{1 - k_1^2 \sin^2 \phi_1}}$$

정리 ○91 Euler inequality

$\triangle ABC,\ R$:외접원의 반지름, r :내접원의 반지름 $\Rightarrow 2r \leq R$

정리 O92 Euler theorem

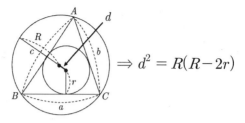

$$\Rightarrow d^2 = R(R-2r)$$

정리 O93 Hockey-Stick Identity

$$\sum_{i=k}^{n} {}_iC_k = {}_{n+1}C_{k+1}$$

정리 O94 Cayley-Hamilton theorem

$$A = \begin{bmatrix} a_1\,a_2\,a_3 \\ b_1\,b_2\,b_3 \\ c_1\,c_2\,c_3 \end{bmatrix} \Rightarrow A^3 - tr(A)A^2 + \frac{1}{2}\big(tr(A)^2 - tr(A^2)\big)A - |A|I = 0$$

$$(\text{여기서, } tr(A) = a_1 + b_2 + c_3)$$

정리 O95 Hermite's identity

$$\sum_{k=0}^{n-1} \left[x + \frac{k}{n} \right] = [nx] \ , \ [x] : \text{Gauss' notation}$$

정리 O96 Karamata's inequality

$$\{a_n\} > \{b_n\}, f(x) : \text{Convex 함수} \Rightarrow \sum_{i=1}^{n} f(b_i) \le \sum_{i=1}^{n} g(a_i)$$

정리 O97 Nicomachus' theorem

$$\sum_{i=1}^{n} i^3 = \left(\sum_{i=1}^{n} i \right)^2$$

정리 O98 Euler's reflection formula

$$\Gamma(z)\Gamma(1-z) = \frac{\pi}{\sin(\pi z)} \ , \ \Gamma(z) : \text{Gamma function}$$

정리 099 Binet-Cauchy identity

$$\left(\sum_{i=1}^{n} a_i c_i\right)\left(\sum_{j=1}^{n} b_j d_j\right) = \left(\sum_{i=1}^{n} a_i d_i\right)\left(\sum_{j=1}^{n} b_j c_j\right) + \sum_{1 \le i \le j \le n} (a_i b_j - a_j b_i)(c_i d_j - c_j d_i)$$

정리 100 Lagrange's identity

$$\left(\sum_{k=1}^{n} a_k^2\right)\left(\sum_{k=1}^{n} b_k^2\right) - \left(\sum_{k=1}^{n} a_k b_k\right)^2 = \frac{1}{2}\sum_{i=1}^{n}\sum_{j=1}^{n}(a_i b_j - a_j b_i)^2$$

정리 101 Lami's theorem

$$\text{균형을 이루는 힘: } A, B, C \Rightarrow \frac{A}{\sin\alpha} = \frac{B}{\sin\beta} = \frac{C}{\sin\gamma}$$

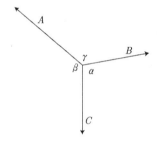

정리 102 Pick's theorem

i :각형 내부 점 개수, b :경계선 부분의 점 개수, A :다각형 넓이

$$\Rightarrow A = i + \frac{b}{2} - 1$$

정리 103 Brahmagupta's Theorem

$$\overline{AC} \perp \overline{BD} \implies M_{AB}, M_{BC}, M_{CD}, M_{AD} : \text{각 선분의 중점.}$$

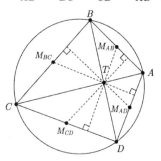

정리 104 Brahmagupta's formula

$$T = \frac{p+q+r+s}{2} \implies S = \sqrt{(T-p)(T-q)(T-r)(T-s)}$$

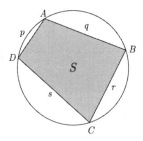

정리 105 Bretschneider's formula

$$T = \frac{p+q+r+s}{2} \implies S = \sqrt{(T-p)(T-q)(T-r)(T-s) - pqrs\cos^2\left(\frac{A+C}{2}\right)}$$

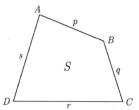

정리 106 Qin Jiushao's triangle area

$$a, b, c : \triangle ABC\text{의 세 변} \implies \text{삼각형 넓이} = \frac{1}{2}\sqrt{a^2 c^2 - \left(\frac{a^2 + c^2 - b^2}{2}\right)^2}$$

정리 107 Tartaglia's formula

$$d_{ij} : i\text{에서 } j\text{까지 거리} \implies \text{사면체 부피}^2 = \frac{1}{288} \begin{vmatrix} 0 & d_{12}^2 & d_{13}^2 & d_{14}^2 & 1 \\ d_{21}^2 & 0 & d_{23}^2 & d_{24}^2 & 1 \\ d_{31}^2 & d_{32}^2 & 0 & d_{34}^2 & 1 \\ d_{41}^2 & d_{42}^2 & d_{43}^2 & 0 & 1 \\ 1 & 1 & 1 & 1 & 0 \end{vmatrix}$$

정리 108 Mollweide's formula

$$a, b, c : \triangle ABC\text{의 세 변} \implies \frac{a+b}{c} = \frac{\cos\left(\dfrac{A-B}{2}\right)}{\sin\dfrac{C}{2}}, \frac{a-b}{c} = \frac{\sin\left(\dfrac{A-B}{2}\right)}{\cos\dfrac{C}{2}}$$

정리 109 Fibonacci's identity

$$(a^2 + b^2)(c^2 + d^2) = (ac - bd)^2 + (ad + bc)^2 = (ac + bd)^2 + (ad - bc)^2$$

정리 110 Brahmagupta's identity

$$(a^2 + nb^2)(c^2 + nd^2) = (ac - nbd)^2 + n(ad + bc)^2 = (ac + nbd)^2 + n(ad - bc)^2$$

정리 111 Euler's four-square identity

$$\begin{aligned}
&\left(a_1^2 + a_2^2 + a_3^2 + a_4^2\right)\left(b_1^2 + b_2^2 + b_3^2 + b_4^2\right) \\
&= \left(a_1 b_1 - a_2 b_2 - a_3 b_3 - a_4 b_4\right)^2 + \left(a_1 b_2 + a_2 b_1 + a_3 b_4 - a_4 b_3\right)^2 \\
&+ \left(a_1 b_3 - a_2 b_4 + a_3 b_1 + a_4 b_2\right)^2 + \left(a_1 b_4 + a_2 b_3 - a_3 b_2 + a_4 b_1\right)^2
\end{aligned}$$

정리 112 Apollonius' theorem

$$a^2 + c^2 = 2(m^2 + b^2)$$

정리 113 Router's theorem

$$\frac{\overline{CG}}{\overline{BG}} = x, \ \frac{\overline{AH}}{\overline{CH}} = y, \ \frac{\overline{BJ}}{\overline{AJ}} = z$$

$$\Rightarrow \frac{\triangle DEF}{\triangle ABC} = \frac{(xyz-1)^2}{(xy+x+1)(yz+y+1)(zx+z+1)}$$

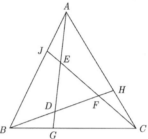

정리 114 Stefan-Boltzmann law

$$\int_0^\infty \frac{x^{s-1}}{e^x - 1} dx = \Gamma(s)\zeta(s)$$

정리 115 Riemann zeta function

$$\zeta(s) = \sum_{n=1}^\infty \frac{1}{n^s}$$

정리 116 Euler product formula

$$\sum_{n=1}^\infty \frac{1}{n^s} = \prod_{p:\text{소수}} \frac{1}{1-p^{-s}}$$

정리 117 Kwak Seong-Eun's triangle length

$$x = \sqrt{\frac{a^2+b^2+c^2}{2} + \frac{\sqrt{3}}{2}\sqrt{(a+b+c)(b-a+c)(a-c+b)(a-b+c)}}$$

정리 118 Pascal's theorem

$$x, y, z \in T$$

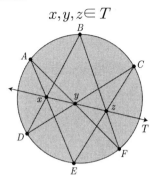

정리 119 Young's inequality

$$a, b > 0, p, q > 1 \, , \; \frac{1}{p} + \frac{1}{q} = 1 \Rightarrow ab \leq \frac{a^p}{p} + \frac{b^q}{q}$$

정리 120 Pappos' theorem

$$x, y, z \in T$$

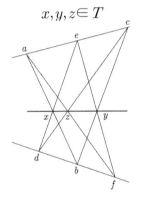

정리 121 Morley's trisector theorem

$$\triangle abc \Rightarrow \text{정삼각형}$$

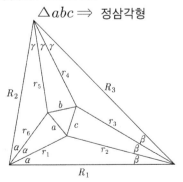

정리 122 Newton-Raphson method

$$0 = f(x) \Rightarrow 근 : x_n = x_{n-1} - \frac{f(x_{n-1})}{f'(x_{n-1})} \ , \ x_0 : 초기 \ 가정.$$

정리 123 Casey's theorem

$$t_{12}t_{34} + t_{14}t_{23} = t_{13}t_{24}$$

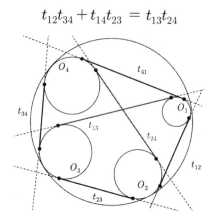

정리 124 Halley's method

$$0 = f(x) \Rightarrow 근: x_{n+1} = x_n - \frac{2f(x_n)f'(x_n)}{2[f'(x_n)]^2 - f(x_n)f''(x_n)} \ , \ x_0 : 초기.$$

정리 125 Householder's method

$$0 = f(x) \Rightarrow 근 : x_{n+1} = x_n + d\frac{\left(\frac{1}{f}\right)^{(d-1)}(x_n)}{\left(\frac{1}{f}\right)^{(d)}(x_n)} \ , \ x_0 : 초기 \ 가정.$$

정리 126 Cauchy-Binet formula

$$\det(AB) = \sum_{s \in_{[n]}C_m} \det(A_{[m],s})\det(B_{s,[m]})$$

정리 127 Varignon's theorem

$$S = 2S_5$$

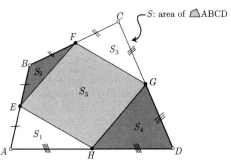

정리 128 Van Aubel Theorem

$$\frac{BP}{PE} = \frac{BF}{FA} + \frac{BD}{DC}$$

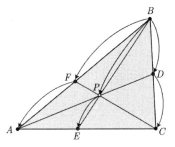

정리 129 Viviani's Theorem

$$e + g + f = h$$

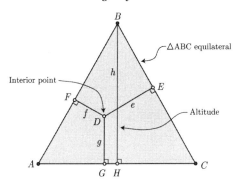

정리 130 Toeplitz matrix

$$A = \begin{bmatrix} a_0 & a_{-1} & a_{-2} & \cdots & a_{-n+1} \\ a_1 & a_0 & a_{-1} & \cdots & a_{-n+2} \\ a_2 & a_1 & a_0 & \cdots & a_{-n+3} \\ \vdots & \vdots & \vdots & \ddots & \vdots \\ a_{n-1} & a_{n-2} & a_{n-3} & \cdots & a_0 \end{bmatrix}$$

정리 131 Euler angles rotation

$$x : \alpha회전, \quad y : \beta회전, \quad z : \gamma회전되는 \ 변환 \ 행렬$$

$$\Rightarrow \begin{bmatrix} \cos\gamma & -\sin\gamma & 0 \\ \sin\gamma & \cos\gamma & 0 \\ 0 & 0 & 1 \end{bmatrix} \begin{bmatrix} \cos\beta & 0 & \sin\beta \\ 0 & 1 & 0 \\ -\sin\beta & 0 & \cos\beta \end{bmatrix} \begin{bmatrix} 1 & 0 & 0 \\ 0 & \cos\alpha & -\sin\alpha \\ 0 & \sin\alpha & \cos\alpha \end{bmatrix}$$

정리 132 Cassini's identity

$$F_n : \text{Fibonacci} \ 수 \ \Rightarrow F_n^2 - F_{n-r}F_{n+r} = (-1)^{n-r}F_r^2$$

정리 133 Millin series

$$F_n : \text{Fibonacci} \ 수 \ \Rightarrow \sum_{n=0}^{\infty} \frac{1}{F_{2^n}} = \frac{7 - \sqrt{5}}{2}$$

정리 134 Binet's Fibonacci number formula

$$F_n : \text{Fibonacci} \ 수 \ \Rightarrow F_n = \frac{1}{\sqrt{5}}\left(\left(\frac{1+\sqrt{5}}{2}\right)^n - \left(\frac{1-\sqrt{5}}{2}\right)^n\right)$$

정리 135 Lucas number formula

$$L_n : \text{Lucas} \ 수 \ \Rightarrow L_n = \left(\frac{1+\sqrt{5}}{2}\right)^n + \left(\frac{1-\sqrt{5}}{2}\right)^n$$

정리 136 Euler's totient function

$$n = p_1^{k_1} \cdots p_r^{k_r}, \ p_i : 소수 \ \Rightarrow \phi(n) = (p_1 - 1)p_1^{k_1 - 1} \cdots (p_r - 1)p_r^{k_r - 1}$$

정리 137 Euler's theorem

$$\gcd(a,n) = 1 \implies a^{\phi(n)} \equiv 1 \,(\mathrm{mod}\,n)$$

정리 138 Dirichlet series

$$\zeta(s) : \text{Riemann zeta function} \implies \sum_{n=1}^{\infty} \frac{\phi(n)}{n^s} = \frac{\zeta(s-1)}{\zeta(s)}$$

정리 139 Gram−Schmidt orthonomalization process

$$\{v_1, v_2, ..., v_n\} : \text{basis} \implies \{u_1, u_2, ..., u_n\} : \text{orthonomal basis}$$

$$u_n = \frac{v_n - (v_n \cdot u_1)u_1 - (v_n \cdot u_2)u_2 - \cdots - (v_n \cdot u_{n-1})u_{n-1}}{\| v_n - (v_n \cdot u_1)u_1 - (v_n \cdot u_2)u_2 - \cdots - (v_n \cdot u_{n-1})u_{n-1} \|}$$

정리 140 Euler-Mascheroni constant

$$\gamma = \lim_{n \to \infty} \left(\sum_{k=1}^{n} \frac{1}{k} - \ln n \right) = \int_{1}^{\infty} \frac{1}{[x]} - \frac{1}{x}\,dx = 0.57721\,...$$

정리 141 Bertrand's postulate

$$n > 3 \implies \forall n \in Z, \; \exists p : \text{prime} \quad \text{such that} \quad n \le p \le 2n - 2$$

정리 142 Shoelace formula

$$(x_i, y_i) : n\text{각형 점}, \; x_{n+1} = x_1, y_{n+1} = y_1$$

$$\implies \text{넓이} = \frac{1}{2} \left| \sum_{i=1}^{n} x_i(y_{i+1} - y_{i-1}) \right|$$

정리 143 Gaussian integral

$$\int_{-\infty}^{\infty} e^{-x^2}\,dx = \sqrt{\pi} = \Gamma\left(\frac{1}{2}\right)$$

정리 144 Carleman's inequality

$$a_i > 0 \Rightarrow \sum_{n=1}^{\infty} \sqrt[n]{a_1 a_2 \cdots a_n} \leq e \sum_{n=1}^{\infty} a_n$$

정리 145 Hardy's inequality

$$a_i > 0, p > 1 \Rightarrow \sum_{n=1}^{\infty} \left(\frac{a_1 + a_2 + \cdots + a_n}{n} \right)^n \leq \left(\frac{p}{p-1} \right)^p \sum_{n=1}^{\infty} a_n^p$$

정리 146 Henri Lebesgue's surface area

$$S = \iint_R \sqrt{1 + z_x^2 + z_y^2} \; dxdy$$

정리 147 Arfken's Double Factorial

$$n!! = \begin{cases} n(n-2) \cdots 5 \bullet 3 \bullet 1, & (n : odd) \\ n(n-2) \cdots 6 \bullet 4 \bullet 2, & (n : even) \\ 1, & (n = -1, 0) \end{cases}$$

정리 148 Cramer's inverse matrix

$$A = \left(a_{ij} \right)_{n \times n}, \; A^{-1} = \left(x_{ij} \right)_{n \times n} \Rightarrow x_{ij} = \frac{(-1)^{i+j} |A_{ji}|}{|A|}$$

정리 149 Vandermonde's determinant

$$\begin{vmatrix} 1 & x_1 & x_1^2 & \cdots & x_1^{n-1} \\ 1 & x_2 & x_2^2 & \cdots & x_2^{n-1} \\ \vdots & \vdots & \vdots & \ddots & \vdots \\ 1 & x_n & x_n^2 & \cdots & x_n^{n-1} \end{vmatrix} = \prod_{1 \leq i < j \leq n} (x_j - x_i)$$

정리 150 Abel summation

$$\lim_{x \to 1^-} \sum_{n=1}^{\infty} n(-x)^{n-1} = \lim_{x \to 1^-} \frac{1}{(1+x)^2} = \frac{1}{4}$$

정리 151 Limit of Riemann Sum

$$\lim_{n\to\infty}\frac{b-a}{n}\sum_{k=1}^{n}f\left(a+\frac{k(b-a)}{n}\right) = \int_{a}^{b}f(x)\,dx$$

정리 152 Bayes' formula

서로 배반인 사건: $A_i \Rightarrow P\left(A_n|\,B\right) = \dfrac{P(B|A_n)\,P(A_n)}{\displaystyle\sum_{i=1}^{\infty}P(B|A_i)P(A_i)}$

정리 153 probability function of binomial distribution

매 시행에서 성공의 확률: $p \Rightarrow P(X=x) = {}_nC_k\,p^k(1-p)^{n-k}$

정리 154 probability function of Poisson distribution

구간에서 성공 횟수: $x \Rightarrow P(x:\lambda) = \dfrac{e^{-\lambda}\lambda^x}{x!}$, λ : 성공 횟수의 평균값

정리 155 Ceva theorem ②

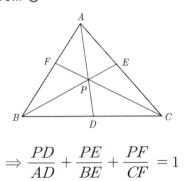

$$\Rightarrow \frac{PD}{AD} + \frac{PE}{BE} + \frac{PF}{CF} = 1$$

정리 156 Sophie Germain's Identity

$$x^4 + 4y^4 = \left(x^2 + 2y^2 + 2xy\right)\left(x^2 + 2y^2 - 2xy\right)$$

정리 157 Lalescu sequence

$$\lim_{n\to\infty} {}^{n+1}\!\sqrt{(n+1)!} - \sqrt[n]{n!} \ = \frac{1}{e}$$

정리 158 Apéry's constant

$$\zeta(3) = \sum_{k=1}^{\infty} \frac{1}{k^3} = 1.202056903\ldots$$

정리 159 Cesaro's theorem

$$\lim_{n\to\infty} a_n = l \ \Rightarrow \ \lim_{n\to\infty} \frac{1}{n}\sum_{k=0}^{n} a_k = l$$

정리 160 Flett's mean theorem

$$f(x) : [a,b]\text{상에서 미분가능}, \ f'(a) = f'(b)$$
$$\Rightarrow \exists \, c \in (a,b), \ f'(c) = \frac{f(c)-f(a)}{c-a}$$

정리 161 Frullani's Integral

$$\int_0^{\infty} \frac{f(ax)-f(bx)}{x}\,dx = [f(0)-f(\infty)]\ln\!\left(\frac{b}{a}\right)$$

정리 162 Leibniz integral rule

$$\frac{d}{d\alpha}\int_{a(\alpha)}^{b(\alpha)} f(x,\alpha)dx = b'(\alpha)f(b(\alpha),\alpha) - a'(\alpha)f(a(\alpha),\alpha) + \int_{a(\alpha)}^{b(\alpha)} f_\alpha(x,\alpha)dx$$

정리 163 Catalan's constant

$$1 - \frac{1}{3^2} + \frac{1}{5^2} - \frac{1}{7^2} + \cdots \ = 0.915965\ldots$$

정리 164 Kwak Seong-Eun's sum

$$\sum_{n=1}^{\infty} a_n \sum_{m=1}^{n} b_m = \sum_{m=1}^{\infty} b_m \sum_{n=m}^{\infty} a_n$$

정리 165 Sylvester's determinant theorem

$$A, B: (p \times n), (n \times p)\,\text{matrices} \Rightarrow \left| I_p + AB \right| = \left| I_n + BA \right|$$

정리 166 Vandermonde's Identity

$$\sum_{k=0}^{r} {}_m C_k \cdot {}_n C_{r-k} = {}_{m+n} C_r$$

정리 167 Shoelace Theorem

$$P_1(a_1, b_1), P_2(a_2, b_2), \ldots, P_n(a_n, b_n)$$

$$넓이 = \frac{1}{2} \left| (a_1 b_2 + a_2 b_3 + \cdots + a_n b_1) - (b_1 a_2 + b_2 a_3 + \cdots + b_n a_1) \right|$$

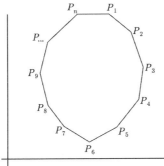

정리 168 Pascal's Identity

$${}_n C_k = {}_{n-1} C_{k-1} + {}_{n-1} C_k$$

정리 169 Steiner's theorem

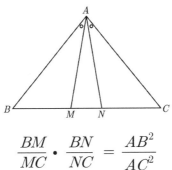

$$\frac{BM}{MC} \cdot \frac{BN}{NC} = \frac{AB^2}{AC^2}$$

정리 170 Kwak seong-eun infinite integral

① $\displaystyle\int x^a(x-1)^b[(a+b+2)x-(a+1)]\,dx = x^{a+1}(x-1)^{b+1}+c$

② $\displaystyle\int x^a(x+1)^b[(a+b+2)x+(a+1)]\,dx = x^{a+1}(x+1)^{b+1}+c$

③ $\displaystyle\int \frac{du}{u\,f(u)} = F(u)+c \Rightarrow \int \frac{m\,dx}{x\,f(x^m)} = F(x^m)+c$

④ $f''(x) = kf'(x)f(x)$

$\displaystyle\Rightarrow \int f'(x)^2 f(x)^n dx = \frac{f'(x)f(x)^{n+1}}{n+1} - \frac{kf(x)^{n+3}}{(n+1)(n+3)}$

⑤ $\displaystyle\int \frac{(f(x)-f'(x))e^x}{\left(e^x+f(x)\right)^2}\,dx = \frac{e^x}{f(x)+e^x}+c$

⑥ $m\in Q \Rightarrow \displaystyle\int \frac{a^2\,dx}{\left(a^2+x^2\right)^m} = \frac{x\left(a^2+x^2\right)^{1-m}}{2(m-1)} + \frac{2m-3}{2m-2}\int \frac{dx}{\left(a^2+x^2\right)^{m-1}}$

⑦ $m\in Q \Rightarrow \displaystyle\int \left(a^2+x^2\right)^m dx = \frac{x\left(a^2+x^2\right)^m}{2m+1} + \frac{2ma^2}{2m+1}\int \left(a^2+x^2\right)^{m-1}dx$

⑧ $m\in Q \Rightarrow \displaystyle\int \frac{a^2\,dx}{\left(a^2-x^2\right)^m} = \frac{x\left(a^2-x^2\right)^{1-m}}{2(m-1)} + \frac{2m-3}{2m-2}\int \frac{dx}{\left(a^2-x^2\right)^{m-1}}$

⑨ $m\in Q \Rightarrow \displaystyle\int \left(a^2-x^2\right)^m dx = \frac{x\left(a^2-x^2\right)^m}{2m+1} + \frac{2ma^2}{2m+1}\int \left(a^2-x^2\right)^{m-1}dx$

⑩ $m\in Q \Rightarrow \displaystyle\int \left(x^2-a^2\right)^m dx = \frac{x\left(x^2-a^2\right)^m}{2m+1} - \frac{2ma^2}{2m+1}\int \left(x^2-a^2\right)^{m-1}dx$

⑪ $\displaystyle\int f(x)g^{(n)}(x)\,dx = f(x)g^{(n-1)}(x) - f'(x)g^{(n-2)}(x) + \cdots + (-1)^n\int f^{(n)}(x)g(x)dx$

정리 171 Woodbury matrix identity

$$A, U, C, V : n \times n, n \times k, k \times k, k \times n - \text{matrices}$$
$$\Rightarrow (A + UCV)^{-1} = A^{-1} - A^{-1}U(C^{-1} + VA^{-1}U)^{-1}VA^{-1}$$

정리 172 Sherman-Morrison formula

$$u, v : \text{vectors} \Rightarrow (A + uv^t)^{-1} = A^{-1} - \frac{A^{-1}uv^t A^{-1}}{1 + v^t A^{-1}u}$$

정리 173 Kwak seong-eun determinant theorem

$$u, v : \text{vectors} \Rightarrow |A + uv^t| = (1 + v^t A^{-1}u)|A|$$

정리 174 Legendre duplication formula

$$\Gamma(z)\Gamma\left(z + \frac{1}{2}\right) = 2^{1-2z}\sqrt{\pi}\,\Gamma(2z)$$

정리 175 Gauss's multiplication formula

$$\Gamma(z)\Gamma\left(z + \frac{1}{k}\right)\cdots\Gamma\left(z + \frac{k-1}{k}\right) = (2\pi)^{\frac{k-1}{2}}k^{\frac{1}{2}-kz}\Gamma(kz)$$

정리 176 Walker's inequality

$$\triangle ABC : \text{예각 삼각형} \Rightarrow 4(R+r)^2 \leq a^2 + b^2 + c^2$$

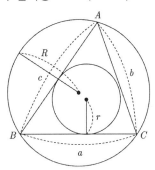

정리 177 Wirtinger's inequality

$$f(0) = f(a) = 0 \Rightarrow \int_0^a |f(x)|^2 \, dx \leq \left(\frac{a}{\pi}\right)^2 \int_0^a |f'(x)|^2 \, dx$$

정리 178 Kwak Seong-Eun Limit theorem

① $\displaystyle \lim_{n \to \infty} a_n = \lim_{n \to \infty} b_n = \infty, \ \lim_{n \to \infty} \frac{a_n}{b_n} = l \neq 0 \Rightarrow \lim_{n \to \infty} \frac{\ln(a_n)}{\ln(b_n)} = 1$

② $\displaystyle \lim_{n \to \infty} \left[\sum_{k=1}^{n} f\left(\frac{k}{n}\right) - n \int_0^1 f(x) dx \right] = \frac{f(1) - f(0)}{2}$

③ $\displaystyle \lim_{n \to \infty} \left[n^2 \int_0^1 f(x) dx - n \sum_{k=1}^{n} f\left(\frac{2k-1}{2n}\right) \right] = \frac{f'(1) - f'(0)}{24}$

④ $\displaystyle a_n > 0 \Rightarrow \lim_{n \to \infty} \sqrt[n]{a_n} = \lim_{n \to \infty} \frac{a_{n+1}}{a_n}$

⑤ $\displaystyle \lim_{n \to \infty} \frac{1}{n} \sum_{k=1}^{n^2} f\left(\frac{k}{n}\right) = \lim_{n \to \infty} \int_0^n f(x) \, dx$

⑥ $\displaystyle \lim_{n \to \infty} \frac{1}{n^4} \sum_{k=1}^{n} \left(k^2 \int_k^{k+1} x \cdot f(x-k) \, dx \right) = \frac{1}{4} \int_0^1 f(t) dt$

⑦ $\displaystyle a > 0 \Rightarrow \lim_{a \to 0} \int_0^{\sqrt{a}} \frac{a f(x)}{a^2 + x^2} \, dx = \frac{\pi}{2} f(0)$

⑧ $\displaystyle \lim_{n \to \infty} n \int_0^1 x^n f(x) \, dx = f(1)$

⑨ $\displaystyle \lim_{n \to \infty} \prod_{k=1}^{n} \left[1 + \frac{1}{n} f\left(\frac{k}{n}\right) \right] = e^{\int_0^1 f(x) \, dx}$

⑩ $\displaystyle f(0) = 0 \Rightarrow \lim_{n \to \infty} \sum_{k=1}^{n} f\left(\frac{k}{n^2}\right) = \frac{f'(0)}{2}, \ \lim_{n \to \infty} \sum_{k=1}^{n} f\left(\frac{k^2}{n^3}\right) = \frac{f'(0)}{3}$

⑪ $a_i > 0 \ \Rightarrow \ \lim_{n \to \infty} \sqrt[n]{\sum_{k=1}^{n} a_k^n} = \max\{a_1, a_2, ..., a_n\}$

⑫ $a_0 > 0 \ \Rightarrow \ \lim_{x \to \infty} \sqrt[n]{a_0 x^n + a_1 x^{n-1} + \cdots + a_n} - x\sqrt[n]{a_0} = \dfrac{a_1 \sqrt[n]{a_0}}{n a_0}$

⑬ $s > 1,\ \zeta(s) = \sum_{n=1}^{\infty} \dfrac{1}{n^s} \ \Rightarrow \ \lim_{n \to \infty} n^{s-1}\left(\sum_{k=1}^{n} \dfrac{1}{k^s} - \zeta(s)\right) = \dfrac{1}{1-s}$

⑭ $f(x) > 0 \Rightarrow \lim_{p \to 0} \dfrac{1}{p} \ln\left(\int_0^1 f(x)^p dx\right) = \int_0^1 \ln f(x)\, dx$

⑮ $f(0) = 0 \ \Rightarrow \ \lim_{n \to \infty} n\int_0^1 f\left(\dfrac{x}{n}\right) dx = \dfrac{1}{2} f'(0)$

⑯ $f(1) = 0 \ \Rightarrow \ \lim_{n \to \infty} n^2 \int_0^1 x^n f(x)\, dx = -f'(1)$

⑰ $\lim_{n \to \infty} n\int_0^{\frac{\pi}{2}} x f(x)(\cos x)^n\, dx = f(0)$

⑱ $-1 < f(x) < 1 \Rightarrow \lim_{n \to \infty} \int_0^1 \dfrac{f(ax)^n - f(x)^n}{x} dx = \ln\dfrac{1}{a}$

⑲ $\lim_{n \to \infty} \sqrt[n]{\prod_{k=1}^{n} f\left(\dfrac{k}{n}\right)} = e^{\int_0^1 \ln|f(x)|\, dx}$

⑳ $f(x + T) = f(x) \ \Rightarrow \ \lim_{n \to \infty} \int_a^b f(nx)dx = \dfrac{b-a}{T} \int_0^T f(x)dx$

㉑ $\lim_{n \to \infty} \int_0^{\pi} f(x)\, |\sin(nx)|\, dx = \dfrac{2}{\pi} \int_0^{\pi} f(x)dx$

㉒ $g(x) = g(x + \alpha) \Rightarrow \lim_{n \to \infty} \int_0^{\alpha} f(x) g(nx)dx = \dfrac{1}{\alpha} \int_0^{\alpha} f(x)dx \int_0^{\alpha} g(x)dx$

㉓ $\lim_{n \to \infty}\left(\dfrac{1}{n}\right)\int_0^n f(\sin x)\, dx = \dfrac{1}{2\pi} \int_0^{2\pi} f(\sin x)dx$

㉔ $\lim\limits_{n\to\infty}\displaystyle\int_0^1 xf(\sin(2\pi nx))\,dx = \dfrac{1}{4\pi}\displaystyle\int_0^{2\pi} f(\sin x)\,dx$

㉕ $g(x)=g(x+\alpha),\ k,m\in N$

$\Rightarrow \lim\limits_{n\to\infty}\displaystyle\int_{k\alpha}^{m\alpha} f(x)g(nx)\,dx = \dfrac{1}{\alpha}\displaystyle\int_{k\alpha}^{m\alpha} f(x)\,dx\displaystyle\int_0^{\alpha} g(x)\,dx$

㉖ $\lim\limits_{n\to\infty} n\displaystyle\int_0^1 x^n f(x^n)\,dx = \displaystyle\int_0^1 f(x)\,dx$

㉗ $\lim\limits_{n\to\infty}\dfrac{1}{n}\displaystyle\int_0^1 \dfrac{\sqrt[n]{x}}{x} f(x)\,dx = f(0)$

㉘ $\lim\limits_{n\to\infty} n\displaystyle\int_0^1 f(x^n)\,dx = \displaystyle\int_0^1 \dfrac{f(x)}{x}\,dx$

㉙ $f(x)=f(x+\pi) \Rightarrow \lim\limits_{n\to\infty}\displaystyle\int_{-n}^{n} f(x)\dfrac{\tan x}{x}\,dx = \displaystyle\int_{-\frac{\pi}{2}}^{\frac{\pi}{2}} f(x)\,dx$

㉚ $f(x)=f(x+\pi) \Rightarrow \lim\limits_{n\to\infty}\displaystyle\int_{-n}^{n} f(x)\dfrac{\sin x}{x}\,dx = \displaystyle\int_0^{\pi} f(x)\,dx$

㉛ $\lim\limits_{n\to\infty} n\displaystyle\int_0^1 f(x)g(x^n)\,dx = f(1)\displaystyle\int_0^1 \dfrac{g(x)}{x}\,dx$

㉜ $\lim\limits_{n\to\infty} n\left[f(1)\displaystyle\int_0^1 h(x)\,dx - n\displaystyle\int_0^1 x^n f(x)h(x^n)\,dx\right]$

$= (f(1)+f'(1))\displaystyle\int_0^1 \dfrac{1}{x}\left(\displaystyle\int_0^x h(t)\,dt\right)dx$

㉝ $\lim\limits_{n\to\infty} n\displaystyle\int_0^1 x^n f(x)g(x^n)\,dx = f(1)\displaystyle\int_0^1 g(x)\,dx$

㉞ $\lim\limits_{n\to\infty} n\displaystyle\int_0^1 \dfrac{x^n f(x)}{x^{2n}+1}\,dx = \dfrac{\pi}{4}f(1)$

㉟ $\displaystyle\lim_{n\to\infty} n\left[f(1)\int_0^1 \frac{g(x)}{x}dx - n\int_0^1 f(x)g(x^n)dx\right]$
$$= (f(1)+f'(1))\int_0^1 \frac{1}{x}\left(\int_0^x \frac{g(t)}{t}dt\right)dx$$

㊱ $\begin{cases}\displaystyle\lim_{x\to a}f(x)=1 \\ \displaystyle\lim_{x\to a}g(x)=\infty\end{cases} \;\Rightarrow\; \lim_{x\to a}f(x)^{g(x)} = e^{\lim\limits_{x\to a}g(x)(f(x)-1)}$

㊲ $a_k>0,\; \displaystyle\lim_{n\to\infty}\frac{a_{n+1}}{a_n}=b<1 \;\Rightarrow\; \lim_{n\to\infty}a_n=0$

㊳ $f'(0)\neq 0 \;\Rightarrow\; \displaystyle\lim_{x\to 0}\frac{f(x)-f(\sqrt{x})}{f(\sqrt[3]{x})-f(\sqrt[4]{x})}=0$

㊴ $\displaystyle\lim_{x\to\infty}f(x)=a\neq 0 \;\Rightarrow\; \lim_{x\to\infty}xf(x)f'(x)=0$

㊵ $p\neq 0\Rightarrow \displaystyle\lim_{x\to\infty}\sqrt[p]{x^p+x^{p-1}}-\sqrt[p]{x^p-x^{p-1}} = \frac{2}{p}$

㊶ $|c|>1 \;\Rightarrow\; \displaystyle\lim_{n\to\infty}\sum_{k=0}^n \frac{1}{n+c^{2k}}=0$

㊷ $f(0)=0, f'(0)=1, p>0 \;\Rightarrow\; \displaystyle\lim_{n\to\infty}\sum_{k=1}^n \left[f\left(-\sqrt[p]{n+k}\right)\right]^p = \ln 2$

㊸ $f(x):$ 미분 가능 $\Rightarrow\; \displaystyle\lim_{n\to\infty}\int_0^1 f(x)\sin(nx)\,dx=0$

㊹ $\displaystyle\lim_{n\to\infty}\int_0^1 \cos^2(nx)f(x)\,dx=\frac{1}{2}\int_0^1 f(x)dx$

㊺ $\displaystyle\lim_{x\to\infty}f(x)=l \Rightarrow \lim_{n\to\infty}\frac{1}{n}\int_0^n f(x)g\left(\frac{x}{n}\right)dx = l\int_0^1 g(x)dx$

㊻ $f(x+T)=f(x)\Rightarrow \displaystyle\lim_{x\to\infty}\frac{1}{x}\int_0^x f(t)dt = \frac{1}{T}\int_0^T f(x)dx$

정리 179 Erdös-Mordell Inequality

$$2(p+q+r) \leq x+y+z$$

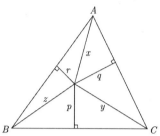

정리 180 Oppenheim-Mordell Inequality

$$(p+q)(q+r)(r+p) \leq xyz$$

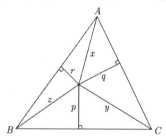

정리 181 Kaplan Surface of Revolution

$$S = 2\pi \int_a^b f(x)\sqrt{1+f'(x)^2}\,dx = 2\pi \int_{t_1}^{t_2} y(t)\sqrt{(x'(t))^2 + (y'(t))^2}\,dt$$

정리 182 Kwak Seong-Eun recurrence

$$x_{n+1} = \frac{ax_n + b}{cx_n + d} \Rightarrow x_n = \frac{y_{n+1}}{y_n} - \frac{d}{c} \text{로 치환}$$

정리 183 Kwak Seong-Eun Area and Volume theorem

$$넓이 = \iint_R \left| \frac{\partial(x,y)}{\partial(x_1,y_1)} \right| \left| \frac{\partial(x_1,y_1)}{\partial(x_2,y_2)} \right| \cdots \left| \frac{\partial(x_{n-1},y_{n-1})}{\partial(x_n,y_n)} \right| dx_n\,dy_n$$

$$부피 = \iiint_V \left| \frac{\partial(x,y,z)}{\partial(x_1,y_1,z_1)} \right| \left| \frac{\partial(x_1,y_1,z_1)}{\partial(x_2,y_2,z_2)} \right| \cdots \left| \frac{\partial(x_{n-1},y_{n-1},z_{n-1})}{\partial(x_n,y_n,z_n)} \right| dx_n\,dy_n\,dz_n$$

정리 184 Kwak Seong-Eun inverse trigonometry

① $\sin^{-1}x + \sin^{-1}y = \begin{cases} \sin^{-1}\left(x\sqrt{1-y^2}+y\sqrt{1-x^2}\right), & (x^2+y^2 \leq 1, xy < 0) \\ \pi - \sin^{-1}\left(x\sqrt{1-y^2}+y\sqrt{1-x^2}\right), & (x^2+y^2 > 1, x,y > 0) \\ \pi + \sin^{-1}\left(x\sqrt{1-y^2}+y\sqrt{1-x^2}\right), & (x^2+y^2 > 1, x,y < 0) \end{cases}$

② $\tan^{-1}x + \tan^{-1}y = \begin{cases} \dfrac{\pi}{2}, & (xy = 1, x,y > 0) \\[2mm] -\dfrac{\pi}{2}, & (xy = 1, x,y < 0) \\[2mm] \pi + \tan^{-1}\left(\dfrac{x+y}{1-xy}\right), & (xy > 1, x,y > 0) \\[2mm] -\pi + \tan^{-1}\left(\dfrac{x+y}{1-xy}\right), & (xy > 1, x,y < 0) \\[2mm] \tan^{-1}\left(\dfrac{x+y}{1-xy}\right), & (xy < 1) \end{cases}$

정리 185 Ramanujan's Master Theorem

$$F(x) = \sum_{k=0}^{\infty} \frac{\phi(k)(-x)^k}{k!} \implies \int_0^{\infty} x^{n-1}F(x)\,dx = \Gamma(n)\phi(-n)$$

정리 186 Fourier series

① $f(x) = f(x+2\pi) \implies f(x) = \dfrac{a_0}{2} + \displaystyle\sum_{n=1}^{\infty} a_n\cos nx + b_n\sin nx$

$a_n = \dfrac{1}{\pi}\displaystyle\int_{-\pi}^{\pi} f(x)\cos nx\,dx, \ b_n = \dfrac{1}{\pi}\displaystyle\int_{-\pi}^{\pi} f(x)\sin nx\,dx$

② $f(x):$우함수 $\implies f(x) = \dfrac{a_0}{2} + \displaystyle\sum_{n=1}^{\infty} a_n\cos nx\,dx$

$a_n = \dfrac{2}{\pi}\displaystyle\int_0^{\pi} f(x)\cos nx\,dx$

③ $f(x):$기함수 $\implies f(x) = \displaystyle\sum_{n=1}^{\infty} b_n\sin nx, \ b_n = \dfrac{2}{\pi}\displaystyle\int_0^{\pi} f(x)\sin nx\,dx$

④ $f(x) = f(x+L) \implies f(x) = \dfrac{a_0}{2} + \displaystyle\sum_{n=1}^{\infty} a_n\cos\dfrac{n\pi x}{L} + b_n\sin\dfrac{n\pi x}{L}$

$$a_n = \frac{1}{L} \int_{-L}^{L} f(x) \cos\frac{n\pi x}{L}\, dx, \, b_n = \frac{1}{L} \int_{-L}^{L} f(x) \sin\frac{n\pi x}{L}\, dx$$

⑤ $f(x):$우함수 $\Rightarrow f(x) = \dfrac{a_0}{2} + \displaystyle\sum_{n=1}^{\infty} a_n \cos\frac{n\pi x}{L}\, dx$

$$a_n = \frac{2}{L} \int_{0}^{L} f(x) \cos\frac{n\pi x}{L}\, dx$$

⑥ $f(x):$기함수 $\Rightarrow f(x) = \displaystyle\sum_{n=1}^{\infty} b_n \sin\frac{n\pi x}{L}, \, b_n = \frac{2}{L} \int_{0}^{L} f(x) \sin\frac{n\pi x}{L}\, dx$

⑦ $\exists \displaystyle\int_{-\infty}^{\infty} |f(x)|\, dx \Rightarrow$
$$f(x) = \int_{0}^{\infty} A(\alpha) \cos\alpha x\, d\alpha + \int_{0}^{\infty} B(\alpha) \sin\alpha x\, d\alpha.$$
$$A(\alpha) = \frac{1}{\pi} \int_{-\infty}^{\infty} f(u) \cos\alpha u\, du, \, B(\alpha) = \frac{1}{\pi} \int_{-\infty}^{\infty} f(u) \sin\alpha u\, du$$

⑧ $\exists \displaystyle\int_{-\infty}^{\infty} |f(x)|\, dx, f(x):$우함수$\Rightarrow f(x) = \frac{2}{\pi} \int_{0}^{\infty} \int_{0}^{\infty} f(u) \cos\alpha u \cos\alpha x\, du\, d\alpha$

⑨ $\exists \displaystyle\int_{-\infty}^{\infty} |f(x)|\, dx, f(x):$기함수$\Rightarrow f(x) = \frac{2}{\pi} \int_{0}^{\infty} \int_{0}^{\infty} f(u) \sin\alpha u \sin\alpha x\, du\, d\alpha$

정리 187 Laplace transformation

$$\mathcal{L}(f) = \int_{0}^{\infty} e^{-st} f(t)\, dt = F(s), \, \mathcal{L}(g) = G(s)$$

① $\mathcal{L}\left[e^{at} f(t)\right] = F(s-a)$

② $\mathcal{L}\left[f(t-a) u_a(t)\right] = e^{-as} F(s), \, u_a(t) = \begin{cases} 0, t < a \\ 1, t > a \end{cases}$

③ $\mathcal{L}\left[f(at)\right] = \dfrac{1}{a} F\left(\dfrac{s}{a}\right)$

④ $\mathcal{L}\left[t^n f(t)\right] = (-1)^n F^{(n)}(s)$

⑤ $\mathcal{L}\left[\dfrac{f(t)}{t}\right] = \displaystyle\int_{s}^{\infty} F(u)\, du$

⑥ $\mathcal{L}\left[f'(t)\right] = s\mathcal{L}(f) - f(0)$

⑦ $\mathcal{L}\left[f''(t)\right] = s^2 \mathcal{L}(f) - sf(0) - f'(0)$

⑧ $\mathcal{L}\left[\displaystyle\int_{0}^{t} f(u)\, du\right] = \dfrac{F(s)}{s}$

⑨ $f(t) = f(t+T) \Rightarrow \pounds\,[f(t)] = \dfrac{\displaystyle\int_0^T e^{-st}f(t)dt}{1-e^{-sT}}$

⑩ $\pounds\left[\displaystyle\int_0^t f(u)g(t-u)du\right] = F(s)G(s)$

⑪ $\pounds\,[t^a] = \dfrac{\Gamma(a+1)}{s^{a+1}}$, $\pounds\,[e^{at}] = \dfrac{1}{s-a}$, $\pounds\,[\cos(\omega t)] = \dfrac{s}{s^2+\omega^2}$

⑫ $\pounds\,[\sin(\omega t)] = \dfrac{\omega}{s^2+\omega^2}$, $\pounds\,[\cosh(at)] = \dfrac{s}{s^2-a^2}$, $\pounds\,[\sinh(at)] = \dfrac{a}{s^2-a^2}$

정리 188 Gaussian sum

$$\sum_{j=0}^{n-1} \sqrt[n]{e^{2\pi j^2 i}} = \begin{cases} (1+i)\sqrt{n}, & (n \equiv 0\,(\mathrm{mod}\,4)) \\ \sqrt{n}, & (n \equiv 1\,(\mathrm{mod}\,4)) \\ 0, & (n \equiv 2\,(\mathrm{mod}\,4)) \\ i\sqrt{n}, & (n \equiv 3\,(\mathrm{mod}\,4)) \end{cases}$$

정리 189 Gregorio Fontana Constant

$$\frac{z}{\ln(1-z)} = \sum_{n=0}^{\infty} c_n z^n,\ |z| < 1 \Rightarrow c_n : \text{Gregorio constant}$$

정리 190 Gregorio Fontana theorem

$$H_n = \gamma + \ln n + \frac{1}{2n} - \sum_{k=2}^{\infty} \frac{(k-1)!\,c_k}{n(n+1)\cdots(n+k-1)},\ \gamma : \text{Euler 상수}$$

정리 191 Cross ratio

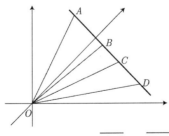

$$[A, B, C, D] = \frac{\overline{AC} \cdot \overline{BD}}{\overline{AD} \cdot \overline{BC}}$$

정리 192 Centroid of the area

$$\bar{x} = \frac{\displaystyle\int_A x\, dA}{\displaystyle\int_A dA} \ , \ \bar{y} = \frac{\displaystyle\int_A y\, dA}{\displaystyle\int_A dA}$$

정리 193 Centroid of the curve

$$\bar{x} = \frac{\displaystyle\int_{l_1} x\, dl_1}{\displaystyle\int_{l_1} dl_1} , \ \bar{y} = \frac{\displaystyle\int_{l_2} y\, dl_2}{\displaystyle\int_{l_2} dl_2} \ , \quad \begin{aligned} dl_1 &= \sqrt{1 + \left(\frac{dx}{dy}\right)^2}\, dy \\ dl_2 &= \sqrt{1 + \left(\frac{dy}{dx}\right)^2}\, dx \end{aligned}$$

정리 194 Centroid of the surface

$$\bar{x} = \frac{\displaystyle\iint_{s_1} x\, ds_1}{\displaystyle\iint_{s_1} ds_1} \ , \ ds_1 = \sqrt{1 + x_y^2 + x_z^2}\, dydz$$

$$\bar{y} = \frac{\displaystyle\iint_{s_2} y\, ds_2}{\displaystyle\iint_{s_2} ds_2} , \ ds_2 = \sqrt{1 + y_x^2 + y_z^2}\, dxdz$$

$$\bar{z} = \frac{\displaystyle\iint_{s_3} z\, ds_3}{\displaystyle\iint_{s_3} ds_3} \ , \ ds_3 = \sqrt{1 + z_x^2 + z_y^2}\, dxdy$$

정리 195 Kwak Seong-eun theorem

$s_x = 2\pi \bar{y}\, l$, s_x : x축 회전시 표면적, l : 곡선의 길이, $\bar{y}$: 곡선의 무게중심.

정리 196 Centroid of the volume

$$\bar{x} = \frac{\displaystyle\iiint x\, dV}{\displaystyle\iiint dV}, \ \bar{y} = \frac{\displaystyle\iiint y\, dV}{\displaystyle\iiint dV}, \ \bar{z} = \frac{\displaystyle\iiint z\, dV}{\displaystyle\iiint dV}$$

정리 197 Kwak Seong-Eun inverse function Integration

$$f(x) : \text{전단사}, \quad \begin{cases} f(a) = c \\ f(b) = d \end{cases} \Rightarrow \int_a^b f(x)dx + \int_c^d f^{-1}(x)dx = bd - ac$$

정리 198 Kwak Seong-Eun sum of arctangent

$$\begin{cases} a_0 = 1 + ac + bc + c^2 \\ a_1 = ab + b^2 + 2ac + 2bc \\ a_2 = a^2 + 3ab + b^2 + 2ac \\ a_3 = 2a(a+b) \end{cases} \Rightarrow \sum_{n=1}^{\infty} \tan^{-1}\left(\frac{2an + a + b}{a^2n^4 + a_3n^3 + a_2n^2 + a_1n + a_0}\right) = \frac{\pi}{2} - \tan^{-1}(a+b+c)$$

정리 199 Stolz-Cesaro's II theorem

$$\lim_{n\to\infty} a_n = \lim_{n\to\infty} b_n = 0, \ \exists \lim_{n\to\infty} \frac{a_{n+1} - a_n}{b_{n+1} - b_n} = l \Rightarrow \lim_{n\to\infty} \frac{a_n}{b_n} = l$$

정리 200 Catalan number

$$C_n = \frac{1}{n+1} \cdot {}_{2n}C_n$$

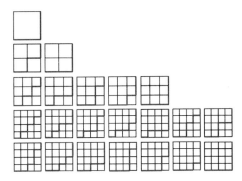

정리 201 Descartes' theorem

$$k_i : \text{반지름} \Rightarrow k_4 = k_1 + k_2 + k_3 \pm 2\sqrt{k_1k_2 + k_2k_3 + k_3k_1}$$

정리 202 Kwak Seong-Eun inequality

$$0 \leq \alpha < \beta < 90° , \, 0 < \theta \leq \frac{\beta - \alpha}{2}$$

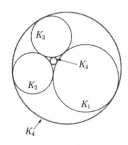

$$\Rightarrow \cos\alpha + \cos\beta < \cos(\alpha + \theta) + \cos(\beta - \theta)$$

정리 203 Schweitzer's inequality

$$a_k \in [a,b] \subset R^+ \Rightarrow n^2 \leq \left(\sum_{i=1}^{n} a_i\right)\left(\sum_{i=1}^{n} \frac{1}{a_i}\right) \leq \frac{n^2 (a+b)^2}{4ab}$$

정리 204 Kwak Seong-Eun inequality

$$n \in N \Rightarrow (a+b)^n \leq 2^{n-1}(a^n + b^n)$$

정리 205 Titu's inequality

$$a_i > 0 \Rightarrow \frac{\left(\sum_{i=1}^{n} x_i\right)^2}{\sum_{i=1}^{n} a_i} \leq \sum_{i=1}^{n} \left(\frac{x_i^2}{a_i}\right)$$

정리 206 Kwak Seong-Eun Series theorem

$$\lim_{n \to \infty} v_n = 0 \Rightarrow \lim_{n \to \infty} \frac{v_1 + v_2 + \cdots + v_n}{n} = 0$$

Chapter 2

다양한 정적분

다음 정적분 값을 구하시오.

○○1 $\displaystyle\int_0^\infty \frac{x^3}{(1+x)^5}\, dx = ?$

○○2 $\displaystyle\int_1^{\ln 3} \frac{e^x - e^{2x}}{1 + e^x}\, dx = ?$

○○3 $\displaystyle\int_0^{\frac{\pi}{2}} \sin^n x\, dx = ?$

○○4 $\displaystyle\int_0^{\frac{\pi}{2}} \sin^m x \cos^n x\, dx = ?$

○○5 $\displaystyle\int_0^{\frac{\pi}{2}} \frac{\sin^m x}{\sin^m x + \cos^m x}\, dx = ?$

○○6 $\displaystyle\int_0^{\pi} \frac{x \sin x}{1 + \cos^2 x}\, dx = ?$

○○7 $\displaystyle\int_0^{\frac{1}{\sqrt{2}}} \frac{x \sin^{-1} x^2}{\sqrt{1 - x^4}}\, dx = ?$

008 $\displaystyle\int_0^\pi \frac{1}{\alpha-\cos x}\,dx = ?$ $(\alpha>1)$

009 $\displaystyle\int_0^\pi \frac{1}{(\alpha-\cos x)^2}\,dx = ?$ $(\alpha>1)$

010 $\displaystyle\int_0^\pi \ln\left(\frac{b-\cos x}{a-\cos x}\right)\,dx = ?$, $(a,b>1)$

011 $\displaystyle\int_0^1 \frac{x-1}{\ln x}\,dx = ?$

012 $\displaystyle\int_0^1 x^p(\ln x)^m\,dx = ?$, $(m>0)$

013 $\displaystyle\int_0^{\frac{\pi}{2}} \ln(\sin x)\,dx = ?$

014 $\displaystyle\int_0^\pi x\ln(\sin x)\,dx = ?$

015 $\displaystyle\int_0^\infty \frac{1}{(1+x^2)^{n+1}}\,dx = ?$

016 $\displaystyle\int_0^\infty \frac{e^{-ax}-e^{-bx}}{x\sec(rx)}\,dx = ?$

017 $\displaystyle\int_0^\infty e^{-ax}\cdot\frac{1-\cos x}{x^2}\,dx = ?$

018 $\displaystyle\int_0^\infty \frac{1-\cos x}{x^2}\,dx = ?$

019 $\displaystyle\int_0^\infty \frac{\sin x}{x}\,dx = ?$

020 $\displaystyle\int_0^\infty \frac{\sin^2 x}{x^2}\,dx = ?$

021 $\displaystyle\int_0^\infty \frac{\sin^3 x}{x}\,dx = ?$

022 $\displaystyle\int_0^\infty e^{-x^2}\cos(\alpha x)\,dx = ?$

023 $\displaystyle\int_0^\infty e^{-\left(x-\frac{\alpha}{x}\right)^2}\,dx = ?$

024 $\displaystyle\int_0^\infty e^{-\left(x^2+x^{-2}\right)}\,dx = ?$

025 $\displaystyle\int_{-\infty}^\infty \frac{1}{x^2+2ax+b^2}\,dx = ?$

026 $\displaystyle\int_0^{\frac{4}{\pi}}\left(3x^2\sin x^{-1}-x\cos x^{-1}\right)dx = ?$

027 $\displaystyle\int_0^\infty \frac{e^{-ax}-e^{-bx}}{x}\,dx = ?$

028 $\displaystyle\int_0^\infty \frac{e^{-ax} - e^{-bx}}{x\cosec(rx)}\, dx = ?$

029 $\displaystyle\int_0^\infty e^{-\alpha x}\left(\frac{\cos ax - \cos bx}{x}\right) dx = ?$

030 $\displaystyle\int_0^\infty \frac{\cos ax - \cos bx}{x}\, dx = ?$

031 $\displaystyle\int_0^\infty e^{-\alpha x^2}\, dx = ?$

032 $\displaystyle\int_0^\infty x^{2p} e^{-\alpha x^2}\, dx = ?$

033 $\displaystyle\int_0^\infty e^{-\frac{a}{x^2}} - e^{-\frac{b}{x^2}}\, dx = ?$

034 $\displaystyle\int_0^\infty \frac{\tan^{-1}\left(\dfrac{x}{a}\right) - \tan^{-1}\left(\dfrac{x}{b}\right)}{x}\, dx = ?$

035 $\displaystyle\int_0^\infty x^{-\frac{1}{2}} e^{-x}\, dx = ?$

036 $\displaystyle\int_0^\infty \sqrt{x}\, e^{-x^3}\, dx = ?$

037 $\displaystyle\int_0^\infty 3^{-4x^2}\, dx = ?$

038 $\displaystyle\int_0^1 \frac{1}{\sqrt{-\ln x}}\, dx = ?$

039 $\displaystyle\int_0^1 x^m (\ln x)^n\, dx = ?\ ,\ (n \in N)$

040 $\displaystyle\int_0^\infty \frac{x^{p-1}}{1+x}\, dx = ?$

041 $\displaystyle\int_0^2 x\sqrt[3]{8-x^3}\, dx = ?$

042 $\displaystyle\int_0^\infty \frac{1}{1+x^4}\, dx = ?$

043 $\displaystyle\int_0^\infty \sqrt[4]{x}\, e^{-\sqrt{x}}\, dx = ?$

044 $\displaystyle\int_0^1 \left(\ln \frac{1}{x}\right)^{n-1}\, dx = ?\ ,\ (n \in N)$

045 $\displaystyle\int_0^1 (\ln x)^4\, dx = ?$

046 $\displaystyle\int_0^1 (x \cdot \ln x)^3\, dx = ?$

047 $\displaystyle\int_0^1 \sqrt{\dfrac{1-x}{x}}\ dx = ?$

048 $\displaystyle\int_0^4 x^{\frac{3}{2}} (4-x)^{\frac{5}{2}}\ dx = ?$

049 $\displaystyle\int_0^{\frac{\pi}{2}} \sqrt{\tan x}\ dx = ?$

050 $\displaystyle\int_0^{\infty} \dfrac{x}{1+x^6}\ dx = ?$

051 $\displaystyle\int_0^{\infty} \dfrac{x^2}{1+x^4}\ dx = ?$

052 $\displaystyle\int_{-\infty}^{\infty} \dfrac{e^{2x}}{ae^{3x}+b}\ dx = ?$

053 $\displaystyle\int_{-\infty}^{\infty} \dfrac{e^{2x}}{\left(e^{3x}+1\right)^2}\ dx = ?$

054 $\displaystyle\int_0^{\frac{\pi}{2}} \tan^p x\ dx = ?\ , (0 < p < 1)$

055 $\displaystyle\int_0^1 \dfrac{x^m - x^n}{\ln x}\ dx = ?$

056 $\displaystyle\int_0^{2\pi} \dfrac{1}{\alpha + \sin x}\ dx = ?$

057 $\displaystyle\int_0^{2\pi} \ln\left(\frac{5+3\sin x}{5+4\sin x}\right) dx = ?$

058 $\displaystyle\int_{-\infty}^{\infty} \frac{1}{\left(x^3+x+1\right)^3}\, dx = ?$

059 $\displaystyle\int_0^{\infty} \frac{\ln\left(1+a^2x^2\right)}{1+x^2}\, dx = ?$

060 $\displaystyle\int_0^{\infty} \frac{\cos x}{x^n}\, dx = ?$

061 $\displaystyle\int_0^{\infty} \frac{\sin x}{x^n}\, dx = ?$

062 $\displaystyle\int_0^1 \frac{1}{\sqrt{1-\sqrt[4]{x}}}\, dx = ?$

063 $\displaystyle\int_0^{\infty} e^{-\alpha x} \cdot \frac{\sin x}{x}\, dx = ?$

064 $\displaystyle\int_0^{\infty} x^7 e^{-3x^2}\, dx = ?$

065 $\displaystyle\int_0^{\infty} x \cdot e^{-2x} \cdot \cos x\, dx = ?$

066 $\displaystyle\int_0^{\infty} e^{-4x} \sin\sqrt{x}\, dx = ?$

067 $\displaystyle\int_{0}^{\infty} e^{-4x} \cdot \frac{\cos\sqrt{x}}{\sqrt{x}}\, dx = \ ?$

068 $\displaystyle\int_{0}^{\infty} \frac{e^{-x}\sin^2 x}{x}\, dx = \ ?$

069 $\displaystyle\int_{0}^{\infty} x^3 e^{-x^2}\, dx = \ ?$

070 $\displaystyle\int_{0}^{\frac{\pi}{2}} \frac{1}{1+\alpha\cos x}\, dx = \ ?$

071 $\displaystyle\int_{0}^{\frac{\pi}{2}} \sec x \cdot \ln\left(\frac{1+b\cos x}{1+a\cos x}\right) dx = \ ?$

072 $\displaystyle\int_{0}^{1} \frac{1-e^{-x^2}}{x^2}\, dx = \ ?$

073 $\displaystyle\int_{0}^{1} e^{\cos x}\, dx = \ ?$

074 $\displaystyle\int_{0}^{t} e^{-x^2}\, dx = \ ?$

075 $\displaystyle\int_{0}^{\infty} \cos x^2\, dx = \ ?$

076 $\displaystyle\int_{0}^{\infty} \sin x^2\, dx = \ ?$

077 $\displaystyle\int_0^\infty x^2 e^{-x} \sin x \, dx = ?$

078 $\displaystyle\int_0^\infty e^{-2x} \cdot \frac{\sin^2 x}{x} \, dx = ?$

079 $\displaystyle\int_0^\infty x^{-p-\frac{3}{2}} \cdot e^{-x} \, dx = ?$

080 $\displaystyle\int_0^\infty \frac{x^{n-1}}{e^x - 1} \, dx = ?$

081 $\displaystyle\int_0^{\frac{\pi}{2}} \frac{1}{\sqrt{\tan x}} \, dx = ?$

082 $\displaystyle\int_a^b (x-a)^{\frac{1}{2}} (b-x)^{\frac{3}{2}} \, dx = ?$

083 $\displaystyle\int_0^\pi \cos(\cos x) \, dx = ?$

084 $\displaystyle\int_0^t \sin x \cdot \cos(t-x) \, dx = ?$

085 $\displaystyle\int_{-\pi}^0 \frac{\sin\left(m+\frac{1}{2}\right)x}{2\sin\frac{x}{2}} \, dx = ?$

086 $\displaystyle\int_0^\infty \frac{\cos\alpha x}{1+x^2}\,dx = ?$

087 $\displaystyle\int_0^\infty \frac{\sin rx}{x(1+x^2)}\,dx = ?$

088 $\displaystyle\int_0^\infty \frac{1-\cos rx}{x^2}\,dx = ?$

089 $\displaystyle\int_0^\infty \frac{x\sin\alpha x}{1+x^2}\,dx = ?$

090 $\displaystyle\int_0^\infty \sin\alpha x \cdot \frac{1-\cos\pi x}{x}\,dx = ?,\ \ (0 < \alpha < \pi)$

091 $\displaystyle\int_0^\infty \frac{x\sin rx}{a^2+x^2}\,dx = ?\ (a, r > 0)$

092 $\displaystyle\int_0^{\frac{\pi}{2}} \frac{1}{\sqrt{1-k^2\sin^2 x}}\,dx = ?,\ \ (0 < k < 1)$

093 $\displaystyle\int_0^{\frac{\pi}{2}} \frac{1}{\sqrt{\sin x}}\,dx = ?$

094 $\displaystyle\int_0^{2\pi} \frac{1}{1+\tan^4 x}\,dx = ?$

095 $\displaystyle \int_0^\pi \frac{\cos\dfrac{x}{2} - \cos\left(2n+\dfrac{1}{2}\right)x}{2\sin\dfrac{x}{2}} \, dx \; = \; ?$

096 $\displaystyle \int_{-\pi}^\pi \ln\left|\sin\left(\frac{x}{2}\right)\right| dx = ?$

097 $\displaystyle \int_0^1 \frac{\ln x}{x^2-1} dx = ?$

098 $\displaystyle \int_0^\infty \frac{dx}{(1+x^\alpha)(1+x^2)} = ?$

099 $\displaystyle \int_1^\infty \frac{1}{e^{x+1}+e^{3-x}} dx = ?$

100 $\displaystyle \int_1^k [x]\,f'(x)\,dx = ?$, $(k>1,\ [x]$:Gauss' notation$)$

101 $\displaystyle \int_1^k [x^2]\,f'(x)\,dx = ?$, $(k>1,\ [x]$:Gauss' notation$)$

102 $\displaystyle \int_0^1 x^x \, dx = ?$

103 $\displaystyle \int_0^{\frac{\pi}{2}} \frac{1}{1+\tan^{\sqrt{2}} x} \, dx = ?$

104 $\displaystyle\int_{2}^{4} \frac{\ln^{\frac{1}{2}}(9-x)}{\ln^{\frac{1}{2}}(9-x)+\ln^{\frac{1}{2}}(3+x)}\, dx = ?$

105 $\displaystyle\int_{0}^{\infty} x^{-\frac{1}{2}} e^{-k\left(x+\frac{1}{x}\right)}\, dx = ?$

106 $\displaystyle\int_{0}^{\ln 2} \frac{2e^{3x}+e^{2x}-1}{e^{3x}+e^{2x}-e^{x}+1}\, dx = ?$

107 $\displaystyle\int_{0}^{2\pi} \frac{x\cos x}{1+\sin^2 x}\, dx = ?$

108 $\displaystyle\int_{0}^{1} \frac{\ln(1+x)}{1+x^2}\, dx = ?$

109 $\displaystyle\int_{\frac{\pi}{4}}^{\frac{\pi}{3}} \frac{\left(\sin^3\theta-\cos^3\theta-\cos^2\theta\right)\left(\sin\theta+\cos\theta+\cos^2\theta\right)^{2007}}{\sin^{2009}\theta \cdot \cos^{2009}\theta}\, d\theta = ?$

110 $\displaystyle\int_{0}^{\frac{\pi}{12}} \frac{dx}{(\sin x+\cos x)^4} = ?$

111 $\displaystyle\int_{0}^{\frac{\pi}{2}} \cos^{2006}x \cdot \sin 2008x\, dx = ?$

112 $\displaystyle\int_{0}^{\frac{\pi}{2}} \frac{x^2}{(\cos x+x\sin x)^2}\, dx = ?$

113 $\displaystyle\int_0^1 e^{\sqrt{e^x}}\, dx + 2\int_e^{e^{\sqrt{e}}} \ln(\ln x)\, dx = ?$

114 $\displaystyle\int_1^\pi \left(x^3 \ln x - \frac{6}{x}\right)\sin x\, dx = ?$

115 $\displaystyle\int_{e^e}^{e^{e+1}} \left\{\frac{1}{\ln x \cdot \ln(\ln x)} + \ln(\ln(\ln x))\right\} dx = ?$

116 $\displaystyle\int_{e^2}^{e^3} \frac{\ln x \cdot \ln(x\ln x) \cdot \ln\{x\ln(x\ln x)\} + \ln x + 1}{\ln x \cdot \ln(x\ln x)}\, dx = ?$

117 $\displaystyle\int_0^1 \frac{x}{\left(x^2+x+1\right)^{3/2}}\, dx = ?$

118 $\displaystyle\int_0^1 \left(1-x^2\right)^{\frac{5}{2}}\, dx = ?$

119 $a+b=1 \Rightarrow \min\left\{\displaystyle\int_0^\pi (a\sin x + b\sin 2x)^2\, dx\right\} = ?$

120 $0 \le \alpha \le \beta,\ f(x) = x^2 - (\alpha+\beta)x + \alpha\beta$

$\displaystyle\int_{-1}^1 f(x) = 1 \Rightarrow \max\left\{\int_0^\alpha f(x)\, dx\right\} = ?$

121 $n = 0, 1, 2, \ldots \Rightarrow \displaystyle\int_0^\pi \frac{\cos nx}{2-\cos x}\, dx = ?$

122 $\displaystyle\int_0^1 \frac{4x+3}{\left(x^2-x+1\right)^2}\,dx \; = \; ?$

123 $\displaystyle\int_0^{\frac{\pi}{2}} \ln(\tan x)\,dx \; = \; ?$

124 $\displaystyle\int_0^1 \frac{x}{(x+1)}\,\sqrt{1-x^2}\,dx \; = \; ?$

125 $1-f(x)=f(1-x),\,(0\le x\le 1)\Rightarrow \displaystyle\int_0^1 f(x)dx \; = \; ?$

126 $\displaystyle\int_0^x t^2 \sin(x-t)\,dt \; = \; x^2 \Rightarrow x = \; ?$

127 $\displaystyle\int_{\frac{\pi}{4}}^{\frac{\pi}{2}} \left(\sqrt{\frac{\sin x}{x}}+\sqrt{\frac{x}{\sin x}}\,\cos x\right)dx \; = \; ?$

128 $\displaystyle\int_0^{\pi} e^{x\sin x}\left(x^2\cos x+x\sin x+1\right)dx \; = \; ?$

129 $\displaystyle\int_{\frac{\pi}{4}}^{\frac{\pi}{3}} \frac{1+\cot x}{e^x \sin x}\,dx \; = \; ?$

130 $\displaystyle\int_0^1 \left(1+2008x^{2008}\right)e^{x^{2008}}\,dx \; = \; ?$

131 $\displaystyle\int_{-2008}^{2008} \frac{f'(x)+f'(-x)}{2008^x+1}\, dx = ?$

132 $\displaystyle\int_{0}^{n\pi} \frac{x|\sin x|}{1+|\cos x|}\, dx = ?,\ (n\in N)$

133 $f(x) = xe^{-\frac{x}{a}} + \dfrac{1}{a+1}\displaystyle\int_{0}^{a} f(t)\, dt \Rightarrow \int_{0}^{a} f(t)dt = ?$

134 $\displaystyle\int_{0}^{2008} (\pi x)|\sin\pi x|\, dx = ?$

135 $\min\left\{\displaystyle\int_{0}^{\pi} \left[ax(\pi^2-x^2)-\sin x\right]^2 dx\right\} \Rightarrow a = ?$

136 $\displaystyle\int_{0}^{1} (1+x+x^2+\cdots+x^{n-1})\{1+3x+\cdots+(2n-1)x^{n-1}\}dx = ?$

137 $\displaystyle\int_{\frac{\pi}{4}}^{\frac{\pi}{2}} \cos\left(\dfrac{1}{\sin\left(\dfrac{1}{\sin x}\right)}\right)\cos\left(\dfrac{1}{\sin x}\right)\dfrac{\cos x}{\sin^2 x \sin^2\left(\dfrac{1}{\sin x}\right)}\, dx = ?$

138 $\displaystyle\int_{\frac{\pi}{8}}^{\frac{3\pi}{8}} \frac{11+4\cos 2x+\cos 4x}{1-\cos 4x}\, dx = ?$

139 이차함수: $f(x),\ f'(2)=1 \Rightarrow \displaystyle\int_{2-\pi}^{2+\pi} f(x)\sin\left(\frac{x}{2}-1\right)dx = ?$

140 $\displaystyle\int_0^{\frac{\pi}{2}} \frac{1}{\{\sin(x+a)+\cos x\}^2}\, dx = ?$

141 $\displaystyle\frac{\displaystyle\int_0^{\pi} e^{-x}\sin^n x\, dx}{\displaystyle\int_0^{\pi} e^{x}\sin^n x\, dx} = ?,\ (n \geq 2)$

142 $\displaystyle\int_0^{\frac{\pi}{2}} \frac{1-\sin 2x}{(1+\sin 2x)^2}\, dx = ?$

143 $\displaystyle\int_0^1 \frac{(1-x^2)}{(1+x^2)\sqrt{1+x^4}}\, dx = ?$

144 $\displaystyle\int_0^{\frac{\pi}{2}} \frac{\sin^2 n\theta}{\sin^2 \theta}\, d\theta = ?,\ (n \in N)$

145 $\displaystyle\int_0^{\frac{\pi}{4}} \left(\frac{\cos x}{\sin x + \cos x}\right)^2 dx = ?$

146 $\displaystyle\int_0^{\pi} \frac{\cos 4x - \cos 4\alpha}{\cos x - \cos \alpha}\, dx = ?$

147 $0 < a < 1,\ f(x) = \dfrac{a-x}{1-ax},\ (-1 < x < 1)$

$\Rightarrow \displaystyle\int_0^a \frac{1-f(x)^6}{1-x^2}\, dx = ?$

148 $f(x) = x^4 + |x| \Rightarrow \dfrac{\displaystyle\int_0^\pi f(\cos x)\,dx}{\displaystyle\int_0^{\pi/2} f(\sin x)\,dx} = ?$

149 $f(x) = f\left(\dfrac{c}{x}\right),\ \displaystyle\int_1^{\sqrt{c}} \dfrac{f(x)}{x}\,dx = 3 \Rightarrow \int_1^c \dfrac{f(x)}{x}\,dx = ?,\ c > 1$

150 $\displaystyle\int_{\frac{\pi}{2}}^{\frac{2\pi}{3}} \dfrac{dx}{\sin x \sqrt{1 - \cos x}} = ?$

151 $\displaystyle\int_{-\pi+a}^{3\pi+a} |x - a - \pi|\sin\left(\dfrac{x}{2}\right)dx = ?$

152 $\displaystyle\int_0^{\frac{\pi}{4}} \dfrac{x\cos 5x}{\cos x}\,dx = ?$

153 $\min\left\{\displaystyle\int_0^\pi (x-y)^2 \sin x\,|\cos x|\,dx\right\} = ?$

154 $\displaystyle\int_0^{\frac{\pi}{2}} \dfrac{\sin^3 x}{\sin x + \cos x}\,dx = ?$

155 $\displaystyle\int_0^\pi xe^x \sin x\,dx = ?$

156 $\displaystyle\int_1^e (x+1)e^x \ln x\,dx = ?$

157 $\displaystyle\int_0^{\frac{\pi}{2}} \frac{d\theta}{1+\sin\theta+\cos\theta} = ?$

158 $\displaystyle\int_0^{\frac{\pi}{2}} x \left| \sin^2 x - \frac{1}{2} \right| dx = ?$

159 $\displaystyle\int_0^{\frac{\pi}{2}} \frac{\cos x}{a\cos x + b\sin x} dx = ?$

160 $\displaystyle\int_0^{\pi} \frac{x\sin^3 x}{4-\cos^2 x} dx = ?$

161 $\displaystyle\int_{\frac{\pi}{2}}^{\frac{3\pi}{2}} \left| \left(\frac{2}{x^3} + \frac{1}{x} \right) \sin x \right| dx = ?$

162 $\displaystyle\int_{-e}^{-e^{-1}} \big| \ln|x| \big| \, dx = ?$

163 $\displaystyle\int_0^{\pi} \left| \sqrt{2}\,\sin x + 2\cos x \right| dx = ?$

164 $\displaystyle\int_{-\frac{\pi}{4}}^{\frac{\pi}{4}} \frac{(\pi-4\theta)\tan\theta}{1-\tan\theta} d\theta = ?$

165 $\displaystyle\int_0^1 \ln\left(\sqrt{1-x} + \sqrt{1+x} \right) dx = ?$

166 $\displaystyle\int_{\frac{3a+b}{4}}^{\frac{a+b}{2}} \sqrt{\frac{x-a}{b-x}}\, dx = ?$

167 $\displaystyle\int_{0}^{1} \ln x \cdot \ln(1-x)\, dx = ?$

168 $\displaystyle\int_{0}^{\infty} \frac{\sqrt{x}}{1+x^2}\, dx = ?$

169 $\displaystyle\int_{0}^{1} \frac{x}{(x^4+1)\sqrt{x^4+1}}\, dx = ?$

170 $\displaystyle\int_{0}^{\frac{\pi}{2}} \cos(\pi \sin^2 x)\, dx = ?$

171 $\displaystyle\int_{0}^{1} \sqrt{1+\sqrt{1-x^2}}\, dx = ?$

172 $\displaystyle\int_{0}^{\infty} \frac{\ln x}{1+x^3}\, dx = ?$

173 $\displaystyle\int_{0}^{2\pi} \sqrt{2-2\sin\theta}\, d\theta = ?$

174 $\displaystyle\int_{0}^{a} x^2 \sqrt{a^2-x^2}\, dx = ?$

175 $\displaystyle\int_{0}^{\pi} x \sin x \cos nx\, dx = ?,\ (n \in N)$

176 $\displaystyle\int_0^\infty \frac{\ln(1+x^2)}{x(1+x^2)}\, dx = ?$

177 $\displaystyle\int_0^\infty x - \ln(e^x - 1)\, dx = ?$

178 $\displaystyle\int_0^\infty \frac{e^{-x} - e^{-4x}}{x}\, dx = ?$

179 $\displaystyle\int_0^1 \int_0^1 \frac{1}{1-xy}\, dx\, dy = ?$

180 $\displaystyle\int_0^1 \int_0^1 \frac{(xy)^3}{1-xy}\, dx\, dy = ?$

181 $\displaystyle\int_0^a \frac{\ln(1+ax)}{1+x^2}\, dx = ?$

182 $\displaystyle\int_0^{\frac{\pi}{2}} \cos^n x \cos nx\, dx = ?$

183 $\displaystyle\int_0^{\frac{\pi}{4}} \frac{dx}{\sin^4 x + \sin^2 x \cos^2 x + \cos^4 x} = ?$

184 $\displaystyle\int_0^1 \int_0^1 \frac{1}{2-xy}\, dx\, dy = ?$

185 $\displaystyle\int_0^{\frac{\pi}{2}} \frac{\ln(1 + 2\cot^2 x + \cot^4 x)}{\cot x}\, dx = ?$

186 $\displaystyle\int_{0}^{2\pi} \ln\!\left(\sin x + \sqrt{1+\sin^2 x}\,\right) dx \;=\; ?$

187 $\displaystyle\int_{0}^{n} \sum_{k=0}^{n-1} \left[x + \frac{k}{n} \right] dx \;=\; ?,\; [x]:$ Gauss' notation

188 $\displaystyle\int_{0}^{1} \frac{1}{2x} \ln\!\left(\frac{1+x}{1-x} \right) dx \;=\; ?$

189 $\displaystyle\int_{0}^{1} \frac{\tan^{-1}\sqrt{1+x^2}}{\left(1+x^2\right)\sqrt{1+x^2}}\, dx \;=\; ?$

190 $\displaystyle\int_{0}^{\pi} \ln(1-\cos\theta)\, d\theta \;=\; ?$

191 $\displaystyle\int_{0}^{2} \sqrt{x^3+1} + \sqrt[3]{x^2+2x}\; dx \;=\; ?$

192 $\displaystyle\int_{0}^{\frac{\pi}{2}} \frac{\ln\!\left(1+a\sin^2 x\right)}{\sin^2 x}\, dx \;=\; ?$

193 $\displaystyle\int_{0}^{2} \int_{\frac{x}{2}}^{\frac{x}{2}+1} x^5(2y-x)e^{(2y-x)^2}\, dy\, dx \;=\; ?$

194 $\displaystyle\int_{0}^{\infty} \frac{\tan^{-1}x}{\sqrt{x}\,(1+x)}\, dx \;=\; ?$

195 $\displaystyle\int_{0}^{1} \int_{0}^{1} \cdot\cdot \int_{0}^{1} \left[x_1 + x_2 + \cdot\cdot\cdot + x_n \right] dx_1 dx_2 .. dx_n \;=\; ?$
$[x]:$ Gauss' notation

196 $\displaystyle\int_0^1 \left(\frac{1}{1-x} + \frac{1}{\ln x} \right) dx = \lim_{k \to \infty} \left(1 + \frac{1}{2} + \cdot\cdot\cdot + \frac{1}{k} - \ln k \right)$ 증명.

197 $\displaystyle\int_0^1 \int_0^1 \frac{x-1}{(1-xy)(\ln x + \ln y)} \, dx \, dy = ?$

198 $\displaystyle\int_0^1 \int_0^1 \frac{1}{(\ln x + \ln y)(1 + x^2 y^2)} \, dx \, dy = ?$

199 $\displaystyle\int_0^1 \frac{x^\pi}{x^\pi + (1-x)^\pi} \, dx = ?$

200 $\displaystyle F(x) = \int_0^x (4t^2 - 4t - 1)e^{-t^2 + t} \, dt \Rightarrow \int_0^1 F(x) \, dx = ?$

201 $\displaystyle\int_0^\pi \frac{x \sin x}{1.25 - \cos x} \, dx = ?$

202 $\displaystyle\int_0^1 \int_0^{\frac{\pi}{2}} \frac{1}{\sqrt{1 - \sqrt{y} \, \sin^2 x}} \, dx \, dy = ?$

203 $\displaystyle\int_{-1}^1 \frac{x^2}{1 + e^x} \, dx = ?$

204 $\displaystyle\int_{-1}^1 \frac{x^2}{1 + e^{\tan^{-1} x}} \, dx = ?$

205 $\displaystyle\int_0^1 \frac{\ln(1+x)}{x} \, dx = ?$

206 $\displaystyle\int_{\ln\pi}^{2} \sqrt{\frac{e^x + \pi}{e^x - \pi}}\ dx = ?$

207 $\displaystyle\int_{0}^{\pi} \frac{x}{1 + \cos^2 x}\ dx = ?$

208 $\displaystyle\int_{0}^{2\pi} e^{\cos\theta} \cos(\sin\theta)\ d\theta = ?$

209 $\displaystyle\int_{-\infty}^{\infty} \frac{x^8}{\left(1 + x^6\right)^2}\ dx = ?$

210 $\displaystyle\int_{0}^{1}\int_{0}^{1} \frac{y}{1 - x^3 y^3}\ dx\,dy = ?$

211 $\displaystyle\int_{1}^{2}\int_{\sqrt{x}}^{x} \sin\frac{\pi x}{2y}\ dy\,dx + \int_{2}^{4}\int_{\sqrt{x}}^{2} \sin\frac{\pi x}{2y}\ dy\,dx = ?$

212 $\displaystyle\int_{\frac{1}{a}}^{a} \frac{1}{x\left(1 + x^n\right)}\ dx = ?$

213 $\displaystyle\int_{0}^{1} \frac{\{nx\}}{1 - x + x^2}\ dx = ?,\ x - \{x\} = [x]$: Gauss' notation.

214 $\displaystyle\int_{-\infty}^{\infty} \frac{1}{\left(1 + x^2\right)\sqrt{2 + x^2}}\ dx = ?$

215 $\displaystyle\int_{0}^{1}\int_{0}^{1} \frac{1}{\sqrt{1 + x^2 + y^2}}\ dx\,dy = ?$

216 $\displaystyle\int_0^1 \int_y^{\sqrt{y}} \frac{y}{\sqrt{x^2+y^2}}\, dx\, dy = ?$

217 $\displaystyle\int_0^1 \frac{x^{2n-1}}{\sqrt{x^n+1}}\, dx = ?$

218 $\displaystyle\int_{-1}^1 \frac{x^{2n}}{1+e^x}\, dx = ?,\ (n \in N)$

219 $\displaystyle\int_0^\infty \frac{e^{-\sqrt{3}\,x} \sin x}{x}\, dx = ?$

220 $\displaystyle\int_0^1 \frac{\tan^{-1}x}{1+x}\, dx = ?$

221 $\displaystyle\int_0^1 \int_0^1 \frac{2-4xy}{(9-xy)(8+xy)}\, dx\, dy = ?$

222 $\displaystyle\int_{\frac{\pi}{4}}^{\frac{\pi}{2}} \ln(1+\cot x)\, dx = ?$

223 $\displaystyle\int_0^{2\pi} e^{\cos x}\cos(\sin x) \cdot \cos x\, dx = ?$

224 $\displaystyle\int_0^a \frac{(a-x)^{an-1}}{(a+x)^{an+1}}\, dx = ?,\ (a,n > 0)$

225 $\displaystyle\int_0^\infty x^2 e^{-3x}\, dx = ?$

226 $\displaystyle\int_{0}^{1} x^{m}(1-x)^{n}\,dx \;=\; ?$

227 $\displaystyle\int_{0}^{1} \frac{dx}{\sqrt{1-x^4}} \int_{0}^{1} \frac{x^2\,dx}{\sqrt{1-x^4}} \;=\; ?$

228 $\displaystyle\int_{0}^{1} x\left(\tan^{-1}x\right)^2\,dx \;=\; ?$

229 $\displaystyle\int_{0}^{2} \sqrt{\frac{x}{4-x}}\;dx \;=\; ?$

230 $\displaystyle\int_{0}^{\infty} \frac{\cos ax - \cos bx}{x^2}\,dx \;=\; ?$

231 $\displaystyle\int_{0}^{\frac{\pi}{2}} 2\sec x \cdot \ln\left(\frac{1+\beta\cos x}{1+\alpha\cos x}\right)dx \;=\; ?$

232 $\displaystyle\int_{0}^{1} \frac{x}{\sqrt{1+x^4}}\,dx \;=\; ?$

233 $\displaystyle\int_{0}^{1} \sqrt{\frac{1-x}{1+x}}\;dx \;=\; ?$

234 $\displaystyle\int_{0}^{\ln\frac{4}{3}} \sqrt{e^x - 1}\;dx \;=\; ?$

235 $\displaystyle\int_{1}^{e} \frac{x^2+1}{x\sqrt{x^4-x^2+1}}\,dx \;=\; ?$

236 $\displaystyle\int_0^6 \frac{1}{\sqrt{e^x+3}}\, dx = ?$

237 $\displaystyle\int_2^4 \frac{\sqrt{\ln(9-x)}}{\sqrt{\ln(9-x)}+\sqrt{\ln(x+1)}}\, dx = ?$

238 $\displaystyle\int_0^\infty \sin(x^n)\, dx = ?$

239 $\displaystyle\int_{\frac{\pi}{2}}^{\pi} x^{\sin x}(1+x\cos x\ln x+\sin x)\, dx = ?$

240 $\displaystyle\int_{-1}^1 \frac{xe^x+e^x+1}{x^2(e^x+1)^2}\, dx = ?$

241 $\displaystyle\int_0^1 \frac{e^{2x}-e^{-2x}+4x}{(e^x+e^{-x})^2}\, dx = ?$

242 $\displaystyle\int_0^1 \frac{(x^2-3x+1)e^x-(x-1)e^{2x}-x}{(x+e^x)^3}\, dx = ?$

243 $f(x)f'(-x)=f(-x)f'(x),\, f(0)=3 \;\Rightarrow\; \displaystyle\int_{-2}^2 \frac{dx}{3+f(x)} = ?$

244 $\displaystyle\int_0^1 \ln(x!)\, dx = ?$

245 $\phi=\dfrac{\sqrt{5}+1}{2} \;\Rightarrow\; \displaystyle\int_0^1\int_0^1 \frac{1}{(\phi-xy)\ln(xy)}\, dx\, dy = ?$

246 $\displaystyle\int_1^e \left(\frac{1}{\sqrt{x\ln x}} + \sqrt{\frac{\ln x}{x}} \right) dx \; = ?$

247 $\displaystyle\int_0^{2a} \frac{\sqrt[4]{\sin(3a-x)}}{\sqrt[4]{\sin(3a-x)} + \sqrt[4]{\sin(a+x)}} \, dx \; = ?$

248 $\displaystyle\int_0^\infty \frac{x\ln x}{1+x^3} \, dx \; = ?$

249 $\displaystyle\int_0^\infty \frac{x\ln x}{\left(1+x^3\right)^2} \, dx \; = ?$

250 $\displaystyle\int_0^\infty \frac{x(\ln x)^2}{1+x^3} \, dx \; = ?$

251 $\displaystyle\int_1^2 \frac{\sqrt{8x^2-7}}{x^2+1} \, dx \; = ?$

252 $\displaystyle\int_0^2 \int_x^2 y^2 \sin(xy) \, dy\, dx \; = ?$

253 $\displaystyle\int_0^1 \int_0^1 \max\{x^m, y^n\} \, dx\, dy \; = ?$

254 $\displaystyle\int_0^{\frac{\pi}{6}} \frac{\tan^4 x}{\cos 2x} \, dx \; = ?$

255 $\displaystyle\int_0^{\frac{\pi}{4}} \frac{\sin\left(x-\dfrac{\pi}{4}\right)}{\sin 2x + 2(1+\sin x + \cos x)}\, dx = \ ?$

256 $\displaystyle\int_0^{2006} x(x-1)(x-2)\bullet\bullet(x-2006)\, dx = \ ?$

257 $\displaystyle\int_0^{\infty} \frac{\ln x}{\left(1+x^2\right)^2}\, dx = \ ?$

258 $\displaystyle\int_0^{\frac{1+\sqrt{5}}{2}} \left(\frac{x^2+1}{x^4-x^2+1}\right)\ln\left(1+x-\frac{1}{x}\right)\, dx = \ ?$

259 $\displaystyle\int_0^1 \frac{\sin^{-1}\sqrt{x}}{1-x+x^2}\, dx = \ ?$

260 $\displaystyle\int_{-1}^1 \frac{1}{\left(1+e^x\right)\left(1+x^2\right)}\, dx = \ ?$

261 $\displaystyle\int_0^{\frac{\pi}{2}} e^x\left\{\cos(\sin x)\cos^2\left(\frac{x}{2}\right) + \sin(\sin x)\sin^2\left(\frac{x}{2}\right)\right\}\, dx = \ ?$

262 $\displaystyle\int_0^{\frac{\pi}{3}} \frac{\cos^2 x + 1}{\cos x \sqrt{\cos x}}\, dx = \ ?$

263 $\displaystyle\int_{e^{e^e}}^{e^{e^{e^e}}} \frac{1}{x\ln x\ln(\ln x)\ln(\ln(\ln x))}\, dx = \ ?$

264 $\displaystyle\int_{0}^{\frac{\pi}{2}} \sin|2x-a|\,dx = ?$

265 $\displaystyle\int_{\frac{\pi}{4}}^{\frac{\pi}{3}} (\sin x + \cos x)\sqrt{\dfrac{e^x}{\sin x}}\,dx = ?$

266 $\displaystyle\int_{2}^{6} \ln\left(\dfrac{-1+\sqrt{1+4x}}{2}\right)\,dx = ?$

267 $2x = \tan x$: 다른 두 근 $\alpha, \beta \Rightarrow \displaystyle\int_{0}^{1} \sin\alpha x \sin\beta x\,dx = ?$

268 $\displaystyle\int_{0}^{\frac{\pi}{4}} \dfrac{2(1+x)\ln(1+x) \cdot \sin x + \cos x}{(1+x)\cos^3 x}\,dx = ?$

269 $\displaystyle\int_{0}^{\frac{\pi^2}{4}} \left(2\sin\sqrt{x} + \sqrt{x}\cos\sqrt{x}\right)\,dx = ?$

270 $\displaystyle\int_{-1}^{1} {}_nC_k(1+x)^{n-k}(1-x)^k\,dx = ?,\ (k=0,1,...,n)$

271 $\displaystyle\int_{0}^{\frac{\pi}{2}} \dfrac{1}{(1+\cos x)^n}\,dx = ?$

272 $\displaystyle\int_{0}^{\infty}\int_{0}^{\infty} \dfrac{\sin^3(x+y)}{(x+y)^3}\,dx\,dy = ?$

273 $\displaystyle\int_0^1 \left(\sin x + \sin\frac{1}{x}\right)\frac{1}{x}\,dx = ?$

274 $\displaystyle\int_0^\infty \left(\frac{x^{p-1}}{1+x}\right)\ln x\,dx = ?$

275 $\displaystyle\int_0^\infty x\cos(x^3)\,dx = ?$

276 $\displaystyle\int_0^{\frac{\pi}{2}} \frac{1}{\left(\sqrt[n]{\sin x} + \sqrt[n]{\cos x}\right)^{2n}}\,dx = ?$

277 $\displaystyle\int_0^{\frac{\pi}{4}} \frac{dx}{\sin^2 x + \sin x \cos x + \cos^2 x} = ?$

278 $\displaystyle\int_0^1 \frac{x^2+1}{x^4+1}\,dx = ?$

279 $\displaystyle\int_0^1 \frac{x^4+x^2}{x^4+1}\,dx = ?$

280 $\displaystyle\int_0^1 \tan^{-1}\left(\sqrt{x}\right)dx = ?$

281 $\displaystyle\int_{-1}^1 \frac{|x|}{1+e^x}\,dx = ?$

282 $a = 2007 \times 2009 \Rightarrow \displaystyle\int_0^1 \frac{6x + 5a\sqrt{x}}{4\sqrt{x+a\sqrt{x}}}\,dx = ?$

283 $\displaystyle\int_0^1 \frac{1}{(2-x)\sqrt{1-x}}\, dx = ?$

284 $\theta_1 = \dfrac{\pi}{2008}, \theta_2 = \dfrac{1003\pi}{2008} \Rightarrow \displaystyle\int_{\theta_1}^{\theta_2} \frac{d\theta}{1+\tan\theta} = ?$

285 $\displaystyle\int_0^\pi \left\{2x^2 + x(\cos x - \pi) + 1 - \frac{\pi}{2}\cos x\right\} e^{x^2 + \sin x}\, dx = ?$

286 $\displaystyle\int_0^\pi x\sqrt{1+|\cos x|}\, dx = ?$

287 $\displaystyle\int_0^\infty \frac{x^3}{e^x - 1}\, dx = ?$

288 $f(0) = 0, f(1) = \dfrac{2009}{2}, g(0) = \pi, g(1) = 1$

$\Rightarrow \displaystyle\int_0^1 \frac{f(x)g'(x)\{g^2(x) - 1\} + f'(x)g(x)\{g^2(x) + 1\}}{g^2(x)}\, dx = ?$

289 $\displaystyle\int_0^{\frac{\pi}{2}} \cos\theta\, f(\sin\theta + \cos^2\theta)\, d\theta = \int_0^{\frac{\pi}{2}} \sin 2\theta\, f(\sin\theta + \cos^2\theta)\, d\theta$ 증명.

290 $\displaystyle\int_0^1 \left(\frac{1+\sin x}{1+\cos x}\right) e^x\, dx = ?$

291 $\displaystyle\int_0^{\frac{\pi}{3}} \ln\left(1 + \sqrt{3}\tan x\right)\, dx = ?$

292 $\displaystyle\int_0^\pi x\cos^2 x\,dx = ?$

293 $\displaystyle\int_0^{\frac{\pi}{4}} \frac{\sin x + \cos x}{\cos^2 x + \sin^4 x}\,dx = ?$

294 $\displaystyle\int_0^\infty \frac{1}{x^{2n}+1}\,dx = ?$

295 $\displaystyle\int_0^\infty \frac{x^{\alpha-1}}{1+x^2}\,dx = ?$

296 $\displaystyle\int_{-\infty}^\infty \frac{\cos(nx)}{(x^2+1)^2}\,dx = ?$

297 $\begin{cases} \dfrac{dx_1}{dt} = -3x_1 + x_2 \\[2mm] \dfrac{dx_2}{dt} = x_1 - 3x_2 + e^{-t} \end{cases}$, $x_1(0)=x_2(0)=0 \Rightarrow \displaystyle\int_0^\infty (x_1+x_2)dt = ?$

298 $f'(x) = \dfrac{\cos x}{x}$, $f\left(\dfrac{\pi}{2}\right)=a,\ f\left(\dfrac{3\pi}{2}\right)=b \Rightarrow \displaystyle\int_{\frac{\pi}{2}}^{\frac{3\pi}{2}} f(x)dx = ?$

299 $\displaystyle\int_0^1 \frac{(x+1)^2}{(x^2+1)^2}\,dx = ?$

300 $\displaystyle\int_0^{\sqrt{2}-1} \left(\frac{1+x^2}{1-x^2}\right)\ln\left(\frac{1+x}{1-x}\right)\,dx = ?$

301 $\displaystyle\int_0^{2a}\int_0^{\sqrt{2ax-x^2}} \frac{nx(x^2+y^2)y^{n-1}}{\sqrt{4a^2x^2-\left(x^2+y^2\right)^2}}\,dy dx = ?$

302 $|a|>1 \Rightarrow \displaystyle\int_0^{2\pi} \frac{1}{(a+\cos\theta)^2}\,d\theta = ?$

303 $\displaystyle\int_0^1 \frac{2e^{2x}+xe^x+3e^x+1}{\left(e^x+1\right)^2\left(e^x+x+1\right)^2}\,dx = ?$

304 $f(x)+f\left(\dfrac{1}{x}\right)=k \Rightarrow \displaystyle\int_{\frac{1}{a}}^a \frac{(x+1)f(x)}{x\sqrt{1+x^2}}\,dx = ?$

305 $\displaystyle\int_{-\pi}^{\pi} \frac{\sin 3x}{\left(1+2009^x\right)\sin x}\,dx = ?$

306 $-\dfrac{\pi}{2}<\theta<\dfrac{\pi}{2} \Rightarrow \displaystyle\int_0^{\theta} \ln(1+\tan\theta\tan x)dx = ?$

307 $\displaystyle\int_0^{\frac{1}{2}} \sqrt{\frac{1-\sqrt{x}}{1+\sqrt{x}}}\,dx = ?$

308 $\displaystyle\int_0^1 \frac{1}{\sqrt{1-\sqrt[7]{x}}}\,dx = ?$

309 $\displaystyle\int_{-\infty}^{\infty} e^{-\frac{x^2}{2}}\cos(\alpha x)\,dx = ?$

310 $f(x) = x^3 - \dfrac{3}{2}x^2 + x + \dfrac{1}{4} \Rightarrow \displaystyle\int_0^1 \overbrace{f \circ f \circ \circ f}^{2009}(x)\, dx = ?$

311 $\displaystyle\int_0^\pi \dfrac{\ln(1 + a\cos x)}{\cos x}\, dx = ?$

312 $\displaystyle\int_{-1}^1 \dfrac{1}{\sqrt{1+x^2} + \sqrt{1-x^2}}\, dx = ?$

313 $\displaystyle\int_0^1 \dfrac{1}{\sqrt[4]{1-x^4}}\, dx = ?$

314 $\displaystyle\int_0^\infty \dfrac{x}{e^x - e^{-x}}\, dx = ?$

315 $\displaystyle\int_0^\infty \dfrac{x - \sin x}{x^3}\, dx = ?$

316 $\displaystyle\int_0^{\frac{\pi}{2}} \sqrt[3]{\cos x} - \sqrt[3]{\sin x}\; dx = ?$

317 $\displaystyle\int_0^{\frac{\pi}{4}} (\cos^4 2x + \sin^4 2x)\ln(1 + \tan x)\, dx = ?$

318 $|b| < |a| \Rightarrow \displaystyle\int_0^\pi \dfrac{a - b\cos x}{a^2 + b^2 - 2ab\cos x}\, dx = ?$

319 $|b| > |a| \Rightarrow \displaystyle\int_0^\pi \dfrac{a - b\cos x}{a^2 + b^2 - 2ab\cos x}\, dx = ?$

320 $f(1) = 1, \int_0^x t \cdot f(2x-t)dt = \frac{1}{2}\tan^{-1}(x^2) \Rightarrow \int_1^2 f(x)\,dx = ?$

321 $\int_0^{\frac{\pi}{2}} \sin^{-1}(\cos x) + \cos^{-1}(\cos x)\,dx = ?$

322 $\left| \dfrac{\displaystyle\int_0^{\frac{\pi}{2}} (x\cos x + 1)e^{\sin x}\,dx}{\displaystyle\int_0^{\frac{\pi}{2}} (x\sin x - 1)e^{\cos x}\,dx} \right| = ?$

323 $\int_0^{\frac{\pi}{2}} \dfrac{(\sin x)^{\cos x}}{(\cos x)^{\sin x} + (\sin x)^{\cos x}}\,dx = ?$

324 $\int_0^\infty \dfrac{x^5}{e^{ax} - 1}\,dx = ?$

325 $\int_0^\pi \dfrac{x}{a^2\cos^2 x + b^2\sin^2 x}\,dx = ?$

326 $\int_{-\pi}^\pi \ln(a^2 + b^2 - 2ab\cos x)\,dx = ?$

327 $n \in Z \Rightarrow \int_0^\pi e^{\cos^2 x}\cos^3(2n+1)x\,dx = ?$

328 $\int_0^1 \tan^{-1}\left(\dfrac{2x-1}{1+x-x^2}\right)dx = ?$

329 $\displaystyle\int_0^{\frac{\pi}{2}} \int_0^1 \left| \sqrt{1-x^2} - \sin\theta \right| dx \, d\theta = ?$

330 $\displaystyle\int_0^4 (x-2)\sec(x-2)\, dx = ?$

331 $\displaystyle\int_0^{\infty} \int_x^{\infty} \frac{1}{(1+x^2+y^2)^2}\, dy\, dx = ?$

332 $\displaystyle\int_0^{\infty} \frac{1}{1+x^2+2x\cos\alpha}\, dx = ?$

333 $\displaystyle\int_0^{\pi} \frac{x\tan x}{\sec x + \tan x}\, dx = ?$

334 $\displaystyle\int_0^{\pi} \frac{x}{1+\cos a \sin x}\, dx = ?$

335 $a > b \Rightarrow \displaystyle\int_0^{2\pi} \frac{2\sin^2 x}{a-b\cos x}\, dx = ?$

336 $a < b \Rightarrow \displaystyle\int_0^{2\pi} \frac{2\sin^2 x}{a-b\cos x}\, dx = ?$

337 $\displaystyle\int_0^{n\pi} \sin\left[\frac{2x}{\pi}\right] dx = ?, \ [x]$:Gauss' notation

338 $\displaystyle\int_0^{\infty} \frac{\cos x - e^{-x}}{x}\, dx = ?$

339 $\displaystyle\int_0^\infty \frac{\tan^{-1}\pi x - \tan^{-1}x}{x}\,dx = ?$

340 $\displaystyle\int_0^{\frac{\pi}{2}} \ln(1+\tan x)\,dx = ?$

341 $\displaystyle\int_0^\pi \frac{x^3\cos^2 x\sin^2 x}{\pi^2 - 3\pi x + 3x^2}\,dx = ?$

342 $\displaystyle\int_0^{\frac{\pi}{2}} \sin 2x\tan^{-1}(\sin x)\,dx = ?$

343 $\displaystyle\int_0^{\frac{\pi}{4}} [\sin x + [\cos x + \tan x + [\sec x]]]\,dx = ?,\ [x] : \text{Gauss 부호}$

344 $\displaystyle\int_0^{\frac{\pi}{4}} \ln(1+\tan x)\,dx = ?$

345 $F'(a-x) = F'(x) \Rightarrow \displaystyle\int_0^a F(x)\,dx = ?$

346 $\displaystyle\int_0^\infty \left[\frac{2}{e^x}\right]dx = ?,\ \ [x] : \text{Gauss 부호}$

347 $\displaystyle\int_0^{\frac{\pi}{4}} \frac{x^2(\sin 2x - \cos 2x)}{(1+\sin 2x)\cos^2 x}\,dx = ?$

348 $\displaystyle\int_{1}^{2} e^{x^2} dx = \alpha \Rightarrow \int_{e}^{e^4} \sqrt{\ln x}\, dx = ?$

349 $\displaystyle\int_{-\pi}^{\pi} \frac{\cos^2 x}{1+a^x}\, dx = ?,\ (a > 0)$

350 $\displaystyle\int_{-1}^{1} \frac{x^4}{1+e^{x^7}}\, dx = ?$

351 $\displaystyle\int_{0}^{t} [x]\, dx = ?,\ [x] :$ Gauss' notation

352 $\displaystyle\int_{0}^{1}\int_{0}^{1} (x+my)(x-y)^m\, dx\, dy = ?$

353 $\displaystyle\int_{0}^{\frac{\pi}{2}} \left[\sin^{-1}(\cos x) + \cos^{-1}(\sin x)\right] = ?,\ [x] :$ Gauss' notation

354 $\displaystyle\int_{\frac{\pi}{6}}^{\frac{\pi}{3}} \frac{1}{1+\sqrt{\tan x}}\, dx = ?$

355 $\displaystyle\int_{0}^{\frac{\pi}{2}} x\left(\sqrt{\tan x} + \sqrt{\cot x}\right) dx = ?$

356 $\displaystyle\int_{0}^{\frac{\pi}{4}} \cos 2x \ln(1+\tan x)\, dx = ?$

357 $\displaystyle\int_0^1 \sqrt[b]{1-x^a} - \sqrt[a]{1-x^b} \; dx = ?$

358 $\displaystyle I_1 = \int_{\sin^2 t}^{1+\cos^2 t} x\,f(x(2-x))\,dx, \; I_2 = \int_{\sin^2 t}^{1+\cos^2 t} f(x(2-x))\,dx \Rightarrow \frac{I_1}{I_2} = ?$

359 $\displaystyle\int_0^{100} \{\sqrt{x}\} = ?, \; x - \{x\} = [x] :$ Gauss' notation

360 $\dfrac{\displaystyle\int_0^1 \cot^{-1}(1-x+x^2)\,dx}{\displaystyle\int_0^1 2\tan^{-1}x\,dx} = ?$

361 $\displaystyle\int_0^1 \{x\tan^{-1}(\sqrt{x})\}^2 \; dx = ?$

362 $\displaystyle\int_0^{\frac{1}{4}} \frac{1}{1+\sqrt{\cot 2\pi x}} \; dx = ?$

363 $\displaystyle\int_0^1 \frac{\ln x}{1-x}\,dx = ?$

364 $\displaystyle\int_a^b \frac{\sqrt[a]{e^x} - \sqrt[x]{e^b}}{x} \; dx = ?, \; (a,b>0)$

365 $\displaystyle\int_0^1 \sqrt[3]{2x^3 - 3x^2 - x + 1} \; dx = ?$

366 $\displaystyle\int_0^{\frac{\pi}{2}} \frac{x + \sin x}{1 + \cos x}\, dx = ?$

367 $\displaystyle\int_0^{\frac{3\pi}{2}} \cos(2nx) \ln|\sin x|\, dx = ?,\ (n \in N)$

368 $\displaystyle\int_0^{\infty} \frac{\ln x}{x^2 + x + 1}\, dx = ?$

369 $\displaystyle\int_0^{\infty} \frac{\ln x}{x^2 + ax + a}\, dx = ?$

370 $\displaystyle\int_0^{\infty} \frac{\sin \alpha x}{x}\, dx = ?$

371 $\displaystyle\int_0^{\infty} \frac{\sin(ax)\cos(bx)}{x}\, dx = ?$

372 $\displaystyle\int_0^{\frac{\pi}{2}} \sin(2kx)\cot x\, dx = ?,\ (k \in N)$

373 $\displaystyle\int_0^{a} \frac{1}{1 - \cos a \cos x}\, dx = ?$

374 $\displaystyle\int_0^{10\pi} \frac{\cos 6x \cos 7x \cos 8x \cos 9x}{1 + e^{2\sin^3 4x}}\, dx = ?$

375 $\displaystyle\int_0^{\frac{\pi}{2}} \ln\left(\sin^2 x + k^2 \cos^2 x\right) dx = ?$

376 $\displaystyle\int_0^1 \cot^{-1}\left(1-x+x^2\right) dx \ = \ ?$

377 $\displaystyle\int_0^1 \tan^{-1}\left(1-x+x^2\right) dx \ = \ ?$

378 $\displaystyle\int_0^\pi \frac{x}{1+\sin x}\, dx \ = \ ?$

379 $\displaystyle\int_0^{\frac{\pi}{2}} \frac{\sec^2 x}{(\sec x + \tan x)^n}\, dx \ = \ ? \quad (2 \le n)$

380 $\displaystyle\int_0^\pi \frac{\sin^2 x}{a^2 \sin^2 x + b^2 \cos^2 x}\, dx \ = \ ?$

381 $\displaystyle\int_{-\pi}^\pi \frac{\sin^2(nx)}{(e^x+1)\sin^2 x}\, dx \ = \ ?$

382 $\displaystyle\int_0^1 \frac{1}{\left(5+2x-2x^2\right)\left(1+e^{2-4x}\right)}\, dx \ = \ ?$

383 $\displaystyle\int_0^{\frac{\pi^2}{4}} \left(\frac{2}{\operatorname{cosec}\sqrt{x}} + \frac{\sqrt{x}}{\sec\sqrt{x}} \right) dx \ = \ ?$

384 $\displaystyle\int_{\sqrt{2}-1}^{\sqrt{2}+1} \frac{x^4+x^2+2}{\left(x^2+1\right)^2}\, dx \ = \ ?$

385 $\displaystyle\int_0^1 \frac{1}{\sqrt{x}\,\sqrt{1+\sqrt{x}}\,\sqrt{1+\sqrt{1+\sqrt{x}}}}\, dx \ = \ ?$

386 $\displaystyle\int_{\frac{\pi}{4}}^{\frac{\pi}{2}} \frac{dx}{\left(\sin x + \cos x + 2\sqrt{\sin x \cos x}\right)\sqrt{\sin x \cos x}} = ?$

387 $F'(a-x) = F'(x) \;\Rightarrow\; \displaystyle\int_0^a F(x)\,dx = ?$

388 $\displaystyle\int_0^{\frac{\pi}{2}} \frac{\sin 8x \ln(\cot x)}{\cos 2x}\,dx = ?$

389 $\displaystyle\int_0^{\frac{\pi}{4}} \sqrt{\tan x} + \sqrt{\cot x}\;dx = ?$

390 $\displaystyle\int_{\frac{\sqrt{3}}{2}}^{1} \frac{\sqrt{1+x}+\sqrt{1-x}}{\sqrt{1+x}-\sqrt{1-x}}\,dx = ?$

391 $\displaystyle\int_0^{\frac{\pi}{6}} \frac{\sin x + \cos x}{1 + \sin x \cos x}\,dx = ?$

392 $\displaystyle\int_1^{\infty} \frac{\left(x^3+3\right)}{x^6\left(x^2+1\right)}\,dx = ?$

393 $|a| < 1 \Rightarrow \displaystyle\int_0^1 \frac{\ln\left(\dfrac{1+ax}{1-ax}\right)}{x\sqrt{1-x^2}}\,dx = ?$

394 $\displaystyle\int_0^{\infty} \frac{1}{\left(x+\sqrt{x^2+1}\right)^n}\,dx = ?$

395 $\displaystyle\int_{-1}^{0} \frac{x^2 + 2x}{\ln(x+1)}\, dx = ?$

396 $\displaystyle\int_{0}^{1} \frac{(1-2x)e^{x} + (1+2x)e^{-x}}{\left(e^{x} + e^{-x}\right)^3}\, dx = ?$

397 $\displaystyle\int_{\frac{\pi}{6}}^{\frac{\pi}{4}} \frac{\left(1+x^2\right)\left(2+x^2\right)}{(x\cos x + \sin x)^4}\, dx = ?$

398 $\displaystyle\int_{1}^{4} \frac{6x + 5\sqrt{x}}{\sqrt{x + \sqrt{x}}}\, dx = ?$

399 $\displaystyle\int_{0}^{\frac{\pi}{2}} \frac{x \sin x \cos x}{\sin^4 x + \cos^4 x}\, dx = ?$

400 $\displaystyle\int_{0}^{\pi} \frac{x^2 \sin 2x \sin\left(\dfrac{\pi}{2}\cos x\right)}{2x - \pi}\, dx = ?$

401 $\displaystyle\int_{0}^{\frac{\pi}{2}} \frac{1 + 2\cos x}{(2 + \cos x)^2}\, dx = ?$

402 $\displaystyle\int_{0}^{\infty} e^{-px}(\sin qx + \cos qx)\, dx = ?$

403 $\displaystyle\int_{0}^{\pi} \frac{x^2 \cos x}{(1 + \sin x)^2}\, dx = ?$

404 $\displaystyle\int_{\frac{\pi}{4}}^{\frac{\pi}{3}} \frac{x^2 \sec^2 x}{(1+x\tan x)(x-\tan x)}\, dx \ = \ ?$

405 $\displaystyle\int_{0}^{\ln 2} \frac{\left(2e^x+1\right)}{e^{3x}+2e^{2x}+e^x-e^{-x}}\, dx \ = \ ?$

406 $x > 0 \Rightarrow \min\left\{ \displaystyle\int_{0}^{\frac{\pi}{2}} |\, x\sin t - \cos t \,|\, dt \right\} \ = \ ?$

407 $\displaystyle\int_{-a}^{a} \frac{x^2\cos x + e^x}{e^x+1}\, dx \ = \ ?$

408 $\displaystyle\int_{1}^{3\sqrt{3}} \frac{1}{\sqrt[3]{x^2}} - \frac{1}{1+\sqrt[3]{x^2}}\, dx \ = \ ?$

409 $\displaystyle\int_{-\frac{\pi}{3}}^{\frac{\pi}{6}} \left| \frac{4\sin x}{\sqrt{3}\,\cos x - \sin x} \right| dx \ = \ ?$

410 $\displaystyle\int_{\frac{\pi}{3}}^{\frac{\pi}{2}} \frac{1}{1+\sin\theta-\cos\theta}\, d\theta \ = \ ?$

411 $\displaystyle\int_{1}^{e} \frac{\left(1+2x^2\right)\ln x}{\sqrt{1+x^2}}\, dx \ = \ ?$

412 $\displaystyle\int_{0}^{1} \frac{\left(1-x+x^2\right)\cos\ln\left(x+\sqrt{1+x^2}\right) - \sqrt{1+x^2}\,\sin\ln\left(x+\sqrt{1+x^2}\right)}{\sqrt{\left(1+x^2\right)^3}}\, dx \ = \ ?$

413 $\displaystyle\int_0^\infty \left(x - \frac{x^3}{2} + \frac{x^5}{2\cdot 4} - \frac{x^7}{2\cdot 4\cdot 6} + \cdot\right)\left(1 + \frac{x^2}{2^2} + \frac{x^4}{2^2\cdot 4^2} + \frac{x^6}{2^2\cdot 4^2\cdot 6^2} + \cdot\right) dx = ?$

414 $\displaystyle\int_0^{0.5} \frac{x}{\left\{(2x+1)\sqrt{x^2-x+1}+(2x-1)\sqrt{x^2+x+1}\right\}\sqrt{x^4+x^2+1}}\, dx = ?$

415 $\displaystyle\int_0^1 \frac{1}{(1+x)(2+x)\sqrt{x(1-x)}}\, dx = ?$

416 $\displaystyle\int_{-\pi}^{\pi} \frac{\sin(nx)}{\sin(x)(2^x+1)}\, dx = ?$

417 $0 < \phi < \lambda < 1 \Rightarrow \displaystyle\int_0^\infty \frac{x^{\phi-1}-x^{\lambda-1}}{(1+x)\ln x}\, dx = ?$

418 $\displaystyle\int_0^\infty \frac{\sqrt[3]{x}\,\ln x}{1+x^2}\, dx = ?$

419 $\displaystyle\int_0^\infty \frac{x\ln x}{1+x^2}\, dx = ?$

420 $\displaystyle\int_{-1}^1 \frac{x^2+1}{(x^4+x^2+1)(e^x+1)}\, dx = ?$

421 $\displaystyle\int_0^\infty \frac{x^2}{(x^2+a^2)^2(x^2+b^2)}\, dx = ?$

422 $\displaystyle\int_0^1 \frac{\ln(1+x)}{\ln(1+x)+\ln(2-x)}\, dx = ?$

423 $\displaystyle\int_{\frac{\pi}{2}}^{\frac{\pi}{4}} \frac{1}{1+\sin 2x} \sqrt[2009]{\frac{\tan x-1}{\tan x+1}} \, dx = \, ?$

424 $\displaystyle\int_{-0.5}^{0.5} \sin^{-1}(3x-4x^3) - \cos^{-1}(4x^3-3x) \, dx = \, ?$

425 $\displaystyle\int_{0}^{\frac{n\pi}{4}} \frac{|\sin 2x|}{|\sin x|+|\cos x|} \, dx = \, ?$

426 $\displaystyle\int_{0}^{2\alpha} \frac{\sqrt[4]{\sin(3\alpha-x)}}{\sqrt[4]{\sin(3\alpha-x)}+\sqrt[4]{\sin(\alpha+x)}} \, dx = \, ?$

427 $\displaystyle\int_{-1}^{1} \frac{1}{\sqrt{1+x}+\sqrt{1-x}} \, dx = \, ?$

428 $\displaystyle\int_{0}^{\frac{\pi}{2}} \frac{\sin x-\cos x}{1+\sin x \cos x} \, dx = \, ?$

429 $\displaystyle\int_{0}^{\infty} \frac{x\tan^{-1}x}{\left(1+x^2\right)^2} \, dx = \, ?$

430 $\displaystyle\int_{0}^{1} \frac{\tan^{-1}\!\left(\dfrac{x}{x+1}\right)}{\tan^{-1}\!\left(\dfrac{1+2x-x^2}{2}\right)} \, dx = \, ?$

431 $\displaystyle\int_{-1}^{7} \frac{1}{1+\sqrt[3]{1+x}} \, dx = \, ?$

432 $\displaystyle\int_0^1 \frac{\tan^{-1}x}{\sqrt{(1+x^2)^3}}\,dx = ?$

433 $\displaystyle\int_0^\pi \frac{x}{2+\tan^2 x}\,dx = ?$

434 $\displaystyle\int_0^{\frac{\pi}{4}} \frac{\tan x}{1+\sin x}\,dx = ?$

435 $\displaystyle\int_0^1 \frac{1}{(x^2-x+1)(e^{2x-1}+1)}\,dx = ?$

436 $\displaystyle\int_{\frac{1+\sqrt{5}}{2}}^{\frac{1+\sqrt{2}+\sqrt{7+2\sqrt{2}}}{2}} \frac{(x^2+1)(x^2+2x-1)}{x^6+14x^3-1}\,dx = ?$

437 $\displaystyle\int_0^1 \frac{(1-x)e^x}{x^2+e^{2x}}\,dx = ?$

438 $\displaystyle\int_0^{\frac{\pi}{2}} \frac{\cos^4 x}{\sqrt{2}-\sin 2x}\,dx = ?$

439 $\displaystyle\int_0^{\frac{\pi}{8}} \frac{\cos x}{\cos\left(x-\dfrac{\pi}{8}\right)}\,dx = ?$

440 $\displaystyle\int_0^1 \frac{2a+3bx+4cx^2}{2\sqrt{a+bx+cx^2}}\,dx = ?,\ (a,b,c>0)$

441 $\displaystyle\int_{\frac{1}{2}}^{2} \frac{1}{x} \operatorname{cosec}^{101}\left(x - \frac{1}{x}\right) dx \ = \ ?$

442 $\displaystyle\int_{0}^{1} \int_{y}^{1} x^2 e^{xy}\, dx dy \ = \ ?$

443 $\displaystyle\int_{0}^{2\pi} \frac{1}{a + b\cos x}\, dx \ = \ ?, \ (0 < b < a)$

444 $\displaystyle\int_{0}^{\frac{\pi}{2}} \frac{\sin x}{1 + \sin^2 x}\, dx \ = \ ?$

445 $\displaystyle\int_{0}^{\frac{\pi}{2}} \frac{\sin 2x}{1 + \sin^2 x}\, dx \ = \ ?$

446 $\displaystyle\int_{0}^{1} \frac{x^3}{1 + \sqrt[3]{1 + x^4}}\, dx \ = \ ?$

447 $\displaystyle\int_{-0.5}^{0} \frac{1}{1 + \sqrt{-x - x^2}}\, dx \ = \ ?$

448 $\displaystyle\int_{0}^{\frac{\pi}{2}} \frac{\sin^2 x}{\sin x + 2\cos x}\, dx \ = \ ?$

449 $\displaystyle\int_{0}^{\frac{1}{2}} \frac{x^2}{\sqrt{1 - x^2}}\, dx \ = \ ?$

450 $\displaystyle\int_0^1 \dfrac{1-x}{\left(1+x^2\right)^2}\,dx \,=\, ?$

451 $\displaystyle\int_0^1 \left(\sqrt[4]{1-x^7} - \sqrt[7]{1-x^4}\right) dx \,=\, ?$

452 $\displaystyle\int_0^\pi \dfrac{1}{1+\sin x \cos x}\,dx \,=\, ?$

453 $\displaystyle\int_0^{\frac{\pi}{4}} \sum_{k=1}^\infty (-1)^{k+1} \tan^{2k-1} x\,dx \,=\, ?$

454 $a>0 \Rightarrow \displaystyle\int_{a^{-1}}^a \dfrac{\sin^{-1}\!\left(\dfrac{x}{\sqrt{1+x^2}}\right)}{x}\,dx \,=\, ?$

455 $\displaystyle\int_{\frac{\pi}{4}}^{\frac{\pi}{3}} \sec x \sqrt[6]{\dfrac{1+\sin x}{1-\sin x}}\,dx \,=\, ?$

456 $\displaystyle\int_{-1}^1 \sqrt[3]{\dfrac{\sin x - 1 + \sqrt{\sin^2 x + 1}}{\sin x + 1 + \sqrt{\sin^2 x + 1}}}\,dx \,=\, ?$

457 $\displaystyle\int_0^1 \int_0^1 \{x-y\}\,dx\,dy \,=\, ?,\ \ a-\{a\}=[a]$: Gauss 부호

458 $m>-1 \Rightarrow \displaystyle\int_0^1 \{\ln x\} x^m\,dx = ?,\ \ x-\{x\}=[x]$: Gauss 부호

459 $\displaystyle\int_{0}^{\frac{\pi}{2}} \frac{\cos^{2010}x + 2010\sin^2 x}{2010 + \sin^{2010}x + \cos^{2010}x}\, dx \ = \ ?$

460 $\displaystyle\int_{0}^{\pi} \frac{x}{1 + \sin x \cos x}\, dx \ = \ ?$

461 $\displaystyle\int_{0}^{1} \frac{\tan^{-1}\left(\sqrt{x^2 + 2}\right)}{\left(x^2 + 1\right)\sqrt{x^2 + 2}}\, dx \ = \ ?$

462 $\displaystyle\int_{-\frac{\pi}{2}}^{\frac{\pi}{2}} \frac{\sin^{2m}x}{1 + \sin^{2n+1}x + \sqrt{1 + \sin^{4n+2}x}}\, dx = \ ?$

463 $\displaystyle\int_{0}^{\infty} \frac{1}{x^4 + 4}\, dx \ = \ ?$

464 $\displaystyle\int_{0}^{\pi} \frac{x \sin^3 x}{\sin^2 x + 8}\, dx \ = \ ?$

465 $\displaystyle\int_{0}^{\ln 2} (x - \ln 2)e^{-2\ln(1 + e^x) + x + \ln 2}\, dx \ = \ ?$

466 $\displaystyle\int_{\frac{\pi}{6}}^{\frac{\pi}{3}} \sum_{n=1}^{\infty}\left(\frac{1}{2^n}\right)\tan\left(\frac{x}{2^n}\right)\, dx \ = \ ?$

467 $\displaystyle\int_{0}^{\pi} \ln\left(\alpha^2 + 1 - 2\alpha \cos x\right)dx \ = \ ?$

468 $\displaystyle\int_0^1 \frac{x}{\left\{(2x-1)\sqrt{x^2+x+1}-(2x+1)\sqrt{x^2-x+1}\right\}\sqrt{x^4+x^2+1}}\,dx\ =?$

469 $\displaystyle\int_0^1 \frac{x^{2n}}{1+x^2}\,dx\ =\ ?,\ n\in N$

470 $\displaystyle\int_0^{\frac{\pi}{2}} e^{xe^x}\left\{(x+1)e^x(\cos x+\sin x)+\cos x-\sin x\right\}dx = ?$

471 $\displaystyle\int_0^1 \frac{\left(x^2+3x\right)e^x-\left(x^2-3x\right)e^{-x}+2}{\sqrt{1+x\left(e^x+e^{-x}\right)}}\,dx\ =\ ?$

472 $\displaystyle\int_0^{\frac{\pi}{4}} \frac{(\cos\theta+\sin\theta)^{\frac{3}{2}}-(\cos\theta-\sin\theta)^{\frac{3}{2}}}{\sqrt{\cos2\theta}}\,d\theta\ =\ ?$

473 $\displaystyle\int_0^{\frac{\pi}{4}} \frac{x}{\cos x(\cos x+\sin x)}\,dx\ =\ ?$

474 $\displaystyle\int_1^{\infty} \frac{1}{x\sqrt{x^2-1}}\,dx\ =\ ?$

475 $\displaystyle\int_0^1 \frac{x\cosh x-\sinh x}{x^2}\,dx\ =\ ?$

476 $\displaystyle\int_0^{\frac{\pi}{3}} \frac{1}{\sqrt{1+\cos x}}\,dx\ =\ ?$

477 $\displaystyle\int_{\frac{\pi}{6}}^{\frac{\pi}{4}} \sqrt{\cot x}\ dx\ =\ ?$

478 $\displaystyle\int_{1}^{e} \frac{\ln x}{(\ln x+1)^2}\ dx\ =\ ?$

479 $\displaystyle\int_{0}^{\pi} \frac{2(1+\cos x)-\cos(n-1)x-2\cos nx-\cos(n+1)x}{1-\cos x}\ dx = ?$

480 $\displaystyle\int_{0}^{\frac{\pi}{4}} \sqrt{\tan^3 x}\ dx\ =\ ?$

481 $\displaystyle\int_{0}^{\ln 2} \sqrt{1-e^{-2x}}\ dx\ =\ ?$

482 $\displaystyle\min\left\{\int_{0}^{1}(\sqrt{x}-a-bx)^2 dx\right\}\ \Rightarrow\ a,b = ?$

483 $\displaystyle\int_{0}^{1}\left(\frac{\ln x}{1-x}\right)^2 dx\ =\ ?$

484 $\displaystyle\int_{-\infty}^{\infty} e^{ax}f(x)\,dx = \sin^{-1}\left(a-\frac{1}{\sqrt{2}}\right)\ \Rightarrow\ \int_{-\infty}^{\infty} x f(x)\,dx = ?$

485 $\displaystyle\int_{0}^{\frac{\pi}{2}} \frac{\sin 2x+\sin x}{\sqrt{1+3\cos x}}\ dx\ =\ ?$

486 $\displaystyle\int_{2}^{a} \frac{1}{a^x-1}-\frac{xa^x\ln a}{\left(a^x-1\right)^2}\ dx\ =\ ?$

487 $\displaystyle\int_0^\infty \frac{\sin x}{x\,e^{\sqrt{3}\,x}}\,dx = ?$

488 $0 < b < a \Rightarrow \displaystyle\int_0^\infty \frac{e^{ax} - e^{bx}}{x\left(e^{ax}+1\right)\left(e^{bx}+1\right)}\,dx = ?$

489 $\displaystyle\int_0^1 \frac{1}{x^2 + 2x\cosh a + 1}\,dx = ?$

490 $\displaystyle\int_1^\infty \frac{1}{x^2 + 2x\sinh a - 1}\,dx = ?$

491 $\displaystyle\int_{\frac{1}{2}}^2 \frac{\sin x}{x\left(\sin x + \sin\dfrac{1}{x}\right)}\,dx = ?$

492 $\displaystyle\int_0^{\frac{\pi}{2}} \frac{\sin x}{\sin\left(x + \dfrac{\pi}{4}\right)}\,dx = ?$

493 $\displaystyle\int_0^\infty \frac{1}{x^4 + 2x^2\cosh a + 1}\,dx = ?$

494 $\displaystyle\int_0^1 \ln\left(1 + x^2\right)\,dx = ?$

495 $\displaystyle\int_0^1 \left(x - x^2\right)^{\frac{3}{2}}\,dx = ?$

496 $\displaystyle\int_0^\infty \frac{1}{1+x^6}\, dx \; = \; ?$

497 $\displaystyle\int_0^\infty \frac{\ln\left(x^6+1\right)}{x^6+1}\, dx \; = \; ?$

498 $\displaystyle\int_0^\infty \frac{e^{-x^2}}{\left(x^2+\dfrac{1}{2}\right)^2}\, dx \; = \; ?$

499 $\displaystyle\int_0^1 \frac{x\ln x}{(1+x)^3}\, dx \; = \; ?$

500 $\displaystyle\int_0^\infty \frac{\ln\left(1+e^{4x}\right)}{e^x}\, dx \; = \; ?$

501 $\displaystyle\int_{-1}^1 \frac{\ln\left(13-6x\right)}{\sqrt{1-x^2}}\, dx \; = \; ?$

502 $\displaystyle\int_0^\infty \frac{\sqrt{x}}{\left(1+x^2\right)^2}\, dx \; = \; ?$

503 $\displaystyle\int_0^1 \frac{\sqrt{x-x^2}}{\left(1+x^2\right)^2}\, dx \; = \; ?$

504 $\displaystyle\int_0^1 \sqrt[2012]{1-x^{2010}} - \sqrt[2010]{1-x^{2012}}\, dx \; = \; ?$

505 $\displaystyle\int_0^{\frac{1}{\sqrt{2}}} \frac{\left(x+\sqrt{1-x^2}\right)e^{-x+\sqrt{1-x^2}}}{\sqrt{1-x^2}}\, dx = ?$

506 $\displaystyle\int_0^2 \left(3x^2 - 3x + 1\right)\cos\!\left(x^3 - 3x^2 + 4x - 2\right) dx = ?$

507 $\displaystyle\int_0^1 (x+3)\sqrt{xe^x}\, dx = ?$

508 $\displaystyle\int_0^{\frac{\pi}{4}} \left(\frac{1}{1-\sin x}\right)\sqrt{\frac{\cos x}{1+\sin x + \cos x}}\, dx = ?$

509 $\displaystyle\int_{-\infty}^{\infty} \frac{e^x x^2}{\left(1+e^x\right)^2}\, dx = ?$

510 $\displaystyle\sqrt[n]{\sum_{k=1}^n \frac{x^k y^{n-k}}{(n+1)\displaystyle\int_0^1 t^{n-k}(1-t)^k\, dt}} = ?$

511 $\displaystyle\int_0^{\infty} \left(\frac{2}{3}\right)^x \sin x\, dx = ?$

512 $a > 0,\, a \neq 1,\, b \in N \Rightarrow \displaystyle\int_0^{\pi} a^x \cos bx\, dx = ?$

513 $\displaystyle\int_0^{\pi} \frac{\sin(884x)\sin(1122x)}{2\sin x}\, dx = ?$

514 $f(0) = f(\pi) = 0 \Rightarrow \displaystyle\int_0^{\frac{\pi}{2}} (f(2x) + f''(2x)) \sin x \cos x \, dx = ?$

515 $a, b > 0 \Rightarrow \displaystyle\int_1^\infty \frac{(\ln x)^a}{x^b} \, dx = ?$

516 $b > 0, b \neq 1 \Rightarrow \displaystyle\int_0^\infty \frac{\ln x}{x^2 + b^2} \, dx = ?$

517 $\displaystyle\int_0^\infty \frac{(\ln x)^2}{1 + x^2} \, dx = ?$

518 $\displaystyle\int_{2\pi}^{4\pi} \frac{\sin^{-1}(\sin x)}{\tan^2 x + \cos^2 x} \, dx = ?$

519 $\displaystyle\int_0^{\frac{\pi}{2}} \frac{x \cos x - \sin x}{x^2 + \sin^2 x} \, dx = ?$

520 $\displaystyle\int_0^\infty \frac{(ax + c)^{-\mu} - (bx + c)^{-\mu}}{x} \, dx = ?$

521 $p, q > 0 \Rightarrow \displaystyle\int_0^\infty \left(\frac{e^{-aqx} - e^{-apx}}{a} - \frac{e^{-bqx} - e^{-bpx}}{b} \right) \frac{dx}{x^2} = ?$

522 $\displaystyle\int_0^\infty \left(\frac{a \exp(-ce^{ax})}{1 - e^{-ax}} - \frac{b \exp(-ce^{bx})}{1 - e^{-bx}} \right) dx = ?$

523 $\displaystyle\int_0^\infty \frac{\ln(a + be^{-px}) - \ln(a + be^{-qx})}{x} \, dx = ?$

524 $\displaystyle\int_0^\infty \left[\left(1+\dfrac{a}{qx}\right)^{qx} - \left(1+\dfrac{a}{px}\right)^{px}\right]\dfrac{1}{x}\,dx \;=\; ?$

525 $\displaystyle\int_0^\infty \left[\dfrac{a+be^{-px}}{ce^{px}+g+he^{-px}} - \dfrac{a+be^{-qx}}{ce^{qx}+g+he^{-qx}}\right]\dfrac{dx}{x} \;=\; ?$

526 $\displaystyle\int_0^\infty \sin\!\left(\dfrac{(b-a)x}{2}\right)\sin\!\left(\dfrac{(b+a)x}{2}\right)\dfrac{1}{x}\,dx \;=\; ?$

527 $\displaystyle\int_0^\pi (x\sin x)^2\,dx \;=\; ?$

528 $\displaystyle\int_0^1\int_0^1 \dfrac{x^2-y^2}{(x^2+y^2)^2}\,dy\,dx \;=\; ?$

529 $\displaystyle\int_0^1 \left(\tan^{-1}x\right)^2 dx \;=\; ?$

530 $\displaystyle\int_{-1}^1 \dfrac{e^{2x}+1-(x+1)\left(e^x+e^{-x}\right)}{x\left(e^x-1\right)}\,dx \;=\; ?$

531 $\displaystyle\int_0^1 \dfrac{\ln(x+2)}{x+1}\,dx \;=\; ?$

532 $\displaystyle\int_0^{\frac{\pi}{2}} \dfrac{\sin 9x}{\sin x}\,dx \;=\; ?$

533 $a>0 \;\Rightarrow\; \displaystyle\int_0^{\frac{\pi}{2}} 2a\cos(2x+a\cot x)\,dx \;=\; ?$

534 $\displaystyle\int_{\frac{25\pi}{4}}^{\frac{53\pi}{4}} \frac{1}{\left(1+2^{\sin x}\right)\left(1+2^{\cos x}\right)}\, dx = ?$

535 $\displaystyle\int_0^1 \frac{\sin^{-1}x}{x}\, dx = ?$

536 $\displaystyle\int_{\frac{1}{2}}^2 \frac{\tan^{-1}x}{x^2-x+1}\, dx = ?$

537 $\displaystyle\int_0^a \frac{\sinh x}{2\cosh^2 x-1}\, dx = ?$

538 $\displaystyle\int_0^a \frac{\cosh x}{1+2\sinh^2 x}\, dx = ?$

539 $\displaystyle\int_0^\infty \frac{\cosh x-\sinh x}{1+2\sinh^2 x}\, dx = ?$

540 $\displaystyle\int_0^a x\sqrt{\frac{a+x}{a-x}}\, dx = ?$

541 $\displaystyle\int_0^1 \sqrt{1-x^2}\cdot\tan^{-1}x\, dx = ?$

542 $\displaystyle\int_0^{\frac{\pi}{2}} \frac{\ln(\sec x)}{\tan x}\, dx = ?$

543 $\displaystyle\int_0^\infty \left(\frac{1}{1+x^2}\right)\ln\left(x+\frac{1}{x}\right)\, dx = ?$

544 $\displaystyle\int_0^\pi \frac{x\sin x}{3+\sin^2 x}\,dx = ?$

545 $\displaystyle\int_0^1 \ln(\Gamma(x))\,dx = ?$

546 $\displaystyle\int_0^1 \frac{x}{\sqrt{x-x^2}}\,dx = ?$

547 $k \in N \;\Rightarrow\; \displaystyle\int_0^\infty \frac{\sin(kx)\cos^k x}{x}\,dx = ?$

548 $\displaystyle\int_{-1}^1 \frac{\left(\sqrt[x]{e}\right)^{-1}}{x^2\left(1-\left(\sqrt[x]{e}\right)^{-1}\right)^2}\,dx = ?$

549 $\displaystyle\int_0^3 \frac{\sqrt[4]{x^3(3-x)}}{5-x}\,dx = ?$

550 $\displaystyle\int_{-1}^1 \frac{1}{(x^2+1)\sqrt{1-x^2}}\,dx = ?$

551 $f'(x) = e^{-x^2},\ \displaystyle\lim_{x\to\infty} f(x) = 0 \;\Rightarrow\; \int_0^\infty x^2 f(x)\,dx = ?$

552 $\displaystyle\int_0^\infty x^n \sin\left(\sqrt[4]{x}\right)e^{-\sqrt[4]{x}}\,dx = ?$

553 $k \in R \;\Rightarrow\; \displaystyle\int_0^{\frac{\pi}{2}} \cos(k\ln(\tan x))\,dx = ?$

554 $n \in N \Rightarrow \displaystyle\int_{-\frac{\pi}{2}}^{\frac{\pi}{2}} \dfrac{\sin(2n+1)x}{\sin x}\, dx = ?$

555 $\displaystyle\int_{-\infty}^{\infty} \dfrac{1}{\left(x^2 + x + 1\right)^3}\, dx = ?$

556 $|a| < 1 \Rightarrow \displaystyle\int_{0}^{\frac{\pi}{2}} \dfrac{\tan^{-1}(a\sin x)}{\sin x}\, dx = ?$

557 $\displaystyle\int_{0}^{\frac{\pi}{2}} \ln(\sin x)\ln(\cos x)\, dx = \dfrac{\pi}{2}(\ln 2)^2 - \dfrac{\pi^3}{48} \Rightarrow \displaystyle\int_{0}^{\frac{\pi}{2}} \ln^2(\cos x)\, dx = ?$

558 $\displaystyle\int_{0}^{\frac{1}{\sqrt{2}}} \ln\left(\dfrac{\sqrt{1-x^2}}{x}\right)\, dx = ?$

559 $0 < a < 1 \Rightarrow \displaystyle\int_{0}^{\infty} \dfrac{1}{x^a(1+x)}\, dx = ?$

560 $\displaystyle\int_{0}^{\infty} \ln\left(\dfrac{e^x + 1}{e^x - 1}\right)\, dx = ?$

561 $a > 0 \Rightarrow \displaystyle\int_{0}^{\infty} \dfrac{e^{\sqrt{x}} - e^{-\sqrt{x}}}{e^{ax}}\, dx = ?$

562 $\displaystyle\int_{\frac{\pi}{4}}^{\frac{\pi}{3}} \dfrac{1}{\sqrt[4]{\sin^3 x \cos^5 x}}\, dx = ?$

563 $a > 0 \Rightarrow \displaystyle\int_0^{\frac{\pi}{2}} \frac{1}{1 + a^2 \tan^2 x} \, dx = ?$

564 $\displaystyle\int_0^{\frac{\pi}{2}} \frac{x}{\tan x} \, dx = ?$

565 $\displaystyle\int_{2\pi}^{4\pi} \frac{\sin^{-1}(\sin x)}{\tan^2 x + \cos^2 x} \, dx = ?$

566 $\displaystyle\int_{\frac{3\pi}{4}}^{\pi} \frac{\tan^2 x - \tan x}{e^x} \, dx = ?$

567 $\displaystyle\int_1^{\infty} \frac{1}{2[x] + 3[x]^2 + [x]^3} \, dx = ?$, $[x]$: Gauss' notation

568 $\displaystyle\int_{\frac{\pi}{2}}^{\frac{5\pi}{2}} \frac{e^{\tan^{-1}(\sin x)}}{e^{\tan^{-1}(\sin x)} + e^{\tan^{-1}(\cos x)}} \, dx = ?$

569 $\displaystyle\int_0^{\infty} \frac{\sin^3 x}{x^2} \, dx = ?$

570 $\displaystyle\int_0^{\infty} \sin\left(\frac{x}{e^x}\right) dx = ?$

571 $\displaystyle\int_0^1 \sum_{k=0}^{\infty} \frac{x(1-x)^k}{k+1} \, dx = ?$

572 $\displaystyle\int_0^1 \frac{x^2 \ln x}{\sqrt{1-x^2}}\, dx = ?$

573 $a \in R \implies \displaystyle\int_0^\infty \frac{1}{\left(x^2+1\right)^a}\, dx = ?$

574 $a \in R \implies \displaystyle\int_1^\infty \frac{1}{\left(x^2-1\right)^a}\, dx = ?$

575 $a > 0 \implies \displaystyle\int_0^\pi \frac{x \sin x}{1+a^2-2a\cos x}\, dx = ?$

576 $\displaystyle\int_0^\infty \frac{1-\cos x}{x}\, e^{-ax}\, dx = ?$

577 $\displaystyle\int_0^\infty \frac{1-e^{-x}}{x}\, e^{-ax}\, dx = ?$

578 $\displaystyle\int_0^\infty \sin\left(\frac{1}{x^2}\right) dx = ?$

579 $\displaystyle\int_0^\pi \frac{x}{\sqrt{1+\sin^3 x}}\left[(3\pi\cos x + 4\sin x)\sin^2 x + 4\right] dx = ?$

580 $\displaystyle\int_0^3 \frac{\sqrt[4]{x^3(3-x)}}{5-x}\, dx = ?$

581 $\displaystyle\int_0^1 \frac{\left(2x^3+3x^2-2\right)\sqrt{x^2+x+1}}{x^6+x^5+6x^4+6x^3+11x^2+6x+5}\, dx = ?$

582 $\displaystyle\int_0^1 \frac{x^3}{\left(x^3+1\right)^2}\,dx \;=\; ?$

583 $\displaystyle\int_0^1 \sqrt[m]{1-x^n}\,dx \;=\; ?$

584 $\displaystyle\int_0^\infty \frac{\sqrt{x}}{(1+x)^2}\,dx \;=\; ?$

585 $\displaystyle\int_0^1 \left(x-x^2\right)^n dx \;=\; ?$

586 $|a|<2,\,b\in R \;\Rightarrow\; \displaystyle\int_0^\infty \frac{1}{\left(x^2+ax+1\right)\left(x^b+1\right)}\,dx \;=\; ?$

587 $\displaystyle\int_0^\infty \sin\!\left(\frac{\pi x^{\sqrt{2}}}{2}\right)dx \;=\; ?$

588 $\displaystyle\int_0^1 (\ln x)^n\,dx \;=\; ?$

589 $\displaystyle\int_0^x (\ln t)(x-t)^n\,dt \;=\; ?$

590 $\displaystyle\int_0^1 \sqrt{|\ln x|}\,dx \;=\; ?$

591 $\displaystyle\int_0^1 \sqrt{\frac{1}{x}-x}\,dx \;=\; ?$

592 $\displaystyle\int_{-1}^{1} \frac{2x^{1004} + x^{2008}\sin(x^{2007}) + x^{3014}}{1 + x^{2010}}\, dx = ?$

593 $\displaystyle\int_{0}^{1} \frac{\ln(x^2 - 2x\cos a + 1)}{x}\, dx = ?$

594 $\displaystyle\int_{0}^{\frac{\pi}{2}} \sqrt{\cos x}\, dx = ?$

595 $\displaystyle\int_{0}^{1} \frac{1}{\sqrt{1 - x^3}}\, dx = ?$

596 $\displaystyle\int_{0}^{1} \tan^{-1}\sqrt{1 - x^2}\, dx = ?$

597 $\displaystyle\int_{0}^{\infty} \left(\frac{\tan^{-1}x}{x}\right)^2\, dx = ?$

598 $\displaystyle\int_{0}^{\infty} \frac{\tan^{-1}x}{x(1 + a^2 x^2)}\, dx = ?$

599 $\displaystyle\int_{0}^{1} \frac{x^2 + 5}{(x+1)^2(x-2)}\, dx = ?$

600 $\displaystyle\int_{-1}^{1} \cos^2(n\cos^{-1}x)\, dx = ?$

601 $a > 1 \implies \displaystyle\int_{0}^{\infty} \cos(x^a)\, dx = ?$

602 $\displaystyle\int_0^\pi \left(1 + \sum_{k=1}^n k\cos kx\right)^2 dx \ = \ ?$

603 $\displaystyle\int_0^1 \left(\frac{2a^2}{a^2+x^2}\right)\frac{\tan^{-1}\sqrt{2a^2+x^2}}{\sqrt{2a^2+x^2}}\, dx \ = \ ?$

604 $\displaystyle\int_1^{n^3} \left[\sqrt[3]{x}\right] dx \ = \ ?, \quad [x]\text{: Gauss' notation}$

605 $\displaystyle\int_0^{2k\pi} \frac{x^2 \sin x}{1 + \cos^2 x}\, dx \ = \ ?$

606 $\displaystyle\int_0^\infty \frac{x^2}{\left(x^2+1\right)^2}\, dx \ = \ ?$

607 $\displaystyle\int_0^1 \frac{1 - 2x^2}{\sqrt{\left(1-x^2\right)\left(x^4 - x^2 + 1\right)}}\, dx \ = \ ?$

608 $\displaystyle\int_0^{\frac{1}{\sqrt{2}}} \frac{1 - 2x^2}{\sqrt{\left(1-x^2\right)\left(x^4 - x^2 + 1\right)}}\, dx \ = \ ?$

609 $\displaystyle\int_0^1 x^3 \tan^{-1}\left(\frac{1-x}{1+x}\right) dx \ = \ ?$

610 $\displaystyle\int_0^{\frac{\pi^2}{4}} \int_{\frac{2x}{\pi}}^{\sqrt{x}} \cos\left(\frac{x}{y}\right) dy\, dx \ = \ ?$

611 $\displaystyle\int_0^{\frac{\pi}{4}} \frac{\ln(\cot x)\sin^{2008}(2x)}{\left(\sin^{2009}x + \cos^{2009}x\right)^2}\, dx = ?$

612 $\displaystyle\int_0^1 \frac{\ln(x^2 - x + 1)}{x - 1}\, dx = ?$

613 $\displaystyle\int_{-\infty}^0 \frac{1-x}{x^2 + e^{2x}}\, dx = ?$

614 $\displaystyle\int_0^\infty \left[n\,e^{-x}\right] dx = ?,\ [x]:\text{ Gauss' notation}$

615 $\displaystyle\int_0^{\frac{\pi}{2}} \frac{1}{(b-a)\sin^2 x + a}\, dx = ?$

616 $\displaystyle\int_0^\pi \ln(1 + \cos x)\, dx = ?$

617 $\displaystyle\int_{\frac{\pi}{6}}^{\frac{5\pi}{6}} \frac{x}{1 + \sin x}\, dx = ?$

618 $\displaystyle\int_3^4 \frac{x}{\sqrt{(x-3)(4-x)}}\, dx = ?$

619 $\displaystyle\int_1^e \frac{1}{\sqrt{x^2\ln x + (x\ln x)^2}}\, dx = ?$

620 $\displaystyle\int_{\frac{1}{2}}^{2} \frac{\tan^{-1}x}{x}\, dx = ?$

621 $\displaystyle\int_{0}^{\pi} \frac{1}{1+2\sin^2 x}\, dx = ?$

622 $\displaystyle\int_{0}^{\frac{\pi}{2}} \sqrt{1-2\sin 2x+3\cos^2 x}\, dx = ?$

623 $\displaystyle\int_{1}^{3} \frac{\ln(x+1)}{x^2}\, dx = ?$

624 $\displaystyle\int_{0}^{\frac{1}{2}} \frac{\ln x \ln(1-x)}{x(1-x)}\, dx = ?$

625 $m \in N \Rightarrow \displaystyle\int_{0}^{\infty} x^m e^{-x} \sin x\, dx = ?$

626 $\displaystyle\int_{0}^{1} \frac{1}{x} \ln\left(\frac{1}{1-x}\right) dx = ?$

627 $a > -1,\, b,m > 0,\, c > \dfrac{a+1}{b} \Rightarrow \displaystyle\int_{0}^{\infty} \frac{x^a}{\left(x^b+m\right)^c}\, dx = ?$

628 $a,b \in R \Rightarrow \displaystyle\int_{0}^{1} \frac{1}{x^a(-\ln x)^b}\, dx = ?$

629 $a,b > 0 \Rightarrow \displaystyle\int_{0}^{\infty} \frac{x^{a-1}}{(1+x)^{a+b}}\, dx = ?$

630 $a \neq 0, -1 \Rightarrow \displaystyle\int_0^1 \left(\frac{1}{a+1-x} - \frac{1}{a+x} \right) \ln x \, dx = ?$

631 $\displaystyle\int_a^b \frac{\ln x}{(x+a)(x+b)} \, dx = ?$

632 $\alpha > \beta \geq 0 \Rightarrow \displaystyle\int_{-\infty}^{\infty} \frac{\cosh \beta x}{(\cosh x)^\alpha} \, dx = ?$

633 $\displaystyle\int_0^1 \left(\frac{\sin^{-1} x}{x} \right)^3 \, dx = ?$

634 $\displaystyle\int_0^1 \frac{(1-x)^3}{(1+x)^5} \tan^{-1} x \, dx = ?$

635 $\displaystyle\int_0^1 \frac{\tan^{-1} \sqrt{x^2+2}}{(x^2+1)\sqrt{x^2+2}} \, dx = ?$

636 $\displaystyle\int_0^{\frac{\pi}{3}} \cos^{-1} \left(\frac{1-\cos x}{2\cos x} \right) \, dx = ?$

637 $\displaystyle\int_0^1 \frac{1}{\sqrt{(x+1)^3(3x+1)}} \, dx = ?$

638 $\displaystyle\int_0^1 \sqrt{(x+1)^3(3x+1)} \, dx = ?$

639 $\displaystyle\int_u^{u+1} \ln(\Gamma(x)) \, dx = ?$

640 $\displaystyle\int_0^\infty x^{-\frac{3}{2}} e^{-x-\frac{1}{x}}\, dx \;=\; ?$

641 $\displaystyle\int_0^{\frac{\pi}{2}} \frac{\cos x + 4}{3\sin x + 4\cos x + 25}\, dx \;=\; ?$

642 $\displaystyle\int_0^\infty \frac{\tan^{-1}(3x) + \tan^{-1}\left(\dfrac{x}{3}\right)}{1+x^2}\, dx \;=\; ?$

643 $\displaystyle\int_0^\infty \frac{x\ln x}{\left(x^2+1\right)^2}\, dx \;=\; ?$

644 $\displaystyle\int_0^\infty e^{-\left(x^2+\frac{a^2}{x^2}\right)}\, dx \;=\; ?$

645 $\displaystyle\int_0^\infty e^{-(ax)^2}\cos(2bx)\, dx \;=\; ?$

646 $i = \sqrt{-1} \;\Rightarrow\; \displaystyle\int_{-\infty}^\infty \frac{e^{ix}}{1+x^2}\, dx \;=\; ?$

647 $\displaystyle\int_0^\infty \left(\frac{1}{1+ax^2} + \frac{1}{a+x^2}\right)\tan^{-1}x\, dx \;=\; ?$

648 $\displaystyle\int_0^1 \left(1+x^2\right)^n dx \;=\; ?$

649 $f(0) = 2, f(1) = 3, f(x)^2 = 1 + g(x)^2 \Rightarrow \displaystyle\int_0^1 \frac{f(x)g'(x) - f'(x)g(x)}{f(x)^2 g(x)} dx = ?$

650 $\displaystyle\int_0^a \cos^{-1}\left(\frac{2x-a}{a}\right) dx = ?$

651 $\displaystyle\int_0^{\frac{\pi}{4}} \sin^6 x - \cos^6 x \, dx = ?$

652 $\displaystyle\int_0^1 \left(1 - x^2\right)^n dx = ?$

653 $\displaystyle\int_0^1 \frac{\left(x - x^2\right)^4}{1 + x^2} dx = ?$

654 $a \in R, M(a) = \max\left\{ \displaystyle\int_0^\pi \sin(x-t)\sin(2t-a)dt \right\}$

$\Rightarrow \displaystyle\int_0^{\frac{\pi}{2}} M(a)\sin(2a)\, da = ?$

655 $\dfrac{\displaystyle\int_0^\pi e^{-x}\sin^n x\, dx}{\displaystyle\int_0^\pi e^x \sin^n x\, dx} = ?$

656 $\displaystyle\int_0^{2-\sqrt{3}} \frac{x\left(3 - x^2\right)}{\left(1 - 3x^2\right)\left(1 + x^2\right)} dx = ?$

657 $n \in N, p > 0 \Rightarrow \displaystyle\int_0^\infty x^{2n} e^{-px^2} dx = ?$

658 $\displaystyle\int_0^\infty \frac{x^k}{(1+x)^{n+2}}\, dx = ?$

659 $\displaystyle\int_{-\frac{\pi}{2}}^{\frac{\pi}{2}} \left(\frac{1}{2007^x+1}\right) \frac{\sin^{2008}x}{\sin^{2008}x+\cos^{2008}x}\, dx = ?$

660 $\displaystyle\int_{-\infty}^\infty \left(1+\frac{x^2}{n-1}\right)^{-\frac{n}{2}}\, dx = ?$

661 $\displaystyle\int_0^\infty \frac{x^{29}}{\left(5x^2+7^2\right)^{17}}\, dx = ?$

662 $\displaystyle\int_0^{\frac{\pi}{2}} \sin^3(2x)\ln|\tan x|\, dx = ?$

663 $\displaystyle\int_0^b \cos\theta(x)\, dx = ?$

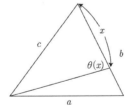

664 $\displaystyle\int_0^1 \frac{\sqrt{1-x^2}}{1+x^2}\, dx = ?$

665 $a > 0 \ \Rightarrow\ \displaystyle\int_0^\pi e^{-ax}\sin^2 x\, dx = ?$

666 $a > 0 \implies \displaystyle\int_0^\pi e^{-ax} \cos^2 x \, dx = ?$

667 $\displaystyle\int_0^1 \left[\log_b \frac{1}{x} \right] dx = ?, \ [x] :$ Gauss' notation

668 $\displaystyle\int_0^{\frac{\pi}{12}} \frac{\tan^2 x - 3}{3\tan^2 x - 1} \, dx = ?$

669 $\displaystyle\int_0^{\frac{\pi}{2}} \frac{\sin x + \cos x - 1}{2\sin x \cos x} \, dx = ?$

670 $\displaystyle\int_0^3 \left[x^2 - 3x + 3 \right] dx = ?, \ [x] :$ Gauss' notation

671 $\displaystyle\int_0^\infty \frac{x}{(x^2 + 1)(x^4 + x^2 + 1)} \, dx = ?$

672 $\displaystyle\int_{-1}^1 \frac{1}{1 + x + x^2 + \sqrt{x^4 + 3x^2 + 1}} \, dx = ?$

673 $\displaystyle\int_0^\infty e^{-x^2} \cos x^2 \, dx = ?$

674 $\displaystyle\int_0^\infty \frac{\sinh(ax)}{\sinh(\pi x)} \, dx = ?$

675 $\displaystyle\int_0^{\frac{\pi}{2}} \ln(\cos x) \ln(\sin x) \sin(2x) \, dx = ?$

676 $\displaystyle\int_0^2 \overbrace{\sqrt{2+\sqrt{2+\sqrt{2+\sqrt{\cdots+\sqrt{2+x}}}}}}^{2n}\ dx = ?$

677 $\displaystyle\int_0^{\frac{\pi}{2}} e^x \left(\frac{1+\sin x}{1+\cos x} \right) dx = ?$

678 $\displaystyle\int_1^e \frac{1+xe^x}{xe^x + \ln x^x} = ?$

679 $\displaystyle\int_0^{\frac{\pi}{2}} \sin x \ln(\sin x)\, dx = ?$

680 $\displaystyle\int_0^\infty \frac{\sin(ax)}{e^{2\pi x}-1}\, dx = ?$

681 $a > 0 \ \Rightarrow\ \displaystyle\int_0^1 \left(\sqrt[a]{1-x^a} - x \right)^2 dx = ?$

682 $\displaystyle\int_0^\infty \int_0^\infty e^{-\frac{x^2+y^2}{2}} \sin(xy)\, dxdy = ?$

683 $\displaystyle\int_4^{10} \frac{[x^2]}{[x^2-28x+196]+[x^2]}\, dx = ?,\ [x]$: Gauss' notation

684 $\displaystyle\int_0^1 \frac{x^{2n}}{\sqrt{1-x^2}}\, dx = ?$

685 $\displaystyle\int_0^\pi \cos x \cos 3x \cos 5x \, dx \ = \ ?$

686 $\displaystyle\int_0^\pi \sin^{-1}(\sin x) \, dx \ = \ ?$

687 $a > 0 \ \Rightarrow \ \displaystyle\int_{-\infty}^\infty \frac{\cos x - 1}{x^2(x^2 + a)} \, dx \ = \ ?$

688 $0 \le t \le \dfrac{\pi}{2} \ \Rightarrow 2\displaystyle\int_0^{1-\cos^2 t} \sin^{-1}\sqrt{x}\, dx + 2\int_0^{1-\sin^2 t} \cos^{-1}\sqrt{x}\, dx = ?$

689 $\displaystyle\int_0^\infty \left(\frac{\sin x}{x}\right)^3 dx \ = \ ?$

690 $\displaystyle\int_0^\pi \frac{x^2\cos^2 x - x\sin x - \cos x - 1}{(1 + x\sin x)^2} \, dx \ = \ ?$

691 $L = \{(x,y)\,|\,x^2 + y^2 \le 1\} \ \Rightarrow \displaystyle\iint_L x\cos x^3 + y^4\sin y + 1 \, dxdy \ = \ ?$

692 $\displaystyle\int_{\frac{\pi}{6}}^{\frac{\pi}{3}} \sum_{n=1}^\infty \frac{1}{2^n}\tan\left(\frac{x}{2^n}\right) dx \ = \ ?$

693 $\displaystyle\int_0^\infty \frac{1}{1 + x^n} \, dx \ = \ ?$

694 $\displaystyle\int_0^\infty \cos(x^n) \, dx \ = \ ?$

695 $\displaystyle\int_0^1 \int_0^1 \ln(\Gamma(x+y))\, dxdy \ = \ ?$

696 $a > 0 \ \Rightarrow \ \displaystyle\int_{-a}^a \frac{x^4}{1+2^x}\, dx \ = \ ?$

697 $\displaystyle\int_0^{\frac{\pi}{4}} \frac{\sqrt{\tan x}}{\cos x}\, dx \ = \ ?$

698 $\displaystyle\int_0^{\sqrt{\frac{\pi}{2}}} \int_x^{\sqrt{\frac{\pi}{2}}} \cos y^2 \, dydx \ = \ ?$

699 $\displaystyle\int_{-\infty}^{\infty} \frac{\cosh \beta x}{(\cosh x)^\alpha}\, dx \ = \ ?$

700 $\displaystyle\int_0^{\infty} \frac{\cos nx}{(\cosh x)^5}\, dx \ = \ ?$

701 $\displaystyle\int_{-2}^2 \sqrt[3]{4-x^2}\, dx \ = \ ?$

702 $\displaystyle\int_0^{\frac{\pi}{4}} \frac{1}{(\sin x + \cos x)^4}\, dx \ = \ ?$

703 $\displaystyle\int_{-1}^1 \frac{1}{1+x^3+\sqrt{1+x^6}}\, dx \ = \ ?$

704 $\displaystyle\int_{\alpha}^{\beta} \dfrac{(x^2 - \alpha\beta)\ln\left(\dfrac{x}{\alpha}\right)\ln\left(\dfrac{x}{\beta}\right)}{(x^2 + \alpha^2)(x^2 + \beta^2)}\,dx \; = \; ?$

705 $\displaystyle\int_{1}^{\sqrt{3}} x^{2x^2 + 1} + \ln\left(x^{2x^{2x^2 + 1}}\right)\,dx \; = \; ?$

706 $\displaystyle\int_{0}^{\pi} \dfrac{1}{1 + (\sin x)^{\cos x}}\,dx \; = \; ?$

707 $\displaystyle\int_{-1}^{1} \tan^{-1}(e^x)\,dx \; = \; ?$

708 $\displaystyle\int_{0}^{2\pi} \dfrac{1}{1 + e^{\sin x}}\,dx \; = \; ?$

709 $\displaystyle\int_{0}^{\infty} 1 - x\sin\dfrac{1}{x}\,dx \; = \; ?$

710 $a > 1,\, a \in R \;\Rightarrow\; \displaystyle\int_{0}^{\infty} \sin\left(x^a\right)\,dx \; = \; ?$

711 $\displaystyle\int_{e}^{e^2} \dfrac{4(\ln x)^2 + 1}{\sqrt{(\ln x)^3}}\,dx \; = \; ?$

712 $\displaystyle\int_{\frac{\pi}{4}}^{\frac{\pi}{3}} \dfrac{1}{\tan x(\ln \sin x)} + \dfrac{\tan x}{\ln \cos x}\,dx \; = \; ?$

713 $\displaystyle\int_0^1 \frac{e^x}{1+x}\,dx = E \implies \int_0^1 \frac{x^2 e^x}{1+x}\,dx = ?,\quad \int_0^1 \frac{e^{\frac{1-x}{1+x}}}{1+x}\,dx = ?$

$$\int_1^{\sqrt{2}} \frac{e^{x^2}}{x}\,dx = ?$$

714 $n \in N \implies \displaystyle\int_0^1 \left(\frac{\ln x}{x}\right)^{2n}\,dx = ?$

715 $\displaystyle\int_0^3 \frac{\sqrt[4]{x^3(3-x)}}{5-x}\,dx = ?$

716 $\displaystyle\int_0^x \sin t \cos t \sin(2\pi \cos t)\,dt = ?$

717 $\displaystyle\int_1^e \frac{\{1-(x-1)e^x\}\ln x}{(1+e^x)^2}\,dx = ?$

718 $a > 1 \implies \displaystyle\int_{a^{-1}}^a \frac{\ln x}{x}\ln(x^2+1)\,dx = ?$

719 $\displaystyle\int_0^{\frac{\pi}{2}} \sqrt[3]{\tan x}\,dx = ?$

720 $\displaystyle\int_0^{\frac{\pi}{2}} \left(1+\tan\frac{x}{2}\right)^2\,dx = ?$

721 $a > 0 \implies \displaystyle\int_0^1 \frac{-2x}{(1+ax)^3}\,dx = ?$

722 $a > 0 \Rightarrow \displaystyle\int_0^1 \dfrac{(-1)^{n-1} n! \, x^{n-1}}{(1+ax)^{n+1}} \, dx = ?$

723 $|a| < 1 \Rightarrow \displaystyle\int_0^{\frac{\pi}{2}} (\tan x)^a \, dx = ?$

724 $\displaystyle\int_0^\pi \dfrac{1}{\sqrt{3-\cos x}} \, dx = ?$

725 $a > 0 \Rightarrow \displaystyle\int_0^\infty \left(\dfrac{1}{e^x} - \dfrac{1}{(x+1)^a} \right) \dfrac{1}{x} \, dx = ?$

726 $\displaystyle\int_0^1 \dfrac{(e^x+1)\{e^x+1+(1+x+e^x)\ln(1+x+e^x)\}}{1+x+e^x} \, dx = ?$

727 $S = \{(x,y) \mid 0 < x \le y \le 2x, \ 1 \le x^2 + y^2 \le 2\}$

$\Rightarrow \displaystyle\iint_S (x^2+y^2)\left(1 + \dfrac{y^2}{x^2}\right) \cos(x^2+y^2)^2 \, dxdy = ?$

728 $f(x) = \cos^4 x + 3\sin^4 x \Rightarrow \displaystyle\int_0^{\frac{\pi}{2}} |f'(x)| \, dx = ?$

729 $\displaystyle\int_0^{2\pi} \dfrac{x \sin^{2n} x}{\sin^{2n} x + \cos^{2n} x} \, dx = ?$

730 $\displaystyle\int_{-\frac{\pi}{2}}^{\frac{\pi}{2}} \dfrac{\ln(1+b\sin x)}{\sin x} \, dx = ?$

731 $5050 \dfrac{\displaystyle\int_0^1 (1-x^{50})^{100}\,dx}{\displaystyle\int_0^1 (1-x^{50})^{101}\,dx} = ?$

732 $\displaystyle\int_0^{\frac{\pi}{2}} \cos(a\tan x)\,dx = ?$

733 $\displaystyle\int_0^\infty \dfrac{1}{\left(x^n+1\right)^n}\,dx = ?$

734 $\displaystyle\int_{-\infty}^0 n^x (1+n)^x\,dx = ?$

735 $\displaystyle\int_0^\infty e^{-x^2} \sin\left(\dfrac{1}{x^2}\right)\,dx = ?$

736 $\displaystyle\int_0^1 \dfrac{x^4(1+x)^4}{1+x^2}\,dx = ?$

737 $f(x) = \dfrac{2}{\sqrt{\pi}}\displaystyle\int_0^x e^{-t^2}\,dt \;\Rightarrow\; \int_0^\infty e^{-x} f(\sqrt{x})^2\,dx = ?$

738 $\phi = \dfrac{1+\sqrt{5}}{2} \;\Rightarrow\; \displaystyle\int_0^\infty \dfrac{1}{\left(x+\sqrt{1+x^2}\right)^\phi}\,dx = ?$

739 $\displaystyle\int_0^\infty \dfrac{x^{29}}{\left(5x^2+49\right)^{17}}\,dx = ?$

740 $\displaystyle\int_{0}^{\frac{\pi}{3}} \cos^{-1}\left(\frac{1-\cos x}{2\cos x}\right) dx = ?$

741 $\displaystyle\int_{1}^{\infty} \frac{\ln(1+x)-\ln 2}{1+x^2}\, dx = ?$

742 $\displaystyle\int_{0}^{\frac{\pi^2}{4}} \frac{1}{1+\sin\sqrt{x}+\cos\sqrt{x}}\, dx = ?$

743 $\displaystyle\int_{\frac{3\pi}{4}}^{\pi} \left(\tan^2 x - \tan x\right)e^{-x}\, dx = ?$

744 $\displaystyle\int_{0}^{\frac{\pi}{6}} \left(\frac{\sin x + \cos x}{1-\sin 2x}\right)\ln(2+\sin 2x)\, dx = ?$

745 $\displaystyle\int_{0}^{\frac{\pi}{2}} \cos x \ln\left(1+\sqrt[3]{\sin x}\right) dx = ?$

746 $\displaystyle\int_{0}^{\pi} \frac{1-\cos nx}{1-\cos x}\, dx = ?$

747 $\displaystyle\int_{\frac{1}{3}}^{\frac{1}{2}} \frac{\tan^{-1}(2x)-\cot^{-1}(3x)}{x}\, dx = ?$

748 $\displaystyle F(n) = \int \frac{x^n}{e^x}\, dx \Rightarrow \int_{-1}^{\sqrt{3}-1} e^{\int \frac{F(1)}{F(2)}\, dx}\, dx = ?$

749 $\displaystyle\int_0^1 x^{3n-1}\left(1-x^3\right)^{-\frac{1}{3}}\, dx \ = \ ?$

750 $\displaystyle\int_{-1}^1 \frac{2x^{332}+x^{998}+4x^{1664}\sin x^{691}}{1+x^{666}}\, dx \ = \ ?$

751 $\displaystyle\int_0^1 \ln\left(1+\sqrt[n]{x}\right)\, dx \ = \ ?$

752 $\displaystyle\int_0^\infty \ln\left(1-e^{-ax}\right)\, dx \ = \ ?$

753 $\displaystyle\int_{-\infty}^\infty \frac{\ln\left(1-2i\,x\right)}{1+x^2}\, dx \ = \ ?$

754 $a,m>0 \Rightarrow \displaystyle\int_{-\infty}^\infty \frac{\ln\left(1-ai\,x\right)}{x^2+m}\, dx \ = \ ?$

755 $\displaystyle\int_0^\infty \frac{\ln x}{\left(x^2+e^4\right)^2}\, dx \ = \ ?$

756 $\displaystyle\int_{\frac{\pi}{4}}^{\frac{\pi}{3}} \frac{x^2}{(1+x\tan x)(x-\tan x)\cos^2 x}\, dx \ = \ ?$

757 $s>1 \Rightarrow \displaystyle\iint_{R^2} \frac{1}{\left(x^2-xy+y^2+1\right)^s}\, dxdy \ = \ ?$

758 $\displaystyle\int_0^\infty \frac{\sqrt{x}\,\ln x}{1+x^2}\, dx \ = \ ?$

759 $\displaystyle\int_{-2}^{0}\int_{\frac{1}{2}y+1}^{1} e^{-x^2}\,dx\,dy\ =\ ?$

760 $\displaystyle\int_{0}^{\infty}\int_{0}^{\infty}\frac{x(\sin x\sin y)^2}{(x+y)^m}\,dx\,dy\ =\ ?$

761 $\displaystyle\iiint_{0}^{\infty}\frac{1}{\left(x^2+y^2+z^2+1\right)^2}\,dx\,dy\,dz\ =\ ?$

762 $\displaystyle\int_{-\frac{\pi}{2}}^{\frac{\pi}{2}}\frac{x+\cos x}{4\cos^2 x+3\sin^2 x}\,dx\ =\ ?$

763 $\displaystyle\int_{0}^{\frac{\pi}{4}}\frac{1}{\sqrt{\tan x}\,(1+\cos 2x)}\,dx\ =\ ?$

764 $\displaystyle\int_{0}^{1}\frac{\ln x}{\sqrt{x-x^2}}\,dx\ =\ ?$

765 $\displaystyle\int_{0}^{\infty}\frac{(1-x)^{2n-1}}{(1+x)^{2n+1}}\,dx\ =\ ?$

766 $\displaystyle\int_{0}^{\pi}\cos(2x+2\sin 3x)\,dx\ =\ ?$

767 $\displaystyle\int_{0}^{1}\cos^{-1}\sqrt{x}-\ln\sqrt{x}\,dx\ =\ ?$

768 $n \in N \Rightarrow \displaystyle\int_0^1 x^n (2-x)^n \, dx = ?$

769 $\displaystyle\int_0^\infty \frac{2 - 2\cos x - x\sin x}{x^4} \, dx = ?$

770 $a > 2 \Rightarrow \displaystyle\int_2^\infty \frac{a}{x(\ln x)^a} \, dx = ?$

771 $\displaystyle\int_0^\infty (1-x)e^{-x} \ln x \, dx = ?$

772 $\displaystyle\int_0^\infty \frac{\sin^2 x}{x^2(1+x^2)} \, dx = ?$

773 $\displaystyle\int_{-\infty}^\infty \frac{x^2 \cos(3x)}{(x^2+1)^2} \, dx = ?$

774 $\displaystyle\int_{-\infty}^\infty \frac{\sin(3x)}{x(x^2+1)^2} \, dx = ?$

775 $\displaystyle\int_{-\infty}^\infty \frac{x\sin(3x)}{(x^2+1)^2} \, dx = ?$

776 $\displaystyle\int_{-\infty}^\infty \frac{x^3 \sin(3x)}{(x^2+1)^2} \, dx = ?$

777 $\displaystyle\int_0^{\frac{\pi}{2}} \cos^2(\cos x) + \sin^2(\sin x) \, dx = ?$

778 $a,b > 0 \Rightarrow \displaystyle\int_0^{\frac{\pi}{2}} \ln\left(a\sin^2 x + b\cos^2 x\right) dx = ?$

779 $\displaystyle\int_0^\infty \dfrac{x^k}{1+\cosh x} dx = ?$

780 $\displaystyle\int_0^\infty \cot^{-1}(ax)\cot^{-1}(bx)\, dx = ?,\ (a,b>0)$

781 $\displaystyle\int_0^\pi \sin(x)\sin(2x)\sin(3x)\, dx = ?$

782 $\displaystyle\int_0^{2\pi} \tan^{-1}\!\left(\dfrac{1+\cos x}{1+\sin x}\right) dx = ?$

783 $f(x) - 2f\!\left(\dfrac{x}{2}\right) + f\!\left(\dfrac{x}{4}\right) = x^2,\ f(0) = 0 \Rightarrow \displaystyle\int_0^1 f(x)dx = ?$

784 $\displaystyle\int_{\frac{\pi}{6}}^{\frac{\pi}{2}} \dfrac{x}{\tan x \sin x} dx = ?$

785 $\displaystyle\int_0^{\sqrt{3}} \sin^{-1}\!\left(\dfrac{2x}{1+x^2}\right) dx = ?$

786 $\displaystyle\int_0^a \dfrac{a}{\left(x + \sqrt{a^2 - x^2}\right)^2} dx = ?$

787 $\displaystyle\int_{-\frac{\pi}{4}}^{\frac{\pi}{4}} \frac{1+x^3}{\cos^2 x}\, dx = ?$

788 $\displaystyle\int_0^1 \int_{\sqrt{y}}^1 \sin\left(x^3\right) dx\, dy = ?$

789 $\displaystyle\int_0^1 \left\{(2x+2010)e^{x^2} + 2009x^{2008} + 2010x^{2009}\right\}e^{2010x}\, dx = ?$

790 $f(x) = \dfrac{2}{\sqrt{\pi}} \displaystyle\int_x^\infty e^{-t^2}\, dt \implies \int_0^\infty f(x)\, dx = ?$

791 $f(x) = \dfrac{2}{\sqrt{\pi}} \displaystyle\int_x^\infty e^{-t^2}\, dt \implies \int_0^\infty f^2(x)\, dx = ?$

792 $f(x) = \dfrac{2}{\sqrt{\pi}} \displaystyle\int_x^\infty e^{-t^2}\, dt \implies \int_0^\infty f(x)\sin\left(x^2\right) dx = ?$

793 $a \neq b \implies \displaystyle\int_{-\infty}^\infty \frac{\sin(x+a)\sin(x+b)}{(x+a)(x+b)}\, dx = ?$

794 $f(x) = \displaystyle\int_1^x \frac{\sin xt}{t}\, dt \implies \int_0^1 x f(x)\, dx = ?$

795 $\displaystyle\int_0^{\frac{\pi}{2}} \int_0^{\frac{\pi}{2}} \sqrt{\frac{\sin x}{\sin y}}\; dx\, dy = ?$

796 $\displaystyle\int_3^{2011} \left[\log_{[x]} x\right] dx = ?,\ [x]$: Gauss' notation

797 $0 \le t \le 1, f(t) = \displaystyle\int_0^{2\pi} |\sin x - t| \, dx \implies \displaystyle\int_0^1 f(t) dt = ?$

798 $\displaystyle\int_0^{\frac{\pi}{2}} \dfrac{\sin^{2012}x + \cos^2 x}{1 + \sin^{2012}x + \cos^{2012}x} \, dx = ?$

799 $f(0) = 1, \left\{ \displaystyle\int_0^\pi (\sin x + \cos x) f(x) dx \right\}^2 = \pi \displaystyle\int_0^\pi f(x)^2 \, dx$

$\implies \displaystyle\int_0^\pi f(x)^3 \, dx = ?$

800 $\displaystyle\int_0^\pi |\sin 2011x| - |\sin 2012x| \, dx = ?$

801 $\displaystyle\int_0^{\frac{\pi}{6}} \dfrac{\sqrt{1 + \sin x}}{\cos x} \, dx = ?$

802 $\displaystyle\int_0^{\frac{\pi}{2}} \dfrac{2\sin x - x\cos x}{\sqrt{\sin^3 x}} \, dx = ?$

803 $\displaystyle\int_0^\pi \dfrac{x \sin^{2n}x}{\sin^{2n}x + \cos^{2n}x} \, dx = ?$

804 $f(a - x) = f(x), \ f\!\left(\dfrac{a}{2} + x\right) + f\!\left(\dfrac{a}{2} - x\right) = 1 \implies \displaystyle\int_0^a x f(x) dx = ?$

805 $\displaystyle\int_{-1}^1 \dfrac{x^3}{\sqrt{1 - x^2}} \ln\!\left(\dfrac{1 + x}{1 - x}\right) dx = ?$

806 $\displaystyle\int_0^1 \cos\left(2\cot^{-1}\sqrt{\dfrac{1-x}{1+x}}\right)dx \ = \ ?$

807 $f'(x):$ 비감소 함수, $f'(0)=0,\ f(0)=5,\ f''(x)-f'(x)\le 0$

$\displaystyle\Rightarrow \int_{0.5}^{11.5} f(x)dx \ = \ ?$

808 $\begin{cases} f(0)=0 \\ f(1)=1 \end{cases}\!,\ f'(x)>0,\ \displaystyle\int_0^1 f(x)dx = \dfrac{1}{3} \Rightarrow \int_0^1 f^{-1}(y)dy = ?$

809 $\displaystyle\int_{-1}^1 \left(x^8+x^4+1\right)\cos^{-1}x\ dx \ = \ ?$

810 $\displaystyle\int_0^1 \left(\dfrac{\ln x}{x+1}\right)^2 dx \ = \ ?$

811 $\displaystyle\int_{-3}^3 x^8\{x^{11}\}\ dx \ = \ ?,\ \ x-\{x\}=[x]:$ Gauss' notation

812 $\displaystyle\int_{-1}^1 \dfrac{x^{12}+31}{2011^x+1}\ dx \ = \ ?$

813 $\displaystyle\int_0^1 |\sin(\ln x)|\ dx \ = \ ?$

814 $\begin{array}{l} n\in N \\ 0<a<\pi \end{array} \Rightarrow \displaystyle\int_0^\pi \dfrac{\cos nx-\cos na}{\cos x-\cos a}\ dx \ = \ ?$

815 $\displaystyle\int_0^{\frac{\sqrt{3}}{4}} \frac{2x\sin^{-1}(2x)}{\sqrt{1-4x^2}}\, dx = ?$

816 $\displaystyle\int_1^{\sqrt{3}} x^{2x^2+1} + \ln\left(x^{2x^{2x^2+1}}\right) dx = ?$

817 $\displaystyle\int_1^2 \left(\cot^{-1}\sqrt{x-1}\right)^2 dx = ?$

818 $\displaystyle\int_0^1\int_0^1 \frac{y^2-x^2}{\left(x^2+y^2\right)^2}\, dxdy = ?$

819 $\displaystyle\int_1^2 \frac{(x-1)e^{2x-3}}{1+(x-1)\left(e^{2x-3}-1\right)}\, dx = ?$

820 $\displaystyle\int_0^\infty \frac{x}{e^x-1}\, dx = ?$

821 $\displaystyle\int_0^{\frac{\pi}{2}} \frac{\cos 2x}{1+\sin^2 x}\, dx = ?$

822 $\displaystyle\int_0^\infty \frac{\tan^{-1}x+\ln x}{(1+x)^2}\, dx = ?$

823 $\displaystyle\int_0^1 \frac{1}{1-\left[\log_2 x\right]}\, dx = ?$, $[x]$: Gauss' notation

824 $\displaystyle\int_0^2 \left[e^x\right] dx = ?$, $[x]$: Gauss' notation

825 $\displaystyle\int_0^\infty x^n e^{-x}(\sin x + \cos x)\, dx = ?$

826 $\displaystyle\int_a^b \frac{1}{\sqrt{(x-a)(b-x)}}\, dx = ?$

827 $\displaystyle\int_0^{\sqrt{2}} \frac{1+x^4}{x^4 + 7x^2 + 10}\, dx = ?$

828 $\displaystyle\int_{e^{-1}}^{\tan x} \frac{t}{1+t^2}\, dt + \int_{e^{-1}}^{\cot x} \frac{1}{t(t^2+1)}\, dt = ?$

829 $\displaystyle\int_0^\pi x \sin(\sin^2 x)\cos(\cos^2 x)\, dx = ?$

830 $\displaystyle\int_{\frac{1-\sqrt{5}}{2}}^{\frac{1+\sqrt{5}}{2}} (2x^2 - 1)e^{2x}\, dx = ?$

831 $\displaystyle\int_0^{\frac{3\pi}{2}} \frac{\sin^8 x + \cos^2 x}{1 + \sin^8 x + \cos^8 x}\, dx = ?$

832 $\displaystyle\int_{\frac{1}{n}}^1 \cos(\pi\{nx\})\, dx = ?,\ x - \{x\} = [x]$: Gauss' notation

833 $\displaystyle\int_0^\infty \tan^{-1}\left(\frac{1}{x^2}\right)\, dx = ?$

834 $1 : y^2 - my + 1 = 0$의 두 근 사이에 존재, $[x]$: Gauss 부호

$\Rightarrow \displaystyle\int_0^{10} \left[\left(\frac{4|x|}{x^2 + 16}\right)^m\right] dx = ?$

835 $\displaystyle\int_{-1}^{1} x\ln\left(1+2^x+3^x+6^x\right)\,dx = ?$

836 $\displaystyle\int_{\frac{1}{2}}^{2}\left(1+x-\frac{1}{x}\right)e^{x+\frac{1}{x}}\,dx = ?$

837 $\displaystyle\int_{0}^{e^{\pi}}\left|\cos(\ln x)\right|\,dx = ?$

838 $\displaystyle\int_{0}^{\infty}\frac{\sin(tx)}{e^x-1}\,dx = ?$

839 $\displaystyle\int_{0}^{1}\left\{\frac{1}{x}\right\}^2\,dx = ?,\ x-\{x\}=[x]:$ Gauss' notation

840 $c\in R\,,0<a<1 \Rightarrow \displaystyle\int_{a}^{1}\sqrt{u'(t)^2+v'(t)^2}\,dt = ?$

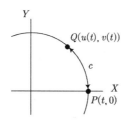

841 $\begin{cases} f(x+y)=f(x)f(y)-g(x)g(y)\,,f'(0)=1 \\ g(x+y)=f(x)g(y)+g(x)f(y)\,,g'(0)=2 \end{cases} \Rightarrow \displaystyle\int_{0}^{1}f(x)^2+g(x)^2\,dx = ?$
$(\,f(0)>0\,)$

842 $\displaystyle\int_{0}^{\infty}\frac{\sin x\sin(nx)}{x^2}\,dx = ?$

843 $\displaystyle\int_0^\pi \frac{8x^3\cos^4 x \sin^2 x}{\pi^2 - 3\pi x + 3x^2}\, dx = ?$

844 $n \geq 0 \implies \displaystyle\int_0^1 x^n \cos(\pi x)\, dx = ?$

845 $\displaystyle\int_0^{\frac{\pi}{4}} \sec^2 x \tanh^{-1}(\sin x)\, dx = ?$

846 $f(x) = \sin x - x \implies \displaystyle\int_{-2\pi}^{2\pi} \left| f^{-1}(x) \right|\, dx = ?$

847 $f(x) : $ 전단사, $\begin{cases} f(a) = c \\ f(b) = d \end{cases} \implies \displaystyle\int_a^b f(x)\,dx + \int_c^d f^{-1}(x)\,dx = ?$

848 $a > 0 \implies \displaystyle\int_0^a \sin^{-1}\left(\frac{x}{\sqrt{a^2 + x^2}} \right) dx = ?$

849 $\displaystyle\int_0^{\frac{\pi}{4}} \frac{\sin^2 x \cos^2 x}{\sin^3 x + \cos^3 x}\, dx = ?$

850 $\displaystyle\int_0^\infty \int_y^\infty \frac{(x-y)^2 \ln\left(\dfrac{x+y}{x-y} \right)}{xy \sinh(x+y)}\, dx\, dy = ?$

851 $\displaystyle\int_0^{2\pi} \frac{1}{(1 + a\cos x)^2}\, dx = ?$

852 $\begin{cases} f''(x) = -f(x),\ f(x) > f'(x) \\ f(b) - f'(b) = f(a) - f'(a) \end{cases} \implies \displaystyle\int_a^b \frac{f(x)}{f(x) - f'(x)}\, dx = ?$

853 $\displaystyle\int_{-\frac{\pi}{2}}^{\frac{\pi}{2}} \frac{\cos x\,(\cos x - \sin x)}{1 + |\sin(2x)|}\, dx = ?$

854 $\displaystyle\int_{0}^{\frac{\pi}{6}} \ln\left(1 + \tan x \tan\frac{\pi}{6}\right) dx = ?$

855 $\displaystyle\int_{1}^{\infty} \frac{6^x}{9^x - 4^x}\, dx = ?$

856 $\displaystyle 0 < a < b \;\Rightarrow\; \int_{a}^{b} \frac{\sqrt[a]{e^x} - \sqrt[x]{e^b}}{\sqrt{x}\,\sqrt{ab + x^2}}\, dx = ?$

857 $\displaystyle\int_{0}^{1} \left[\frac{1}{x}\right] dx = ?,\ \ [x]:$ Gauss' notation

858 $\displaystyle\int_{0}^{1} \frac{x^{m-1}(1-x)^{n-1}}{(bx + a)^{n+m}}\, dx = ?$

859 $\displaystyle\int_{0}^{1} x\left[\frac{1}{x}\right]\left\{\frac{1}{x}\right\} dx = ?,\ x - \{x\} = [x]:$ Gauss' notation

860 $\displaystyle 0 \le \theta < 2\pi \;\Rightarrow\; \int_{0}^{1} \frac{\ln(1 - 2x\cos\theta + x^2)}{x}\, dx = ?$

861 $\displaystyle\iint_{R^2} e^{-(x^2 + y^2)} \cos(x^2 + y^2)\, dx dy = ?$

862 $\displaystyle\int_0^1 \frac{x^k - 1}{\ln x}\, dx \;=\; ?$

863 $0 < a < b \;\Rightarrow\; \displaystyle\int_a^b \frac{x^2 \ln x}{x^6 + (ab)^3}\, dx \;=\; ?$

864 $\displaystyle\int_0^\pi \frac{x}{1 + e\sin x}\, dx \;=\; ?$

865 $f(x) > 0,\; f(x) + f\!\left(\dfrac{1}{2} + x\right) = 1 \;\Rightarrow\; \displaystyle\int_0^1 f(x)\, dx = ?$

866 $\displaystyle\int_{-\infty}^\infty \frac{\cos x}{1 + (1 - x)^2}\, dx \;=\; ?$

867 $\displaystyle\int_0^1 x^5 \sqrt{(1 - x^2)^7}\, dx \;=\; ?$

868 $0 < \alpha < \pi \;\Rightarrow\; \displaystyle\int_{-1}^1 \frac{1}{x^2 - 2x\cos\alpha + 1}\, dx \;=\; ?$

869 $\displaystyle\int_{-1}^1 \frac{x^{12} + 31}{1 + 2011^x}\, dx \;=\; ?$

870 $\displaystyle\int_0^{2\pi} \frac{1}{\sin^4 x + \cos^4 x}\, dx \;=\; ?$

871 $\displaystyle\int_0^\infty \frac{1 - \cos x}{x(e^x - 1)}\, dx \;=\; ?$

872 $\displaystyle\int_0^\pi \int_x^\pi \frac{\sin y}{y} \, dy \, dx = ?$

873 $\displaystyle\int_0^{\frac{\pi}{2}} \frac{1+\cos x}{1+\cos^2 x} \, dx = ?$

874 $\displaystyle\int_{\sqrt{2}}^2 \frac{x^2+2}{x^4-3x^2+4} \ln\left(\frac{x^2+x-2}{x}\right) dx = ?$

875 $\displaystyle\int_0^{\frac{\pi}{2}} \frac{\cos x+\cos^2 x}{1+\sin x+\cos x} \, dx = ?$

876 $\displaystyle\int_0^\pi e^{\sin x} \cos^2(\sin x) \cos x \, dx = ?$

877 $\displaystyle\int_0^\infty \frac{\sin^{2n+1} x}{x} \, dx = ?$

878 $\displaystyle\int_0^\infty \frac{\cos x - e^{-x}}{x} \, dx = ?$

879 $\displaystyle\int_0^1 \frac{\ln(x^2)}{(1-x^2)(\pi^2+\ln^2 x)} \, dx = ?, \left(\frac{\pi}{2} \tanh\frac{\pi x}{2} = \sum_{n=0}^\infty \frac{2x}{x^2+(2n+1)^2}\right)$

880 $\displaystyle\int_0^{11\pi} \frac{1}{\cos^2 x+4\sin 2x+4} \, dx = ?$

881 $f_1(x) = 2x(1-x), f_{n+1} = f_1(f_n(x)) \Rightarrow \displaystyle\int_0^1 f_n(x) dx = ?$

882 $n \in N \Rightarrow \displaystyle\int_0^1 \frac{x^{4n+1}}{x^{6n+3}+1}\, dx = ?$

883 $\displaystyle\int_0^1 \frac{1}{(x-2)\sqrt[5]{x^2(1-x)^3}}\, dx = ?$

884 $\displaystyle\int_0^1 \int_0^1 \frac{x^a y^b}{\ln(xy)}\, dx\, dy = ?$

885 $\displaystyle\int_0^{2\pi} \frac{1}{a-b\cos x}\, dx = ?$

886 $\displaystyle\int_0^\infty \frac{\sqrt[3]{x}}{1+x^2}\, dx = ?$

887 $\displaystyle\int_0^\infty \frac{\tan^{-1}(x^2)}{1+x^2}\, dx = ?$

888 $n \geq 2 \Rightarrow \displaystyle\int_0^1 e^{-x^n}\, dx + \int_1^{e^{-1}} \sqrt[n]{\ln\left(\frac{1}{x}\right)}\, dx = ?$

889 $\displaystyle\int_0^\infty \frac{e^{ax}-e^{-ax}}{e^{\pi x}-e^{-\pi x}}\, dx = ?$

890 $x > 0 \Rightarrow \displaystyle\int_0^x \frac{dt}{1+t^2} + \int_0^{\frac{1}{x}} \frac{dt}{1+t^2} = ?$

891 $\displaystyle\int_0^\pi (1-x\sin 2x)e^{\cos^2 x} + (1+x\sin 2x)e^{\sin^2 x}\, dx = ?$

892 $\displaystyle\int_{0}^{\frac{\pi}{4}} \frac{\sin\theta - 2\ln\left(\dfrac{1-\sin\theta}{\cos\theta}\right)}{(1+\cos 2\theta)\sqrt{\ln\left(\dfrac{1+\sin\theta}{\cos\theta}\right)}}\, d\theta = ?$

893 $\displaystyle\int_{0}^{\frac{\pi}{2}} \frac{\ln(\cos x)}{\tan x}\, dx = ?$

894 $\displaystyle\int_{0}^{\infty} e^{-2x}\,|\sin x|\, dx = ?$

895 $p, q > 0 \Rightarrow \displaystyle\int_{0}^{\frac{\pi}{4}} \frac{\sin x}{p\sin x + q\cos x}\, dx = ?$

896 $p, q > 0 \Rightarrow \displaystyle\int_{0}^{\frac{\pi}{4}} \frac{\cos x}{p\sin x + q\cos x}\, dx = ?$

897 $D = \left\{ (r, \theta) \,|\, 0 \le r \le \sec\theta,\, 0 \le \theta \le \dfrac{\pi}{4} \right\}$

$\Rightarrow \displaystyle\iint_{D} r^2 \sin\theta\, \sqrt{1 - r^2 \cos 2\theta}\, dr\, d\theta = ?$

898 $|a| < 1 \Rightarrow \displaystyle\int_{0}^{\pi} \ln|1 + a\cos x|\, dx = ?$

899 $\displaystyle\int_{0}^{t} xe^{x} \cos(x - t)\, dt = ?$

900 $\displaystyle\int_{e}^{e^{2009}} \frac{1}{x}\left\{ 1 + \frac{1 - \ln x}{\ln x(\ln x - \ln(\ln x))} \right\} dx = ?$

901 $f(x)e^{f(x)} = x \Rightarrow \displaystyle\int_0^\infty f\left(\dfrac{1}{x^2}\right) dx = ?$

902 $\displaystyle\int_{-1}^1 \dfrac{1}{1 + \sqrt[x]{e}}\, dx = ?$

903 $\displaystyle\int_0^\pi \dfrac{x\,|\sin x \cos x|}{1 + \sin^4 x}\, dx = ?$

904 $\displaystyle\int_0^1 \dfrac{\ln\left(1 - x + x^2\right)}{x(x-1)}\, dx = ?$

905 $\displaystyle\int_0^\infty \dfrac{x^4}{\left(x^4 + x^2 + 1\right)^3}\, dx = ?$

906 $\displaystyle\int_0^\infty \dfrac{x^3}{\sqrt{\left(x^4 + 7x^2 + 1\right)^5}}\, dx = ?$

907 $\displaystyle\int_0^1 \dfrac{\ln(x+1)}{x}\, dx = ?$

908 $\displaystyle\int_{-\frac{\pi}{2}}^{\frac{\pi}{2}} 2^{\sin x}\, dx + \int_{\frac{5}{2}}^4 \sin^{-1}\left(\log_2(x-2)\right) dx = ?$

909 $\displaystyle\int_0^a x^3 \sqrt{\dfrac{x}{a-x}}\, dx = ?$

910 $f(x) : 2$차 함수, $f(0), f(1), f(2) \Rightarrow \displaystyle\int_0^2 f(x)\,dx = ?$

911 $I_1 = \displaystyle\int_0^{\frac{\pi}{2}} x\cosec x\,dx,\ \ I_2 = \int_0^1 \dfrac{\tan^{-1}x}{x}\,dx \ \Rightarrow\ \dfrac{I_1}{I_2} = ?$

912 $\displaystyle\int_0^1 [-\ln x]^2\,dx = ?,\ \ [x]$: Gauss' notation

913 $\displaystyle\int_3^5 \dfrac{\sqrt[4]{2x-5}}{\sqrt[4]{2x-5} + \sqrt[4]{4-2x}\ e^{16-4x}}\,dx = ?$

914 $\displaystyle\int_0^{\frac{\pi}{2}} \cos^n x \sin(nx)\,dx = ?$

915 $B = a+b+A,\ A>0,\ b>a\geq 0$
$$\Rightarrow \int_a^b \dfrac{\ln(x+A)}{\ln(AB+(a+b)x-x^2)}\,dx = ?$$

916 $\displaystyle\int_0^1 \dfrac{1}{(x^2+x+1)^2}\,dx = ?$

917 $\displaystyle\int_0^\pi \dfrac{\sin(nx)}{\sin x}\,dx = ?$

918 $\displaystyle\int_0^1 \int_0^1 \min\{x,y\} - xy\,dxdy = ?$

919 $\displaystyle\int_0^1 \left[\dfrac{2}{x}\right] - 2\left[\dfrac{1}{x}\right]dx = ?,\ \ [x]$: Gauss' notation

920 $\displaystyle\int_0^2 \int_0^{\sqrt{2x-x^2}} \frac{x+y}{x^2+y^2}\,dydx = ?$

921 $\displaystyle\int_{\frac{5}{4}}^{10} \frac{\sqrt{x+2\sqrt{x-1}}+\sqrt{x-2\sqrt{x+1}+2}}{\sqrt{x^2-1}}\,dx = ?$

922 $\displaystyle\int_{-1}^1 \frac{|x|}{\left(x^2+x+1\right)\sqrt{x^4+3x^2+1}}\,dx = ?$

923 $\displaystyle\int_0^{1000} \max\left\{\frac{e^x}{e^{[x]}},\frac{3x^{672}}{x^{2013}+x^3+1}\right\}\,dx = ?, [x]$: Gauss' notation

924 $\displaystyle\int_0^\infty \int_0^\infty \int_0^\infty \frac{(xyz)^{-\frac{1}{7}}(yz)^{-\frac{1}{7}}z^{-\frac{1}{7}}}{(x+1)(y+1)(z+1)}\,dxdydz = ?$

925 $\displaystyle f(x) = \lim_{n\to\infty}\frac{\sin^{n+2}x+\cos^{n+2}x}{\sin^n x+\cos^n x} \Rightarrow \int_0^{\frac{\pi}{2}} f(x)dx = ?$

926 $\displaystyle\int_1^\infty \ln^2\left(1-\frac{1}{x}\right)dx = ?$

927 $\displaystyle\int_0^\pi e^{\cos^2 x}\cdot\cos^3\left[(2n+1)x\right]\,dx = ?$

928 $\displaystyle\int_0^1 \int_0^t \frac{\ln(1+x)}{x}\,dxdt - \int_0^1 \frac{\ln(1+x)}{x}\,dx = ?$

929 $\begin{cases} f(x) = f'(x), \, f(0) = 1 \\ f(x) + g(x) = x^2 \end{cases} \Rightarrow \displaystyle\int_0^1 f(x)g(x)dx = ?$

930 $\displaystyle\int_0^1 \dfrac{\ln x}{\sqrt{1-x^2}}\, dx = ?$

931 $\displaystyle\int_0^{\frac{\pi}{3}} \dfrac{10\sin x - 5\sin(3x) + \sin(5x)}{10\cos x + 5\cos(3x) + \cos(5x)}\, dx = ?$

932 $\displaystyle\int_0^\infty \dfrac{1}{2x^2 + 1 + 2x\sqrt{x^2+1}}\, dx = ?$

933 $\displaystyle\int_3^5 \sqrt{x + 2\sqrt{2x-4}} + \sqrt{x - 2\sqrt{2x-4}}\, dx = ?$

934 $\begin{cases} F'(x) = f(x)G(x), \, F(0) = 1, \, G(0) = 0 \\ G'(x) = f(x)F(x), \, F(1) = \dfrac{5}{3}, \, G(1) = \dfrac{4}{3} \end{cases} \Rightarrow \displaystyle\int_0^1 f(x)\, dx = ?$

935 $\displaystyle\int_1^\infty \dfrac{x\ln x}{\left(x^2 + 1\right)^2}\, dx = ?$

936 $\displaystyle\int_{-1}^3 \dfrac{\sqrt{x+5}}{\left(1 + \sqrt{2x+3}\right)^2}\, dx = ?$

937 $x \geq 1, \, f(x^x) = x \Rightarrow \displaystyle\int_0^e f(e^x)\, dx = ?$

938 $a \in R \Rightarrow \displaystyle\int_0^\infty \dfrac{1}{\left(x^2 + 1\right)\left(1 + x^a\right)}\, dx = ?$

939 $\displaystyle\int_0^1 \dfrac{x}{x^4 + x^2 + 1}\, dx = ?$

940 $\displaystyle\int_{-\pi}^{\pi} \frac{x\sin x\tan^{-1}(e^x)}{1+\cos^2 x}\,dx = ?$

941 $\displaystyle\int_{0}^{\frac{\pi}{2}} \frac{\sin^3 x\ln(\sin x)}{\sqrt{1+\sin^3 x}}\,dx = ?$

942 $\displaystyle\int_{-\pi}^{\pi} \frac{x\sin x}{1+\left(\dfrac{\sin x}{x}\right)^x}\,dx = ?$

943 $\displaystyle\int_{-1}^{1} \frac{\ln(x^2+1)}{1+(x^2+1)^x}\,dx = ?$

944 $n \ge 2 \Rightarrow \displaystyle\int_{0}^{\infty} \frac{\ln\left(\dfrac{1}{x}\right)}{(1+x)^n}\,dx = ?$

945 $a \ne b \Rightarrow \displaystyle\int_{0}^{\infty} \frac{\ln(1+x^a)-\ln(1+x^b)}{(1+x^2)\ln x}\,dx = ?$

946 $b > 0 \Rightarrow \displaystyle\int_{\frac{1}{b}}^{b} \frac{x\ln x}{(a^2+x^2)(1+a^2 x^2)}\,dx = ?$

947 $\displaystyle\int_{0}^{\infty} e^{-x}\ln\left(e^x + \sqrt{e^{2x}-1}\right)\,dx = ?$

948 $\displaystyle\int_{0}^{\frac{\pi}{4}} \frac{\tan^{-1}(5\sin 2x)}{3\sin 2x}\,dx = ?$

949 $\displaystyle\int_0^{\frac{\pi}{4}} x\left(\frac{(1-x^2)\ln(1+x^2)+1+x^2-(1-x^2)\ln(1-x^2)}{(1-x^4)(1+x^2)}\right)e^{\frac{x^2-1}{x^2+1}}\,dx = ?$

950 $\displaystyle\int_0^{\frac{\pi}{2}} \frac{\sin 3x}{\sin x + \cos x}\,dx = ?$

951 $\displaystyle\int_0^{\frac{\pi}{2}} \sum_{n=1}^{\infty} \sin x \sin(nx)\,dx = ?$

952 $\displaystyle\int_{\ln 2}^{\ln 3} x \sum_{n=1}^{\infty} \frac{n}{e^{nx}}\,dx = ?$

953 $\displaystyle\int_{\frac{\pi}{3}}^{\frac{\pi}{2}} \frac{1}{\sin x + \tan x}\,dx = ?$

954 $\displaystyle\int_0^{\frac{\pi}{2}} \frac{\cos x}{(\sin x + \sqrt{3}\,\cos x)^3}\,dx = ?$

955 $\displaystyle\int_0^{\infty} \frac{\ln x}{x^2 + a^2}\,dx = ?$

956 $n \in N \Rightarrow \displaystyle\int_0^{\infty} \frac{\sqrt[n]{x}}{1+x^2}\,dx = ?$

957 $\displaystyle\int_{-\frac{1}{\sqrt{3}}}^{\frac{1}{\sqrt{3}}} \left(\frac{x^4}{1-x^4}\right)\cos^{-1}\left(\frac{2x}{1+x^2}\right)\,dx = ?$

958 $\displaystyle\int_{-1}^{1} \frac{\sqrt[3]{1+x}}{\sqrt[3]{1-x} + \sqrt[3]{1+x}}\,dx = ?$

959 $\displaystyle\int_0^1 \frac{\sqrt{1-x}}{\sqrt{1-x}+\sqrt{1+x}}\, dx = ?$

960 $\displaystyle\int_0^1 \frac{\sqrt[3]{1-x}}{\sqrt[3]{1-x}+\sqrt[3]{1+x}}\, dx = ?$

961 $\displaystyle\int_0^1 x^3 \cdot \frac{d^2}{dx^2}\left((1-x^2)^{10}\right) dx = ?$

962 $\displaystyle\int_0^\pi x\left(\sin^2(\sin^n x)+\cos^2(\cos^n x)\right) dx = ?$

963 $\displaystyle\int_0^1 \frac{x^6-x^3}{(2x^3+1)^3}\, dx = ?$

964 $\displaystyle\int_0^1 \frac{\tan^{-1}\left(\dfrac{x}{x+1}\right)}{\tan^{-1}\left(\dfrac{1+2x-2x^2}{2}\right)}\, dx = ?$

965 두 넓이: $f(\theta), g(\theta)$, $\left(0 \le \theta \le \dfrac{\pi}{2}\right)$

$s(\theta) = \min\{f(\theta), g(\theta)\} \Rightarrow \displaystyle\int_0^{\frac{\pi}{2}} s(\theta)\sin\theta\, d\theta = ?$

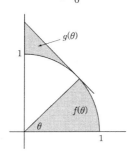

966 $\displaystyle\int_{-1}^{1} \frac{\tan^{-1}x + \cos^{-1}x}{\sqrt{1-x^2}}\, dx = ?$

967 $\displaystyle\int_{0}^{1} \frac{1+x^a}{(1+x)^{a+2}}\, dx = ?$

968 $a > b > 0 \Rightarrow \displaystyle\int_{0}^{\sqrt{a-b}} \frac{x^3}{\left(\sqrt{a-x^2}+\sqrt{b+x^2}\right)^2 \sqrt{(a-x^2)(b+x^2)}}\, dx = ?$

969 $\displaystyle\int_{-\infty}^{\infty} \frac{e^{2x}-e^x}{x(e^{2x}+1)(e^x+1)}\, dx = ?$

970 $\displaystyle\int_{0}^{\infty} \frac{x^a}{x^2+2(\cos b)x+1}\, dx = ?$

971 $0 \le a, b \le \pi, k > 0 \Rightarrow \displaystyle\int_{0}^{\infty} \left(\frac{1}{x}\right)\ln\left(\frac{x^2+2kx\cos b+k^2}{x^2+2kx\cos a+k^2}\right)\, dx = ?$

972 $\displaystyle\int_{0}^{\frac{\pi}{2}} \ln(\sin x)\ln(\cos x)\, dx = ?$

973 $\displaystyle\int_{0}^{2}\int_{0}^{1} [x+y]\, dx\, dy = ?,\ [x]:$ Gauss' notation

974 $\displaystyle\int_{0}^{1} \left[\frac{1}{\sqrt{x}}\right]\, dx = ?,\ [x]:$ Gauss' notation

975 $\displaystyle\int_{\frac{1}{3}}^{\frac{1}{2}} \left[\ln\left[\frac{1}{x}\right]\right]\, dx = ?,\ [x]:$ Gauss' notation

976 $\displaystyle\int_{\frac{1}{4}}^{\frac{1}{2}} \left[\ln\left[\frac{1}{x}\right]\right]\, dx = ?,\ [x]:$ Gauss' notation

Chapter 3

정리 일부 증명

정리 ○21

④ $\cot 2x = \dfrac{1}{\tan 2x} = \dfrac{1-\tan^2 x}{2\tan x} \Rightarrow 2\cot 2x = \cot x - \tan x \Rightarrow \tan x = \cot x - 2\cot 2x.$

⑤ $\sin(2\theta) = \dfrac{2\sin\theta\cos\theta}{\sin^2\theta + \cos^2\theta} = \dfrac{2\tan\theta}{1+\tan^2\theta}.$

⑥ $\sqrt{\dfrac{1-\cos\theta}{1+\cos\theta}} = \sqrt{\dfrac{\dfrac{1-\cos\theta}{2}}{\dfrac{1+\cos\theta}{2}}} = \sqrt{\dfrac{\sin^2\dfrac{\theta}{2}}{\cos^2\dfrac{\theta}{2}}} = \tan\dfrac{\theta}{2}.$

⑫ $\cos 2\theta = \cos^2\theta - \sin^2\theta = \cos^2\theta(1-\tan^2\theta) = \dfrac{1-\tan^2\theta}{\sec^2\theta} = \dfrac{1-\tan^2\theta}{1+\tan^2\theta}.$

정리 ○24

① $\displaystyle\int_a^b f(a+b-x)\,dx \xrightarrow{a+b-x=t} \int_b^a f(t)(-dt) = \int_a^b f(t)dt = \int_a^b f(x)dx.$

② $\displaystyle\int_a^b f(x)dx \xleftarrow{x=\frac{a+b}{2}-t} \int_{\frac{b-a}{2}}^{-\frac{b-a}{2}} f\left(\frac{a+b}{2}-t\right)(-dt) = \int_{-\frac{b-a}{2}}^{\frac{b-a}{2}} f\left(\frac{a+b}{2}-x\right)dx.$

⑤ $\displaystyle\int_a^{a+T} f(x)dx = \int_{a+T}^{a+2T} f(x)dx = \ldots \int_{a+(n-1)T}^{a+nT} f(x)dx, \ (\because f(x+T) = f(x)).$

$\displaystyle\int_a^{a+T} f(x)dx \xleftarrow{x=y+a} \int_0^T f(y+a)d(y+a) = \int_0^T f(y+a)dy = \int_0^T f(x+a)dx.$

$\therefore \displaystyle\int_a^{a+nT} f(x)dx = n\int_0^T f(x+a)dx.$

⑦ $\displaystyle\int_{-a}^a f(x)dx = \int_{-a}^0 f(x)dx + \int_0^a f(x)dx \xleftarrow{x=-t} \int_0^a f(-t)dt + \int_0^a f(x)dx$

$= \displaystyle\int_0^a f(x) + f(-x)\,dx.$

⑧ $I = \displaystyle\int_0^a f(x)dx \xleftarrow{[정리24,(1)]} \int_0^a f(a-x)\,dx \xrightarrow{두 식을 더하면}$

$2I = \displaystyle\int_0^a f(x) + f(a-x)dx \Rightarrow \therefore I = \frac{1}{2}\int_0^a f(x) + f(a-x)\,dx.$

⑨ $I = \displaystyle\int_0^a x f(x)dx \xleftrightarrow{\text{[정리24, (1)]}} \int_0^a (a-x)f(a-x)\,dx$

$= a\displaystyle\int_0^a f(a-x)dx + \int_0^a x f(a-x)dx \xleftrightarrow{a-x=t} a\int_0^a f(t)\,dt + \int_0^a t f(t)\,dt$

$= a\displaystyle\int_0^a f(x)dx + I$

$\Rightarrow \therefore I = \dfrac{a}{2}\displaystyle\int_0^a f(x)dx.$

⑭ (1) $\displaystyle\int_0^\pi x f(\sin x)dx \xleftrightarrow{\text{[정리24, (1)]}} \pi\int_0^\pi f(\sin x)dx - \int_0^\pi x f(\sin x)dx$

$\Rightarrow \displaystyle\int_0^\pi x f(\sin x)dx = \dfrac{\pi}{2}\int_0^\pi f(\sin x)dx.$

(2) $\displaystyle\int_0^{2\pi} x f(\cos x)dx \xleftrightarrow{\text{[정리24, (1)]}} 2\pi\int_0^{2\pi} f(\cos x)dx - \int_0^{2\pi} x f(\cos x)dx$

$\Rightarrow \displaystyle\int_0^{2\pi} x f(\cos x)\,dx = \pi\int_0^{2\pi} f(\cos x)dx.$

⑮ $\displaystyle\int_0^T f(x)dx = \int_0^a f(x)dx + \int_a^{a+T} f(x)dx - \int_T^{a+T} f(x)dx \xleftrightarrow{x=y+T}$

$= \displaystyle\int_0^a f(x)dx + \int_a^{a+T} f(x)dx - \int_0^a f(y+T)\,dy \xleftrightarrow{\text{조건식}} \int_a^{a+T} f(x)dx.$

⑯ $I = \displaystyle\int_0^\infty \dfrac{f(x)}{1+x^2}dx \xleftrightarrow{x=y^{-1}} \int_0^\infty \dfrac{f\left(\frac{1}{y}\right)}{1+y^2}dy = \int_0^\infty \dfrac{f\left(\frac{1}{x}\right)}{1+x^2}dx \xleftrightarrow{\text{두 식을 더하면}}$

$\Rightarrow 2I = \displaystyle\int_0^\infty \dfrac{f(x)+f\left(\frac{1}{x}\right)}{1+x^2}dx \xleftrightarrow{\text{조건식}} a\int_0^\infty \dfrac{1}{1+x^2}dx = a\left[\tan^{-1}x\right]_0^\infty = \dfrac{a\pi}{2} \Rightarrow \therefore I = \dfrac{a\pi}{4}.$

⑰ $I = \displaystyle\int_0^a x f(x)dx = \int_0^a (a-x)f(a-x)dx = a\int_0^a f(x)dx - I$

$\Rightarrow I = \dfrac{a}{2}\displaystyle\int_0^a f(x)dx = \dfrac{a}{2}\left(\int_0^{\frac{a}{2}} f(x)dx + \int_{\frac{a}{2}}^a f(x)dx\right) = \dfrac{a}{2}\left(\int_0^{\frac{a}{2}} f(x)dx + \int_{\frac{a}{2}}^a f\left(\dfrac{3a}{2}-x\right)dx\right)$

$* \displaystyle\int_{\frac{a}{2}}^a f\left(\dfrac{3a}{2}-x\right)dx \overset{t=a-x}{=} \int_{\frac{a}{2}}^0 f\left(\dfrac{a}{2}+t\right)(-dt) = \int_0^{\frac{a}{2}} f\left(\dfrac{a}{2}+x\right)dx$

$\therefore I = \dfrac{a}{2}\left(\displaystyle\int_0^{\frac{a}{2}} f\left(\dfrac{a}{2}-x\right) + f\left(\dfrac{a}{2}+x\right)dx\right) = \dfrac{a^2}{4}$

⑱ 준식 $= \displaystyle\int_0^\pi f(x)\sin x\,dx + \int_\pi^{2\pi} f(x)\sin x\,dx = \int_0^\pi f(x)\sin x\,dx + \int_0^\pi f(x+\pi)\sin(x+\pi)\,dx$

$= \displaystyle\int_0^\pi (f(x)-f(x+\pi))\sin x\,dx$

⑲ (1) $F(x) = \dfrac{x \ln x}{a+x} - \ln(a+x) \Rightarrow F'(x) = \dfrac{(1+\ln x)(a+x) - x \ln x}{(a+x)^2} - \dfrac{1}{a+x} = \dfrac{a \ln x}{(a+x)^2}$

$\Rightarrow a \displaystyle\int_0^1 \dfrac{\ln x}{(a+x)^2}\, dx = F(1) - F(0) = \ln a - \ln(1+a).$

(2) $G(x) = \dfrac{x \ln x}{a+1-x} + \ln(a+1-x) \Rightarrow G'(x) = \dfrac{(a+1)\ln x}{(a+1-x)^2}$

$\Rightarrow (a+1) \displaystyle\int_0^1 \dfrac{\ln x}{(a+1-x)^2}\, dx = G(1) - G(0) = \ln a - \ln(1+a).$

(3) $\displaystyle\int_0^1 \dfrac{\ln x}{(a+x)^2} - \dfrac{\ln x}{(a+1-x)^2}\, dx \xrightarrow{(1),(2)} \left(\dfrac{1}{a} - \dfrac{1}{a+1}\right)[\ln a - \ln(1+a)] \xrightarrow{\text{양변을 } a \text{로 적분}}$

$\therefore \displaystyle\int_0^1 \dfrac{\ln x}{a+1-x} - \dfrac{\ln x}{a+x}\, dx = \dfrac{1}{2}[\ln a - \ln(a+1)]^2 + c \xleftrightarrow{a\to\infty \Rightarrow c \to 0} \dfrac{1}{2}\left(\ln \dfrac{a}{a+1}\right)^2.$

정리 ○28 $f(x) = a_0 + a_1 x + a_2 x^2 + a_3 x^3 + \cdots,\ (a_i \in R)$라고 하자. 양변을 미분하면

$f'(x) = a_1 + 2a_2 x + 3a_3 x^2 + \cdots,\ f''(x) = 2!\, a_2 + 3 \cdot 2a_3 x + 4 \cdot 3a_4 x^2 + \cdots,\ \ldots$

$\xrightarrow{\ x=0\ } f(0) = a_0,\ f'(0) = a_1,\ f''(0) = 2! a_2,\ \ldots,\ f^{(n)}(0) = n! a_n,\ \ldots$

$\therefore f(x) = f(0) + f'(0)x + \dfrac{f''(0)}{2!}x^2 + \dfrac{f'''(0)}{3!}x^3 + \cdots + \dfrac{f^{(n)}(0)}{n!}x^n + \cdots$

정리 ○33 (1) [정리 28] $\sin x = x - \dfrac{x^3}{3!} + \dfrac{x^5}{5!} - \dfrac{x^7}{7!} + \cdots,\ \cos x = 1 - \dfrac{x^2}{2!} + \dfrac{x^4}{4!} - \dfrac{x^6}{6!} + \cdots,$

$e^x = 1 + x + \dfrac{x^2}{2!} + \dfrac{x^3}{3!} + \dfrac{x^4}{4!} + \cdots \xrightarrow{\ x = i\theta\ } e^{i\theta} = 1 + (i\theta) + \dfrac{(i\theta)^2}{2!} + \dfrac{(i\theta)^3}{3!} + \cdots$

$= \left(1 - \dfrac{\theta^2}{2!} + \dfrac{\theta^4}{4!} - \dfrac{\theta^6}{6!} + \cdots\right) + i\left(\theta - \dfrac{\theta^3}{3!} + \dfrac{\theta^5}{5!} - \dfrac{\theta^7}{7!} + \cdots\right) = \cos\theta + i\sin\theta\ .$

정리 ○35

① (1) 조건식에서 $\alpha^2 = p\alpha + q,\ \beta^2 = p\beta + q$가 성립한다. 수학적 귀납법에 의해

$a_{n-1} = u\alpha^{n-1} + v\beta^{n-1}$이 성립한다고 가정하자. 그러면

$\therefore a_n = pa_{n-1} + qa_{n-2} = p(u\alpha^{n-1} + v\beta^{n-1}) + q(u\alpha^{n-2} + v\beta^{n-2})$

$= u\alpha^{n-2}(p\alpha + q) + v\beta^{n-2}(p\beta + q) = u\alpha^n + v\beta^n.$ 성립한다.

(2) 조건식에서 $\alpha^2 = p\alpha + q,\ p^2 = -4q,\ \alpha = \dfrac{p}{2} \Rightarrow p\alpha = \dfrac{p^2}{2} = -2q$이 성립한다.

수학적 귀납법에 의해 $a_{n-1} = u\alpha^{n-1} + (n-1)v\alpha^{n-1}$이 성립한다고 가정하자.

그러면 $\therefore a_n = pa_{n-1} + qa_{n-2} = p\left(u\alpha^{n-1} + (n-1)v\alpha^{n-1}\right) + q\left(u\alpha^{n-2} + (n-2)v\alpha^{n-2}\right)$

$= u\alpha^{n-2}(p\alpha + q) + nv\alpha^{n-2}(p\alpha + q) - v\alpha^{n-2}(p\alpha + 2q) = u\alpha^n + nv\alpha^n$. 성립한다.

정리 ○46 $\vec{r} = (x,y) = (f(u,v), g(u,v))$, $\vec{e_1}, \vec{e_2}$: u, v축의 단위벡터라 하자.

$\Rightarrow \dfrac{\partial \vec{r}}{\partial u} = \left(f_u(u,v), g_u(u,v), 0\right) = h_1\vec{e_1}$, $\dfrac{\partial \vec{r}}{\partial v} = \left(f_v(u,v), g_v(u,v), 0\right) = h_2\vec{e_2}$ ······ (1)

$$\left(\text{여기서 } h_1 = \left|\dfrac{\partial \vec{r}}{\partial u}\right|, \ h_2 = \left|\dfrac{\partial \vec{r}}{\partial v}\right| \text{이다.}\right)$$

$\Rightarrow \dfrac{\partial \vec{r}}{\partial u} \times \dfrac{\partial \vec{r}}{\partial v} = \left(0, 0, f_u(u,v)g_v(u,v) - g_u(u,v)f_v(u,v)\right)$

$\Rightarrow \left|\dfrac{\partial \vec{r}}{\partial u} \times \dfrac{\partial \vec{r}}{\partial v}\right| = |f_u(u,v)g_v(u,v) - g_u(u,v)f_v(u,v)| = \left|\left|\begin{matrix} f_u & f_v \\ g_u & g_v \end{matrix}\right|\right| \overset{[\text{정리}68]}{\longleftarrow} \left|\dfrac{\partial(f,g)}{\partial(u,v)}\right|$ ······ (2)

$\Rightarrow$전미분 : $\vec{dr} = \left(\dfrac{\partial \vec{r}}{\partial u}\right)du + \left(\dfrac{\partial \vec{r}}{\partial v}\right)dv \overset{(1)}{\longleftrightarrow} (h_1 du)\vec{e_1} + (h_2 dv)\vec{e_2}$.

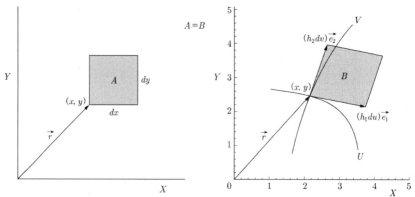

$B = \left|(h_1 du)\vec{e_1} \times (h_2 dv)\vec{e_2}\right| = \left|h_1\vec{e_1} \times h_2\vec{e_2}\right| dudv \overset{(1)}{\longleftrightarrow} \left|\dfrac{\partial \vec{r}}{\partial u} \times \dfrac{\partial \vec{r}}{\partial v}\right| dudv \overset{(2)}{\longleftrightarrow} \left|\dfrac{\partial(f,g)}{\partial(u,v)}\right| dudv$.

$\overset{\text{그림}}{\longrightarrow} dxdy = A = B = \left|\dfrac{\partial(f,g)}{\partial(u,v)}\right| dudv = \left|\dfrac{\partial(x,y)}{\partial(u,v)}\right| dudv$.

$\therefore \displaystyle\iint_R F(x,y)\,dxdy = \iint_{R'} F(f(u,v), g(u,v)) \left|\dfrac{\partial(x,y)}{\partial(u,v)}\right| dudv = \iint_{R'} G(u,v) \left|\dfrac{\partial(x,y)}{\partial(u,v)}\right| dudv$.

정리 ○47

(1) $0 \leq \displaystyle\int_a^b (tf(x) - g(x))^2\,dx = \left(\int_a^b f(x)^2 dx\right)t^2 - 2\left(\int_a^b f(x)g(x)dx\right)t + \left(\int_a^b g(x)^2 dx\right)$

$$\xrightarrow{\dfrac{D}{4}\le 0}\left(\int_a^b f(x)g(x)dx\right)^2 \le \left(\int_a^b f(x)^2 dx\right)\left(\int_a^b g(x)^2 dx\right).$$

(2) $g(x)=tf(x)$인 경우 $\xleftarrow{\dfrac{D}{4}=0}\left(\int_a^b f(x)g(x)dx\right)^2 = \left(\int_a^b f(x)^2 dx\right)\left(\int_a^b g(x)^2 dx\right).$

정리 ○56

④ $\tan^{-1}n = a,\ \tan^{-1}(n-1)=b$라고 하자. 그러면 다음 등식이 성립한다.

$$\tan(a+b)=\tan(\tan^{-1}n+\tan^{-1}(n-1))=\frac{n+(n-1)}{1-n(n-1)}=\frac{2n-1}{1+n-n^2}$$

$$\Rightarrow \therefore \tan^{-1}\left(\frac{2n-1}{1+n-n^2}\right)=a+b=\tan^{-1}n+\tan^{-1}(n-1).$$

⑤ $n=\cos x$라고 하자. $\cos x = \sin\left(\frac{\pi}{2}-x\right)\Rightarrow \sin^{-1}(\cos x)=\frac{\pi}{2}-x=\frac{\pi}{2}-\cos^{-1}(\cos x)$

$$\Rightarrow \sin^{-1}(\cos x)+\cos^{-1}(\cos x)=\frac{\pi}{2}\ \Rightarrow\ \sin^{-1}n+\cos^{-1}n=\frac{\pi}{2}.$$

⑥ $\tan\left(\tan^{-1}n+\tan^{-1}\frac{1}{n}\right)=\dfrac{\tan(\tan^{-1}n)+\tan\left(\tan^{-1}\frac{1}{n}\right)}{1-\tan(\tan^{-1}n)\tan\left(\tan^{-1}\frac{1}{n}\right)}=\dfrac{n+\frac{1}{n}}{1-n\cdot\frac{1}{n}}=\infty=\tan\frac{\pi}{2}$

$$\therefore \frac{\pi}{2}=\tan^{-1}n+\tan^{-1}\frac{1}{n}.$$

⑦ $\tan^{-1}\dfrac{1}{2n^2}=\tan^{-1}\dfrac{(2n+1)-(2n-1)}{1+(2n+1)(2n-1)}=\tan^{-1}(2n+1)-\tan^{-1}(2n-1)$

⑨ $\dfrac{\pi}{2}-\tan^{-1}n=A$라고 하자. $\Rightarrow \tan^{-1}n=\dfrac{\pi}{2}-A\Rightarrow n=\tan\left(\dfrac{\pi}{2}-A\right)=\cot A$

$$\Rightarrow \cot^{-1}n=A\ \Rightarrow\ \therefore \cot^{-1}n=\frac{\pi}{2}-\tan^{-1}n.$$

⑬ $\tan^{-1}x = a,\ \tan^{-1}(x-1)=b$라고 하자. 그러면 $x=\tan a,\ x-1=\tan b$ 이다.

$$\Rightarrow \tan(a-b)=\frac{\tan a-\tan b}{1+\tan a\tan b}=\frac{x-(x-1)}{1+x(x-1)}=\frac{1}{1-x+x^2}.$$

$$\Rightarrow \therefore \tan^{-1}\left(\frac{1}{1-x+x^2}\right)=a-b=\tan^{-1}x-\tan^{-1}(x-1).$$

⑭ $\tan^{-1}\dfrac{x}{x+1}=a,\ \tan^{-1}\dfrac{1-x}{2-x}=b$라고 하자. $\tan a=\dfrac{x}{x+1},\ \tan b=\dfrac{1-x}{2-x}$ 이다.

$$\Rightarrow \tan(a+b)=\frac{\tan a+\tan b}{1-\tan a\tan b}=\frac{\frac{x}{x+1}+\frac{1-x}{2-x}}{1-\left(\frac{x}{x+1}\right)\left(\frac{1-x}{2-x}\right)}=\frac{1+2x-x^2}{2}.$$

$$\Rightarrow \therefore \tan^{-1}\left(\frac{1+2x-x^2}{2}\right)=a+b=\tan^{-1}\frac{x}{x+1}+\tan^{-1}\frac{1-x}{2-x}.$$

⑮ $\cos^{-1}x=a\Rightarrow\cos a=x,\ \cos(\pi-a)=-\cos a=-x\Rightarrow\cos^{-1}(-x)=\pi-a=\pi-\cos^{-1}x$

$$\Rightarrow\therefore\cos^{-1}x+\cos^{-1}(-x)=\pi.$$

정리 ○66

(1) $x=\pm\pi,\ \pm2\pi,\pm3\pi,\dots$:방정식 $0=\dfrac{\sin x}{x}$ 의 근이다.

$$\Rightarrow\frac{\sin x}{x}=\left(1-\frac{x}{\pi}\right)\left(1+\frac{x}{\pi}\right)\left(1-\frac{x}{2\pi}\right)\left(1+\frac{x}{2\pi}\right)\cdots=\left(1-\frac{x^2}{\pi^2}\right)\left(1-\frac{x^2}{2^2\pi^2}\right)\left(1-\frac{x^2}{3^2\pi^2}\right)\cdots$$

$$=1-\left(\frac{1}{\pi^2}+\frac{1}{2^2\pi^2}+\frac{1}{3^2\pi^2}+\cdots\right)x^2+\left(\frac{1}{2^2\pi^4}+\frac{1}{3^2\pi^4}+\cdots\right)x^4+\cdots$$

(2) [정리28]에 의해 $\sin x=x-\dfrac{x^3}{3!}+\dfrac{x^5}{5!}-\dfrac{x^7}{7!}+\cdots\Rightarrow\dfrac{\sin x}{x}=1-\dfrac{x^2}{3!}+\dfrac{x^4}{5!}-\dfrac{x^6}{7!}+\cdots$이다.

$\therefore$ (1),(2)의 x^2의 계수가 일치한다. $\Rightarrow 1+\dfrac{1}{2^2}+\dfrac{1}{3^2}+\cdots=\dfrac{\pi^2}{6}.$

정리 ○68 $x=f(u,v),\ y=g(u,v),\ u=\phi(r,s),\ v=\psi(r,s)$라고 하자. 편미분법에 의해 다음 법칙이 성립한다.

$$x_r=x_uu_r+x_vv_r,\ x_s=x_uu_s+x_vv_s,\ y_r=y_uu_r+y_vv_r,\ y_s=y_uu_s+y_vv_s$$

$$\Rightarrow\frac{\partial(x,y)}{\partial(r,s)}=\begin{vmatrix}x_r&x_s\\y_r&y_s\end{vmatrix}=\begin{vmatrix}x_uu_r+x_vv_r&x_uu_s+x_vv_s\\y_uu_r+y_vv_r&y_uu_s+y_vv_s\end{vmatrix}=\begin{vmatrix}x_u&x_v\\y_u&y_v\end{vmatrix}\begin{vmatrix}u_r&u_s\\v_r&v_s\end{vmatrix}=\left(\frac{\partial(x,y)}{\partial(u,v)}\right)\left(\frac{\partial(u,v)}{\partial(r,s)}\right)$$

$$\xrightarrow{r=x,\ s=y}1=\begin{vmatrix}1&0\\0&1\end{vmatrix}=\left(\frac{\partial(x,y)}{\partial(u,v)}\right)\left(\frac{\partial(u,v)}{\partial(x,y)}\right)\Rightarrow\frac{\partial(x,y)}{\partial(u,v)}=\frac{1}{\left(\frac{\partial(u,v)}{\partial(x,y)}\right)}.$$

정리 ○70

$$\frac{dy}{dx}+p(x)y=q(x)\xrightarrow[\text{양변에 곱 : }e^{\int p(x)dx}]{}y'e^{\int p(x)dx}+p(x)ye^{\int p(x)dx}=q(x)e^{\int p(x)dx}$$

$$\Rightarrow y'e^{\int p(x)dx}+y\left(e^{\int p(x)dx}\right)'=q(x)e^{\int p(x)dx}\Rightarrow\left(ye^{\int p(x)dx}\right)'=q(x)e^{\int p(x)dx}\xrightarrow{\text{양변을 적분}}$$

$$\Rightarrow ye^{\int p(x)dx}=\int q(x)e^{\int p(x)dx}dx+c\Rightarrow y=e^{-\int p(x)dx}\left[\int q(x)e^{\int p(x)dx}dx+c\right].$$

정리 ○81 $x\in N$ 인 경우;

$$\Gamma(x)\xleftarrow{\text{부분적분}}\left[-t^{x-1}e^{-t}\right]_0^\infty+(x-1)\int_0^\infty t^{x-2}e^{-t}dt=(x-1)\Gamma(x-1)\xleftarrow{\text{부분적분}}\cdots$$

$$=(x-1)!\int_0^\infty e^{-t}dt=(x-1)!\left[-e^{-t}\right]_0^\infty=(x-1)!.$$

정리 ○83 [정리 82]에서 다음 등식을 성립한다.

$$B(m,n) = \int_0^1 x^{m-1}(1-x)^{n-1}\,dx \xleftarrow{x=\sin^2\theta} 2\int_0^{\frac{\pi}{2}} \sin^{2m-1}\theta\cos^{2n-1}\theta\,d\theta$$

$$\Rightarrow \int_0^{\frac{\pi}{2}} \sin^{2m-1}\theta\cos^{2n-1}\theta\,d\theta = \frac{B(m,n)}{2} \xleftarrow{[\text{미분과 증명},904]} \frac{\Gamma(m)\Gamma(n)}{2\Gamma(m+n)}\ .$$

(1) $2m-1=0,\ 2n-1=r$이라 하면 다음 등식이 성립한다.

$$\int_0^{\frac{\pi}{2}} \cos^r\theta\,d\theta = \frac{\Gamma\!\left(\dfrac{r+1}{2}\right)\Gamma\!\left(\dfrac{1}{2}\right)}{2\Gamma\!\left(\dfrac{r}{2}+1\right)} \xleftarrow{[\text{정리}143]} \frac{\Gamma\!\left(\dfrac{r+1}{2}\right)}{\Gamma\!\left(\dfrac{r}{2}+1\right)}\frac{\sqrt{\pi}}{2}.$$

(2) $2n-1=0,\ 2m-1=r$이라 하면 다음 등식이 성립한다.

$$\int_0^{\frac{\pi}{2}} \sin^r\theta\,d\theta = \frac{\Gamma\!\left(\dfrac{r+1}{2}\right)\Gamma\!\left(\dfrac{1}{2}\right)}{2\Gamma\!\left(\dfrac{r}{2}+1\right)} \xleftarrow{[\text{정리}143]} \frac{\Gamma\!\left(\dfrac{r+1}{2}\right)}{\Gamma\!\left(\dfrac{r}{2}+1\right)}\frac{\sqrt{\pi}}{2}.$$

정리 ○95 $x=[x]+\{x\} \Rightarrow \exists\,k'\in\{1,2,...,n\},\ [x]=\left[x+\dfrac{k'-1}{n}\right]\le x < \left[x+\dfrac{k'}{n}\right]=1+[x]$

$$\Rightarrow 0 = \left[\{x\}+\frac{k'-1}{n}\right] \le \{x\} < \left[\{x\}+\frac{k'}{n}\right] = 1.$$

$$\Rightarrow 1-\frac{k'}{n} \le \{x\} < 1-\frac{k'-1}{n} \Rightarrow n-k' \le n\{x\} < n-k'+1 \ldots\ldots (1).$$

$$\therefore \sum_{k=0}^{n-1}\left[x+\frac{k}{n}\right] = [x]+\left[x+\frac{1}{n}\right]+\left[x+\frac{2}{n}\right]+\cdots+\left[x+\frac{k'-1}{n}\right]+\left[x+\frac{k'}{n}\right]+\cdots+\left[x+\frac{n-1}{n}\right]$$

$$= \sum_{k=0}^{k'-1}[x] + \sum_{k=k'}^{n-1}(1+[x]) = k'[x]+(n-k')+(n-k')[x] = n[x]+n-k' \xleftrightarrow{(1)} n[x]+[n\{x\}]$$

$$= [n[x]+n\{x\}] = [n([x]+\{x\})] = [nx].$$

정리 ○98 $\Gamma(p)\Gamma(1-p) = \dfrac{\Gamma(p)\Gamma(1-p)}{\Gamma(1)} \xleftarrow{[\text{미분과 증명},904]} B(p,1-p)$

$$= \int_0^1 y^{p-1}(1-y)^{(1-p)-1}\,dy = \int_0^1 \frac{\left(\dfrac{y}{1-y}\right)^{p-1}}{1-y}\,dy = \int_0^1 \frac{\left(\dfrac{y}{1-y}\right)^{p-1}}{1+\dfrac{y}{1-y}} \times \frac{dy}{(1-y)^2} \xleftarrow{x=\frac{y}{1-y}}$$

$$= \int_0^\infty \frac{x^{p-1}}{1+x}\,dx \xleftarrow{[\text{정적분 문제},40]} \frac{\pi}{\sin(p\pi)}\ .$$

정리 140 (1) $\lim\limits_{n\to\infty}\left(\sum\limits_{k=1}^{n}\dfrac{1}{k}-\ln n\right)$ 은 그림의 빗금 친 부분의 넓이이다.

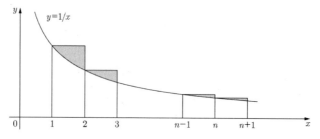

이 넓이들의 합은 수렴함을 다음 부분에서 증명한다.

(2) $\displaystyle\sum_{k=1}^{n}\frac{1}{k}-\ln n = \sum_{k=1}^{n}\int_{k}^{k+1}\frac{1}{[x]}dx - \int_{1}^{n}\frac{1}{x}dx = \int_{1}^{n}\frac{1}{[x]}-\frac{1}{x}dx + \int_{n}^{n+1}\frac{1}{[x]}dx$

$\displaystyle = \int_{1}^{n}\frac{x-[x]}{x[x]}dx + \frac{1}{n} \le \int_{1}^{n}\frac{1}{[x]^2}dx + \frac{1}{n} = \int_{1}^{2}\frac{1}{[x]^2}dx + \int_{2}^{3}\frac{1}{[x]^2}dx + \cdots$

$\displaystyle + \int_{n-1}^{n}\frac{1}{[x]^2}dx + \frac{1}{n} = \int_{1}^{2}1dx + \int_{2}^{3}\frac{1}{2^2}dx + \cdots + \int_{n-1}^{n}\frac{1}{(n-1)^2}dx + \frac{1}{n}$

$\displaystyle = 1 + \frac{1}{2^2} + \frac{1}{3^2} + \cdots + \frac{1}{(n-1)^2} + \frac{1}{n} \xrightarrow[\text{[정리66]}]{n\to\infty} \le \frac{\pi^2}{6}.$

정리 143 $\Gamma\left(\dfrac{1}{2}\right) \xleftarrow{\text{[정리81]}} \displaystyle\int_{0}^{\infty}t^{-\frac{1}{2}}e^{-t}dt \xleftrightarrow{t=x^2} 2\int_{0}^{\infty}e^{-x^2}dx \xleftrightarrow{\text{우함수}} \int_{-\infty}^{\infty}e^{-x^2}dx$

$\xrightarrow{\text{[정적분문제,31]}} \sqrt{\pi}.$

정리 161 $\displaystyle\int_{0}^{\infty}\frac{f(ax)-f(bx)}{x}dx = \int_{0}^{\infty}\left[\frac{f(xy)}{x}\right]_{b}^{a}dx = \int_{0}^{\infty}\int_{b}^{a}f'(xy)\,dy\,dx$

$\displaystyle = \int_{b}^{a}\int_{0}^{\infty}f'(xy)dx\,dy \xleftarrow{u=xy} \int_{b}^{a}\int_{0}^{\infty}\frac{f'(u)}{y}du\,dy = \left(\int_{b}^{a}\frac{1}{y}dy\right)\left(\int_{0}^{\infty}f'(u)du\right)$

$\displaystyle = (f(\infty)-f(0))\ln\frac{a}{b}.$

정리 162

(1) 다음 등식은 넓이의 평균값 정리로 성립한다.

$$\int_{b(\alpha)}^{b(\alpha+\Delta\alpha)}f(x,\alpha+\Delta\alpha)dx = f(u,\alpha+\Delta\alpha)[b(\alpha+\Delta\alpha)-b(\alpha)], \quad \exists u\in(b(\alpha),b(\alpha+\Delta\alpha)).$$

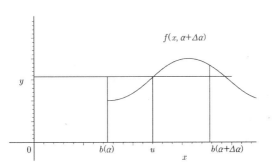

(2) $\psi(\alpha)=\displaystyle\int_{a(\alpha)}^{b(\alpha)}f(x,\alpha)\,dx$라고 하자.

$$\psi(\alpha+\triangle\alpha)-\psi(\alpha)=\int_{a(\alpha+\triangle\alpha)}^{b(\alpha+\triangle\alpha)}f(x,\alpha+\triangle\alpha)dx-\int_{a(\alpha)}^{b(\alpha)}f(x,\alpha)dx$$

$$=\int_{a(\alpha+\triangle\alpha)}^{a(\alpha)}f(x,\alpha+\triangle\alpha)dx+\int_{a(\alpha)}^{b(\alpha)}f(x,\alpha+\triangle\alpha)dx+\int_{b(\alpha)}^{b(\alpha+\triangle\alpha)}f(x,\alpha+\triangle\alpha)\,dx$$

$$-\int_{a(\alpha)}^{b(\alpha)}f(x,\alpha)dx$$

$$=\int_{a(\alpha)}^{b(\alpha)}f(x,\alpha+\triangle\alpha)-f(x,\alpha)dx+\int_{a(\alpha+\triangle\alpha)}^{a(\alpha)}f(x,\alpha+\triangle\alpha)dx+\int_{b(\alpha)}^{b(\alpha+\triangle\alpha)}f(x,\alpha+\triangle\alpha)dx$$

$$=\int_{a(\alpha)}^{b(\alpha)}f(x,\alpha+\triangle\alpha)-f(x,\alpha)dx-\int_{a(\alpha)}^{a(\alpha+\triangle\alpha)}f(x,\alpha+\triangle\alpha)dx+\int_{b(\alpha)}^{b(\alpha+\triangle\alpha)}f(x,\alpha+\triangle\alpha)dx$$

$$\xleftrightarrow{(1)}\int_{a(\alpha)}^{b(\alpha)}f(x,\alpha+\triangle\alpha)-f(x,\alpha)\,dx+f(u,\alpha+\triangle\alpha)[b(\alpha+\triangle\alpha)-b(\alpha)]$$

$$-f(v,\alpha+\triangle\alpha)[a(\alpha+\triangle\alpha)-a(\alpha)],\ \exists v\in(a(\alpha),a(\alpha+\triangle\alpha)),\ \exists u\in(b(\alpha),b(\alpha+\triangle\alpha)).$$

$$\therefore\psi'(\alpha)=\lim_{\triangle\alpha\to0}\frac{\psi(\alpha+\triangle\alpha)-\psi(\alpha)}{\triangle\alpha}\xleftrightarrow{(2)}\int_{a(\alpha)}^{b(\alpha)}f_\alpha(x,\alpha)dx+b'(\alpha)f(b(\alpha),\alpha)-a'(\alpha)f(a(\alpha),\alpha)$$

정리 170

⑨ 준 식 $=a^2\displaystyle\int(a^2-x^2)^{m-1}dx-\int x^2(a^2-x^2)^{m-1}dx\xleftrightarrow[f(x)=\dfrac{x}{2}]{\text{부분적분}}$

$$=\frac{x}{2m+1}(a^2-x^2)^m+\frac{2ma^2}{2m+1}\int(a^2-x^2)^{m-1}dx.$$

정리 174

$$B(m,n)\xleftrightarrow{[\text{미분과 증명},904]}\frac{\Gamma(m)\Gamma(n)}{\Gamma(m+n)}\xleftrightarrow{[\text{정리}82]}\int_0^1u^{m-1}(1-u)^{n-1}du\xrightarrow{m=n=z}$$

$$\Rightarrow \frac{\Gamma(z)\Gamma(z)}{\Gamma(2z)} = \int_0^1 u^{z-1}(1-u)^{z-1}\,du \xleftarrow{\;u=\dfrac{1+x}{2}\;} \frac{1}{2^{2z-1}}\int_{-1}^1 (1-x^2)^{z-1}\,dx \xleftarrow{\text{우함수}}$$

$$= 2^{2-2z}\int_0^1 (1-x^2)^{z-1}\,dx \xleftarrow{\;x^2=t\;} 2^{1-2z}\int_0^1 t^{-\frac{1}{2}}(1-t)^{z-1}\,dt = 2^{1-2z}B\!\left(\frac{1}{2},z\right)$$

$$= 2^{1-2z}\frac{\Gamma\!\left(\dfrac{1}{2}\right)\Gamma(z)}{\Gamma\!\left(\dfrac{1}{2}+z\right)} \xleftarrow{[\text{정리}143]} \frac{2^{1-2z}\sqrt{\pi}\,\Gamma(z)}{\Gamma\!\left(\dfrac{1}{2}+z\right)} \Rightarrow \therefore \Gamma(z)\Gamma\!\left(\frac{1}{2}+z\right) = 2^{1-2z}\sqrt{\pi}\,\Gamma(2z).$$

정리 186

③ $f(x)$: 주기 2π인 기함수라 하자. $f(x) = \displaystyle\sum_{n=1}^{\infty} b_n \sin nx$

$$\Rightarrow f(x)\sin mx = \sum_{n=1}^{\infty} b_n \sin nx \sin mx \Rightarrow \int_{-\pi}^{\pi} f(x)\sin mx\,dx = \sum_{n=1}^{\infty} b_n \int_{-\pi}^{\pi}\sin nx \sin mx\,dx$$

$$\Rightarrow 2\int_0^{\pi} f(x)\sin mx\,dx = \frac{1}{2}\sum_{n=1}^{\infty} b_n \int_{-\pi}^{\pi}\cos(n-m)x - \cos(n+m)x\,dx \xleftarrow{\;n=m\;}$$

$$= \frac{1}{2}b_m\int_{-\pi}^{\pi} 1\,dx = \pi b_m \Rightarrow b_m = \frac{2}{\pi}\int_0^{\pi} f(x)\sin mx\,dx \Rightarrow \therefore b_n = \frac{2}{\pi}\int_0^{\pi} f(x)\sin nx\,dx.$$

⑥ $f(z)$: 주기 2π인 기함수라 하자. $f(z) = \displaystyle\sum_{n=1}^{\infty} b_n \sin nz,\; b_n = \frac{2}{\pi}\int_0^{\pi} f(z)\sin nz\,dz$

$f(x)$: 주기 $2L$인 기함수라 하자. $\Rightarrow z : x = 2\pi : 2L \Rightarrow z = \dfrac{\pi}{L}x,\, dz = \dfrac{\pi}{L}dx.$

$$f(x) = \sum_{n=1}^{\infty} b_n \sin\!\left(\frac{n\pi}{L}x\right),\, b_n = \frac{2}{\pi}\int_0^L f(x)\sin\!\left(\frac{n\pi}{L}x\right)\cdot\frac{\pi}{L}dx = \frac{2}{L}\int_0^L f(x)\sin\!\left(\frac{n\pi}{L}x\right)dx.$$

※ $f(x)^2 = \displaystyle\sum_{n=1}^{\infty} b_n f(x)\sin\!\left(\frac{n\pi}{L}x\right) \Rightarrow \int_{-L}^{L} f(x)^2 dx = \sum_{n=1}^{\infty} b_n \int_{-L}^{L} f(x)\sin\!\left(\frac{n\pi}{L}x\right)dx \xleftarrow{\text{우함수}}$

$$= 2\sum_{n=1}^{\infty} b_n \int_0^L f(x)\sin\!\left(\frac{n\pi}{L}x\right)dx = 2\sum_{n=1}^{\infty} b_n\!\left(\frac{b_n L}{2}\right) = L\sum_{n=1}^{\infty}(b_n)^2 \Rightarrow \sum_{n=1}^{\infty}(b_n)^2 = \frac{2}{L}\int_0^L f(x)^2\,dx.$$

⑦ [정리 186,④] 및 조건에서 $a_0 = \displaystyle\lim_{L\to\infty}\frac{\displaystyle\int_{-L}^{L} f(x)dx}{L} = 0$이 된다.

(1) $a_n\cos\dfrac{n\pi x}{L} = \dfrac{1}{L}\displaystyle\int_{-L}^{L} f(u)\cos\dfrac{n\pi u}{L}\,du\cos\dfrac{n\pi x}{L} \xleftarrow[\;n\cdot\Delta\alpha=\alpha\;]{L\to\infty,\;\Delta\alpha=\dfrac{\pi}{L}}$

$$= \frac{1}{\pi}\int_{-\infty}^{\infty} f(u)\cos(\alpha u)\,du\cos(\alpha x)(\Delta\alpha)$$

$$A(\alpha) = \frac{1}{\pi} \int_{-\infty}^{\infty} f(u)\cos(\alpha u)du$$

$$\xleftarrow{\hspace{4cm}} A(\alpha)\cos(\alpha x)\triangle \alpha.$$

(2) $b_n \sin\dfrac{n\pi x}{L} = \dfrac{1}{L}\displaystyle\int_{-L}^{L} f(u)\sin\dfrac{n\pi u}{L}du \sin\dfrac{n\pi x}{L} \xleftarrow{\substack{L\to\infty,\ \triangle\alpha = \frac{\pi}{L} \\ n\,\cdot\,\triangle\alpha = \alpha}}$

$$= \frac{1}{\pi}\int_{-\infty}^{\infty} f(u)\sin(\alpha u)\,du\,\sin(\alpha x)(\triangle\alpha)$$

$$B(\alpha) = \frac{1}{\pi}\int_{-\infty}^{\infty} f(u)\sin(\alpha u)du$$

$$\xleftarrow{\hspace{4cm}} B(\alpha)\sin(\alpha x)\triangle\alpha.$$

$$\therefore f(x) = \lim_{\triangle\alpha\to 0}\left[\sum_{n=1}^{\infty}A(\alpha)\cos(n\triangle\alpha x)\right]\triangle\alpha + \lim_{\triangle\alpha\to 0}\left[\sum_{n=1}^{\infty}B(\alpha)\sin(n\triangle\alpha x)\right]\triangle\alpha$$

$$= \int_{0}^{\infty}A(\alpha)\cos(\alpha x)d\alpha + \int_{0}^{\infty}B(\alpha)\sin(\alpha x)d\alpha.$$

$$\left(\because \int_{0}^{\infty}f(x)dx = \lim_{\triangle x\to 0}\sum_{n=1}^{\infty}f(n\,\cdot\,\triangle x)\triangle x\right)$$

⑧ $F(u) = f(u)\sin(\alpha u)$라고 하자. $\xrightarrow{\text{조건}} F(u)$: 기함수.

$\Rightarrow B(\alpha)\xleftarrow{[\text{정리}186,(7)]} 0.$ $G(u) = f(u)\cos(\alpha u)$라고하자. $\xrightarrow{\text{조건}} G(u)$: 우함수.

$\Rightarrow A(\alpha)\xleftarrow{[\text{정리}186,(7)]} \dfrac{1}{\pi}\displaystyle\int_{-\infty}^{\infty} f(u)\cos(\alpha u)\,du = \dfrac{2}{\pi}\int_{0}^{\infty}f(u)\cos(\alpha u)du.$

$\therefore f(x)\xleftarrow{[\text{정리}186,(7)]} \dfrac{2}{\pi}\displaystyle\int_{0}^{\infty}\int_{0}^{\infty} f(u)\cos(\alpha u)\cos(\alpha x)dud\alpha.$

⑨ $F(u) = f(u)\cos(\alpha u)$라고 하자. $\xrightarrow{\text{조건}} F(u)$: 기함수.

$\Rightarrow A(\alpha)\xleftarrow{[\text{정리}186,(7)]} 0.$ $G(u) = f(u)\sin(\alpha u)$라고하자. $\xrightarrow{\text{조건}} G(u)$: 우함수.

$\Rightarrow B(\alpha)\xleftarrow{[\text{정리}186,(7)]} \dfrac{1}{\pi}\displaystyle\int_{-\infty}^{\infty} f(u)\sin(\alpha u)\,du = \dfrac{2}{\pi}\int_{0}^{\infty}f(u)\sin(\alpha u)du.$

$\therefore f(x)\xleftarrow{[\text{정리}186,(7)]} \dfrac{2}{\pi}\displaystyle\int_{0}^{\infty}\int_{0}^{\infty} f(u)\sin(\alpha u)\sin(\alpha x)dud\alpha.$

정리 187

⑤ $\displaystyle\int_{s}^{\infty} F(u)du\xleftarrow{\text{조건식}} \int_{s}^{\infty}\int_{0}^{\infty} e^{-ut}f(t)dtdu = \int_{0}^{\infty}\int_{s}^{\infty} e^{-ut}f(t)dudt$

$$= \int_0^\infty f(t) \int_s^\infty e^{-ut} du\, dt = \int_0^\infty \left[-\frac{1}{t} e^{-ut} \right]_s^\infty dt = \int_0^\infty e^{-st} \left(\frac{f(t)}{t} \right) dt = \mathcal{L}\left[\frac{f(t)}{t} \right].$$

⑪ (1). $\mathcal{L}\left[t^a \right] = \int_0^\infty e^{-st} t^a\, dt \xleftrightarrow{st=x} \dfrac{1}{s^{a+1}} \int_0^\infty e^{-x} x^a\, dx \xleftrightarrow{[정리81]} \dfrac{\Gamma(a+1)}{s^{a+1}}.$

정리 197

$x = f(t)$라고 하자. $dx = f'(t)\, dt,\ t = f^{-1}(x),\ \begin{cases} x = c \Rightarrow t = a \\ x = d \Rightarrow t = b \end{cases}$

$\therefore \displaystyle\int_c^d f^{-1}(x)\, dx = \int_a^b t f'(t)\, dt.$ 준 식 $= \displaystyle\int_a^b f(x) + x f'(x)\, dx = \left[x(f(x)) \right]_a^b = bd - ac$

Chapter 4 / 정적분 증명

001 (1) $\displaystyle\int_0^b \frac{x^{m-1}}{(1+x)^{m+n}}\,dx \xleftrightarrow[\ x=\dfrac{t}{1-t}\ ]{} \int_0^{\frac{b}{1+b}} t^{m-1}(1-t)^{n-1}\,dt.$

$\therefore$ 준 식 $= \displaystyle\int_0^\infty \frac{x^{4-1}}{(1+x)^{4+1}}\,dx \xleftrightarrow[]{(1)} \int_0^1 t^3(1-t)^0\,dt = \frac{1}{4}.$

002 준 식 $= \displaystyle\int_1^{\ln 3} -e^x + \frac{2e^x}{1+e^x}\,dx = \left[-e^x + 2\ln\left(1+e^x\right)\right]_1^{\ln 3} = e - 3 + \ln\frac{16}{(e+1)^2}.$

003 (1) $\displaystyle\int \sin^n x\,dx = \int \sin^{n-2}x\,dx - \int \sin^{n-2}x\cos^2 x\,dx \xleftrightarrow[\ f(x)=\cos x\ ]{\text{부분적분}}$

$= -\dfrac{\sin^{n-1}x\cos x}{n} + \left(\dfrac{n-1}{n}\right)\displaystyle\int \sin^{n-2}x\,dx.$

$\therefore$ 준식 $\xleftrightarrow[]{(1),\,n:\text{짝수}} \dfrac{(n-1)(n-3)\cdots 1}{n(n-2)\cdots 2} \times \dfrac{\pi}{2}.$

$\therefore$ 준식 $\xleftrightarrow[]{(1),\,n:\text{홀수}} \dfrac{(n-1)(n-3)\cdots 2}{n(n-2)\cdots 1} \times 1.$

004 (1) m: 홀수인 경우. [부정적분 해, 28번]

$\displaystyle\int \sin^m x\cos^n x\,dx = -\dfrac{\sin^{m-1}x\cos^{n+1}x}{m+n} + \left(\dfrac{m-1}{m+n}\right)\displaystyle\int \sin^{m-2}x\cos^n x\,dx.$

$\therefore$ 준식 $= \dfrac{(m-1)(m-3)\cdots 2}{(m+n)(m+n-2)\cdots(n+3)}\displaystyle\int_0^{\frac{\pi}{2}} \sin x\cos^n x\,dx \xleftrightarrow[]{t=\cos x}$

$= \dfrac{(m-1)(m-3)\cdots 2}{(m+n)(m+n-2)\cdots(n+3)} \times \left(\dfrac{1}{n+1}\right).$

(2) n: 홀수인 경우. [부정적분 해, 28번]

$\therefore$ 준식 $= \dfrac{(n-1)(n-3)\cdots 2}{(m+n)(m+n-2)\cdots(m+3)}\displaystyle\int_0^{\frac{\pi}{2}} \sin^m x\cos x\,dx \xleftrightarrow[]{t=\sin x}$

$= \dfrac{(n-1)(n-3)\cdots 2}{(m+n)(m+n-2)\cdots(m+3)} \times \left(\dfrac{1}{m+1}\right).$

(3) m,n: 짝수인 경우. [부정적분 해, 28번]

$$\therefore \text{준 식} = \frac{(n-1)(n-3)\cdots 1}{(m+n)(m+n-2)\cdots(m+2)} \int_0^{\frac{\pi}{2}} \sin^m x \, dx \xleftarrow{\text{[문제3]}}$$

$$= \frac{(n-1)(n-3)\cdots 1}{(m+n)(m+n-2)\cdots(m+2)} \times \frac{(m-1)(m-3)\cdots 1}{m(m-2)\cdots 2} \times \frac{\pi}{2}.$$

005 준 식 $=I$ 라고 하자. $I \xleftarrow{\text{[정리24,(1)]}} \int_0^{\frac{\pi}{2}} \frac{\cos^m x}{\sin^m x + \cos^m x} \, dx.$

$$\Rightarrow 2I = \int_0^{\frac{\pi}{2}} 1 \, dx = \frac{\pi}{2}. \quad \therefore I = \frac{\pi}{4}.$$

006 준 식 $=I$ 라고 하자. $I \xleftarrow{\text{[정리24,(1)]}} \pi \int_0^{\pi} \frac{\sin x}{1+\cos^2 x} \, dx - \int_0^{\pi} \frac{x \sin x}{1+\cos^2 x} \, dx$

$$\Rightarrow 2I = \pi \int_0^{\pi} \frac{\sin x \, dx}{1+\cos^2 x} = -\pi \int_0^{\pi} \frac{d(\cos x)}{1+\cos^2 x} = -\pi \left[\tan^{-1}(\cos x) \right]_0^{\pi} = \frac{\pi^2}{2}. \quad \therefore I = \frac{\pi^2}{4}.$$

007 준 식 $= \frac{1}{2} \int_0^{\frac{1}{\sqrt{2}}} \sin^{-1} x^2 \left(\frac{2x}{\sqrt{1-x^4}} \right) dx = \frac{1}{2} \int_0^{\frac{1}{\sqrt{2}}} \sin^{-1} x^2 \, d(\sin^{-1} x^2)$

$$= \frac{1}{4} \left[(\sin^{-1} x^2)^2 \right]_0^{\frac{1}{\sqrt{2}}} = \frac{1}{4} \left(\sin^{-1} \left(\frac{1}{2} \right) \right)^2 = \frac{1}{4} \left(\frac{\pi}{6} \right)^2 = \frac{\pi^2}{144}.$$

008 (1) $\tan \frac{x}{2} = t$ 라고 치환하자. $dx = \frac{2dt}{1+t^2}, \cos x = \frac{1-t^2}{1+t^2}.$

$$\therefore \text{준 식} \xleftarrow{(1)} \int_0^{\infty} \frac{2}{(\alpha-1)+(\alpha+1)t^2} \, dt = \frac{2}{\alpha+1} \int_0^{\infty} \frac{dt}{\left(\sqrt{\frac{\alpha-1}{\alpha+1}} \right)^2 + t^2}$$

$$= \left(\frac{2}{\alpha+1} \right) \sqrt{\frac{\alpha+1}{\alpha-1}} \left[\tan^{-1} \left(\sqrt{\frac{\alpha+1}{\alpha-1}} \, t \right) \right]_0^{\infty} = \frac{\pi}{\sqrt{\alpha^2-1}}.$$

009 (1) $\int_0^{\pi} \frac{dx}{\alpha-\cos x} \xleftarrow{\text{[문제8]}} \frac{\pi}{\sqrt{\alpha^2-1}} = \phi(\alpha)$ 라고 하자.

$$\phi'(\alpha) = -\frac{\pi\alpha}{\sqrt{(\alpha^2-1)^3}} = \int_0^{\pi} \frac{d}{d\alpha} \left(\frac{1}{\alpha-\cos x} \right) dx = \int_0^{\pi} \frac{-dx}{(\alpha-\cos x)^2}.$$

$$\therefore \text{준 식} \xleftarrow{(1)} \frac{\pi\alpha}{\sqrt{(\alpha^2-1)^3}}.$$

○10 준 식 $= \displaystyle\int_0^\pi \ln(b-\cos x) - \ln(a-\cos x)\,dx = \int_0^\pi \left[\ln(\alpha-\cos x)\right]_a^b dx$

$= \displaystyle\int_0^\pi \int_a^b \frac{1}{\alpha-\cos x}\,d\alpha dx = \int_a^b \int_0^\pi \frac{1}{\alpha-\cos x}\,dx d\alpha \xleftarrow{[\text{문제}8]} \int_a^b \frac{\pi}{\sqrt{\alpha^2-1}}\,d\alpha \xleftarrow{\alpha=\sec x}$

$= \pi\left[\ln\!\left(x+\sqrt{x^2-1}\right)\right]_a^b = \pi\ln\!\left(\dfrac{b+\sqrt{b^2-1}}{a+\sqrt{a^2-1}}\right).$

○11 (1) $f(\alpha) = \displaystyle\int_0^1 \frac{x^\alpha-1}{\ln x}\,dx,\ (\alpha>0) \Rightarrow f'(\alpha) = \int_0^1 \frac{x^\alpha \ln x}{\ln x}\,dx = \frac{1}{\alpha+1},\ f(0)=0.$

$\Rightarrow f(\alpha) = \ln(\alpha+1).\ \therefore$ 준식 $= f(1) = \ln 2.$

○12 $f(p) = \displaystyle\int_0^1 x^p\,dx = \frac{1}{p+1}$ 라고 하자. $f'(p) = \displaystyle\int_0^1 \frac{d}{dp}(x^p)\,dx = \frac{-1}{(p+1)^2}$

$\Rightarrow f'(p) = \displaystyle\int_0^1 x^p \ln x\,dx \Rightarrow f''(p) = \int_0^1 x^p (\ln x)^2\,dx = \frac{2}{(p+1)^3},\ \cdots$

$\therefore \displaystyle\int_0^1 x^p (\ln x)^m\,dx = \frac{(-1)^m m!}{(p+1)^{m+1}}.$

○13 (1) $I = \displaystyle\int_0^{\frac{\pi}{2}} \ln(\sin x)\,dx \xleftarrow{[\text{정리}24,(1)]} \int_0^{\frac{\pi}{2}} \ln(\cos x)\,dx$

$\Rightarrow 2I = \displaystyle\int_0^{\frac{\pi}{2}} \ln(\sin x)+\ln(\cos x)\,dx = \int_0^{\frac{\pi}{2}} \ln\!\left(\frac{\sin 2x}{2}\right)dx = \int_0^{\frac{\pi}{2}} \ln(\sin 2x)\,dx - \frac{\pi}{2}\ln 2.$

(2) $\displaystyle\int_0^{\frac{\pi}{2}} \ln(\sin 2x)\,dx \xleftarrow{2x=v} \frac{1}{2}\int_0^\pi \ln(\sin v)\,dv = \frac{1}{2}\left[\int_0^{\frac{\pi}{2}} \ln(\sin v)\,dv + \int_{\frac{\pi}{2}}^\pi \ln(\sin v)\,dv\right]$

$\xleftarrow{v=\pi-u} \dfrac{1}{2}\left[I - \displaystyle\int_{\frac{\pi}{2}}^0 \ln(\sin u)\,du\right] = \frac{1}{2}(2I) = I.\ \therefore -\frac{\pi}{2}\ln 2,\ (\because (1)).$

○14 $-\dfrac{\pi}{2}\ln 2 = \displaystyle\int_0^{\frac{\pi}{2}} \ln(\sin x)\,dx \xleftarrow{x=\pi-y} \int_{\frac{\pi}{2}}^\pi \ln(\sin y)\,dy \Rightarrow \int_0^\pi \ln(\sin x)\,dx = -\pi\ln 2.$

(1) $I = \displaystyle\int_0^\pi x\ln(\sin x)\,dx \xleftarrow{x=\pi-y} \int_0^\pi \pi\ln(\sin y)\,dy - \int_0^\pi y\ln(\sin y)\,dy = -\pi^2\ln 2 - I.$

$\therefore 2I = -\pi^2\ln 2 \Rightarrow I = -\dfrac{\pi^2}{2}\ln 2.$

015 (1) $\displaystyle\int_0^\infty \frac{dx}{x^2+\alpha} = \frac{1}{\sqrt{\alpha}}\left[\tan^{-1}\left(\frac{x}{\sqrt{\alpha}}\right)\right]_0^\infty = \frac{\pi}{2\sqrt{\alpha}} = \phi(\alpha)$라고 하자.

(2) $\displaystyle\phi'(\alpha) = (-1)\int_0^\infty \frac{dx}{(x^2+\alpha)^2} = \left(-\frac{1}{2}\right)\frac{\pi}{2}\alpha^{-\frac{3}{2}} \Rightarrow \cdots$

$\displaystyle\phi^{(n)}(\alpha) = (-1)(-2)\cdots(-n)\int_0^\infty \frac{dx}{(x^2+\alpha)^{n+1}} = \left(-\frac{1}{2}\right)\left(-\frac{2}{3}\right)\cdots\left(-\frac{2n-1}{2}\right)\frac{\pi}{2}\alpha^{-\left(\frac{2n+1}{2}\right)}$

$\xrightarrow{\alpha=1}\quad \therefore \displaystyle\int_0^\infty \frac{dx}{(x^2+1)^{n+1}} = \frac{1\cdot3\cdot5\cdots(2n-1)}{2\cdot4\cdot6\cdots(2n)}\left(\frac{\pi}{2}\right).$

016 (1) $\displaystyle I = \int_0^\infty e^{-\alpha x}\cos(rx)dx \xrightarrow[g'(x)=\cos(rx)]{f(x)=e^{-\alpha x}} \frac{\alpha}{r}\int_0^\infty e^{-\alpha x}\sin(rx)dx$

$\xrightarrow[v'(x)=\sin(rx)]{u(x)=e^{-\alpha x}} \frac{\alpha}{r^2} - \left(\frac{\alpha}{r}\right)^2 I \Rightarrow I = \frac{\alpha}{\alpha^2+r^2}.$

$\therefore$ 준식 $= \displaystyle\int_0^\infty \left(-\frac{1}{x}\right)\left[e^{-bx}-e^{-ax}\right]\cos(rx)dx = \int_0^\infty \left[\frac{e^{-\alpha x}\cos(rx)}{-x}\right]_a^b dx$

$= \displaystyle\int_0^\infty \int_a^b e^{-\alpha x}\cos(rx)d\alpha\,dx = \int_a^b \int_0^\infty e^{-\alpha x}\cos(rx)dx\,d\alpha \xleftarrow{(1)}$

$\displaystyle\int_a^b \frac{\alpha}{\alpha^2+r^2}d\alpha = \frac{1}{2}\left[\ln(\alpha^2+r^2)\right]_a^b = \frac{1}{2}\ln\left(\frac{b^2+r^2}{a^2+r^2}\right).$

017 (1) $\displaystyle\int_0^\infty e^{-ax}\frac{\sin(\alpha x)}{x}dx = \int_0^\infty e^{-ax}\left[\frac{\sin(\alpha x)-\sin(0x)}{x}\right]dx$

$= \displaystyle\int_0^\infty e^{-ax}\left[\frac{\sin(\beta x)}{x}\right]_0^\alpha dx = \int_0^\infty \int_0^\alpha e^{-ax}\cos(\beta x)d\beta\,dx = \int_0^\alpha \int_0^\infty e^{-ax}\cos(\beta x)dx\,d\beta$

$\xleftarrow{[문제16,(1)]} \displaystyle\int_0^\alpha \frac{a}{a^2+\beta^2}d\beta = \tan^{-1}\left(\frac{\alpha}{a}\right).$

(2) $\displaystyle\int_0^\infty e^{-ax}\frac{1-\cos(rx)}{x^2}dx = \int_0^\infty e^{-ax}\frac{1}{x}\left(\frac{\cos(0x)-\cos(rx)}{x}\right)dx$

$= \displaystyle\int_0^\infty \frac{e^{-ax}}{x}\left[-\frac{\cos(\alpha x)}{x}\right]_0^r dx = \int_0^\infty \frac{e^{-ax}}{x}\int_0^r \sin(\alpha x)d\alpha\,dx = \int_0^r \int_0^\infty e^{-ax}\frac{\sin(\alpha x)}{x}dx\,d\alpha$

$\xleftarrow{(1)} \displaystyle\int_0^r \tan^{-1}\left(\frac{\alpha}{a}\right)d\alpha \xrightarrow[g'(\alpha)=1]{f(\alpha)=\tan^{-1}\left(\frac{\alpha}{a}\right)} \left[\alpha\tan^{-1}\left(\frac{\alpha}{a}\right)\right]_0^r - \int_0^r \frac{a\alpha}{\alpha^2+a^2}d\alpha$

$= r\tan^{-1}\left(\frac{r}{a}\right) - \frac{a}{2}\ln\left(1+\frac{r^2}{a^2}\right). \quad \therefore$ 준식 $\xleftarrow{r=1} \tan^{-1}\left(\frac{1}{a}\right) - \frac{a}{2}\ln\left(1+\frac{1}{a^2}\right).$

18 준 식 $=\lim\limits_{a\to0}\displaystyle\int_0^\infty e^{-ax}\frac{1-\cos x}{x^2}dx\xleftarrow{[문제17]}\lim\limits_{a\to0}\left[\tan^{-1}\left(\frac{1}{a}\right)-\frac{a}{2}\ln\left(1+\frac{1}{a^2}\right)\right]$

$\xleftarrow{L'\,Hospital\ rule}\dfrac{\pi}{2}$

19 $\dfrac{\pi}{2}\xleftarrow{[문제18]}\displaystyle\int_0^\infty\frac{1-\cos x}{x^2}dx\xrightarrow{\substack{f(x)=1-\cos x\\g'(x)=x^{-2}}}\left[-\frac{1-\cos x}{x}\right]_0^\infty-\int_0^\infty-\frac{\sin x}{x}dx$

$=\displaystyle\int_0^\infty\frac{\sin x}{x}dx.$

(2) $\displaystyle\int_0^\infty e^{-ax}\left(\frac{\sin x}{x}\right)dx=\int_0^\infty e^{-ax}\left[\frac{\sin\alpha x}{x}\right]_{\alpha=0}^{\alpha=1}dx=\int_0^\infty e^{-ax}\int_0^1\cos(\alpha x)d\alpha\,dx$

$=\displaystyle\int_0^1\int_0^\infty e^{-ax}\cos(\alpha x)dx d\alpha\xleftarrow{부분적분}\int_0^1\frac{a}{a^2+\alpha^2}d\alpha=\left[\tan^{-1}\left(\frac{\alpha}{a}\right)\right]_0^1=\tan^{-1}\left(\frac{1}{a}\right).$

$\xrightarrow{a=0}\therefore\displaystyle\int_0^\infty\frac{\sin x}{x}dx=\tan^{-1}(\infty)=\frac{\pi}{2}.$

20 $\dfrac{\pi}{2}\xleftarrow{[문제18]}\displaystyle\int_0^\infty\frac{1-\cos x}{x^2}dx=\int_0^\infty\frac{1-1+2\sin^2\left(\frac{x}{2}\right)}{x^2}dx=2\int_0^\infty\frac{\sin^2\left(\frac{x}{2}\right)}{x^2}dx$

$\xrightarrow{t=\frac{x}{2}}\displaystyle\int_0^\infty\frac{\sin^2 t}{t^2}dt=\int_0^\infty\left(\frac{\sin x}{x}\right)^2dx.$

21 준 식 $=\displaystyle\int_0^\infty\frac{1}{x}\left[\frac{3}{4}\sin x-\frac{1}{4}\sin(3x)\right]dx=\frac{3}{4}\int_0^\infty\frac{\sin x}{x}dx-\frac{1}{4}\int_0^\infty\frac{\sin(3x)}{x}dx$

$\xleftarrow{[문제19]}\dfrac{3\pi}{8}-\dfrac{1}{4}\displaystyle\int_0^\infty\frac{\sin(3x)}{3x}d(3x)\xleftarrow{[문제19]}\frac{\pi}{4}.$

22 (1) $I(\alpha)=\displaystyle\int_0^\infty e^{-x^2}\cos(\alpha x)dx$라고 하자. 양변을 α로 미분하면

$I'(\alpha)=\displaystyle\int_0^\infty -e^{x^2}x\sin(\alpha x)dx\xrightarrow{\substack{f(x)=\sin(\alpha x)\\g'(x)=-xe^{-x^2}}}\left[\frac{e^{-x^2}\sin(\alpha x)}{2}\right]_0^\infty-\frac{\alpha}{2}\int_0^\infty e^{-x^2}\cos(\alpha x)dx$

$=-\dfrac{\alpha}{2}I(\alpha)$ 이다. $\Rightarrow\dfrac{dI(\alpha)}{I(\alpha)}=-\dfrac{\alpha}{2}d\alpha\xrightarrow{양변을 적분}\ln I(\alpha)=-\dfrac{\alpha^2}{4}+c\xrightarrow{\alpha=0}c=\ln I(0)$

$=\ln\left[\displaystyle\int_0^\infty e^{-x^2}dx\right]\xleftarrow{[문제31]}\ln\left(\frac{\sqrt{\pi}}{2}\right).\quad\therefore\ln I(\alpha)=-\frac{\alpha^2}{4}+\ln\left(\frac{\sqrt{\pi}}{2}\right)$

$\therefore$ 준 식 $=I(\alpha)=e^{\ln I(\alpha)}\xleftarrow{(1)}e^{-\frac{\alpha^2}{4}+\ln\left(\frac{\sqrt{\pi}}{2}\right)}=\frac{\sqrt{\pi}}{2}e^{-\frac{\alpha^2}{4}}.$

023 준 식 $= I(\alpha)$라고 하자. 양변을 α로 미분하면

$$I\,'(\alpha)=2\int_0^\infty e^{-\left(x-\frac{\alpha}{x}\right)^2}dx-2\alpha\int_0^\infty\frac{1}{x^2}e^{-\left(x-\frac{\alpha}{x}\right)^2}dx\xleftarrow{\ y=\frac{\alpha}{x}\ }2I(\alpha)-2\int_0^\infty e^{-\left(y-\frac{\alpha}{y}\right)^2}dy=0.$$

$$\Rightarrow I(\alpha)=c\xleftarrow{\ \alpha=0\ }c=\int_0^\infty e^{-x^2}dx\xleftarrow{[\text{문제}31]}\frac{\sqrt{\pi}}{2}.\quad\therefore\text{준 식}=\frac{\sqrt{\pi}}{2}.$$

024 [문제 23]에서 $\alpha=1$ 이라고 하면 $\dfrac{\sqrt{\pi}}{2}=e^2\displaystyle\int_0^\infty e^{-(x^2+x^{-2})}dx$이 된다.

$\therefore$ 준 식 $=\dfrac{\sqrt{\pi}}{2e^2}.$

025 (1) $\displaystyle\int_0^\infty\frac{1}{x^2+\alpha}dx=\frac{1}{\sqrt{\alpha}}\int_0^\infty\frac{d\left(\dfrac{x}{\sqrt{\alpha}}\right)}{\left(\dfrac{x}{\sqrt{\alpha}}\right)^2+1}=\frac{1}{\sqrt{\alpha}}\left[\tan^{-1}\left(\frac{x}{\sqrt{\alpha}}\right)\right]_0^\infty=\frac{\pi}{2\sqrt{\alpha}}.$

$\therefore$ 준 식 $=\displaystyle\int_{-\infty}^0\frac{dx}{(x+a)^2+(b^2-a^2)}+\int_0^\infty\frac{dx}{(x+a)^2+(b^2-a^2)}\xleftarrow{\ -x=y\ }$

$$\int_0^\infty\frac{d(y-a)}{(y-a)^2+(b^2-a^2)}+\int_0^\infty\frac{d(x+a)}{(x+a)^2+(b^2-a^2)}\xleftarrow{(1)}\frac{\pi}{\sqrt{b^2-a^2}}.$$

026 준 식 $\xleftarrow{\ \frac{1}{x}=t\ }\displaystyle\int_{\frac{\pi}{4}}^\infty\frac{3\sin t}{t^4}-\frac{\cos t}{t^3}dt\xleftarrow[g\,'(t)=3t^{-4}]{f(t)=\sin t}\left[-\frac{\sin t}{t^3}\right]_{\frac{\pi}{4}}^\infty+0=\frac{32\sqrt{2}}{\pi^3}.$

027 준 식 $=\displaystyle\int_0^\infty\left[\frac{e^{-\alpha x}}{x}\right]_b^a dx=\int_0^\infty\int_b^a-e^{-\alpha x}d\alpha\,dx=\int_a^b\int_0^\infty e^{-\alpha x}dx\,d\alpha$

$=\displaystyle\int_a^b\left[-\frac{1}{\alpha}e^{-\alpha x}\right]_0^\infty d\alpha=\int_a^b\frac{1}{\alpha}d\alpha=\ln\left|\frac{b}{a}\right|.$

028 (1) $\displaystyle\int_0^\infty e^{-\alpha x}\sin(rx)dx\xleftarrow[g\,'(x)=\sin(rx)]{f(x)=e^{-\alpha x}}\frac{1}{r}-\frac{\alpha}{r}\int_0^\infty e^{-\alpha x}\cos(rx)dx$

$\xleftarrow[v\,'(x)=\cos(rx)]{u(x)=e^{-\alpha x}}\dfrac{1}{r}-\dfrac{\alpha^2}{r^2}\displaystyle\int_0^\infty e^{-\alpha x}\sin(rx)dx\Rightarrow\int_0^\infty e^{-\alpha x}\sin(rx)dx=\frac{r}{r^2+\alpha^2}.$

$\therefore$ 준 식 $=\displaystyle\int_0^\infty\left[\left(\frac{\sin(rx)}{x}\right)e^{-\alpha x}\right]_b^a dx=\int_0^\infty\int_b^a-e^{-\alpha x}\sin(rx)d\alpha\,dx$

$=\displaystyle\int_a^b\int_0^\infty e^{-\alpha x}\sin(rx)dx\,d\alpha\xleftarrow{(1)}\int_a^b\frac{r}{r^2+\alpha^2}d\alpha=\left[\tan^{-1}\left(\frac{\alpha}{r}\right)\right]_a^b=\tan^{-1}\left(\frac{b}{r}\right)-\tan^{-1}\left(\frac{a}{r}\right).$

29 준 식 $= \displaystyle\int_0^\infty e^{-\alpha x}\left[\dfrac{\cos(\beta x)}{x}\right]_b^a dx = \int_0^\infty e^{-\alpha x}\int_b^a \sin(\beta x)d\beta dx$

$= \displaystyle\int_b^a\int_0^\infty e^{-\alpha x}\sin(\beta x)\,dx\,d\beta \xleftarrow{\;[\text{문제}28,(1)]\;}\int_b^a \dfrac{\beta}{\beta^2+\alpha^2}\,d\beta = \dfrac{1}{2}\Big[\ln(\beta^2+\alpha^2)\Big]_b^a$

$= \dfrac{1}{2}\ln\left(\dfrac{a^2+\alpha^2}{b^2+\alpha^2}\right).$

30 준 식 $\xleftarrow{\;[\text{문제}29],\,\alpha=0\;}\dfrac{1}{2}\ln\left(\dfrac{a}{b}\right).$

31

(1) $\left(\displaystyle\int_0^\infty e^{-\alpha x^2}dx\right)^2 = \int_0^\infty\int_0^\infty e^{-\alpha(x^2+y^2)}dxdy \xleftarrow{\quad[\text{정리}46],\ \left|\dfrac{\partial(x,y)}{\partial(r,\theta)}\right| = \left|\begin{matrix}\cos\theta & -r\sin\theta\\ \sin\theta & r\cos\theta\end{matrix}\right| = r\quad}_{x=r\cos\theta,\,y=r\sin\theta}$

$= \displaystyle\int_0^{\frac{\pi}{2}}\int_0^\infty e^{-\alpha r^2}r\,dr\,d\theta = \int_0^{\frac{\pi}{2}}\left[-\dfrac{1}{2\alpha}e^{-\alpha r^2}\right]_0^\infty d\theta = \int_0^{\frac{\pi}{2}}\dfrac{1}{2\alpha}\,d\theta = \dfrac{\pi}{4\alpha}\quad\therefore 준 식 = \sqrt{\dfrac{\pi}{4\alpha}}\ .$

32 [문제 31]의 양변을 α로 미분하면 다음과 같이 된다.

$\dfrac{d}{d\alpha}\left(\displaystyle\int_0^\infty e^{-\alpha x^2}dx\right) = \dfrac{d}{d\alpha}\left(\sqrt{\dfrac{\pi}{4\alpha}}\right) \Rightarrow \int_0^\infty (-x^2)e^{-\alpha x^2}dx = -\dfrac{\sqrt{\pi}}{2^2}\alpha^{-\frac{3}{2}}.$ 또한 양변을 α로

미분하면 다음과 같이 된다. $\displaystyle\int_0^\infty x^4 e^{-\alpha x^2}dx = \dfrac{3\sqrt{\pi}}{2^3}\alpha^{-\frac{5}{2}},$ 계속적으로 미분하면

다음과 같은 결론이 된다. $\displaystyle\int_0^\infty x^{2p}e^{-\alpha x^2}dx = \dfrac{3\cdot 5\cdots(2p-1)\sqrt{\pi}}{2^{p+1}}\alpha^{-\left(p+\frac{1}{2}\right)}.$

33 준 식 $= \displaystyle\int_0^\infty\Big[e^{-\alpha x^{-2}}\Big]_b^a dx = \int_0^\infty\int_b^a -\dfrac{1}{x^2}e^{-\alpha x^{-2}}d\alpha dx = \int_b^a\int_0^\infty -\dfrac{e^{-\alpha x^{-2}}}{x^2}\,dxd\alpha$

$\xleftarrow{\;\frac{1}{x}=y\;}\displaystyle\int_b^a\int_\infty^0 e^{-\alpha y^2}dy\,d\alpha = \int_b^a\int_0^\infty -e^{-\alpha y^2}dy\,d\alpha \xleftarrow{\;[\text{문제}31]\;}$

$= \displaystyle\int_a^b\dfrac{\sqrt{\pi}}{2\sqrt{\alpha}}\,d\alpha = \sqrt{\pi}\left(\sqrt{b}-\sqrt{a}\right).$

34 준 식 $= \displaystyle\int_0^\infty\left[\dfrac{1}{x}\tan^{-1}\left(\dfrac{x}{\alpha}\right)\right]_b^a dx = \int_0^\infty\int_b^a\left(\dfrac{1}{x}\right)\dfrac{x\left(-\dfrac{1}{\alpha^2}\right)}{1+\left(\dfrac{x}{\alpha}\right)^2}\,d\alpha dx$

$$= \int_0^\infty \int_a^b \frac{1}{\alpha^2 + x^2}\, d\alpha\, dx = \int_a^b \int_0^\infty \frac{1}{\alpha^2 + x^2}\, dx\, d\alpha = \int_a^b \frac{1}{\alpha} \left[\tan^{-1}\left(\frac{x}{\alpha}\right) \right]_0^\infty d\alpha = \frac{\pi}{2} \int_a^b \frac{1}{\alpha}\, d\alpha$$

$$= \frac{\pi}{2} \ln \left| \frac{b}{a} \right|.$$

035 준 식 $\xleftarrow{x = y^2}$ $2\int_0^\infty e^{-y^2} dy$ $\xleftarrow{[\text{문제}31]}$ $\sqrt{\pi}$.

036 준 식 $\xleftarrow{x^3 = y}$ $\frac{1}{3}\int_0^\infty y^{-\frac{1}{2}} e^{-y} dy$ $\xleftarrow{[\text{문제}35]}$ $\frac{\sqrt{\pi}}{3}$.

037 준 식 $= \int_0^\infty e^{\ln 3^{-4x^2}} dx = \int_0^\infty e^{-4x^2 \ln 3} dx$ $\xleftarrow{y = 4x^2 \ln 3}$ $\frac{1}{4\sqrt{\ln 3}} \int_0^\infty y^{-\frac{1}{2}} e^{-y} dy$

$\xleftarrow{[\text{문제}35]}$ $\frac{\sqrt{\pi}}{4\sqrt{\ln 3}}$.

038 준 식 $\xleftarrow{-\ln x = y}$ $\int_0^\infty y^{-\frac{1}{2}} e^{-y} dy$ $\xleftarrow{[\text{문제}35]}$ $\sqrt{\pi}$.

039 준 식 $\xleftarrow{x = e^{-y}}$ $(-1)^n \int_0^\infty y^n e^{-(1+m)y} dy$ $\xleftarrow{(1+m)y = u}$ $\frac{(-1)^n}{(1+m)^{n+1}} \int_0^\infty u^n e^{-u} du$

$\xleftarrow{[\text{정리}81]}$ $\frac{(-1)^n}{(1+m)^{n+1}} \Gamma(n+1)$ $\xleftarrow{[\text{정리}81]}$ $\frac{(-1)^n n!}{(1+m)^{n+1}}$.

040 (1) $f(x) = \cos(\alpha x)$라고 하자. $f(x)$: 우함수 $\xrightarrow{[\text{정리}186, (2)]}$

$$f(x) = \frac{a_0}{2} + \sum_{n=1}^\infty a_n \cos(nx), \quad a_n = \frac{2}{\pi} \int_0^\pi \cos(\alpha x) \cos(nx) dx$$

$$= \frac{1}{\pi} \int_0^\pi \cos(\alpha + n)x + \cos(\alpha - n)x\, dx = \frac{1}{\pi} \left[\frac{\sin(\alpha + n)\pi}{\alpha + n} + \frac{\sin(\alpha - n)\pi}{\alpha - n} \right]$$

$$= \frac{1}{\pi} \left[\frac{(\alpha - n)(\sin\alpha\pi \cos n\pi + \cos\alpha\pi \sin n\pi) + (\alpha + n)(\sin\alpha\pi \cos n\pi - \cos\alpha\pi \sin n\pi)}{\alpha^2 - n^2} \right]$$

$$= \frac{2\alpha \sin(\alpha\pi) \cos(n\pi)}{\pi(\alpha^2 - n^2)} \cdot (\because \sin(n\pi) = 0), \quad a_0 = \frac{2\sin(\alpha\pi)}{\alpha\pi}.$$

$$\therefore \cos(\alpha x) = \frac{\sin(\alpha\pi)}{\pi} \left[\frac{1}{\alpha} - \frac{2\alpha}{\alpha^2 - 1} + \frac{2\alpha}{\alpha^2 - 2^2} - \frac{2\alpha}{\alpha^3 - 3^2} + \cdots \right], \quad \xrightarrow{x = 0}$$

$$\frac{\pi}{\sin(\alpha\pi)} = \frac{1}{\alpha} - \frac{2\alpha}{\alpha^2-1} + \frac{2\alpha}{\alpha^2-2^2} - \frac{2\alpha}{\alpha^2-3^2} + \cdots.$$

(2) $\left(x^{\alpha-1} + x^{-\alpha}\right)\left(\dfrac{1}{1+x}\right) = (x^{\alpha-1} + x^{-\alpha})(1 - x + x^2 - x^3 + \cdots)$

$$= (x^{\alpha-1} - x^{\alpha} + x^{\alpha+1} - x^{\alpha+2} + \cdots) + (x^{-\alpha} - x^{1-\alpha} + x^{2-\alpha} - x^{3-\alpha} + \cdots).$$

$$\therefore \int_0^\infty \frac{x^{\alpha-1}}{1+x}\,dx = \int_0^1 \frac{x^{\alpha-1}}{1+x}\,dx + \int_1^\infty \frac{x^{\alpha-1}}{1+x}\,dx \xleftarrow{\; x=\frac{1}{y}\;} \int_0^1 \frac{x^{\alpha-1}}{1+x}\,dx + \int_0^1 \frac{y^{-\alpha}}{1+y}\,dy$$

$$= \int_0^1 (x^{\alpha-1} + x^{-\alpha})\left(\frac{1}{1+x}\right)dx \xleftarrow{(2)} \left(\frac{1}{\alpha} - \frac{1}{\alpha+1} + \frac{1}{\alpha+2} - \frac{1}{\alpha+3} + \cdots\right) +$$

$$\left(\frac{1}{1-\alpha} - \frac{1}{2-\alpha} + \frac{1}{3-\alpha} - \frac{1}{4-\alpha} + \cdots\right) = \frac{1}{\alpha} + \left(\frac{1}{1-\alpha} - \frac{1}{1+\alpha}\right) - \left(\frac{1}{2-\alpha} - \frac{1}{2+\alpha}\right) + \cdots$$

$$= \frac{1}{\alpha} - \frac{2\alpha}{\alpha^2-1} + \frac{2\alpha}{\alpha^2-2^2} - \frac{2\alpha}{\alpha^2-3^2} + \cdots \xleftarrow{(1)} \frac{\pi}{\sin(\alpha\pi)}.$$

041 준 식 $\xleftarrow{\; x^3=8y\;} \dfrac{8}{3}\int_0^1 y^{-\frac{1}{3}}(1-y)^{\frac{1}{3}}\,dy = \dfrac{8}{3}\int_0^1 y^{\frac{2}{3}-1}(1-y)^{\frac{4}{3}-1}\,dy \xrightarrow{\;[\text{정리}82]\;}$

$$= \frac{8}{3}B\left(\frac{2}{3}, \frac{4}{3}\right) \xrightarrow{\;[\text{미분과증명},904]\;} \frac{8}{3}\frac{\Gamma\left(\frac{2}{3}\right)\Gamma\left(\frac{4}{3}\right)}{\Gamma\left(\frac{2}{3}+\frac{4}{3}\right)} \xleftarrow{\;[\text{정리}81,\text{증명}]\;} \frac{8}{9}\Gamma\left(\frac{1}{3}\right)\Gamma\left(\frac{2}{3}\right) \xleftarrow{\;[\text{정리}98]\;}$$

$$= \frac{8}{9}\left(\frac{\pi}{\sin\frac{\pi}{3}}\right) = \frac{16\pi}{9\sqrt{3}}.$$

042 준 식 $\xleftarrow{\; x^4=y\;} \dfrac{1}{4}\int_0^\infty \dfrac{y^{\frac{1}{4}-1}}{1+y}\,dy \xrightarrow{\;[\text{문제}40]\;} \dfrac{1}{4}\left(\dfrac{\pi}{\sin\frac{\pi}{4}}\right) = \dfrac{\sqrt{2}\,\pi}{4}.$

043 준 식 $\xleftarrow{\; x=y^2\;} 2\int_0^\infty y^{\frac{5}{2}-1}e^{-y}\,dy \xrightarrow{\;[\text{정리}81]\;} 2\Gamma\left(\frac{5}{2}\right) = \frac{3}{2}\Gamma\left(\frac{1}{2}\right) = \frac{3}{2}\int_0^\infty x^{-\frac{1}{2}}e^{-x}\,dx$

$$\xleftarrow{\; x=y^2\;} 3\int_0^\infty e^{-y^2}\,dy \xrightarrow{\;[\text{문제}31]\;} \frac{3\sqrt{\pi}}{2}.$$

044 준 식 $\xleftarrow{\;\ln\left(\frac{1}{x}\right)=y\;} \int_0^\infty y^{n-1}e^{-y}\,dy = \Gamma(n) \xrightarrow{\;[\text{정리}81,\text{증명}]\;} (n-1)!.$

045 준 식 $\xleftarrow{\ln x = -y}$ $\displaystyle\int_0^\infty y^{5-1}e^{-y}\,dy = \Gamma(5) = 24.$

046 준 식 $\xleftarrow{\ln x = y}$ $\displaystyle\int_{-\infty}^0 y^3 e^{4y}\,dy$ $\xleftarrow{-4y = s}$ $-\left(\dfrac{1}{4^4}\right)\displaystyle\int_0^\infty s^{4-1}e^{-s}\,ds = -\dfrac{\Gamma(4)}{4^4} = -\dfrac{3}{128}.$

047 준 식 $= \displaystyle\int_0^1 x^{\frac{1}{2}-1}(1-x)^{\frac{3}{2}-1}\,dx = B\left(\dfrac{1}{2},\dfrac{3}{2}\right) = \dfrac{\Gamma\left(\frac{1}{2}\right)\Gamma\left(\frac{3}{2}\right)}{\Gamma(2)} = \dfrac{\pi}{2}.$

048 준 식 $\xleftarrow{\frac{x}{4}=y}$ $(32)^2\displaystyle\int_0^1 y^{\frac{5}{2}-1}(1-y)^{\frac{7}{2}-1}\,dy = (32)^2 B\left(\dfrac{5}{2},\dfrac{7}{2}\right) = (32)^2\dfrac{\Gamma\left(\frac{5}{2}\right)\Gamma\left(\frac{7}{2}\right)}{\Gamma(6)}$
$= 12\pi.$

049 (1) 준 식 $\xleftarrow{\tan x = t}$ $\displaystyle\int_0^\infty \dfrac{\sqrt{t}}{1+t^2}\,dt$ $\xleftarrow{t^2 = x}$ $\dfrac{1}{2}\displaystyle\int_0^\infty \dfrac{x^{\frac{3}{4}-1}}{1+x}\,dx$ $\xrightarrow{[\text{문제}40]}$ $\dfrac{\pi}{2\sin\left(\frac{3\pi}{4}\right)}$
$= \dfrac{\pi}{\sqrt{2}}.$

(2) $I = \displaystyle\int_0^{\frac{\pi}{2}} \sqrt{\tan x}\,dx$ $\xleftarrow{[\text{정리}24,(1)]}$ $\displaystyle\int_0^{\frac{\pi}{2}} \sqrt{\cot x}\,dx$ $\xrightarrow{\text{두 식을 더하면}}$

$\Rightarrow 2I = \displaystyle\int_0^{\frac{\pi}{2}} \sqrt{\tan x} + \sqrt{\cot x}\,dx = \int_0^{\frac{\pi}{2}} \dfrac{\sin x + \cos x}{\sqrt{\sin x \cos x}}\,dx$

$= \sqrt{2}\displaystyle\int_0^{\frac{\pi}{2}} \dfrac{\sin x + \cos x}{\sqrt{1-(1-2\sin x\cos x)}}\,dx = -\sqrt{2}\int_0^{\frac{\pi}{2}} \dfrac{d(\cos x - \sin x)}{\sqrt{1-(\cos x - \sin x)^2}}$

$= -\sqrt{2}\left[\sin^{-1}(\cos x - \sin x)\right]_0^{\frac{\pi}{2}} = \sqrt{2}\,\pi \Rightarrow \therefore I = \dfrac{\pi}{\sqrt{2}}.$

050 준 식 $\xleftarrow{x^6 = y}$ $\dfrac{1}{6}\displaystyle\int_0^\infty \dfrac{y^{\frac{1}{3}-1}}{1+y}\,dy$ $\xleftarrow{[\text{문제}40]}$ $\left(\dfrac{1}{6}\right)\dfrac{\pi}{\sin\frac{\pi}{3}} = \dfrac{\pi}{3\sqrt{3}}.$

051 준 식 $\xleftarrow{x^4 = y}$ $\dfrac{1}{4}\displaystyle\int_0^\infty \dfrac{y^{\frac{3}{4}-1}}{1+y}\,dy$ $\xleftarrow{[\text{문제}40]}$ $\left(\dfrac{1}{4}\right)\dfrac{\pi}{\sin\frac{3\pi}{4}} = \dfrac{\pi}{2\sqrt{2}}.$

052 준 식 $\xleftarrow{e^{2x}=y}$ $\dfrac{1}{2}\displaystyle\int_0^\infty \dfrac{1}{a\sqrt{y^3}+b}\,dy \xleftarrow{a\sqrt{y^3}=bt}$ $\dfrac{1}{3\sqrt[3]{a^2 b}}\displaystyle\int_0^\infty \dfrac{t^{\frac{2}{3}-1}}{1+t}\,dt \xleftarrow{[\text{문제}40]}$

$=\left(\dfrac{1}{3\sqrt[3]{a^2 b}}\right)\dfrac{\pi}{\sin\dfrac{2\pi}{3}}=\dfrac{2\pi}{3\sqrt{3}\sqrt[3]{a^2 b}}$.

053 [문제 52]에서 $a=1$이면 $\displaystyle\int_{-\infty}^\infty \dfrac{e^{2x}}{e^{3x}+b}\,dx=\dfrac{2\pi}{3\sqrt{3}\sqrt[3]{b}}$ 이다. 양변을 b로 미분하

면 다음과 같다. $\displaystyle\int_{-\infty}^\infty \dfrac{e^{2x}}{\left(e^{3x}+b\right)^2}\,dx=\dfrac{2\pi}{9\sqrt{3}\sqrt[3]{b^2}}\xrightarrow{b=1}\therefore \text{준 식}=\dfrac{2\pi}{9\sqrt{3}}$.

054 준 식 $\xleftarrow{\tan x=t}$ $\displaystyle\int_0^\infty \dfrac{t^p}{1+t^2}\,dt \xleftarrow{t^2=y}$ $\dfrac{1}{2}\displaystyle\int_0^\infty \dfrac{y^{\left(\frac{p}{2}-\frac{3}{2}\right)-1}}{1+y}\,dy \xleftarrow{[\text{문제}40]}$

$\dfrac{\pi}{2\sin\left(\dfrac{p}{2}-\dfrac{3}{2}\right)\pi}=\dfrac{\pi\sec\left(\dfrac{p\pi}{2}\right)}{2}$.

055 (1) $f(m)=\displaystyle\int_0^1 \dfrac{x^m-1}{\ln x}\,dx$라고 하자. 양변을 m으로 미분하면 다음과 같다.

$f'(m)=\displaystyle\int_0^1 \dfrac{d}{dm}\left(\dfrac{x^m-1}{\ln x}\right)dx=\int_0^1 x^m\,dx=\dfrac{1}{m+1}\Rightarrow f(m)=\ln(m+1)+c \xrightarrow{m=0}$

$c=f(0)=\displaystyle\int_0^1 \dfrac{1-1}{\ln x}\,dx=0\Rightarrow \therefore \int_0^1 \dfrac{x^m-1}{\ln x}\,dx=\ln(m+1)$.

$\therefore \text{준 식}=\displaystyle\int_0^1 \dfrac{x^m-1}{\ln x}\,dx-\int_0^1 \dfrac{x^n-1}{\ln x}\,dx \xleftarrow{(1)} \ln\left(\dfrac{m+1}{n+1}\right)$.

056 준 식 $=\displaystyle\int_0^\pi \dfrac{dx}{\alpha+\sin x}+\int_\pi^{2\pi}\dfrac{dx}{\alpha+\sin x} \xleftarrow{\tan\left(\frac{x}{2}\right)=t}$

$\displaystyle\int_0^\infty \dfrac{2dt}{\alpha t^2+2t+\alpha}+\int_{-\infty}^0 \dfrac{2dt}{\alpha t^2+2t+\alpha}$

$=\displaystyle\int_{-\infty}^\infty \dfrac{2dt}{\alpha t^2+2t+\alpha}=\dfrac{2}{\alpha}\int_0^\infty \dfrac{dt}{\left(t+\alpha^{-1}\right)^2+\left(\sqrt{1-\alpha^{-2}}\right)^2}$

$=\dfrac{2}{\alpha\sqrt{1-\alpha^{-2}}}\left[\tan^{-1}\left(\dfrac{t+\alpha^{-1}}{\sqrt{1-\alpha^{-2}}}\right)\right]_{-\infty}^\infty=\dfrac{2\pi}{\sqrt{\alpha^2-1}}$.

057 (1) [문제 56]에서 양변을 α로 적분하면 다음과 같다.

$$\int\left(\int_0^{2\pi}\frac{dx}{\alpha+\sin x}\right)d\alpha=\int\frac{2^2\pi}{\sqrt{\alpha^2-1}}\,d\alpha\Rightarrow\int_0^{2\pi}\int\frac{1}{\alpha+\sin x}\,d\alpha\,dx=2\pi\ln\left(\alpha+\sqrt{\alpha^2-1}\right)$$

$$\Rightarrow\int_0^{2\pi}\ln(\alpha+\sin x)dx=2\pi\ln\left(\alpha+\sqrt{\alpha^2-1}\right).$$

$$\therefore \text{준 식}=\int_0^{2\pi}\ln\left[3\left(\frac{5}{3}+\sin x\right)\right]-\ln\left[4\left(\frac{5}{4}+\sin x\right)\right]dx\xrightarrow{(1)}2\pi\ln\left(\frac{9}{8}\right).$$

058 [문제 25] $\xrightarrow{a=\frac{1}{2},\,b^2=\alpha}\int_{-\infty}^{\infty}\dfrac{dx}{x^2+x+\alpha}=\dfrac{\pi}{\sqrt{\alpha-\dfrac{1}{4}}}$ 이다. 양변을 α로 미분

$$\Rightarrow\int_{-\infty}^{\infty}\frac{1}{\left(x^2+x+\alpha\right)^2}\,dx=\frac{\pi}{2}\left(\alpha-\frac{1}{4}\right)^{-\frac{3}{2}}\xrightarrow{\text{양변을 }\alpha\text{로 미분}}$$

$$\int_{-\infty}^{\infty}\frac{dx}{\left(x^2+x+\alpha\right)^3}=\frac{3\pi}{8}\left(\alpha-\frac{1}{4}\right)^{-\frac{5}{2}}\xrightarrow{\alpha=1}\int_{-\infty}^{\infty}\frac{1}{\left(x^2+x+1\right)^3}\,dx=\frac{4\pi}{3\sqrt{3}}.$$

059 준 식 $=\displaystyle\int_0^{\infty}\frac{1}{1+x^2}\left[\ln\left(1+\alpha^2 x^2\right)-\ln\left(1+0^2 x^2\right)\right]dx=\int_0^{\infty}\frac{1}{1+x^2}\left[\ln\left(1+\beta^2 x^2\right)\right]_0^{\alpha}dx$

$$=\int_0^{\infty}\int_0^{\alpha}\left(\frac{1}{1+x^2}\right)\left(\frac{2\beta x^2}{1+\beta^2 x^2}\right)d\beta\,dx=\int_0^{\alpha}\int_0^{\infty}\left(\frac{1}{1+x^2}\right)\left(\frac{2\beta x^2}{1+\beta^2 x^2}\right)dx\,d\beta\xleftarrow{B=\frac{2\beta}{\beta^2-1}}$$

$$=\int_0^{\alpha}B\int_0^{\infty}\frac{1}{1+x^2}-\frac{1}{1+\beta^2 x^2}\,dx\,d\beta=\int_0^{\alpha}B\left[\tan^{-1}x-\frac{1}{\beta}\tan^{-1}(\beta x)\right]_0^{\infty}d\beta\xleftarrow{B=\frac{2\beta}{\beta^2-1}}$$

$$=\frac{\pi}{2}\int_0^{\alpha}\frac{2\beta}{\beta^2-1}-\frac{1}{\beta}\left(\frac{2\beta}{\beta^2-1}\right)d\beta=\pi\ln(\alpha+1).$$

060 (1) [정리 81] $\Gamma(n)=\displaystyle\int_0^{\infty}x^{n-1}e^{-x}\,dx\xrightarrow{x=\alpha y}\alpha^n\int_0^{\infty}y^{n-1}e^{-\alpha y}\,dy$

$$\Rightarrow\frac{1}{\alpha^n}=\frac{1}{\Gamma(n)}\int_0^{\infty}y^{n-1}e^{-\alpha y}\,dy\Rightarrow\frac{1}{x^n}=\frac{1}{\Gamma(n)}\int_0^{\infty}y^{n-1}e^{-xy}\,dy.$$

(2) $\displaystyle\int_0^{\infty}e^{-xy}\cos x\,dx\xrightarrow[g'(x)=\cos x]{f(x)=e^{-xy}}y\int_0^{\infty}e^{-xy}\sin x\,dx\xleftarrow[v'(x)=\sin x]{u(x)=e^{xy}}$

$$=y-y^2\int_0^{\infty}e^{-xy}\cos x\,dx\Rightarrow\int_0^{\infty}e^{-xy}\cos x\,dx=\frac{y}{1+y^2}.$$

$$\therefore \text{준 식} \xleftarrow{(1)} \int_0^\infty \frac{\cos x}{\Gamma(n)} \int_0^\infty y^{n-1} e^{-xy} \, dy \, dx = \frac{1}{\Gamma(n)} \int_0^\infty \int_0^\infty \cos x \, y^{n-1} e^{-xy} \, dx \, dy$$

$$= \frac{1}{\Gamma(n)} \int_0^\infty y^{n-1} \int_0^\infty e^{-xy} \cos x \, dx \, dy \xleftarrow{(2)} \frac{1}{\Gamma(n)} \int_0^\infty \frac{y^n}{1+y^2} \, dy$$

$$\xleftarrow{y^2 = t} \frac{1}{2\Gamma(n)} \int_0^\infty \frac{t^{\frac{n+1}{2}-1}}{1+t} \, dt \xleftarrow{[\text{문제}40]} \frac{1}{2\Gamma(n)} \left(\frac{\pi}{\sin \frac{(n+1)\pi}{2}} \right) = \frac{\pi}{2\Gamma(n) \cos \frac{n\pi}{2}} .$$

○61 (1) $\displaystyle \int_0^\infty e^{-xy} \sin x \, dx \xleftarrow{\text{부분적분}} \frac{1}{1+y^2} .$

$$\therefore \text{준 식} \xleftarrow{[\text{문제}60, (1)]} \int_0^\infty \frac{\sin x}{\Gamma(n)} \int_0^\infty y^{n-1} e^{-xy} \, dy \, dx = \frac{1}{\Gamma(n)} \int_0^\infty y^{n-1} \int_0^\infty e^{-xy} \sin x \, dx \, dy$$

$$\xleftarrow{(1)} \frac{1}{\Gamma(n)} \int_0^\infty \frac{y^{n-1}}{1+y^2} \, dy \xleftarrow{y^2 = t} \frac{1}{2\Gamma(n)} \int_0^\infty \frac{t^{\frac{n}{2}-1}}{1+t} \, dt \xleftarrow{[\text{문제}40]} \frac{\pi}{2\Gamma(n) \sin \frac{n\pi}{2}} .$$

○62 준 식 $\xleftarrow{x = y^4} 4 \int_0^1 y^{4-1} (1-y)^{\frac{1}{2}-1} \, dy \xleftarrow[[\text{정리}81, \text{증명}], [\text{정리}82]]{[\text{미분과증명}, 904]} \frac{128}{35} .$

○63 (1) $\displaystyle \int_0^\infty e^{-\alpha x} \cos \beta x \, dx \xleftarrow[g'(x) = \cos \beta x]{f(x) = e^{-\alpha x}} \frac{\alpha}{\beta} \int_0^\infty e^{-\alpha x} \sin \beta x \, dx \xleftarrow[v'(x) = \sin \beta x]{u(x) = e^{-\alpha x}}$

$$\frac{\alpha}{\beta^2} - \frac{\alpha^2}{\beta^2} \int_0^\infty e^{-\alpha x} \cos \beta x \, dx \Rightarrow \int_0^\infty e^{-\alpha x} \cos \beta x \, dx = \frac{\alpha}{\alpha^2 + \beta^2} .$$

(2) $\displaystyle \int_0^\infty e^{-\alpha x} \left(\frac{\sin r x}{x} \right) dx = \int_0^\infty e^{-\alpha x} \frac{\sin r x - \sin 0 x}{x} \, dx = \int_0^\infty e^{-\alpha x} \left[\frac{\sin \beta x}{x} \right]_0^r dx$

$$= \int_0^\infty \int_0^r e^{-\alpha x} \cos \beta x \, d\beta \, dx = \int_0^r \int_0^\infty e^{-\alpha x} \cos \beta x \, dx \, d\beta \xleftarrow{(1)}$$

$$\int_0^r \frac{\alpha}{\alpha^2 + \beta^2} \, d\beta = \left[\tan^{-1} \left(\frac{\beta}{\alpha} \right) \right]_0^r = \tan^{-1} \left(\frac{r}{\alpha} \right) . \quad \therefore \text{준 식} \xleftarrow{(2), r=1} \tan^{-1} \left(\frac{1}{\alpha} \right).$$

○64 (1)

$$\int_0^\infty x^m e^{-ax^n} \, dx \xleftarrow{ax^n = y} \frac{a^{-\left(\frac{m+1}{n} \right)}}{n} \int_0^\infty y^{\left(\frac{m+1}{n} \right) - 1} e^{-y} \, dy \xleftarrow{[\text{정리}81]} \frac{a^{-\left(\frac{m+1}{n} \right)}}{n} \Gamma \left(\frac{m+1}{n} \right).$$

$$\therefore \text{준 식} \xleftarrow{(1), m=7, a=3} \frac{3^{-4}}{2} \Gamma(4) \xleftarrow{[\text{정리}81, \text{증명}]} \frac{1}{27} .$$

065 (1) $\int_0^\infty e^{-sx}\cos x\,dx \xleftarrow[g'(x)=\cos x]{f(x)=e^{-sx}} s\int_0^\infty e^{-sx}\sin x\,dx \xrightarrow[v'(x)=\sin x]{u(x)=e^{-sx}}$

$s - s^2\int_0^\infty e^{-sx}\cos x\,dx. \Rightarrow \int_0^\infty e^{-sx}\cos x\,dx = \dfrac{s}{1+s^2}.$ **양변을 s로 미분하면**

$\int_0^\infty -xe^{-sx}\cos x\,dx = \dfrac{1-s^2}{(1+s^2)^2} \xrightarrow{s=2} \therefore 준식 = \dfrac{3}{25}.$

066 (1) $\sin x \xleftarrow{[정리28]} x - \dfrac{x^3}{3!} + \dfrac{x^5}{5!} - \dfrac{x^7}{7!} + \cdots \Rightarrow \sin\sqrt{t} = \sqrt{t} - \dfrac{\sqrt{t^3}}{3!} + \dfrac{\sqrt{t^5}}{5!} - \cdots$

$e^x \xleftarrow{[정리28]} 1 + x + \dfrac{x^2}{2!} + \dfrac{x^3}{3!} + \cdots \Rightarrow e^{-x} = 1 - x + \dfrac{x^2}{2!} - \dfrac{x^3}{3!} + \cdots.$

(2) $\int_0^\infty e^{-st} t^n\,dt \xrightarrow{st=x} \dfrac{1}{s^{n+1}} \int_0^\infty e^{-x} x^n\,dx \xrightarrow{[정리81]} \dfrac{\Gamma(n+1)}{s^{n+1}}.$

(3) $\int_0^\infty e^{-st}\sin\sqrt{t}\,dt \xrightarrow{(1)} \int_0^\infty e^{-st}\left(\sqrt{t} - \dfrac{\sqrt{t^3}}{3!} + \dfrac{\sqrt{t^5}}{5!} - \cdots\right)dt$

$\xrightarrow{(2)} \dfrac{\Gamma\left(\frac{3}{2}\right)}{\sqrt{s^3}} - \dfrac{\Gamma\left(\frac{5}{2}\right)}{3!\sqrt{s^5}} + \dfrac{\Gamma\left(\frac{7}{2}\right)}{5!\sqrt{s^7}} - \cdots \xleftarrow{[문제35],[정리81,증명]}$

$= \dfrac{\sqrt{\pi}}{2\sqrt{s^3}}\left(1 - \dfrac{1}{4s} + \dfrac{1}{2!(4s)^2} - \dfrac{1}{3!(4s)^3} + \cdots\right) \xleftarrow{(1)} \dfrac{\sqrt{\pi}}{2\sqrt{s^3}} e^{-\frac{1}{4s}} \xrightarrow{s=4} \therefore 준식 = \dfrac{\sqrt{\pi}}{16} e^{-\frac{1}{16}}.$

067 $\int_0^\infty e^{-st}\dfrac{\cos\sqrt{t}}{\sqrt{t}}\,dt \xleftarrow[g'(t)=\frac{\cos\sqrt{t}}{\sqrt{t}}]{f(t)=e^{-st}} 2s\int_0^\infty e^{-st}\sin\sqrt{t}\,dt \xleftarrow{[문제66,(3)]} \sqrt{\dfrac{\pi}{s}} e^{-\frac{1}{4s}}$

$\therefore 준식 \xleftarrow{s=4} \dfrac{\sqrt{\pi}}{2} e^{-\frac{1}{16}}.$

068 (1) $I = \int_0^\infty e^{-\frac{st}{2}}\cos t\,dt \xleftarrow[g'(t)=\cos t]{f(t)=e^{-\frac{st}{2}}} \dfrac{s}{2}\int_0^\infty e^{-\frac{st}{2}}\sin t\,dt \xrightarrow[v'(t)=\sin t]{u(t)=e^{-\frac{st}{2}}} \dfrac{s}{2} - \dfrac{s^2}{4}I$

$\Rightarrow I = \dfrac{2s}{s^2+4}.$

(2) $\int_0^\infty e^{-sx}\sin^2 x\,dx = \dfrac{1}{2}\int_0^\infty e^{-sx}\,dx - \dfrac{1}{2}\int_0^\infty e^{-sx}\cos(2x)\,dx$

$= \dfrac{1}{2s} - \dfrac{1}{4}\int_0^\infty e^{-\frac{s(2x)}{2}}\cos(2x)\,d(2x) \xleftarrow{(1)} \dfrac{1}{2s} - \dfrac{s}{2(s^2+4)}.$ **양변을 s로 적분한다.**

$$\Rightarrow \int_s^\infty \int_0^\infty e^{-sx}\sin^2 x\, dx\, ds = \int_s^\infty \frac{1}{2s} - \frac{s}{2(s^2+4)}\, ds$$

$$\Rightarrow \int_0^\infty \left[\frac{e^{-sx}\sin^2 x}{-x}\right]_s^\infty dx = \frac{1}{2}\ln\left(\frac{\sqrt{s^2+4}}{s}\right) \Rightarrow \int_0^\infty \frac{e^{-sx}\sin^2 x}{x}\, dx = \frac{1}{2}\ln\left(\frac{\sqrt{s^2+4}}{s}\right)$$

$$\xrightarrow{s\,=\,1} \therefore \int_0^\infty \frac{e^{-x}\sin^2 x}{x}\, dx = \frac{1}{2}\ln\sqrt{5}\ .$$

○69 준 식 $\xleftarrow{x^2=y}\ \dfrac{1}{2}\int_0^\infty e^{-y}y^{2-1}\, dy \xleftarrow{[정리81]}\ \dfrac{\Gamma(2)}{2} = \dfrac{1}{2}$.

○70 (1) $\dfrac{x}{2} = \tan^{-1}\sqrt{\dfrac{\beta-1}{\beta+1}}$ 라고 하자. $\tan\left(\dfrac{x}{2}\right) = \sqrt{\dfrac{\beta-1}{\beta+1}} \Rightarrow \cos\left(\dfrac{x}{2}\right) = \sqrt{\dfrac{\beta+1}{2\beta}}$

$\Rightarrow \cos x = \dfrac{1}{\beta} \Rightarrow x = \cos^{-1}\left(\dfrac{1}{\beta}\right) \Rightarrow \tan^{-1}\sqrt{\dfrac{\beta-1}{\beta+1}} = \dfrac{1}{2}\cos^{-1}\left(\dfrac{1}{\beta}\right)$.

(2) $\displaystyle\int_0^{\frac{\pi}{2}} \frac{1}{\beta+\cos x}\, dx \xleftarrow{\tan\left(\frac{x}{2}\right)=t}\ \frac{2}{\beta-1}\int_0^1 \frac{1}{t^2+\left(\frac{\beta+1}{\beta-1}\right)}\, dt = \frac{2}{\sqrt{\beta^2-1}}\tan^{-1}\sqrt{\frac{\beta-1}{\beta+1}}$

$\xleftarrow{(1)}\ \dfrac{\cos^{-1}\left(\frac{1}{\beta}\right)}{\sqrt{\beta^2-1}}\ \cdot \xrightarrow{\frac{1}{\beta}=\alpha}\ \displaystyle\int_0^{\frac{\pi}{2}} \frac{1}{\frac{1}{\alpha}+\cos x}\, dx = \dfrac{\cos^{-1}\alpha}{\sqrt{\frac{1}{\alpha^2}-1}} \Rightarrow \therefore 준\ 식 = \dfrac{\cos^{-1}\alpha}{\sqrt{1-\alpha^2}}$.

○71 준 식 $= \displaystyle\int_0^{\frac{\pi}{2}} \sec x\left[\ln(1+\alpha\cos x)\right]_a^b dx = \int_0^{\frac{\pi}{2}}\sec x\int_a^b \frac{\cos x}{1+\alpha\cos x}\, d\alpha\, dx$

$= \displaystyle\int_a^b \int_0^{\frac{\pi}{2}} \frac{1}{1+\alpha\cos x}\, dx\, d\alpha \xleftarrow{[문제70]}\ \int_a^b \frac{\cos^{-1}\alpha}{\sqrt{1-\alpha^2}}\, d\alpha = \int_b^a \cos^{-1}\alpha\, d(\cos^{-1}\alpha)$

$= \dfrac{1}{2}\left[(\cos^{-1}a)^2 - (\cos^{-1}b)^2\right]$.

○72 [정리 28]에서 $e^{-x^2} = 1 - x^2 + \dfrac{x^4}{2!} - \dfrac{x^6}{3!} + \dfrac{x^8}{4!} - \cdots$

$\Rightarrow \dfrac{1-e^{-x^2}}{x^2} = 1 - \dfrac{x^2}{2!} + \dfrac{x^4}{3!} - \dfrac{x^6}{4!} + \cdots \Rightarrow \therefore 준\ 식 = \displaystyle\int_0^1 1 - \dfrac{x^2}{2!} + \dfrac{x^4}{3!} - \dfrac{x^6}{4!} + \cdots\, dx$

$= 1 - \dfrac{1}{3!} + \dfrac{1}{5\cdot 3!} - \dfrac{1}{7\cdot 4!} + \dfrac{1}{9\cdot 5!} - \cdots$.

073 [정리 28]에서 $\cos x = 1 - \dfrac{x^2}{2!} + \dfrac{x^4}{4!} - \dfrac{x^6}{6!} + \cdots,\ e^x = 1 + x + \dfrac{x^2}{2!} + \dfrac{x^3}{3!} + \dfrac{x^4}{4!} + \cdots$

$\Rightarrow \cos x - 1 = -\dfrac{x^2}{2!} + \dfrac{x^4}{4!} - \dfrac{x^6}{6!} + \cdots,\ e^{\cos x - 1} = e\left[1 - \dfrac{x^2}{2!} + \dfrac{x^4}{6} - \dfrac{31x^6}{720} + \cdots\right].$

$\therefore$ 준식 $= \displaystyle\int_0^1 e\left(1 - \dfrac{x^2}{2!} + \dfrac{x^4}{6} - \dfrac{31x^6}{720} + \cdots\right)dx = e\left(1 - \dfrac{1}{6} + \dfrac{1}{30} - \dfrac{31}{5040} + \cdots\right).$

074 [정리 28]에서 $e^{-x^2} = 1 - x^2 + \dfrac{x^4}{2!} - \dfrac{x^6}{3!} + \dfrac{x^8}{4!} - \cdots$

$\therefore$ 준 식 $= \displaystyle\int_0^t 1 - x^2 + \dfrac{x^4}{2!} - \dfrac{x^6}{3!} + \dfrac{x^8}{4!} - \cdots\, dx = x - \dfrac{x^3}{3} + \dfrac{x^5}{5 \cdot 2!} - \dfrac{x^7}{7 \cdot 3!} + \cdots$

075 준 식 $\xleftrightarrow{\ x^2 = y\ } \dfrac{1}{2}\displaystyle\int_0^\infty \dfrac{\cos y}{\sqrt{y}}\,dy \xleftarrow{\ [\text{문제}60]\ } \dfrac{\pi}{4\,\Gamma\left(\dfrac{1}{2}\right)\cos\dfrac{\pi}{4}} = \dfrac{1}{2}\sqrt{\dfrac{\pi}{2}}.$

076 준 식 $\xleftrightarrow{\ x^2 = y\ } \dfrac{1}{2}\displaystyle\int_0^\infty \dfrac{\sin y}{\sqrt{y}}\,dy \xleftarrow{\ [\text{문제}61]\ } \dfrac{\pi}{4\,\Gamma\left(\dfrac{1}{2}\right)\sin\dfrac{\pi}{4}} = \dfrac{1}{2}\sqrt{\dfrac{\pi}{2}}.$

077 (1) $\displaystyle\int_0^\infty e^{-sx}\sin x\,dx \xleftrightarrow{\ \text{부분적분}\ } \dfrac{1}{1+s^2}$. 양변을 s로 미분한다.

$\Rightarrow \displaystyle\int_0^\infty -x e^{-sx}\sin x\,dx = \dfrac{-2s}{\left(s^2+1\right)^2}$. 양변을 s로 미분한다.

$\Rightarrow \displaystyle\int_0^\infty x^2 e^{-sx}\sin x\,dx = \dfrac{2\left(3s^2-1\right)}{\left(s^2+1\right)^3} \xrightarrow{\ s=1\ } \therefore \text{준식} = \dfrac{1}{2}.$

078 (1) $\displaystyle\int_0^\infty e^{-sx}\sin^2 x\,dx = \dfrac{1}{2}\int_0^\infty e^{-sx}\,dx - \dfrac{1}{2}\int_0^\infty e^{-sx}\cos 2x\,dx \xleftrightarrow{\ \text{부분적분}\ }$

$\dfrac{1}{2}\left(\dfrac{1}{s} - \dfrac{s}{s^2+4}\right). \Rightarrow \displaystyle\int_s^\infty \int_0^\infty e^{-sx}\sin^2 x\,dx\,ds = \int_s^\infty \dfrac{1}{2}\left(\dfrac{1}{s} - \dfrac{s}{s^2+4}\right)ds.$

$\Rightarrow \displaystyle\int_0^\infty \int_s^\infty e^{-sx}\sin^2 x\,ds\,dx = -\dfrac{1}{2}\ln\left(\dfrac{s}{\sqrt{s^2+4}}\right).$

$\Rightarrow \displaystyle\int_0^\infty \dfrac{1}{x}e^{-sx}\sin^2 x\,dx = \dfrac{1}{2}\ln\left(\dfrac{\sqrt{s^2+4}}{s}\right) \xrightarrow{\ s=2\ } \therefore \text{준식} = \dfrac{1}{2}\ln\sqrt{2}.$

079 (1) [정리 81], [문제 35]에서 다음 등식이 성립한다.

$$\sqrt{\pi} = \Gamma\left(\frac{1}{2}\right) = \left(-\frac{1}{2}\right)\Gamma\left(-\frac{1}{2}\right) = (-1)^2\left(\frac{1}{2}\right)\left(\frac{3}{2}\right)\Gamma\left(-\frac{3}{2}\right) = \cdots$$

$$= (-1)^{p+1}\left(\frac{1}{2}\right)\left(\frac{3}{2}\right)\left(\frac{5}{2}\right)\cdots\left(\frac{2p+1}{2}\right)\Gamma\left(-p-\frac{1}{2}\right).$$

$$\therefore \text{준 식} = \Gamma\left(-p-\frac{1}{2}\right) \xleftrightarrow{(1)} (-1)^{p+1}\frac{2^p\sqrt{\pi}}{3\cdot5\cdots(2p+1)}.$$

080 (1) $\displaystyle\int_0^\infty e^{-sx}x^{n-1}dx \xleftrightarrow[g'(x)=e^{-sx}]{f(x)=x^{n-1}} \left(\frac{n-1}{s}\right)\int_0^\infty e^{-sx}x^{n-2}dx \xleftrightarrow{\text{부분적분}} \cdots$

$$= \frac{(n-1)!}{s^n}.$$

(2) $\displaystyle\frac{1}{e^x-1} = e^{-x}+e^{-2x}+e^{-3x}+\cdots \Rightarrow \int_0^\infty \frac{x^{n-1}}{e^x-1}dx = \int_0^\infty e^{-x}x^{n-1}+e^{-2x}x^{n-1}+\cdots dx$

$$\xleftrightarrow{(1)} (n-1)!+\frac{(n-1)!}{2^n}+\frac{(n-1)!}{3^n}+\cdots = (n-1)!\left(1+\frac{1}{2^n}+\frac{1}{3^n}+\cdots\right).$$

081 $\displaystyle\text{준 식} = \int_0^{\frac{\pi}{2}}\sin^{2\cdot\frac{1}{4}-1}x\cos^{2\cdot\frac{3}{4}-1}x\,dx \xleftrightarrow{\text{[미분과 증명,904]}} \frac{1}{2}B\left(\frac{1}{4},\frac{3}{4}\right)$

$$= \frac{1}{2}\left(\frac{\Gamma\left(\frac{1}{4}\right)\Gamma\left(\frac{3}{4}\right)}{\Gamma(1)}\right) \xleftrightarrow{\text{[정리98]}} \frac{\pi}{\sqrt{2}}.$$

082 $\displaystyle\text{준 식} \xleftrightarrow{x-a=(b-a)y} (b-a)^3\int_0^1 y^{\frac{3}{2}-1}(1-y)^{\frac{5}{2}-1}dy = (b-a)^3B\left(\frac{3}{2},\frac{5}{2}\right)$

$$= (b-a)^3\frac{\pi}{16}.$$

083 (1) [정리 28]에서 $\displaystyle\frac{1}{\sqrt{1+x}} = 1-\frac{x}{2}+\frac{3x^2}{2\cdot4}-\frac{3\cdot5x^3}{2\cdot4\cdot6}+\cdots.$

(2) $\displaystyle\int_0^\infty e^{-sx}x^n dx \xleftrightarrow{\text{[문제80,(1)]}} \frac{n!}{s^{n+1}},\quad \int_0^\infty e^{-sx}\cos(ax)dx \xleftrightarrow{\text{[문제63,(1)]}} \frac{s}{s^2+a^2}.$

(3) $\displaystyle\int_0^\infty\int_0^{\frac{\pi}{2}}e^{-sx}\cos(x\cos\theta)d\theta\,dx = \int_0^{\frac{\pi}{2}}\int_0^\infty e^{-sx}\cos(x\cos\theta)\,dx\,d\theta \xleftrightarrow{(2)}$

$$= \int_0^{\frac{\pi}{2}}\frac{s}{s^2+\cos^2\theta}d\theta = \int_0^{\frac{\pi}{2}}\frac{s\sec^2\theta}{(s\sec\theta)^2+1}d\theta = \int_0^{\frac{\pi}{2}}\frac{s\,d(\tan\theta)}{(s\tan\theta)^2+(s^2+1)}$$

$$= \frac{1}{\sqrt{s^2+1}} \int_0^{\frac{\pi}{2}} \frac{d\left(\frac{s\tan\theta}{\sqrt{s^2+1}}\right)}{1+\left(\frac{s\tan\theta}{\sqrt{s^2+1}}\right)} = \frac{1}{\sqrt{s^2+1}} \left[\tan^{-1}\left(\frac{s\tan\theta}{\sqrt{s^2+1}}\right)\right]_0^{\frac{\pi}{2}} = \frac{\pi}{2\sqrt{s^2+1}}.$$

(4) $\displaystyle\int_0^\pi \cos(x\cos\theta)d\theta \xleftarrow[\text{우함수}]{f(\theta)=\cos(x\cos\theta)=f(-\theta)} 2\int_0^{\frac{\pi}{2}} \cos(x\cos\theta)d\theta.$

(5) $\displaystyle\int_0^\infty \int_0^\pi e^{-sx}\cos(x\cos\theta)d\theta dx \xleftarrow{(3),(4)} \frac{\pi}{\sqrt{s^2+1}} = \frac{\pi}{s}\left[\frac{1}{\sqrt{1+s^{-2}}}\right] \xleftrightarrow{(1)}$

$$= \frac{\pi}{s}\left[1 - \frac{1}{2s^2} + \frac{3}{2\cdot 4s^4} - \frac{3\cdot 5}{2\cdot 4\cdot 6s^6} + \cdots\right]$$

$$= \pi\left[\frac{1}{s} - \frac{1}{2^2}\left(\frac{2!}{s^3}\right) + \frac{1}{(2\cdot 4)^2}\left(\frac{4!}{s^5}\right) - \frac{1}{(2\cdot 4\cdot 6)^2}\left(\frac{6!}{s^7}\right) + \cdots\right]$$

$$\xleftrightarrow{(2)} \pi\left(\int_0^\infty e^{-sx}dx - \frac{1}{2^2}\int_0^\infty e^{-sx}x^2 dx + \frac{1}{(2\cdot 4)^2}\int_0^\infty e^{-sx}x^4 dx - \frac{1}{(2\cdot 4\cdot 6)^2}\int_0^\infty e^{-sx}x^6 dx + \cdots\right)$$

$$= \int_0^\infty e^{-sx}\left[\pi\left(1 - \frac{x^2}{2^2} + \frac{x^4}{(2\cdot 4)^2} - \frac{x^6}{(2\cdot 4\cdot 6)^2} + \cdots\right)\right]dx$$

$$\Rightarrow \int_0^\pi \cos(x\cos\theta)d\theta = \pi\left[1 - \frac{x^2}{2^2} + \frac{x^4}{(2\cdot 4)^2} - \frac{x^6}{(2\cdot 4\cdot 6)^2} + \cdots\right] \xrightarrow{\quad x=1 \quad}$$

$$\therefore \text{준 식} = \pi\left(1 - \frac{1}{2^2} + \frac{1}{(2\cdot 4)^2} - \frac{1}{(2\cdot 4\cdot 6)^2} + \cdots\right).$$

084 준 식 $= \dfrac{1}{2}\displaystyle\int_0^t \sin t + \sin(2x-t)dx = \dfrac{t\sin t}{2}.$

085 (1) $\sin\left(\dfrac{x}{2}\right)\cos(nx) = \dfrac{1}{2}\left[\sin\left(n+\dfrac{1}{2}\right)x - \sin\left(n-\dfrac{1}{2}\right)x\right].$

$\Rightarrow \sin\left(\dfrac{x}{2}\right)\left[\dfrac{1}{2} + \cos x + \cos(2x) + \cdots + \cos(mx)\right] \xleftrightarrow{(1)} \dfrac{1}{2}\sin\left(m+\dfrac{1}{2}\right)x$

$\therefore$ 준 식 $\xleftrightarrow{(1)} \displaystyle\int_{-\pi}^0 \dfrac{1}{2} + \cos x + \cos(2x) + \cdots + \cos(mx)\,dx = \dfrac{\pi}{2}.$

086 (1) $f(x) = e^{-|x|}$ 라고 하자. 그러면 $f(x)$: 우함수 $\xrightarrow{\text{[정리186,(8)]}}$

$e^{-x} = \dfrac{2}{\pi}\displaystyle\int_0^\infty \int_0^\infty e^{-u}\cos(\alpha u)\cos(\alpha x)dud\alpha = \dfrac{2}{\pi}\int_0^\infty \left[\int_0^\infty e^{-u}\cos(\alpha u)du\right]\cos(\alpha x)d\alpha$

$\xleftarrow{\text{[문제63,(1)]}} \dfrac{2}{\pi}\displaystyle\int_0^\infty \dfrac{\cos(\alpha x)}{1+\alpha^2}d\alpha \Rightarrow \therefore \int_0^\infty \dfrac{\cos\alpha x}{1+x^2}dx = \dfrac{\pi}{2}e^{-\alpha}.$

◎87 준 식 $= \int_0^\infty \left(\frac{1}{1+x^2}\right)\left[\frac{\sin(rx)-\sin(0x)}{x}\right]dx = \int_0^\infty \frac{1}{1+x^2}\int_0^r \cos(\alpha x)\,d\alpha\,dx$

$= \int_0^r \int_0^\infty \frac{\cos(\alpha x)}{1+x^2}\,dx\,d\alpha \xleftarrow{[\text{문제}86]} \int_0^r \frac{\pi}{2}e^{-\alpha}\,d\alpha = \frac{\pi}{2}(1-e^{-r}).$

◎88 준 식 $= \int_0^\infty \frac{1}{x}\left[\frac{\cos(0x)-\cos(rx)}{x}\right]dx = \int_0^\infty \frac{1}{x}\int_r^0 -\sin(\alpha x)\,d\alpha\,dx$

$= \int_0^r \int_0^\infty \frac{\sin(\alpha x)}{x}\,dx\,d\alpha = \int_0^r \int_0^\infty \frac{\sin(\alpha x)}{\alpha x}\,d(\alpha x)\,d\alpha \xleftarrow{[\text{문제}61]} \int_0^r \frac{\pi}{2}\,d\alpha = \frac{\pi r}{2}.$

◎89 (1) $f(x) = \begin{cases} e^{-x}, & (x \geq 0) \\ 0, & (x < 0) \end{cases}$ 라고 하자. [정리186,⑦]에 의해

$A(\alpha) = \frac{1}{\pi}\int_0^\infty e^{-u}\cos(\alpha u)\,du \xleftarrow{[\text{문제}63,(1)]} \frac{1}{\pi(1+\alpha^2)}.$

$B(\alpha) = \frac{1}{\pi}\int_0^\infty e^{-u}\sin(\alpha u)\,du \xleftarrow{\text{부분적분}} \frac{\alpha}{\pi(1+\alpha^2)}.$

$\xrightarrow{[\text{정리}186,(7)]} e^{-x} = \int_0^\infty \frac{\cos(\alpha x)}{\pi(1+\alpha^2)} + \frac{\alpha\sin(\alpha x)}{\pi(1+\alpha^2)}\,d\alpha \xleftarrow{[\text{문제}86]} \frac{1}{2}e^{-x} + \frac{1}{\pi}\int_0^\infty \frac{\alpha\sin(\alpha x)}{1+\alpha^2}\,d\alpha$

$\Rightarrow \int_0^\infty \frac{\alpha\sin(\alpha x)}{1+\alpha^2}\,d\alpha = \frac{\pi}{2}e^{-x} \Rightarrow \therefore \text{준식} = \frac{\pi}{2}e^{-\alpha}, (\alpha > 0)$

◎90 (1) $f(x) = \begin{cases} 1, & (0 < x < \pi) \\ 0, & (x \leq -\pi, \pi \leq x) \\ -1, & (-\pi < x < 0) \end{cases}$ 라고 하자. 그러면 $f(x)$: 기함수이다.

[정리186,⑨]에 의해 다음 등식이 성립한다.

$1 = \frac{2}{\pi}\int_0^\infty \int_0^\infty f(u)\sin(\alpha u)\sin(\alpha x)\,du\,d\alpha = \frac{2}{\pi}\int_0^\infty \sin(\alpha x)\int_0^\pi \sin(\alpha u)\,du\,d\alpha$

$= \frac{2}{\pi}\int_0^\infty \sin(\alpha x)\left(\frac{1-\cos(\alpha\pi)}{\alpha}\right)d\alpha \Rightarrow \therefore \text{준식} = \frac{\pi}{2}. \quad (0 < \alpha < \pi).$

◎91 준 식 $\xleftarrow{\frac{x}{a}=t} \int_0^\infty \frac{t}{1+t^2}\sin(art)\,dt \xleftarrow{[\text{문제}89]} \frac{\pi}{2}e^{-ar}.$

◎92 (1) [정리 28]에 의해 다음 등식이 성립한다.

$(1-t)^{-\frac{1}{2}} = 1 + \frac{1}{2}t + \frac{1\cdot 3}{2\cdot 4}t^2 + \frac{1\cdot 3\cdot 5}{2\cdot 4\cdot 6}t^3 + \cdots \xrightarrow{t=k^2\sin^2 x}$

$$\therefore \int_0^{\frac{\pi}{2}} \frac{1}{\sqrt{1-(k\sin x)^2}}\,dx = \int_0^{\frac{\pi}{2}} 1 + \frac{1}{2}(k\sin x)^2 + \frac{3}{8}(k\sin x)^4 + \cdots \, dx \xleftarrow{\text{[정리83]}}$$

$$= \frac{\pi}{2}\left[1 + \frac{k^2}{2^2} + \left(\frac{3}{8}\right)^2 k^4 + \left(\frac{5}{8}\right)^2 k^6 + \cdots\right].$$

093 준 식 $\xleftarrow{x=\frac{\pi}{2}-y}$ $\displaystyle\int_0^{\frac{\pi}{2}} \frac{1}{\sqrt{\cos y}}\,dy = \int_0^{\frac{\pi}{2}} \frac{dy}{\sqrt{1-2\sin^2\left(\frac{y}{2}\right)}}$ $\xleftarrow{\sqrt{2}\sin\left(\frac{y}{2}\right)=\sin\phi}$

$$= \sqrt{2}\int_0^{\frac{\pi}{2}} \frac{1}{\sqrt{1-\frac{1}{2}\sin^2\phi}}\,d\phi \xleftarrow{\text{[문제92]}} \frac{\pi}{\sqrt{2}}\left[1 + \frac{1}{8} + \left(\frac{3}{8}\right)^2\frac{1}{4} + \left(\frac{5}{8}\right)^2\frac{1}{8} + \cdots\right].$$

094 준 식 $= 4\displaystyle\int_0^{\frac{\pi}{2}} \frac{1}{1+\tan^4 x}\,dx = 4\int_0^{\frac{\pi}{2}} \frac{\cos^4 x}{\sin^4 x + \cos^4 x}\,dx \xrightarrow{\text{[문제5, 풀이]}} \pi.$

095 (1) $\sin\dfrac{x}{2}\left[\sin x + \sin 2x + \cdots + \sin(2nx)\right] = \dfrac{1}{2}\left[\cos\dfrac{x}{2} - \cos\left(2n+\dfrac{1}{2}\right)x\right].$

$\therefore$ 준 식 $\xleftarrow{(1)}$ $\displaystyle\int_0^{\pi} \sin x + \sin 2x + \cdots + \sin(2nx)\,dx = 2\left(1 + \dfrac{1}{3} + \dfrac{1}{5} + \cdots + \dfrac{1}{2n-1}\right).$

096 준 식 $= 2\displaystyle\int_0^{\pi} \ln\left(\sin\frac{x}{2}\right)dx \xrightarrow{\frac{x}{2}=\theta} 4\int_0^{\frac{\pi}{2}} \ln(\sin\theta)d\theta \xleftarrow{\text{[문제13]}} -2\pi\ln 2.$

097 (1) $\dfrac{1}{x^2-1} = (-1)\displaystyle\sum_{n=0}^{\infty} x^{2n},\ (0 < x < 1).$

(2) $\displaystyle\int_0^1 x^{2n}\ln x\,dx \xleftarrow{\text{부분적분}} -\frac{1}{(2n+1)^2},\ \left(\because \lim_{x\to 0} x^{2n+1}\ln x = 0\right).$

$\therefore$ 준 식 $\xleftarrow{(1)} -\displaystyle\int_0^1 \sum_{n=0}^{\infty} x^{2n}\ln x\,dx = -\sum_{n=0}^{\infty}\int_0^1 x^{2n}\ln x\,dx \xleftarrow{(2)} \sum_{n=0}^{\infty}\frac{1}{(2n+1)^2}$

$$= \sum_{n=1}^{\infty}\frac{1}{n^2} - \sum_{n=1}^{\infty}\frac{1}{(2n)^2} = \frac{3}{4}\sum_{n=1}^{\infty}\frac{1}{n^2} \xrightarrow{\text{[수열과 급수,12]}} \frac{\pi^2}{8}.$$

098 준 식 $\xrightarrow{x=\tan\theta}$ $\displaystyle\int_0^{\frac{\pi}{2}} \frac{1}{1+\tan^\alpha\theta}\,d\theta = \int_0^{\frac{\pi}{2}} \frac{\cos^\alpha\theta}{\sin^\alpha\theta + \cos^\alpha\theta}\,d\theta \xleftarrow{\text{[문제5, 풀이]}} \frac{\pi}{4}.$

099 준 식 $= \int_1^\infty \dfrac{e^x\,dx}{e(e^2+e^{2x})} \xrightarrow{e^x=y} \dfrac{1}{e}\int_e^\infty \dfrac{1}{e^2+y^2}\,dy = \dfrac{1}{e^2}\left[\tan^{-1}\!\left(\dfrac{y}{e}\right)\right]_e^\infty = \dfrac{\pi}{4e^2}.$

100 준 식 $= \int_1^2 [x]f'(x)dx + \int_2^3 [x]f'(x)dx + \cdots + \int_{[k]}^k [x]f'(x)dx$

$= \int_1^2 f'(x)dx + \int_2^3 2f'(x)dx + \cdots + \int_{[k]-1}^{[k]} ([k]-1)f'(x)dx + \int_{[k]}^k [k]f'(x)dx$

$= -\big(f(1)+f(2)+\cdots+f([k])\big) + [k]f(k) = [k]f(k) - \displaystyle\sum_{n=1}^{[k]} f(n).$

101 준 식 $= \int_1^{\sqrt{2}} [x^2]f'(x)dx + \int_{\sqrt{2}}^{\sqrt{3}} [x^2]f'(x)dx + \cdots + \int_{\sqrt{[k^2]}}^k [x^2]f'(x)dx$

$= [k^2]f(k) - \big(f(1)+f(\sqrt{2})+f(\sqrt{3})+\cdots+f(\sqrt{[k^2]})\big).$

102 (1) $x^x = e^{x\ln x} \xleftarrow{[정리28]} 1 + (x\ln x) + \dfrac{(x\ln x)^2}{2!} + \dfrac{(x\ln x)^3}{3!} + \cdots.$

$\therefore$ 준 식 $\xleftarrow{(1)} \int_0^1 1 + (x\ln x) + \dfrac{1}{2!}(x\ln x)^2 + \dfrac{1}{3!}(x\ln x)^3 + \cdots dx \xrightarrow{[문제39]}$

$= 1 - \dfrac{1}{2^2} + \dfrac{1}{3^3} - \dfrac{1}{4^4} + \cdots.$

103 (1) $f(x) = \dfrac{1}{1+\tan^{\sqrt{2}}x} \Rightarrow f\!\left(\dfrac{\pi}{2}-x\right) = 1 - \dfrac{1}{1+\tan^{\sqrt{2}}x} = 1 - f(x).$

$\therefore$ 준 식 $= \int_0^{\frac{\pi}{4}} f(x)dx + \int_{\frac{\pi}{4}}^{\frac{\pi}{2}} f(x)dx \xleftarrow{\frac{\pi}{2}-x=t} \int_0^{\frac{\pi}{4}} f(x)dx + \int_0^{\frac{\pi}{4}} f\!\left(\dfrac{\pi}{2}-t\right)dt$

$\xrightarrow{(1)} \int_0^{\frac{\pi}{4}} 1\,dx = \dfrac{\pi}{4}.$

104 준 식 $= I$ 라고 하자. $I \xleftarrow{9-x=y+3} \int_2^4 \dfrac{\sqrt{\ln(3+y)}}{\sqrt{\ln(3+y)}+\sqrt{\ln(9-y)}}\,dy.$

$\Rightarrow 2I = \int_2^4 1\,dx = 2 \Rightarrow \therefore$ 준 식 $= 1.$

105 (1) $f(y) = \displaystyle\int_0^\infty e^{-\left(kx^2 + yx^{-2}\right)}dx$ 라고 하자. $f'(y) = \displaystyle\int_0^\infty \left(\dfrac{-1}{x}\right)e^{-\left(kx^2 + yx^{-2}\right)}dx$

$\xleftarrow{\quad s = x^{-1}\quad} -\displaystyle\int_0^\infty e^{-\left(ks^{-2} + ys^2\right)}ds \xleftarrow{\quad s = t\sqrt{\frac{k}{y}}\quad} -\sqrt{\dfrac{k}{y}}\displaystyle\int_0^\infty e^{-\left(kt^2 + yt^{-2}\right)}dt = -\sqrt{\dfrac{k}{y}}\,f(y).$

$\Rightarrow \dfrac{f'(y)}{f(y)} = -\sqrt{\dfrac{k}{y}} \Rightarrow \displaystyle\int_0^y \dfrac{df(y)}{f(y)} = -\sqrt{k}\displaystyle\int_0^y y^{-\frac{1}{2}}\,dy \Rightarrow \ln\left(\dfrac{f(y)}{f(0)}\right) = -2\sqrt{ky}$

$\Rightarrow f(y) = e^{-2\sqrt{ky}}f(0) \xleftarrow{\quad(2)\quad} \dfrac{1}{2}\sqrt{\dfrac{\pi}{k}}\,e^{-2\sqrt{ky}}.$

(2) $f(0) = \displaystyle\int_0^\infty e^{-kx^2}dx \xleftarrow{\quad[\text{문제}31]\quad} \dfrac{1}{2}\sqrt{\dfrac{\pi}{k}}.$

$\therefore$ 준 식 $\xleftarrow{\quad t = \sqrt{x}\quad} 2\displaystyle\int_0^\infty e^{-k\left(t^2 + t^{-2}\right)}dt \xleftarrow{\quad(1),\, y=k\quad} \sqrt{\dfrac{\pi}{k}}\,e^{-2k}.$

106 준 식 $\xleftarrow{\quad\substack{\text{분자, 분모에}\\ e^x\text{로 나누면}}\quad} \displaystyle\int_0^{\ln 2} \dfrac{2e^{2x} + e^x - e^{-x}}{e^{2x} + e^x + e^{-x} - 1}dx = \left[\ln\left(e^{2x} + e^x + e^{-x} - 1\right)\right]_0^{\ln 2}$

$= \ln\left(\dfrac{11}{4}\right).$

107 준 식 $\xleftarrow{\quad[\text{정리}24,(14)]\quad} \pi\displaystyle\int_0^{2\pi} \dfrac{\cos x}{1 + \sin^2 x}dx = \pi\displaystyle\int_0^{2\pi}\dfrac{d(\sin x)}{1 + \sin^2 x} = \pi\left[\tan^{-1}(\sin x)\right]_0^{2\pi}$

$= 0.$

108 $I(t) = \displaystyle\int_0^1 \dfrac{\ln(tx + 1)}{1 + x^2}dx \xrightarrow{\quad\text{양변을}\,t\text{로 미분}\quad} I'(t) = \displaystyle\int_0^1 \dfrac{x}{(tx+1)(x^2+1)}dx$

$= \displaystyle\int_0^1 \left(\dfrac{-t}{1+t^2}\right)\left(\dfrac{1}{tx+1}\right) + \dfrac{(1+t^2)^{-1}x + t(1+t^2)^{-1}}{1+x^2}dx = \dfrac{-\ln(t+1)}{t^2+1} + \dfrac{\ln 2}{2(t^2+1)} + \dfrac{\pi}{4}\left(\dfrac{t}{t^2+1}\right).$

$\Rightarrow I(t) = \displaystyle\int_0^t \dfrac{-\ln(t+1)}{t^2+1} + \dfrac{\ln 2}{2(t^2+1)} + \dfrac{\pi}{4}\left(\dfrac{t}{t^2+1}\right)dt = \dfrac{\ln 2}{2}\tan^{-1}t + \dfrac{\pi}{8}\ln(1+t^2) - \displaystyle\int_0^t \dfrac{\ln(1+x)}{1+x^2}dx$

$\xrightarrow{\quad t = 1\quad} I(1) = \dfrac{\pi}{4}\ln 2 - I(1) \Rightarrow \therefore$ 준 식 $= \dfrac{\pi}{8}\ln 2.$

109 준 식 $= \displaystyle\int_{\frac{\pi}{4}}^{\frac{\pi}{3}} \dfrac{(\sin\theta + \cos\theta + \cos^2\theta)^{2007}}{\sin^{2007}\theta\,\cos^{2007}\theta}\left(\dfrac{\sin^3\theta - \cos^3\theta - \cos^2\theta}{\sin^2\theta\,\cos^2\theta}\right)d\theta$

$= \displaystyle\int_{\frac{\pi}{4}}^{\frac{\pi}{3}} \left(\dfrac{1}{\cos\theta} + \dfrac{1}{\sin\theta} + \dfrac{\cos\theta}{\sin\theta}\right)\left(\dfrac{\sin\theta}{\cos^2\theta} - \dfrac{\cos\theta}{\sin^2\theta} - \dfrac{1}{\sin^2\theta}\right)d\theta$

$$= \int_{\frac{\pi}{4}}^{\frac{\pi}{3}} \left(\frac{1}{\cos\theta} + \frac{1}{\sin\theta} + \frac{\cos\theta}{\sin\theta} \right)^{2007} d\left(\frac{1}{\cos\theta} + \frac{1}{\sin\theta} + \frac{\cos\theta}{\sin\theta} \right)$$

$$= \frac{2^{2008}}{2008} \left[\left(1 + \frac{\sqrt{3}}{2} \right)^{2008} - \left(\frac{1}{2} + \sqrt{2} \right)^{2008} \right].$$

110 준 식 $= \int_0^{\frac{\pi}{12}} \frac{1}{4\cos^4\left(\frac{\pi}{4} - x \right)} dx \xrightarrow{\frac{\pi}{4} - x = t} \frac{1}{4} \int_{\frac{\pi}{6}}^{\frac{\pi}{4}} \sec^4 t \, dt = \frac{1}{4} \int_{\frac{\pi}{6}}^{\frac{\pi}{4}} 1 + \tan^2 t \, d(\tan t)$

$$= \frac{1}{4} \left[\tan t + \frac{\tan^3 t}{3} \right]_{\frac{\pi}{6}}^{\frac{\pi}{4}} = \frac{1}{3} \left(1 - \frac{5}{6\sqrt{3}} \right).$$

111 준 식 $= \int_0^{\frac{\pi}{2}} \cos^{2006} x \left[\sin x \cos(2007x) + \cos x \sin(2007x) \right] dx$

$$= -\frac{1}{2007} \int_0^{\frac{\pi}{2}} 2007 \sin(2007x) \cos^{2007} x + 2007 \cos(2007x) \cos^{2006} x \sin x \, dx$$

$$= -\frac{1}{2007} \int_0^{\frac{\pi}{2}} \left(\cos(2007x) \cos^{2007} x \right)' dx = \frac{1}{2007}.$$

112 준 식 $= \int_0^{\frac{\pi}{2}} \frac{x^2(\sin^2 x + \cos^2 x)}{(\cos x + x \sin x)^2} dx$

$$= \int_0^{\frac{\pi}{2}} \frac{x \sin x (\cos x + x \sin x) - x \cos x (\sin x - x \cos x)}{(\cos x + x \sin x)^2} dx$$

$$= \int_0^{\frac{\pi}{2}} \left(\frac{\sin x - x \cos x}{\cos x + x \sin x} \right)' dx = \frac{2}{\pi}.$$

113 준 식 $\xleftarrow{\substack{e^x = u \\ \ln x = v}} 2 \int_1^{\sqrt{e}} \frac{e^u}{u} du + 2 \int_1^{\sqrt{e}} e^v \ln v \, dv = 2 \int_1^{\sqrt{e}} e^x \left(\frac{1}{x} + \ln x \right) dx$

$$= 2 \int_1^{\sqrt{e}} \left(e^x \ln x \right)' dx = e^{\sqrt{e}}.$$

114 준 식 $= \int_1^{\pi} x^3 \sin x \ln x \, dx - 6 \int_1^{\pi} \frac{\sin x}{x} dx \xleftarrow{\substack{f(x) = \ln x \\ g'(x) = x^3 \sin x}}$

$$= \left[(-x^3 \cos x + 3x^2 \sin x + 6x \cos x - 6\sin x) \ln x \right]_1^{\pi} - \int_1^{\pi} \frac{-x^3 \cos x + 3x^2 \sin x + 6x \cos x}{x} dx$$

$$= (\pi^3 - 6\pi) \ln \pi - 5\pi + 10 \sin(1) - 5\cos(1).$$

115 준 식 $= \displaystyle\int_{e^e}^{e^{e+1}} (x\ln(\ln(\ln x)))'\, dx = e^{e+1}\ln(\ln(e+1)).$

116 (1) $\dfrac{d}{dx}[x\ln(x\ln(x\ln x))] = \ln(x\ln(x\ln x)) + \dfrac{\ln(x\ln x) + \dfrac{\ln x + 1}{\ln x}}{\ln(x\ln x)}$

$= 1 + \dfrac{\ln x \cdot \ln(x\ln x) \cdot \ln(x\ln(x\ln x)) + \ln x + 1}{\ln x \cdot \ln(x\ln x)}.$

$\therefore$ 준 식 $\xleftarrow{(1)} \displaystyle\int_{e^2}^{e^3} [x\ln(x\ln(x\ln x))]' - 1\, dx = 2e^3 + e^3\ln(3+\ln 3) - e^2(1+\ln(2+\ln 2)).$

117 준 식 $= \dfrac{1}{2}\displaystyle\int_0^1 \dfrac{2x+1}{\sqrt{(x^2+x+1)^3}}\,dx - \dfrac{1}{2}\displaystyle\int_0^1 \dfrac{1}{\sqrt{(x^2+x+1)^3}}\,dx$

$= \dfrac{1}{2}\displaystyle\int_0^1 \dfrac{d(x^2+x+1)}{\sqrt{(x^2+x+1)^3}} - \dfrac{4}{\sqrt{27}}\displaystyle\int_0^1 \dfrac{dx}{\sqrt{\left[\left(\dfrac{2x+1}{\sqrt3}\right)^2 + 1\right]^3}} \xleftarrow{\;\frac{2x+1}{\sqrt3} = \tan\theta\;}$

$= -\left[\dfrac{1}{\sqrt{x^2+x+1}}\right]_0^1 - \dfrac{2}{3}\displaystyle\int_{\frac{\pi}{6}}^{\frac{\pi}{3}} \cos\theta\, d\theta = \dfrac{4}{3} - \dfrac{2}{\sqrt3}.$

118 준 식 $\xleftarrow[x=\sin\theta]{[\text{정리}170,(9)]} \dfrac{5\pi}{32}.$

119 준 식 $= a^2\displaystyle\int_0^\pi \sin^2 x\,dx + ab\displaystyle\int_0^\pi \cos x - \cos(3x)\,dx + b^2\displaystyle\int_0^\pi \sin^2(2x)\,dx$

$= \dfrac{\pi}{4}(2a^2 + 2b^2) = \dfrac{\pi}{4}(a^2+b^2+a^2+b^2) \xleftarrow{\text{산술, 기하}} \geq \dfrac{\pi}{4}(a^2+2ab+b^2) = \dfrac{\pi}{4}(a+b)^2 \xrightarrow{\text{조건}} \dfrac{\pi}{4}.$

120 (1) $g(\alpha) = \displaystyle\int_0^\alpha f(x)\,dx$ 라고 하자. $g(\alpha) \xleftarrow{\text{조건식}} \displaystyle\int_0^\alpha x^2 - (\alpha+\beta)x + \alpha\beta\,dx =$

$-\dfrac{\alpha^3}{6} + \dfrac{1}{2}\alpha^2\beta.$

(2) $1 = \displaystyle\int_{-1}^1 f(x)\,dx \xleftarrow{\text{조건식}} \displaystyle\int_{-1}^1 x^2 - (\alpha+\beta)x + \alpha\beta\,dx = \dfrac{2}{3} + 2\alpha\beta \Rightarrow \alpha\beta = \dfrac{1}{6}.$

$\therefore g(\alpha) \xleftarrow{(1),(2)} -\dfrac{\alpha^3}{6} + \dfrac{\alpha}{12},\ 0 = g'(\alpha) = \dfrac{1}{12} - \dfrac{\alpha^2}{2} \Rightarrow \alpha = \dfrac{1}{\sqrt6},$

$\therefore \max\{g(\alpha)\} = g\left(\dfrac{1}{\sqrt6}\right) = \dfrac{1}{18\sqrt6}.$

121 (1) $a_n = \int_0^\pi \dfrac{\cos(nx)}{2-\cos x}\,dx$ 라고 하자. 그러면 다음 등식이 성립한다.

$$a_{n+1}+a_{n-1} = \int_0^\pi \frac{\cos(n+1)x+\cos(n-1)x}{2-\cos x}\,dx = 2\int_0^\pi \frac{\cos x\cos(nx)}{2-\cos x}\,dx \xleftarrow{\substack{f(x)=\frac{\cos x}{2-\cos x}\\ g'(x)=\cos(nx)}}$$

$$= \frac{4}{n}\int_0^\pi \frac{\sin x\sin(nx)}{(2-\cos x)^2}\,dx = 4\int_0^\pi\left(\frac{\sin(nx)}{n}\right)\left(\frac{\sin x}{(2-\cos x)^2}\right)dx \xleftarrow{\substack{u(x)=\frac{\sin(nx)}{n}\\ v'(x)=\frac{\sin x}{(2-\cos x)^2}}}$$

$$= 4\int_0^\pi \frac{\cos(nx)}{2-\cos x}\,dx = 4a_n \Rightarrow a_{n+1}=4a_n-a_{n-1} \xleftarrow{[\text{정리}35,\,(1)]}$$

$$a_n = u(2+\sqrt{3})^n + v(2-\sqrt{3})^n\ ,\ u+v=a_0 = \int_0^\pi \frac{1}{2-\cos x}\,dx \xleftarrow{\tan\left(\frac{x}{2}\right)=t} 2\int_0^\infty \frac{1}{1+3t^2}\,dt$$

$$= \frac{2}{\sqrt{3}}\left[\tan^{-1}(\sqrt{3}\,t)\right]_0^\infty = \frac{\pi}{\sqrt{3}},\ u(2+\sqrt{3})+v(2-\sqrt{3})=a_1 = \int_0^\pi \frac{\cos x}{2-\cos x}\,dx$$

$$\xleftarrow{\tan\left(\frac{x}{2}\right)=t} \int_0^\infty \frac{2(1-t^2)}{(1+t^2)(1+3t^2)}\,dt \xleftarrow{\text{유리식 적분}} \left(\frac{2-\sqrt{3}}{\sqrt{3}}\right)\pi.\ \text{연립방정식을 풀면 다음}$$

해를 구할 수 있다. $u=0,\ v=\dfrac{\pi}{\sqrt{3}} \Rightarrow \therefore$ 준 식 $= a_n = \dfrac{\pi}{\sqrt{3}}(2-\sqrt{3})^n$.

122 준 식 $\xleftarrow{x=y+\frac{1}{2}} 4\int_{-\frac{1}{2}}^{\frac{1}{2}} \dfrac{y}{\left(y^2+\frac{3}{4}\right)^2}\,dy + 5\int_{-\frac{1}{2}}^{\frac{1}{2}} \dfrac{1}{\left(y^2+\frac{3}{4}\right)^2}\,dy \xleftarrow{\text{기함수, 우함수}}$

$$= 10\int_0^{\frac{1}{2}} \frac{1}{\left(y^2+\frac{3}{4}\right)^2}\,dy \xrightarrow{y=\frac{\sqrt{3}}{2}\tan\theta} \frac{80\sqrt{3}}{9}\int_0^{\frac{\pi}{6}}\cos^2\theta\,d\theta = \frac{10}{3}+\frac{20\sqrt{3}}{27}.$$

123 준 식 $= \int_0^{\frac{\pi}{2}}\ln(\sin x)\,dx - \int_0^{\frac{\pi}{2}}\ln(\cos x)\,dx \xleftarrow{[\text{정리}24,(1)]}$

$$= \int_0^{\frac{\pi}{2}}\ln(\cos x)\,dx - \int_0^{\frac{\pi}{2}}\ln(\cos x)\,dx = 0.$$

124 준 식 $= \int_0^1 x\sqrt{\dfrac{1-x}{1+x}}\,dx \xleftarrow{x=\cos(2y)} 4\int_0^{\frac{\pi}{4}}\sin^2 y\,dy - 8\int_0^{\frac{\pi}{4}}\sin^4 y\,dy$

$$= 2\int_0^{\frac{\pi}{4}} 1-\cos(2y)\,dy - \int_0^{\frac{\pi}{4}} 3-4\cos(2y)+\cos(4y)\,dy = 1-\frac{\pi}{4}.$$

125 준 식 $\xleftrightarrow{x=1-t} \int_0^1 f(1-t)dt \xleftrightarrow{\text{조건식}} \int_0^1 1-f(t)\,dt = 1 - \int_0^1 f(x)dx.$

$\therefore \int_0^1 f(x)dx = \dfrac{1}{2}.$

126 (1) $\int_0^x t^2 \sin(x-t)dt \xleftrightarrow[g'(t)=\sin(x-t)]{f(t)=t^2} x^2 - 2\int_0^x t\cos(x-t)dt$

$\xleftrightarrow[v'(t)=\cos(x-t)]{u(t)=t} x^2 - 2\int_0^x \sin(x-t)dt = x^2 - 2 + 2\cos x.$

$\therefore x^2 \xleftrightarrow{\text{조건식}} x^2 - 2 + 2\cos x \Rightarrow 1 = \cos x \Rightarrow x = 2n\pi, (n\in Z).$

127 준 식 $= 2\int_{\frac{\pi}{4}}^{\frac{\pi}{2}} \dfrac{1}{2\sqrt{x}}\left(\sqrt{\sin x}\right) + \sqrt{x}\left(\dfrac{\cos x}{2\sqrt{\sin x}}\right)dx = 2\int_{\frac{\pi}{4}}^{\frac{\pi}{2}}\left(\sqrt{x\sin x}\right)'dx$

$= \sqrt{2\pi} - \sqrt{\dfrac{\pi}{\sqrt{2}}}\ .$

128 준 식 $= \int_0^\pi e^{x\sin x}(x\sin x)'x + e^{x\sin x}dx = \int_0^\pi (xe^{x\sin x})'dx = \pi.$

129 준 식 $= \int_{\frac{\pi}{4}}^{\frac{\pi}{3}} (-e^{-x})'\left(\dfrac{1}{\sin x}\right) + (-e^{-x})\left(\dfrac{1}{\sin x}\right)'dx = \int_{\frac{\pi}{4}}^{\frac{\pi}{3}}\left(-\dfrac{1}{e^x \sin x}\right)'dx$

$= \sqrt{2}\,e^{-\frac{\pi}{4}} - \dfrac{2}{\sqrt{3}}e^{-\frac{\pi}{3}}.$

130 (1) $\int_0^1 e^{x^{2n}}dx \xleftrightarrow[g'(x)=1]{f(x)=e^{x^{2n}}} e - \int_0^1 2nx^{2n}e^{x^{2n}}dx \Rightarrow \int_0^1 (2nx^{2n}+1)e^{x^{2n}}dx = e.$

$\therefore$ 준 식 $\xleftrightarrow{(1),\, n=1004} e.$

131 (1) $g(x) = \int_{-x}^x \dfrac{f'(t)+f'(-t)}{2008^t + 1}dt$ 라고 하자. 그러면 $g(0)=0$ 이고 [정리162]에

의해 다음 등식이 성립한다.

$g'(x) = \dfrac{f'(x)+f'(-x)}{2008^x + 1} + \dfrac{f'(-x)+f'(x)}{2008^{-x}+1} = f'(x)+f'(-x) \Rightarrow g(x) = f(x)+f(-x).$

$\therefore$ 준 식 $= g(2008) = f(2008) + f(-2008).$

132 (1) $\displaystyle\int_0^\pi \frac{x|\sin x|}{1+|\cos x|}\,dx \xleftarrow{[\text{정리}24,(1)]} \pi\int_0^\pi \frac{|\sin x|}{1+|\cos x|}\,dx - \int_0^\pi \frac{x|\sin x|}{1+|\cos x|}\,dx$

$\Rightarrow \displaystyle\int_0^\pi \frac{x|\sin x|}{1+|\cos x|}\,dx = \frac{\pi}{2}\int_0^\pi \frac{|\sin x|}{1+|\cos x|}\,dx.$

$\therefore$ 준 식 $= \displaystyle\sum_{k=1}^n \int_{(k-1)\pi}^{k\pi} \frac{x|\sin x|}{1+|\cos x|}\,dx \xleftarrow{x=y+(k-1)\pi} \sum_{k=1}^n \int_0^\pi \frac{(y+(k-1)\pi)|\sin y|}{1+|\cos y|}\,dy$

$= \displaystyle\sum_{k=1}^n \left[\int_0^\pi \frac{x|\sin x|}{1+|\cos x|}\,dx + (k-1)\pi\int_0^\pi \frac{|\sin x|}{1+|\cos x|}\,dx\right] \xleftarrow{(1)} \sum_{k=1}^n \left(k-\frac{1}{2}\right)\pi\int_0^\pi \frac{|\sin x|}{1+|\cos x|}\,dx$

$= \displaystyle\pi\left(\frac{n(n+1)}{2}-\frac{n}{2}\right)\left(\int_0^{\frac{\pi}{2}} \frac{\sin x}{1+\cos x}\,dx + \int_{\frac{\pi}{2}}^\pi \frac{\sin x}{1-\cos x}\,dx\right) = \frac{n^2\pi}{2}\,(\ln 2).$

133 (1) $g(a) = \left(\dfrac{1}{a+1}\right)\displaystyle\int_0^a f(x)\,dx$ 라고 하자. $\xrightarrow{\text{조건식}} f(x) = xe^{-\frac{x}{a}} + g(a).$

$\therefore \displaystyle\int_0^a f(t)\,dt \xleftarrow{(1)} \int_0^a te^{-\frac{t}{a}} + g(a)\,dt = a^2\left(1-\frac{2}{e}\right) + ag(a).$

$\xrightarrow{(1)} (a+1)g(a) = a^2\left(1-\dfrac{2}{e}\right) + ag(a) \Rightarrow g(a) = a^2\left(1-\dfrac{2}{e}\right).$ $\therefore$ 준 식 $= a^2(a+1)\left(1-\dfrac{2}{e}\right).$

134 준 식 $= \displaystyle\sum_{k=0}^{2007}(-1)^k \int_k^{k+1}(\pi x)\sin(\pi x)\,dx \xleftarrow[g'(x)=\sin(\pi x)]{f(x)=\pi x}$

$= \displaystyle\sum_{k=0}^{2007}(-1)^k\left(\left[-x\cos(\pi x)\right]_k^{k+1} + \int_k^{k+1}\cos(\pi x)\,dx\right) = \sum_{k=0}^{2007}(-1)^k(k\cos(\pi k)-(k+1)\cos\pi(k+1))$

$= \displaystyle\sum_{k=0}^{2007}(-1)^k\left[(-1)^k k - (-1)^{k+1}(k+1)\right] = \sum_{k=0}^{2007}(2k+1) = 2008^2.$

135 (1) $f(a) = \displaystyle\int_0^\pi \left[ax(\pi^2-x^2)-\sin x\right]^2\,dx$ 라고 하자. 양변을 미분하고 극소를 구하는

방법을 사용한다.

$f'(a) = \displaystyle\int_0^\pi 2x(\pi^2-x^2)\left[ax(\pi^2-x^2)-\sin x\right]dx \Rightarrow f'(a)=0$ 인 a 을 구하면 된다.

$\therefore a = \dfrac{\displaystyle\int_0^\pi x(\pi^2-x^2)\sin x\,dx}{\displaystyle\int_0^\pi x^2(\pi^2-x^2)^2\,dx} = \dfrac{\pi^2\displaystyle\int_0^\pi x\sin x\,dx - \int_0^\pi x^3\sin x\,dx}{\displaystyle\int_0^\pi x^6-2\pi^2x^4+\pi^4x^2\,dx} \xleftarrow{\text{부분적분}} \dfrac{315}{4\pi^6}.$

136 (1) $f(x)=x+x^3+x^5+\cdots+x^{2n-1} \Rightarrow f(\sqrt{x})=\sqrt{x}+\sqrt{x^3}+\cdots+\sqrt{x^{2n-1}}$.

$f'(x)=1+3x^2+5x^4+\cdots+(2n-1)x^{2n-2} \Rightarrow f'(\sqrt{x})=1+3x+5x^2+\cdots+(2n-1)x^{n-1}$.

$\Rightarrow \dfrac{f(\sqrt{x})}{\sqrt{x}}=1+x+x^2+\cdots+x^{n-1}$.

$\therefore$ 준 식 $\xrightarrow{(1)} \displaystyle\int_0^1 \dfrac{f(\sqrt{x})f'(\sqrt{x})}{\sqrt{x}}\,dx = \int_0^1 d\big(f(\sqrt{x})^2\big)=\big[f(\sqrt{x})^2\big]_0^1=f(1)^2-f(0)^2=n^2.$

137

준 식 $= \displaystyle\int_{\frac{\pi}{4}}^{\frac{\pi}{2}} d\left(\sin\left(\dfrac{1}{\sin\left(\dfrac{1}{\sin x}\right)}\right)\right) = \left[\sin\left(\dfrac{1}{\sin\left(\dfrac{1}{\sin x}\right)}\right)\right]_{\frac{\pi}{4}}^{\frac{\pi}{2}} = \sin(\operatorname{cosec}1)-\sin(\operatorname{cosec}\sqrt{2}).$

138 (1) 준 식 $= I$ 라고 하자. $I \xrightarrow{u=\frac{\pi}{2}-x} \displaystyle\int_{\frac{\pi}{8}}^{\frac{3\pi}{8}} \dfrac{11-4\cos(2u)+\cos(4u)}{1-\cos(4u)}\,du.$

준 식과 (1)를 더하면 다음 식이 만들어진다.

$2I=\displaystyle\int_{\frac{\pi}{8}}^{\frac{3\pi}{8}} \dfrac{22+2\cos(4x)}{1-\cos(4x)}\,dx \Rightarrow \therefore I=\int_{\frac{\pi}{8}}^{\frac{3\pi}{8}} \dfrac{11+\cos(4x)}{1-\cos(4x)}\,dx=-\dfrac{\pi}{4}+12\int_{\frac{\pi}{8}}^{\frac{3\pi}{8}} \dfrac{1}{1-\cos(4x)}\,dx$

$=-\dfrac{\pi}{4}-3\displaystyle\int_{\frac{\pi}{8}}^{\frac{3\pi}{8}} -2\operatorname{cosec}^2(2x)\,dx=6-\dfrac{\pi}{4}.$

139 (1) $x=u+2$ 라고 하고, $f(x)=f(u+2)=g(u)$ 라고 하자.

$\Rightarrow g'(0)=f'(2)=1$ 이다.

조건식; $g(u)=au^2+bu+c \Rightarrow g'(u)=2au+b, g'(0)=b=1$

$\Rightarrow g(u)=au^2+u+c$ 성립한다.

$\therefore$ 준 식 $= \displaystyle\int_{-\pi}^{\pi} g(u)\sin\left(\dfrac{u}{2}\right)du \xrightarrow{(1)} \int_{-\pi}^{\pi}(au^2+u+c)\sin\left(\dfrac{u}{2}\right)du \xrightarrow{\text{우함수, 기함수}}$

$=2\displaystyle\int_0^{\pi} u\sin\left(\dfrac{u}{2}\right)du \xrightarrow{\text{부분적분}} 8.$

140 준 식 $= \displaystyle\int_0^{\frac{\pi}{2}} \dfrac{1}{[\cos a\sin x+(1+\sin a)\cos x]^2}\,dx = \int_0^{\frac{\pi}{2}} \dfrac{\sec^2 x\,dx}{[(1+\sin a)+\cos a\tan x]^2}$

$= \displaystyle\int_0^{\frac{\pi}{2}} [(1+\sin a)+\cos a\tan x]^{-2}\,d(\tan x)=\dfrac{\sec a}{1+\sin a}.$

141 (1) $I(a,n) = \int_0^\pi e^{ax} \sin^n x\, dx \xleftarrow{\substack{f(x) = \sin^n x \\ g'(x) = e^{ax}}} -\dfrac{n}{a} \int_0^\pi e^{ax} \sin^{n-1}x \cos x\, dx$

$\xleftarrow{\substack{f(x) = \sin^{n-1}x \cos x \\ g'(x) = e^{ax}}} \dfrac{n(n-1)}{a^2} I(a,n-2) - \left(\dfrac{n}{a}\right)^2 I(a,n).$

$\Rightarrow I(a,n) = \dfrac{n(n-1)}{a^2+n^2} I(a,n-2).$

(2) $I(a,0) = \dfrac{e^{a\pi}-1}{a}$, $I(a,1) = \dfrac{e^{a\pi}+1}{a^2+1}$.

$\therefore$ 준 식 $= \dfrac{I(-1,n)}{I(1,n)} \xleftarrow{(1)} \dfrac{I(-1,n-2)}{I(1,n-2)} = \cdots \begin{cases} \dfrac{I(-1,0)}{I(1,0)} = e^{-\pi}, (n:\text{짝수}) \\ \dfrac{I(-1,1)}{I(1,1)} = e^{-\pi}, (n:\text{홀수}) \end{cases}.$

142 준 식 $\xleftarrow{[정리21,(5)]} \int_0^{\frac{\pi}{2}} \dfrac{1 - \dfrac{2\tan x}{1+\tan^2 x}}{\left(1 + \dfrac{2\tan x}{1+\tan^2 x}\right)^2} dx = \int_0^{\frac{\pi}{2}} \dfrac{(1-\tan x)^2}{(1+\tan x)^4} \sec^2 x\, dx$

$\xleftarrow{y=\tan x} \int_0^\infty \dfrac{(1-y)^2}{(1+y)^4} dy \xleftarrow{1+y=z} \int_1^\infty \dfrac{(2-z)^2}{z^4} dz = \dfrac{1}{3}.$

143 준 식 $= -\int_0^1 \dfrac{1-x^{-2}}{(1+x^{-2})x\sqrt{x^2+x^{-2}}} dx = -\int_0^1 \dfrac{1-x^{-2}}{(x+x^{-1})\sqrt{(x+x^{-1})^2-2}} dx$

$\xleftarrow{x+x^{-1}=y} \int_2^\infty \dfrac{1}{y\sqrt{y^2-2}} dy \xleftarrow{y=\sqrt{2}\sec\theta} \int_{\frac{\pi}{4}}^{\frac{\pi}{2}} 2^{-\frac{1}{2}} d\theta = \dfrac{\pi}{4\sqrt{2}}.$

144

(1) $\sin^2(n+1)x + \sin^2(n-1)x - \sin^2(nx) = \sin^2(nx+x) + \sin^2(nx-x) - \sin^2(nx)$

$= \sin^2 nx \cos^2 x + 2\sin x \cos x \sin nx \cos nx + \cos^2 nx \sin^2 x + \sin^2 nx \cos^2 x$

$\quad - 2\sin x \cos x \sin nx \cos nx + \cos^2 nx \sin^2 x - \sin^2 nx$

$= 2\sin^2 nx \cos^2 x + 2\cos^2 nx \sin^2 x - \sin^2 nx = \sin^2 nx + 2\sin^2 x(1-2\sin^2 nx)$

$= \sin^2 nx + 2\sin^2 x \cos(2nx).$

(2) $I_n = \int_0^{\frac{\pi}{2}} \dfrac{\sin^2 nx}{\sin^2 x} dx \Rightarrow I_1 = \dfrac{\pi}{2}$, $I_2 = \int_0^{\frac{\pi}{2}} \dfrac{4\sin^2 x \cos^2 x}{\sin^2 x} dx = \pi.$

(3) $I_{n+1} - I_n + I_{n-1} = \int_0^{\frac{\pi}{2}} \dfrac{\sin^2(n+1)x - \sin^2 nx + \sin^2(n-1)x}{\sin^2 x} dx \xleftrightarrow{(1)}$

$= I_n + 2\int_0^{\frac{\pi}{2}} \cos(2nx) dx = I_n \Rightarrow I_{n+1} = 2I_n - I_{n-1} \xrightarrow{[정리35,(1)]} \therefore I_n = \dfrac{n\pi}{2}.$

145 준 식 $= \displaystyle\int_0^{\frac{\pi}{4}} \left[\frac{\cos\left(\frac{\pi}{4}+x-\frac{\pi}{4}\right)}{\sqrt{2}\,\sin\left(\frac{\pi}{4}+x\right)} \right]^2 dx = \frac{1}{4}\int_0^{\frac{\pi}{4}} \frac{\left[\cos\left(\frac{\pi}{4}+x\right)+\sin\left(\frac{\pi}{4}+x\right)\right]^2}{\sin^2\left(\frac{\pi}{4}+x\right)}\, dx$

$= \dfrac{1}{4}\displaystyle\int_0^{\frac{\pi}{4}} 1+2\cot\left(\frac{\pi}{4}+x\right)+\cot^2\left(\frac{\pi}{4}+x\right)dx \;=\; \dfrac{1}{4}\int_0^{\frac{\pi}{4}} \operatorname{cosec}^2\left(\frac{\pi}{4}+x\right)+2\cot\left(\frac{\pi}{4}+x\right)dx$

$= \dfrac{1}{4}\left[-\cot\left(\frac{\pi}{4}+x\right)+2\ln\left(\sin\left(\frac{\pi}{4}+x\right)\right)\right]_0^{\frac{\pi}{4}} = \dfrac{1}{4}(1+\ln 2).$

146 (1) $\cos 4x - \cos 4\alpha = 2\left(\cos^2(2x)-\cos^2(2\alpha)\right) = 2(\cos 2x - \cos 2\alpha)(\cos 2x + \cos 2\alpha)$

$= 4(\cos x - \cos\alpha)(\cos x + \cos\alpha)(\cos 2x + \cos 2\alpha).$

$\therefore$ 준 식 $\xleftarrow{\;(1)\;} 4\displaystyle\int_0^{\pi}(\cos x + \cos\alpha)(\cos 2x + \cos 2\alpha)\,dx \xleftarrow{\text{전개후 적분}} 4\pi\cos 2\alpha\cos\alpha.$

147 준 식 $\xleftarrow{\;\omega = f(x)=\dfrac{a-x}{1-ax}\;} \displaystyle\int_a^0 \frac{1-\omega^6}{1-\left(\dfrac{\omega-a}{a\omega-1}\right)^2}\cdot\frac{a^2-1}{(a\omega-1)^2}\,d\omega = \int_0^a \frac{\omega^6-1}{\omega^2-1}\,d\omega$

$= \displaystyle\int_0^a \omega^4+\omega^2+1\,d\omega = \frac{a^5}{5}+\frac{a^3}{3}+a.$

148 $I_1 = \displaystyle\int_0^{\pi} f(\cos x)\,dx$, $I_2 = \int_0^{\frac{\pi}{2}} f(\sin x)\,dx$ 라고 하자.

(1) $I_2 \xleftarrow{\text{조건식}} \displaystyle\int_0^{\frac{\pi}{2}} \sin^4 x + \sin x\,dx = \int_0^{\frac{\pi}{2}} \cos^4 x - 2\cos^2 x + 1 + \sin x\,dx$

$= \displaystyle\int_0^{\frac{\pi}{2}} \cos^4 x + \sin x - \cos 2x\,dx = \int_0^{\frac{\pi}{2}} \cos^4 x + \cos x - \cos x + \sin x - \cos 2x\,dx \xleftarrow{\text{조건식}}$

$= \displaystyle\int_0^{\frac{\pi}{2}} f(\cos x)\,dx + \left[-\sin x - \cos x - \frac{\sin 2x}{2}\right]_0^{\frac{\pi}{2}} = \int_0^{\frac{\pi}{2}} f(\cos x)\,dx.$

$\therefore I_1 - I_2 = \displaystyle\int_{\frac{\pi}{2}}^{\pi} f(\cos x)\,dx \xleftarrow{x=\pi-t} \int_0^{\frac{\pi}{2}} f(-\cos t)\,dt \xleftarrow{\text{조건식}} \int_0^{\frac{\pi}{2}} \cos^4 t + \cos t\,dt = I_2$

$\Rightarrow \therefore \dfrac{I_1}{I_2} = 2.$

149 (1) $3 = \displaystyle\int_1^{\sqrt{c}} \frac{f(x)}{x} dx \xleftarrow{\ x = \frac{c}{u}\ } -\int_c^{\sqrt{c}} \frac{u}{c} f\left(\frac{c}{u}\right) \frac{x^2}{c} du \xleftarrow{\ \text{조건식}\ } \int_{\sqrt{c}}^{c} \frac{f(u)}{u} du$

$= \displaystyle\int_{\sqrt{c}}^{c} \frac{f(x)}{x} dx.$

$\therefore$ 준 식 $= \displaystyle\int_1^{\sqrt{c}} \frac{f(x)}{x} dx + \int_{\sqrt{c}}^{c} \frac{f(x)}{x} dx \xleftarrow{(1)} 6.$

150 준 식 $\xleftarrow{\ t = \tan\left(\frac{x}{2}\right)\ } \displaystyle\int_1^{\sqrt{3}} \sqrt{\frac{1+t^2}{2t^4}} \, dt \xleftarrow{\ \tan u = t\ } \frac{1}{\sqrt{2}} \int_{\frac{\pi}{4}}^{\frac{\pi}{3}} \frac{1}{\cos u \sin^2 u} \, du$

$= \dfrac{1}{\sqrt{2}} \displaystyle\int_{\frac{\pi}{4}}^{\frac{\pi}{3}} \sec u + \frac{\cos u}{\sin^2 u} \, du = \frac{1}{\sqrt{2}} \Big[\ln(\sec u + \tan u) \Big]_{\frac{\pi}{4}}^{\frac{\pi}{3}} - \frac{1}{\sqrt{2}} \left[\frac{1}{\sin u} \right]_{\frac{\pi}{4}}^{\frac{\pi}{3}}$

$= \dfrac{1}{\sqrt{2}} \left(\sqrt{2} - \frac{2}{\sqrt{3}} + \ln\left(\frac{2+\sqrt{3}}{\sqrt{2}+\sqrt{3}} \right) \right).$

151 준 식 $= \displaystyle\int_{-\pi+a}^{\pi+a} (-x+a+\pi) \sin\left(\frac{x}{2}\right) dx + \int_{\pi+a}^{3\pi+a} (x-a-\pi) \sin\left(\frac{x}{2}\right) dx$

$= (a+\pi) \displaystyle\int_{a-\pi}^{a+\pi} \sin\frac{x}{2} dx - \int_{a-\pi}^{a+\pi} x \sin\frac{x}{2} dx + \int_{\pi+a}^{3\pi+a} x \sin\frac{x}{2} dx - (a+\pi) \int_{\pi+a}^{3\pi+a} \sin\frac{x}{2} dx$

$\xleftarrow{\ \text{부분적분}\ } -16\cos\dfrac{a}{2}.$

152 (1) $\cos 5x = \cos^5 x - 10\cos^3 x \sin^2 x + 5\cos x \sin^4 x$, $\cos^4 x = \dfrac{3+\cos 4x}{4}$,

$\cos^2 x \sin^2 x = \dfrac{1-\cos 4x}{8}$, $\sin^4 x = \dfrac{1+\cos 4x}{4}$.

$\therefore$ 준 식 $\xleftarrow{(1)} \displaystyle\int_0^{\frac{\pi}{4}} \frac{3x}{4} + \frac{11}{4} x \cos 4x \, dx \xleftarrow{\ \text{부분적분}\ } \frac{3\pi^2}{124} - \frac{11}{32}.$

153

(1) $\displaystyle\int_0^\pi (x-y)^2 \sin x \, |\cos x| \, dx = \int_0^{\frac{\pi}{2}} (x-y)^2 \sin x \cos x \, dx - \int_{\frac{\pi}{2}}^\pi (x-y)^2 \sin x \cos x \, dx$

$= \dfrac{1}{2} \left[\displaystyle\int_0^{\frac{\pi}{2}} (x-y)^2 \sin 2x \, dx - \int_{\frac{\pi}{2}}^\pi (x-y)^2 \sin 2x \, dx \right] \xleftarrow{\ \text{부분적분}\ } \frac{y^2}{2} - \frac{\pi y}{4} + \frac{\pi^2}{16} - \frac{1}{4}.$

(2) $0 = \dfrac{d}{dy}\left(\dfrac{y^2}{2} - \dfrac{\pi y}{4} + \dfrac{\pi^2}{16} - \dfrac{1}{4}\right) = y - \dfrac{\pi}{4} \Rightarrow y = \dfrac{\pi}{4}$: 최소.

$\therefore$ 준 식 $= \left[\dfrac{y^2}{2} - \dfrac{\pi y}{4} + \dfrac{\pi^2}{16} - \dfrac{1}{4}\right]_{y=\frac{\pi}{4}} = \dfrac{1}{4}\left(\dfrac{\pi^2}{16} - 1\right).$

154 (1) 준 식 $= I$ 라고 하자. $I \xleftarrow{[\text{정리}24,(1)]} \displaystyle\int_0^{\frac{\pi}{2}} \dfrac{\cos^3 x}{\sin x + \cos x}\, dx.$

$\Rightarrow 2I = \displaystyle\int_0^{\frac{\pi}{2}} \dfrac{\sin^3 x + \cos^3 x}{\sin x + \cos x}\, dx = \int_0^{\frac{\pi}{2}} \dfrac{(\sin^2 x + \cos^2 x)(\sin x + \cos x) - \sin x \cos x(\sin x + \cos x)}{\sin x + \cos x}\, dx$

$= \displaystyle\int_0^{\frac{\pi}{2}} 1 - \sin x \cos x\, dx = \int_0^{\frac{\pi}{2}} 1 - \dfrac{1}{2}\sin 2x\, dx = \dfrac{1}{2}(\pi - 1). \quad \therefore I = \dfrac{1}{4}(\pi - 1).$

155 준 식 $= \dfrac{1}{2}\displaystyle\int_0^{\pi} \left[e^x(x\sin x - x\cos x + \cos x)\right]'\, dx = \dfrac{1}{2}\left(\pi e^{\pi} - e^{\pi} - 1\right).$

156 (1) $(xe^x \ln x)' = (x+1)e^x \ln x + e^x \Rightarrow (x+1)e^x \ln x = (xe^x \ln x)' - e^x.$

$\therefore$ 준 식 $\xleftarrow{(1)} \displaystyle\int_1^e (xe^x \ln x)' - e^x\, dx = \left[xe^x \ln x - e^x\right]_1^e = e^e(e-1) + e.$

157 준 식 $\xleftarrow{t = \tan\frac{\theta}{2}} \displaystyle\int_0^1 \dfrac{1}{1+t}\, dt = \ln 2.$

158 준 식 $= \dfrac{1}{2}\displaystyle\int_0^{\frac{\pi}{2}} x\,|\cos 2x|\, dx = \dfrac{1}{2}\left[\int_0^{\frac{\pi}{4}} x\cos 2x\, dx - \int_{\frac{\pi}{4}}^{\frac{\pi}{2}} x\cos 2x\, dx\right] \xleftarrow{\text{부분적분}}$

$= \dfrac{\pi}{8}.$

159 (1) $I = \displaystyle\int_0^{\frac{\pi}{2}} \dfrac{\cos x}{a\cos x + b\sin x}\, dx,\ J = \int_0^{\frac{\pi}{2}} \dfrac{\sin x}{a\cos x + b\sin x}\, dx$ 라고 하자.

$\Rightarrow aI + bJ = \displaystyle\int_0^{\frac{\pi}{2}} 1\, dx = \dfrac{\pi}{2},\ bI - aJ = \int_0^{\frac{\pi}{2}} \dfrac{b\cos x - a\sin x}{a\cos x + b\sin x}\, dx = \left[\ln(a\cos x + b\sin x)\right]_0^{\frac{\pi}{2}} = \ln\left(\dfrac{b}{a}\right)$

$\Rightarrow a^2 I + b^2 I = \left(\dfrac{\pi}{2}\right)a + b\ln\left(\dfrac{b}{a}\right) \Rightarrow \therefore I = \dfrac{1}{a^2 + b^2}\left(\dfrac{a\pi}{2} + b\ln\dfrac{b}{a}\right).$

160 (1) $I = \displaystyle\int_0^\pi \frac{x\sin^3 x}{4-\cos^2 x}\,dx \xleftarrow{\text{[정리24,(1)]}} \pi\int_0^\pi \frac{\sin^3 x}{4-\cos^2 x}\,dx - I.$

$\Rightarrow 2I = \pi\displaystyle\int_0^\pi \frac{\sin^3 x}{4-\cos^2 x}\,dx = -\pi\int_0^\pi \frac{\sin^2 x}{4-\cos^2 x}\,d(\cos x) \xleftarrow{t=\cos x} \pi\int_{-1}^1 \frac{1-t^2}{4-t^2}\,dt$

$= \pi\displaystyle\int_{-1}^1 1 - \frac{3}{4-t^2}\,dt = 2\pi\left(1-\frac{3}{4}\ln 3\right) \Rightarrow \therefore I = \pi\left(1-\frac{3}{4}\ln 3\right).$

161 준 식 $= \displaystyle\int_{\frac{\pi}{2}}^{\frac{3\pi}{2}} \left|\left(\frac{\sin x}{x^2}+\frac{\cos x}{x}\right)'\right|dx = \left[\left|\frac{\sin x}{x^2}+\frac{\cos x}{x}\right|\right]_{\frac{\pi}{2}}^{\frac{3\pi}{2}} = \frac{6\pi-32}{9\pi^2}.$

162 준 식 $= \displaystyle\int_{-e}^{-1}\ln(-x)\,dx + \int_{-1}^{-\frac{1}{e}} -\ln(-x)\,dx \xleftarrow{\text{부분적분}} 2-\frac{2}{e}.$

163 준 식 $\xleftarrow{\cos\alpha=\frac{1}{\sqrt{3}}} \displaystyle\int_0^\pi |\sqrt{6}\,\sin(x+\alpha)|\,dx = \int_0^{\pi-\alpha} \sqrt{6}\,\sin(x+\alpha)\,dx$

$-\displaystyle\int_{\pi-\alpha}^\pi \sqrt{6}\,\sin(x+\alpha)\,dx = 2\sqrt{6}.$

164 준 식 $\xleftarrow{\pi-4\theta=-4x} \displaystyle\int_{-\frac{\pi}{2}}^0 (2x)\frac{1+\tan x}{\tan x}\,dx = -\frac{\pi^2}{4} + 2\int_{-\frac{\pi}{2}}^0 x\cot x\,dx$

$\xleftarrow[f(x):\text{우함수}]{f(x)=x\cot x} -\frac{\pi^2}{4} + 2\displaystyle\int_0^{\frac{\pi}{2}} x\cot x\,dx \xleftarrow[v'(x)=\cot x]{u(x)=x} -\frac{\pi^2}{4} - 2\int_0^{\frac{\pi}{2}}\ln(\sin x)\,dx \xleftarrow{\text{[문제13]}}$

$= \pi\ln 2 - \dfrac{\pi^2}{4}.$

165 준 식 $\xleftarrow{x=\sin\theta} \dfrac{1}{2}\displaystyle\int_0^{\frac{\pi}{2}}\ln\left(\sqrt{1-\sin\theta}+\sqrt{1+\sin\theta}\right)^2\cos\theta\,d\theta$

$= \dfrac{1}{2}\displaystyle\int_0^{\frac{\pi}{2}}\ln(2+2\cos\theta)\cos\theta\,d\theta = \int_0^{\frac{\pi}{2}}\ln\left(2\cos\frac{\theta}{2}\right)\cos\theta\,d\theta \xleftarrow[g'(\theta)=\cos\theta]{f(\theta)=\ln\left(2\cos\frac{\theta}{2}\right)}$

$= \ln\sqrt{2} + \displaystyle\int_0^{\frac{\pi}{2}}\sin^2\left(\frac{\theta}{2}\right)d\theta = \ln\sqrt{2} + \frac{\pi}{4} - \frac{1}{2}.$

166 준 식 $\xleftrightarrow{\ x=\left(\frac{b-a}{2}\right)\sin\theta+\left(\frac{b+a}{2}\right)\ }\left(\frac{b-a}{2}\right)\int_{-\frac{\pi}{6}}^{0}1+\sin\theta\,d\theta$

$=\left(\frac{b-a}{2}\right)\left(\frac{\sqrt{3}-2}{2}-\frac{\pi}{6}\right).$

167 (1) $\int_{0}^{1}x^{n}\ln x\,dx\xleftrightarrow{\ f(x)=\ln x\ ,\ g'(x)=x^{n}\ }-\frac{1}{(n+1)^{2}}.$

(2) $\frac{1}{1+t}=1-t+t^{2}-t^{3}+\cdots\Rightarrow\int_{0}^{x}\frac{1}{1+t}=\int_{0}^{x}1-t+t^{2}-t^{3}+\cdots dt$

$\Rightarrow\ln(1+x)=x-\frac{x^{2}}{2}+\frac{x^{3}}{3}-\frac{x^{4}}{4}+\cdots\Rightarrow\ln(1-x)=-\sum_{k=1}^{\infty}\frac{x^{k}}{k}.$

$\therefore$ 준 식 $\xleftrightarrow{(2)}-\sum_{k=1}^{\infty}\left(\frac{1}{k}\right)\int_{0}^{1}x^{k}\ln x\,dx\xleftrightarrow{(1)}\sum_{k=1}^{\infty}\frac{1}{k(k+1)^{2}}=\sum_{k=1}^{\infty}\left(\frac{1}{k}-\frac{1}{k+1}-\frac{1}{(k+1)^{2}}\right)$

$=1-\sum_{k=1}^{\infty}\frac{1}{(k+1)^{2}}\xleftrightarrow{[정리66]}2-\frac{\pi^{2}}{6}.$

168 (1) $I=\int_{0}^{\infty}\frac{\sqrt{x}}{x^{2}+1}\,dx\xleftrightarrow{\ x=\tan\theta\ }\int_{0}^{\frac{\pi}{2}}\sqrt{\tan\theta}\,d\theta\xleftrightarrow{[정리24,(1)]}\int_{0}^{\frac{\pi}{2}}\sqrt{\cot\theta}\,d\theta.$

$\therefore 2I=\int_{0}^{\frac{\pi}{2}}\sqrt{\tan\theta}+\sqrt{\cot\theta}\,d\theta=\sqrt{2}\int_{0}^{\frac{\pi}{2}}\frac{\sin\theta+\cos\theta}{\sqrt{1-(1-2\sin\theta\cos\theta)}}d\theta$

$=\sqrt{2}\int_{0}^{\frac{\pi}{2}}\frac{d(\sin\theta-\cos\theta)}{\sqrt{1-(\sin\theta-\cos\theta)^{2}}}=\sqrt{2}\left[\sin^{-1}(\sin\theta-\cos\theta)\right]_{0}^{\frac{\pi}{2}}=\sqrt{2}\,\pi\Rightarrow I=\frac{\sqrt{2}\,\pi}{2}.$

169 준 식 $\xleftrightarrow{\ 1+x^{-4}=t^{2}\ }\int_{\sqrt{2}}^{\infty}\frac{1}{2t^{2}}\,dt=\frac{1}{2\sqrt{2}}.$

170 (1) 준 식$=I\xleftrightarrow{[정리24,(1)]}\int_{0}^{\frac{\pi}{2}}\cos(\pi\cos^{2}x)dx.$

$\therefore$ 준 식 $=\int_{0}^{\frac{\pi}{2}}\cos(\pi(1-\cos^{2}x))\,dx=\int_{0}^{\frac{\pi}{2}}-\cos(\pi\cos^{2}x)dx\xleftrightarrow{(1)과\ 더하면}0.$

171 준 식 $\xleftrightarrow{\ x=\sin2\theta\ }2\int_{0}^{\frac{\pi}{4}}\cos(2\theta)\sqrt{1+\cos(2\theta)}\,d\theta=2\sqrt{2}\int_{0}^{\frac{\pi}{4}}1-2\sin^{2}\theta\,d(\sin\theta)$

$=2\sqrt{2}\left[\sin\theta-\frac{2}{3}\sin^{3}\theta\right]_{0}^{\frac{\pi}{4}}=\frac{4}{3}.$

172 (1) $\dfrac{1}{1+t}=1-t+t^2-t^3+\cdots \Rightarrow \dfrac{1}{1+e^{-x}}=1-e^{-x}+e^{-2x}-e^{-3x}+\cdots.$

(2) $\displaystyle\int_0^\infty xe^{-nx}\,dx \xleftarrow[\;g'(x)=e^{-nx}\;]{f(x)=x} \dfrac{1}{n^2}.$

$\therefore$ 준 식 $=\displaystyle\int_0^1 \dfrac{\ln x}{1+x^3}\,dx+\int_1^\infty \dfrac{\ln x}{1+x^3}\,dx \xleftarrow{x=t^{-1}} \int_0^1 \dfrac{\ln x}{1+x^3}\,dx-\int_0^1 \dfrac{t\ln t}{1+t^3}\,dt$

$=\displaystyle\int_0^1 \dfrac{(1-x)\ln x}{1+x^3}\,dx=\int_0^1 \left(\dfrac{1}{1+x}-\dfrac{x^2}{1+x^3}\right)\ln x\,dx=\int_0^1 \dfrac{\ln x}{1+x}\,dx-\int_0^1 \dfrac{x^2\ln x}{1+x^3}\,dx \xleftarrow{x^3=u}$

$=\displaystyle\int_0^1 \dfrac{\ln x}{1+x}\,dx-\dfrac{1}{9}\int_0^1 \dfrac{\ln u}{1+u}\,du=\dfrac{8}{9}\int_0^1 \dfrac{\ln x}{1+x}\,dx \xleftarrow{x=e^{-v}} -\dfrac{8}{9}\int_0^\infty ve^{-v}\left(\dfrac{1}{1+e^{-v}}\right)dv \xleftarrow{(1)}$

$=-\dfrac{8}{9}\displaystyle\int_0^\infty v\left(e^{-v}-e^{-2v}+e^{-3v}-e^{-4v}+\cdots\right)dv \xleftarrow{(2)} -\dfrac{8}{9}\left(1-\dfrac{1}{2^2}+\dfrac{1}{3^2}-\dfrac{1}{4^2}+\cdots\right)$

$\xleftarrow{[\text{수열과 급수, 13}]} -\dfrac{2\pi^2}{27}.$

---

173 준 식 $=\sqrt{2}\displaystyle\int_0^{2\pi} \dfrac{\sqrt{1-\sin^2\theta}}{\sqrt{1+\sin\theta}}\,d\theta = \sqrt{2}\int_0^{\frac{\pi}{2}} \dfrac{\cos\theta}{\sqrt{1+\sin\theta}}\,d\theta$

$-\sqrt{2}\displaystyle\int_{\frac{\pi}{2}}^{\frac{3\pi}{2}} \dfrac{\cos\theta}{\sqrt{1+\sin\theta}}\,d\theta + \sqrt{2}\int_{\frac{3\pi}{2}}^{2\pi} \dfrac{\cos\theta}{\sqrt{1+\sin\theta}}\,d\theta$

$=\sqrt{2}\left\{\left[2\sqrt{1+\sin\theta}\,\right]_0^{\frac{\pi}{2}} - \left[2\sqrt{1+\sin\theta}\,\right]_{\frac{\pi}{2}}^{\frac{3\pi}{2}} + \left[2\sqrt{1+\sin\theta}\,\right]_{\frac{3\pi}{2}}^{2\pi}\right\}=8.$

---

174 준 식 $\xleftarrow{x=a\sin\theta} a^4\displaystyle\int_0^{\frac{\pi}{2}} (\sin\theta\cos\theta)^2\,d\theta = \dfrac{a^4}{4}\int_0^{\frac{\pi}{2}} \sin^2(2\theta)\,d\theta = \dfrac{\pi}{16}a^4.$

---

175 (1) $\displaystyle\int_0^\pi \sin x\cos nx\,dx \xleftarrow[\;g'(x)=\cos nx\;]{f(x)=\sin x} -\dfrac{1}{n}\int_0^\pi \cos x\sin nx\,dx \xleftarrow[\;v'(x)=\sin nx\;]{u(x)=\cos x}$

$=-\dfrac{1+\cos n\pi}{n^2}+\dfrac{1}{n^2}\displaystyle\int_0^\pi \sin x\cos nx\,dx \Rightarrow \int_0^\pi \sin x\cos nx\,dx = \dfrac{1+\cos n\pi}{1-n^2}.$

(2) 준 식 $=I$라고 하자. $I \xleftarrow{[\text{정리24, (1)}]} \pi\cos n\pi\displaystyle\int_0^\pi \sin x\cos nx\,dx - (\cos n\pi)I.$

$\therefore I = \dfrac{\pi\cos n\pi}{1+\cos n\pi}\displaystyle\int_0^\pi \sin x\cos nx\,dx \xleftarrow{(1)} \dfrac{\pi\cos n\pi}{1-n^2} = \dfrac{(-1)^n\pi}{1-n^2}.$

176 (1) $\dfrac{1}{1-x}=1+x+x^2+x^3+\cdots\Rightarrow\dfrac{1}{1-x^2}=1+x^2+x^4+x^6+\cdots.$

(2) $\displaystyle\int_0^1 x^{2n+1}\ln x\,dx\xleftarrow[\;g'(x)=x^{2n+1}\;]{f(x)=\ln x}-\dfrac{1}{4(n+1)^2}.$

$\therefore$ 준 식 $\xleftarrow{\;x=\tan\theta\;}-2\displaystyle\int_0^{\frac{\pi}{2}}\dfrac{\ln(\cos\theta)}{\tan\theta}\,d\theta=-2\int_0^{\frac{\pi}{2}}\dfrac{\sin\theta\cos\theta\ln(\cos\theta)}{\sin^2\theta}\,d\theta\xleftarrow{\;\cos\theta=u\;}$

$=-2\displaystyle\int_0^1\dfrac{u\ln u}{1-u^2}\,du\xleftarrow{(1)}-2\sum_{n=0}^{\infty}\int_0^1 u^{2n+1}\ln u\,du\xleftarrow{(2)}\dfrac{1}{2}\sum_{n=0}^{\infty}\dfrac{1}{(n+1)^2}\xleftarrow{[수열과 급수, 12]}\dfrac{\pi^2}{12}.$

177 (1) $\displaystyle\int_0^u\dfrac{1}{1-x}\,dx=\int_0^u 1+x+x^2+\cdots\,dx\Rightarrow-\ln(1-u)=\sum_{n=1}^{\infty}\dfrac{u^n}{n}$

$\Rightarrow-\dfrac{\ln(1-u)}{u}=\displaystyle\sum_{n=1}^{\infty}\dfrac{u^{n-1}}{n}.$

$\therefore$ 준 식 $\xleftarrow{\;x=-\ln(1-t)\;}\displaystyle\int_0^1\dfrac{\ln t}{t-1}\,dt\xleftarrow{\;1-t=u\;}\int_0^1-\dfrac{\ln(1-u)}{u}\,du\xrightarrow{(1)}$

$=\displaystyle\sum_{n=1}^{\infty}\dfrac{1}{n}\int_0^1 u^{n-1}\,du=\sum_{n=1}^{\infty}\dfrac{1}{n^2}\xleftarrow{[수열과 급수, 12]}\dfrac{\pi^2}{6}.$

178 (1) $\displaystyle\int_0^{\infty}e^{-tx}\,dt=\left[-\dfrac{e^{-tx}}{x}\right]_0^{\infty}=\dfrac{1}{x}.$

$\therefore$ 준 식 $\xleftarrow{(1)}\displaystyle\int_0^{\infty}\int_0^{\infty}e^{-tx}\left(e^{-x}-e^{-4x}\right)dtdx=\int_0^{\infty}\int_0^{\infty}e^{-(t+1)x}-e^{-(t+4)x}\,dxdt$

$=\displaystyle\int_0^{\infty}\dfrac{1}{t+1}-\dfrac{1}{t+4}\,dt=\lim_{n\to\infty}\ln\left(\dfrac{n+1}{n+4}\right)-\ln\dfrac{1}{4}=2\ln 2.$

179 (1) $\dfrac{1}{1-x}=1+x+x^2+\cdots=\displaystyle\sum_{n=0}^{\infty}x^n.$

$\therefore$ 준 식 $\xleftarrow{(1)}\displaystyle\int_0^1\int_0^1\sum_{n=0}^{\infty}(xy)^n\,dxdy=\sum_{n=0}^{\infty}\int_0^1\int_0^1 x^n y^n\,dxdy=\sum_{n=0}^{\infty}\int_0^1\left(\dfrac{1}{n+1}\right)y^n\,dy$

$=\displaystyle\sum_{n=0}^{\infty}\left(\dfrac{1}{n+1}\right)\int_0^1 y^n\,dy=\sum_{n=0}^{\infty}\dfrac{1}{(n+1)^2}\xleftarrow{[수열과 급수,12]}\dfrac{\pi^2}{6}.$

180 준 식 $=\displaystyle\int_0^1\int_0^1\sum_{n=0}^{\infty}x^{n+3}y^{n+3}\,dxdy=\sum_{n=0}^{\infty}\dfrac{1}{n+4}\int_0^1 y^{n+3}\,dy=\sum_{n=0}^{\infty}\dfrac{1}{(n+4)^2}$

$\xleftarrow{[수열과 급수,12]}\dfrac{\pi^2}{6}-\dfrac{49}{36}.$

181 (1) 준 식 $=I$라고 하자. $I \xleftarrow{x=\dfrac{a-t}{1+at}} \displaystyle\int_0^a \dfrac{\ln(1+a^2)-\ln(1+at)}{1+t^2}\,dt$

$=\displaystyle\int_0^a \dfrac{\ln(1+a^2)}{1+x^2}\,dx - I \Rightarrow 2I = \ln(1+a^2)\int_0^a \dfrac{1}{1+x^2}\,dx = \tan^{-1}a \,\bullet\, \ln(1+a^2).$

$\therefore$ 준 식 $= \dfrac{1}{2}\tan^{-1}a \,\bullet\, \ln(1+a^2).$

182 (1) $\displaystyle\int_0^{\frac{\pi}{2}}\cos(2kx)\,dx = 0,\ (k\in N).$ 수학적 귀납법에 의해 다음이 성립한다고 가정

하자. $\displaystyle\int_0^{\frac{\pi}{2}}\cos^n x \,\bullet\, \cos(n+2k)x\,dx = 0.$ 그러면

$\displaystyle\int_0^{\frac{\pi}{2}}\cos^{n+1}x \,\bullet\, \cos(n+1+2k)x\,dx = \int_0^{\frac{\pi}{2}}\cos^n x\,[\cos x\cos(n+1+2k)x]\,dx$

$= \dfrac{1}{2}\displaystyle\int_0^{\frac{\pi}{2}}\cos^n x\,[\cos(n+2+2k)x + \cos(n+2k)x]\,dx \xleftarrow{\text{조건}}$

$\dfrac{1}{2}\displaystyle\int_0^{\frac{\pi}{2}}\cos^n x \cos(n+2+2k)x\,dx$

$= \dfrac{1}{2}\displaystyle\int_0^{\frac{\pi}{2}}\cos^n x \cos(n+2(k+1))x\,dx \xleftarrow{\text{귀납법 조건}} 0.$

(2) $\displaystyle\int_0^{\frac{\pi}{2}}\cos^{n+1}x\cos(n+1)x\,dx = \int_0^{\frac{\pi}{2}}\cos^n x\,[\cos x\cos(n+1)x]\,dx$

$= \dfrac{1}{2}\displaystyle\int_0^{\frac{\pi}{2}}\cos^n x\cos(n+2)x + \cos^n x\cos nx\,dx \xleftarrow{(1)} \dfrac{1}{2}\int_0^{\frac{\pi}{2}}\cos^n x\cos nx\,dx = \ldots$

$= \dfrac{1}{2^{n+1}}\displaystyle\int_0^{\frac{\pi}{2}}1\,dx = \dfrac{\pi}{2^{n+2}} \Rightarrow \therefore$ 준식 $= \dfrac{\pi}{2^{n+1}}.$

183 (1) $\dfrac{1}{\sin^4 x + (\sin x\cos x)^2 + \cos^4 x} = \dfrac{1}{\left(1+\dfrac{1}{2}\sin 2x\right)\left(1-\dfrac{1}{2}\sin 2x\right)}$

$= \dfrac{1}{2+\sin 2x} + \dfrac{1}{2-\sin 2x}.$

$\therefore$ 준 식 $\xleftarrow{(1)} \displaystyle\int_0^{\frac{\pi}{4}}\left(\dfrac{1}{2+\sin 2x} + \dfrac{1}{2-\sin 2x}\right)dx \xleftarrow{\tan x = t} \dfrac{1}{2}\int_0^1 \dfrac{1}{t^2+t+1} + \dfrac{1}{t^2-t+1}\,dt$

$$= \frac{1}{2} \int_0^1 \frac{1}{\left(t + \frac{1}{2}\right)^2 + \frac{3}{4}} + \frac{1}{\left(t - \frac{1}{2}\right)^2 + \frac{3}{4}} \, dt = \frac{1}{\sqrt{3}} \left[\tan^{-1}\left(\frac{2t+1}{\sqrt{3}}\right) + \tan^{-1}\left(\frac{2t-1}{\sqrt{3}}\right) \right]_0^1$$

$$= \frac{\pi}{2\sqrt{3}}.$$

184 (1) $\displaystyle\int_0^{\frac{1}{2}} \frac{\ln(1-x)}{x} dx \xleftarrow[g'(x) = x^{-1}]{f(x) = \ln(1-x)} (\ln 2)^2 + \int_0^{\frac{1}{2}} \frac{\ln x}{1-x} dx \xleftrightarrow{1-x=t}$

$$= (\ln 2)^2 + \int_{\frac{1}{2}}^1 \frac{\ln(1-t)}{t} dt = (\ln 2)^2 + \int_{\frac{1}{2}}^1 \frac{\ln(1-x)}{x} dx.$$

(2) $\displaystyle\int_0^u \frac{1}{1-x} dx = \int_0^u 1 + x + x^2 + \cdots dx \Rightarrow -\ln(1-u) = \sum_{n=1}^{\infty} \frac{u^n}{n}.$

(3) $\displaystyle\int_0^1 \frac{\ln(1-x)}{x} dx \xleftarrow{(2)} - \int_0^1 1 + \frac{x}{2} + \frac{x^2}{3} + \cdots dx = -\left(1 + \frac{1}{2^2} + \frac{1}{3^2} + \cdots\right)$

$$\xleftarrow{[수열과 급수, 12]} - \frac{\pi^2}{6}.$$

(4) $\displaystyle\int_0^1 \frac{\ln(1-x)}{x} dx = \int_0^{\frac{1}{2}} \frac{\ln(1-x)}{x} dx + \int_{\frac{1}{2}}^1 \frac{\ln(1-x)}{x} dx \xleftarrow{(1)}$

$$= 2\int_0^{\frac{1}{2}} \frac{\ln(1-x)}{x} dx - (\ln 2)^2 \xrightarrow{(3)} \int_0^{\frac{1}{2}} \frac{\ln(1-x)}{x} dx = \frac{(\ln 2)^2}{2} - \frac{\pi^2}{12}.$$

$$\therefore \text{준 식} = \int_0^1 -\frac{1}{x} \int_0^1 \frac{-x}{2-xy} dy \, dx = \int_0^1 -\frac{1}{x} \left[\ln(2-xy)\right]_0^1 dx = \int_0^1 -\frac{1}{x} \ln\left(1 - \frac{x}{2}\right) dx$$

$$\xleftrightarrow{x=2t} -\int_0^{\frac{1}{2}} \frac{\ln(1-t)}{t} dt = -\int_0^{\frac{1}{2}} \frac{\ln(1-x)}{x} dx \xleftarrow{(4)} \frac{\pi^2}{12} - \frac{(\ln 2)^2}{2}.$$

185 준 식 $\displaystyle= 2\int_0^{\frac{\pi}{2}} \left(\frac{\sin x}{\cos x}\right) \ln \operatorname{cosec}^2 x \, dx = -2\int_0^{\frac{\pi}{2}} \left(\frac{\sin x}{\cos x}\right) \ln(1 - \cos^2 x) dx \xleftrightarrow{\cos^2 x = t}$

$$= -\int_0^1 \frac{\ln(1-t)}{t} dt \xleftarrow{[184, (3)]} \frac{\pi^2}{6}.$$

186 준 식 $= I$ 라고 하자.

$$I \xrightarrow{[정리 24, (1)]} \int_0^{2\pi} \ln\left(\sqrt{1 + \sin^2 x} - \sin x\right) dx = -\int_0^{2\pi} \ln\left(\sin x + \sqrt{1 + \sin^2 x}\right) dx = -I.$$

$$\Rightarrow 2I = 0 \Rightarrow \therefore I = 0.$$

187 준 식 $\xleftarrow{\text{[정리95]}} \displaystyle\int_0^n [nx]\,dx \xleftarrow{nx=u} \frac{1}{n}\int_0^{n^2}[u]\,du$

$= \dfrac{1}{n}\left(\displaystyle\int_0^1 [u]\,du + \int_1^2 [u]\,du + \cdots + \int_{n^2-1}^{n^2}[u]\,du\right) = \dfrac{1}{n}\left(\displaystyle\int_0^1 0\,du + \int_1^2 1\,du + \cdots + \int_{n^2-1}^{n^2} n^2-1\,du\right)$

$= \dfrac{1}{n}\left(1+2+\cdots+(n^2-1)\right) = \dfrac{1}{n}\cdot\dfrac{(n^2-1)n^2}{2} = \dfrac{n(n^2-1)}{2}.$

188 (1) $\dfrac{1}{1-x} = 1+x+x^2+\cdots \;\Rightarrow\; \dfrac{1}{1-x^2} = 1+x^2+x^4+\cdots = \displaystyle\sum_{k=0}^{\infty} x^{2k}.$

$\therefore$ 준 식 $\xleftarrow{\substack{f(x)=\ln\left(\frac{1+x}{1-x}\right)\\ g'(x)=x^{-1}}} -\displaystyle\int_0^1 \frac{\ln x}{1-x^2}\,dx \xleftarrow{(1)} -\int_0^1 \sum_{k=0}^{\infty} x^{2k}\ln x\,dx = -\sum_{k=0}^{\infty}\int_0^1 x^{2k}\ln x\,dx$

$\xleftarrow{\substack{u(x)=\ln x\\ v'(x)=x^{2k}}} \displaystyle\sum_{k=0}^{\infty}\int_0^1 \frac{x^{2k}}{2k+1}\,dx = \sum_{k=0}^{\infty}\frac{1}{(2k+1)^2} = \sum_{n=1}^{\infty}\frac{1}{n^2} - \frac{1}{4}\left(\sum_{n=1}^{\infty}\frac{1}{n^2}\right) \xleftarrow{\text{[수열과 급수, 12]}} \frac{\pi^2}{8}.$

189 (1) $\dfrac{1}{1+\cos^2 x} = \dfrac{1}{\sin^2 x + 2\cos^2 x} = \dfrac{\sec^2 x}{2+\tan^2 x} = \dfrac{1}{\sqrt{2}}\left(\dfrac{\frac{1}{\sqrt{2}}\sec^2 x}{1+\left(\frac{\tan x}{\sqrt{2}}\right)^2}\right).$

(2) $\displaystyle\int_0^{\frac{\pi}{4}} \cos x\,\tan^{-1}(\sec x)\,dx \xleftarrow{\substack{f(x)=\tan^{-1}(\sec x)\\ g'(x)=\cos x}} \frac{1}{\sqrt{2}}\tan^{-1}(\sqrt{2}) - \int_0^{\frac{\pi}{4}}\frac{\tan^2 x}{1+\sec^2 x}\,dx$

$= \dfrac{1}{\sqrt{2}}\tan^{-1}(\sqrt{2}) + \displaystyle\int_0^{\frac{\pi}{4}}\frac{2}{1+\sec^2 x} - 1\,dx = \frac{1}{\sqrt{2}}\tan^{-1}\sqrt{2} + \int_0^{\frac{\pi}{4}} 1 - \frac{2}{1+\cos^2 x}\,dx$

$\xleftarrow{(1)} \dfrac{1}{\sqrt{2}}\tan^{-1}\sqrt{2} + \dfrac{\pi}{4} - \sqrt{2}\displaystyle\int_0^{\frac{\pi}{4}}\frac{\frac{1}{\sqrt{2}}\sec^2 x}{1+\left(\frac{\tan x}{\sqrt{2}}\right)^2}\,dx$

$= \dfrac{\pi}{4} + \dfrac{1}{\sqrt{2}}\tan^{-1}\sqrt{2} - \sqrt{2}\left[\tan^{-1}\left(\dfrac{\tan x}{\sqrt{2}}\right)\right]_0^{\frac{\pi}{4}}$

$= \dfrac{\pi}{4} + \dfrac{1}{\sqrt{2}}\tan^{-1}\sqrt{2} - \sqrt{2}\tan^{-1}\left(\dfrac{1}{\sqrt{2}}\right).$

$\therefore$ 준 식 $\xleftarrow{x=\tan\theta} \displaystyle\int_0^{\frac{\pi}{4}}\cos\theta\,\tan^{-1}(\sec\theta)\,d\theta$

$\xleftarrow{\substack{(2)\\ \text{[정리}56,(6)]}} \dfrac{\pi}{4} + \dfrac{1}{\sqrt{2}}\tan^{-1}\sqrt{2} - \sqrt{2}\left(\dfrac{\pi}{2} - \tan^{-1}\sqrt{2}\right) = \dfrac{(1-2\sqrt{2})\pi}{4} + \dfrac{3}{\sqrt{2}}\tan^{-1}\sqrt{2}.$

190 준 식 $\xleftrightarrow{\theta=2x}$ $2\int_0^{\frac{\pi}{2}}\ln(2\sin^2 x)dx = \pi\ln 2 + 4\int_0^{\frac{\pi}{2}}\ln(\sin x)dx \xleftarrow{[\text{문제}13]} -\pi\ln 2.$

191 $\int_0^2 \sqrt{x^3+1}\ dx \xleftrightarrow{\sqrt{x^3+1}=t+1} \int_0^2 (t+1)\left(\sqrt[3]{t^2+2t}\right)' dt \xleftarrow{\text{부분적분}}$

$= 6 - \int_0^2 \sqrt[3]{t^3+2t}\ dt = 6 - \int_0^2 \sqrt[3]{x^3+2x}\ dx \Rightarrow \therefore \text{준 식} = 6.$

192 (1) $I(a) = \int_0^{\frac{\pi}{2}} \dfrac{\ln(1+a\sin^2 x)}{\sin^2 x}dx$ 라고 하자. $I(0)=0.$

$I'(a) = \int_0^{\frac{\pi}{2}} \dfrac{1}{1+a\sin^2 x}dx \xleftrightarrow{\tan x = t} \int_0^{\infty} \dfrac{1}{1+(a+1)t^2}dt = \dfrac{1}{\sqrt{a+1}}\int_0^{\infty} \dfrac{d(\sqrt{a+1}\,t)}{1+(\sqrt{a+1}\,t)^2}$

$= \dfrac{1}{\sqrt{a+1}}\left[\tan^{-1}(\sqrt{a+1}\,t)\right]_0^{\infty} = \dfrac{\pi}{2\sqrt{a+1}} \cdot \xrightarrow{\text{양변을적분}} I(a) = \pi\sqrt{a+1}+c \xrightarrow{a=0}$

$0 = I(0) = \pi + c \Rightarrow c = -\pi. \quad \therefore \text{준 식} \xleftrightarrow{(1)} \pi(\sqrt{a+1}-1).$

193 (1) $u = x, v = 2y-x$ 라고 하자. $y = \dfrac{u+v}{2}$ 이고 [정리 68]에 의해

$\Rightarrow \dfrac{\partial(x,y)}{\partial(u,v)} = \begin{vmatrix} x_u & x_v \\ y_u & y_v \end{vmatrix} = \begin{vmatrix} 1 & 0 \\ \frac{1}{2} & \frac{1}{2} \end{vmatrix} = \dfrac{1}{2}$ 이 된다.

$\therefore \text{준 식} \xleftarrow[\ (1)\ ]{[\text{정리}46]} \int_0^2\int_0^2 \dfrac{1}{2}u^5 v e^{v^2}dv\,du = \int_0^2 \dfrac{u^5}{4}\int_0^2 2v e^{v^2}dv\,du = \int_0^2 \dfrac{u^5}{4}(e^4-1)du$

$= \dfrac{8}{3}(e^4-1).$

194 $I = \int_0^{\infty} \dfrac{\tan^{-1}x}{\sqrt{x}\,(1+x)}dx \xleftrightarrow{x=y^{-1}} \int_0^{\infty} \dfrac{\tan^{-1}\left(\frac{1}{y}\right)}{\sqrt{y}\,(1+y)}dy = \int_0^{\infty} \dfrac{\tan^{-1}\left(\frac{1}{x}\right)}{\sqrt{x}\,(1+x)}dy$

$\xleftarrow{[\text{정리}56,(6)]} \dfrac{\pi}{2}\int_0^{\infty} \dfrac{1}{\sqrt{x}\,(1+x)}dx - \int_0^{\infty} \dfrac{\tan^{-1}x}{\sqrt{x}\,(1+x)}dx = \dfrac{\pi}{2}\int_0^{\infty} \dfrac{dx}{\sqrt{x}\,(1+x)} - I.$

$\therefore I = \dfrac{\pi}{4}\int_0^{\infty} \dfrac{1}{\sqrt{x}\,(1+x)}dx = \dfrac{\pi}{2}\int_0^{\infty} \dfrac{d(\sqrt{x})}{1+(\sqrt{x})^2} = \dfrac{\pi}{2}\left[\tan^{-1}\sqrt{x}\right]_0^{\infty} = \dfrac{\pi^2}{4}.$

195 (1) $\displaystyle\int_0^1 [x+t]\,dx \x!\xrightarrow{\{x\}=x-[x]}\!\! \int_0^{1-\{t\}} [x+t]\,dx + \int_{1-\{t\}}^1 [x+t]\,dx$

$\displaystyle = \int_0^{1-\{t\}} [t]\,dx + \int_{1-\{t\}}^1 1+[t]\,dx = [t](1-\{t\}) + (1+[t])\{t\} = t.$

(2) $\displaystyle\int_0^1\int_0^1 [x+y]\,dy\,dx \xleftrightarrow{(1)} \int_0^1 x\,dx = \frac{1}{2}.$

$\displaystyle\therefore \text{준 식} \xleftrightarrow{(1)} \int_0^1 \cdots \int_0^1 x_2 + x_3 + \cdots + x_n\,dx_2 dx_3 \cdots dx_n = \int_0^1 \cdots \int_0^1 x_3 + \cdots + x_n + \frac{1}{2}\,dx_3 \cdots dx_n$

$\displaystyle = \; \cdots \; = \frac{n-1}{2}.$

196 (1) $\displaystyle\int_0^\infty \frac{e^{-x}}{x}\,dx = \int_0^\infty \frac{e^{-x} - e^{-0x} + 1}{x}\,dx = \int_0^\infty \frac{e^{-x} - e^{-0x}}{x}\,dx + \int_0^\infty \frac{1}{x}\,dx$

$\displaystyle\xleftrightarrow{[\text{문제}27]} \ln\!\left(\frac{0}{1}\right) + [\ln x]_0^\infty = \ln(\infty).$

$\displaystyle\therefore \int_0^1 \frac{1}{1-x} + \frac{1}{\ln x}\,dx = \int_0^1 \sum_{k=0}^\infty x^k\,dx + \int_0^1 \frac{1}{\ln x}\,dx \xleftrightarrow{\ln x = t}$

$\displaystyle = \sum_{k=0}^\infty \left[\frac{x^{k+1}}{k+1}\right]_0^1 + \int_{-\infty}^0 \frac{e^t}{t}\,dt \xleftrightarrow{t=-x} \sum_{n=1}^\infty \frac{1}{n} - \int_0^\infty \frac{e^{-x}}{x}\,dx \xleftrightarrow{(1)} \sum_{n=1}^\infty \frac{1}{n} - \ln(\infty)$

$\displaystyle = \lim_{k\to\infty}\left(1 + \frac{1}{2} + \cdots + \frac{1}{k} - \ln k\right).$

197 (1) $0 \le u \le y,\, 0 \le y \le 1 \xrightarrow{\text{아래 그림}} u \le y \le 1,\, 0 \le u \le 1.$

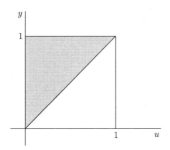

$\displaystyle\therefore \text{준 식} \xleftrightarrow{u=xy} \int_0^1 \int_0^y \frac{\frac{u}{y}-1}{(1-u)\ln u}\left(\frac{1}{y}\right)du\,dy \xleftrightarrow{(1)} \int_0^1 \int_u^1 \frac{\frac{u}{y}-1}{(1-u)\ln u}\left(\frac{1}{y}\right)dy\,du$

$\displaystyle = \int_0^1 \frac{1}{(1-u)\ln u}\int_u^1 \frac{u}{y^2} - \frac{1}{y}\,dy\,du = \int_0^1 \frac{1-u+\ln u+1}{(1-u)\ln u}\,du = \int_0^1 \frac{1}{1-u} + \frac{1}{\ln u}\,du \xleftrightarrow{[\text{문제}196]}$

$\displaystyle = \lim_{k\to\infty}\left(1 + \frac{1}{2} + \cdots + \frac{1}{k} - \ln k\right) \xleftrightarrow{[\text{정리}140]} \gamma = 0.57721.$

198 준 식 $\xleftrightarrow{\ xy=u\ }$ $\displaystyle\int_0^1\int_0^y \frac{1}{y(1+u^2)\ln u}\,dudy \xleftarrow{[문제197,(1)]}$

$\displaystyle=\int_0^1\int_u^1 \frac{1}{y(1+u^2)\ln u}\,dydu=\int_0^1 \frac{1}{(1+u^2)\ln u}\,[\ln y]_u^1\,du=-\int_0^1 \frac{1}{1+u^2}\,du=-\left[\tan^{-1}u\right]_0^1$

$\displaystyle=-\frac{\pi}{4}.$

199 $\displaystyle I=\int_0^1 \frac{x^\pi}{x^\pi+(1-x)^\pi}\,dx \xleftarrow{[정리24,(1)]} \int_0^1 \frac{(1-x)^\pi}{(1-x)^\pi+x^\pi}\,dx.$

$\displaystyle\Rightarrow 2I=\int_0^1 \frac{x^\pi+(1-x)^\pi}{x^\pi+(1-x)^\pi}\,dx=1 \Rightarrow \therefore I=\frac{1}{2}.$

200 $\displaystyle F(x)=\int_0^x (4t^2-4t+1)e^{-t^2+t}-2e^{-t^2+t}\,dt=\int_0^x (-2t+1)^2e^{-t^2+t}-2e^{-t^2+t}\,dt$

$\displaystyle=\int_0^x (-2t+1)\left(e^{-t^2+t}\right)'+(-2t+1)'e^{-t^2+t}\,dt=\left[(-2t+1)e^{-t^2+t}\right]_0^x=(-2x+1)e^{-x^2+x}-1$

$\displaystyle\therefore \int_0^1 F(x)\,dx=\int_0^1 (-2x+1)e^{-x^2+x}-1\,dx=\left[e^{-x^2+x}-x\right]_0^1=-1.$

201 (1) $\displaystyle\int_0^u \frac{1}{1-x}\,dx=\int_0^u 1+x+x^2+\cdots\,dx \Rightarrow -\ln(1-u)=\sum_{n=1}^\infty \frac{u^n}{n} \xrightarrow{\ u=\frac{1}{2}e^{i\theta}\ }$

$\displaystyle-\ln\!\left(1-\frac{1}{2}e^{i\theta}\right)=\sum_{n=1}^\infty \frac{e^{in\theta}}{n2^n} \xleftarrow{[정리33]} \sum_{n=1}^\infty \frac{\cos(n\theta)+i\sin(n\theta)}{n2^n}.$

(2) $\displaystyle 1-\frac{1}{2}e^{i\theta} \xleftarrow{[정리33]} 1-\frac{1}{2}(\cos\theta+i\sin\theta)=\left(1-\frac{1}{2}\cos\theta\right)+i\left(-\frac{1}{2}\sin\theta\right)$

$\displaystyle\xleftarrow[\ \sin\alpha=\dfrac{-\frac{1}{2}\sin\theta}{\sqrt{\left(1-\frac{1}{2}\sin\theta\right)^2+\frac{\sin^2\theta}{4}}}\ ]{\ \cos\alpha=\dfrac{1-\frac{1}{2}\cos\theta}{\sqrt{\left(1-\frac{1}{2}\cos\theta\right)^2+\frac{\sin^2\theta}{4}}}\ } \sqrt{\left(1-\frac{1}{2}\cos\theta\right)^2+\frac{\sin^2\theta}{4}}\,(\cos\alpha+i\sin\alpha) \xleftarrow{[정리33]}$

$\displaystyle=\sqrt{\frac{5}{4}-\cos\theta}\,e^{i\alpha} \xrightarrow{(1)} -\ln\!\left(\sqrt{\frac{5}{4}-\cos\theta}\,e^{i\alpha}\right)=-\ln\sqrt{\frac{5}{4}-\cos\theta}+i(-\alpha).$

(3) $\displaystyle -\ln\sqrt{\frac{5}{4}-\cos\theta} \xleftarrow{(1),(2)} \sum_{n=1}^\infty \frac{\cos(n\theta)}{n2^n}.$

(4) $\displaystyle \int_0^\pi \ln\sqrt{\frac{5}{4}-\cos\theta}\,d\theta \xleftarrow{(3)} -\sum_{n=1}^\infty \frac{1}{n2^n}\int_0^\pi \cos(n\theta)\,d\theta=0.$

$$\therefore \text{준 식} \xleftarrow[\quad g'(x)=\dfrac{\sin x}{\frac{5}{4}-\cos x}\quad]{f(x)=x} \pi\ln\left(\frac{9}{4}\right)-\int_0^\pi \ln\left(\frac{5}{4}-\cos x\right)dx \xleftrightarrow{(4)} \pi\ln\left(\frac{9}{4}\right).$$

202 (1) $0\le r\le 1, 0\le \theta\le \dfrac{\pi}{2} \xrightarrow{\text{아래그림}} 0\le x\le \sqrt{1-y^2}, 0\le y\le 1.$

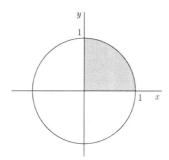

$$\therefore \text{준 식} \xleftarrow[\quad x=\theta,\, y=r^4\quad]{[\text{정리}46]} \int_0^1\int_0^{\frac{\pi}{2}} \frac{4r^3}{\sqrt{1-r^2\sin^2\theta}}\, d\theta\, dr = \int_0^{\frac{\pi}{2}}\int_0^1 \frac{4r^3}{\sqrt{1-r^2\sin^2\theta}}\, dr\, d\theta$$

$$\xleftarrow[\quad x=r\cos\theta,\, y=r\sin\theta\quad]{[\text{정리}46],[\text{정리}68],(1)} 4\int_0^1\int_0^{\sqrt{1-y^2}} \frac{(x^2+y^2)r}{\sqrt{1-y^2}}\left(\frac{1}{r}\right)dx\,dy = 4\int_0^1\int_0^{\sqrt{1-y^2}} \frac{x^2+y^2}{\sqrt{1-y^2}}\, dx\,dy$$

$$= 4\int_0^1 \frac{1}{\sqrt{1-y^2}}\left[\frac{x^3}{3}+y^2 x\right]_0^{\sqrt{1-y^2}} dy = 4\int_0^1 \frac{1}{3}(1-y^2)+y^2\,dy = \frac{20}{9}.$$

203 (1) $f(x)=\displaystyle\int_{-x}^x \frac{t^2}{1+e^t}\,dt \xrightarrow{\text{양변 미분}} f'(x)=\frac{x^2}{1+e^x}+\frac{x^2}{1+e^{-x}}=x^2.$

$\Rightarrow f(x)=\dfrac{x^3}{3}+c \xrightarrow{x=0} c=f(0)=0 \Rightarrow f(x)=\dfrac{x^3}{3} \Rightarrow \therefore \text{준 식} \xleftarrow{x=1} f(1)=\dfrac{1}{3}.$

204 $f(x)=\displaystyle\int_{-x}^x \frac{t^2}{1+e^{\tan^{-1}t}}\,dt \xrightarrow{\text{양변 미분}} f'(x)=\frac{x^2}{1+e^{\tan^{-1}x}}+\frac{x^2}{1+e^{-\tan^{-1}x}}=x^2$

$\Rightarrow f(x)=\dfrac{x^3}{3}+c \xrightarrow{x=0} c=f(0)=0 \Rightarrow f(x)=\dfrac{x^3}{3} \Rightarrow \therefore \text{준 식} \xleftarrow{x=1} f(1)=\dfrac{1}{3}.$

205 (1) $\dfrac{1}{1+t}=1-t+t^2-t^3+\cdots \Rightarrow \displaystyle\int_0^x \frac{1}{1+t}\,dt = \int_0^x 1-t+t^2-t^3+\cdots dt$

$\Rightarrow \ln(1+x)=x-\dfrac{x^2}{2}+\dfrac{x^3}{3}-\dfrac{x^4}{4}+\cdots.$

$\therefore \text{준 식} \xleftarrow{(1)} \displaystyle\int_0^1 1-\frac{x}{2}+\frac{x^2}{3}-\frac{x^3}{4}+\cdots dx = 1-\frac{1}{2^2}+\frac{1}{3^2}-\frac{1}{4^2}+\cdots \xrightarrow{[\text{수열과급수},13]} \frac{\pi^2}{12}.$

206 준 식 $\xleftarrow[\substack{\beta=\sqrt{\frac{e^2+\pi}{e^2-\pi}}}]{x=\ln\left(\pi+\frac{2\pi}{y^2-1}\right)}$ $\displaystyle\int_\infty^\beta -\frac{4y^2}{(y^2-1)(y^2+1)}\,dy$

$$= \int_\infty^\beta \frac{1}{y+1} - \frac{2}{y^2+1} - \frac{1}{y-1}\,dy = \left[\ln\left(\frac{y+1}{y-1}\right) - 2\tan^{-1}y\right]_\infty^\beta = \pi - 2\tan^{-1}\beta + \ln\left(\frac{\beta+1}{\beta-1}\right).$$

207 준 식 $= \displaystyle\int_0^{\frac{\pi}{2}} \frac{x}{1+\cos^2 x}\,dx + \int_{\frac{\pi}{2}}^{\pi} \frac{x}{1+\cos^2 x}\,dx \xleftarrow{x=\pi-t}$

$$= \int_0^{\frac{\pi}{2}} \frac{x}{1+\cos^2 x}\,dx + \int_0^{\frac{\pi}{2}} \frac{\pi-t}{1+\cos^2 t}\,dt = \pi\int_0^{\frac{\pi}{2}} \frac{1}{1+\cos^2 x}\,dx \xleftarrow{\tan x=y} \pi\int_0^\infty \frac{1}{2+y^2}\,dy$$

$$= \frac{\pi}{\sqrt{2}}\left[\tan^{-1}\left(\frac{y}{\sqrt{2}}\right)\right]_0^\infty = \frac{\pi^2}{2\sqrt{2}}.$$

208 (1) $f(x) = \displaystyle\int_0^{2\pi} e^{x\cos\theta}\cos(x\sin\theta)\,d\theta \xrightarrow{\text{양변 미분}}$

$$\Rightarrow f'(x) = \int_0^{2\pi} e^{x\cos\theta}(\cos\theta\cos(x\sin\theta) - \sin\theta\sin(x\sin\theta))\,d\theta$$

$$= \int_0^{2\pi} \frac{1}{x}\left(e^{x\cos\theta}\sin(x\sin\theta)\right)'\,d\theta$$

$$= \frac{1}{x}\left[e^{x\cos\theta}\sin(x\sin\theta)\right]_0^{2\pi} = 0 \Rightarrow f(x) = c$$

$$\Rightarrow c = f(0) = \int_0^{2\pi} d\theta = 2\pi \Rightarrow f(x) = 2\pi$$

$$\Rightarrow \therefore 준식 \xleftarrow{x=1} f(1) = 2\pi \ .$$

209 (1) $I = \displaystyle\int_0^\infty \frac{x^8}{(x^6+1)^2}\,dx \xleftarrow{x=\frac{1}{t}} \int_0^\infty \frac{t^2}{(t^6+1)^2}\,dt = \int_0^\infty \frac{x^2}{(x^6+1)^2}\,dx$

$$\Rightarrow I = \frac{1}{2}\int_0^\infty \frac{x^2+x^8}{(x^6+1)^2}\,dx = \frac{1}{2}\int_0^\infty \frac{x^2}{1+x^6}\,dx \xleftarrow{x^3=z} \frac{1}{6}\int_0^\infty \frac{1}{1+z^2}\,dz = \frac{\pi}{12}.$$

$$\therefore \ 준 \ 식 \xleftarrow{\text{우함수}} 2\int_0^\infty \frac{x^8}{(x^6+1)^2}\,dx \xleftarrow{(1)} 2I = \frac{\pi}{6}.$$

210 (1) $0 \le u \le y, 0 \le y \le 1 \xrightarrow{\text{아래 그림}} u \le y \le 1, 0 \le u \le 1.$

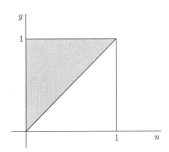

$\therefore$ 준 식 $\xleftarrow{u=xy} \int_0^1 \int_0^y \frac{1}{1-u^3}\,du\,dy \xleftarrow{(1)} \int_0^1 \int_u^1 \frac{1}{1-u^3}\,dy\,du = \int_0^1 \frac{1-u}{1-u^3}\,du$

$= \int_0^1 \frac{1}{1+u+u^2}\,du = \int_0^1 \frac{du}{\left(\frac{\sqrt{3}}{2}\right)^2 + \left(u+\frac{1}{2}\right)^2} = \frac{2}{\sqrt{3}}\left[\tan^{-1}\frac{2(u+2^{-1})}{\sqrt{3}}\right]_0^1 = \frac{2\pi}{3\sqrt{3}}.$

211 (1) $\begin{cases} \sqrt{x} \le y \le x, 1 \le x \le 2 \\ \sqrt{x} \le y \le 2, 2 \le x \le 4 \end{cases} \xrightarrow{\text{아래 그림}} \begin{cases} y \le x \le y^2 \\ 1 \le y \le 2 \end{cases}.$

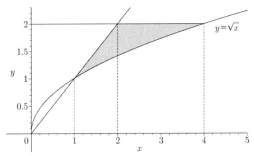

$\therefore$ 준 식 $\xleftarrow{(1)} \int_1^2 \int_y^{y^2} \sin\left(\frac{\pi x}{2y}\right)dxdy = -\int_1^2 \frac{2y}{\pi}\left[\cos\left(\frac{\pi x}{2y}\right)\right]_y^{y^2}dy = -\frac{2}{\pi}\int_1^2 y\cos\left(\frac{\pi y}{2}\right)dy$

$\xleftarrow{\frac{\pi y}{2}=\theta} -\frac{2}{\pi}\int_{\frac{\pi}{2}}^{\pi}\left(\frac{2}{\pi}\right)^2 \theta\cos\theta\,d\theta \xleftarrow{\text{부분적분}} \frac{4(\pi+2)}{\pi^3}.$

212 $I = \int_{\frac{1}{a}}^a \frac{1}{x(1+x^n)}\,dx \xleftarrow{x=u^{-1}} \int_{\frac{1}{a}}^a \frac{u^n}{u(1+u^n)}\,du = \int_{\frac{1}{a}}^a \frac{x^n}{x(1+x^n)}\,dx$

$\Rightarrow 2I = \int_{\frac{1}{a}}^a \frac{1+x^n}{x(1+x^n)}\,dx = \int_{\frac{1}{a}}^a \frac{1}{x}\,dx = 2\ln a \Rightarrow \therefore I = \ln a.$

213 $I = \displaystyle\int_0^1 \frac{\{nx\}}{1-x+x^2}\,dx \xleftarrow{\text{[정리}24,(1)]} \int_0^1 \frac{\{n-nx\}}{1-x+x^2}\,dx = \int_0^1 \frac{1-\{nx\}}{1-x+x^2}\,dx$

$= \displaystyle\int_0^1 \frac{1}{1-x+x^2}\,dx - I \Rightarrow \therefore I = \frac{1}{2}\int_0^1 \frac{1}{\left(x-\dfrac{1}{2}\right)^2 + \dfrac{3}{4}}\,dx = \frac{1}{\sqrt{3}}\left[\tan^{-1}\frac{2}{\sqrt{3}}\left(x-\frac{1}{2}\right)\right]_0^1$

$= \dfrac{\pi}{3\sqrt{3}}.$

214 $I = \displaystyle\int_{-\infty}^{\infty} \frac{1}{(1+x^2)\sqrt{2+x^2}}\,dx \xleftarrow{\text{우함수}} 2\int_0^{\infty}\frac{1}{(1+x^2)\sqrt{2+x^2}}\,dx \xleftarrow{x=t^{-1}}$

$= \displaystyle\int_0^{\infty} \frac{2t}{(1+t^2)\sqrt{2t^2+1}}\,dt \xleftarrow{t^2=u} \int_0^{\infty}\frac{1}{(1+u)\sqrt{2u+1}}\,du \xleftarrow{\sqrt{2u+1}=z} 2\int_1^{\infty}\frac{1}{1+z^2}\,dz$

$= 2\left[\tan^{-1}z\right]_1^{\infty} = 2\left(\dfrac{\pi}{2} - \dfrac{\pi}{4}\right) = \dfrac{\pi}{2}.$

215 (1) $0 \le x \le 1, 0 \le y \le 1 \xrightarrow[\text{우함수}]{\text{아래그림}} 2\times (0 \le y \le x, 0 \le x \le 1) \xrightarrow{\substack{x=r\cos\theta \\ y=r\sin\theta}}$

$2\times\left(0 \le \theta \le \dfrac{\pi}{4}, 0 \le r \le \sec\theta\right), \ (\because 1 = r\cos\theta \Rightarrow r = \sec\theta).$

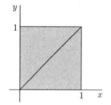
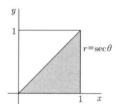

$\therefore$ 준 식 $\xrightarrow{\text{우함수, (1)}} 2\displaystyle\int_0^1\int_0^x \frac{1}{\sqrt{1+x^2+y^2}}\,dydx \xrightarrow[\text{(1)}]{\text{[정리46]}} 2\int_0^{\frac{\pi}{4}}\int_0^{\sec\theta}\frac{r}{\sqrt{1+r^2}}\,drd\theta$

$= 2\displaystyle\int_0^{\frac{\pi}{4}}\sqrt{1+\sec^2\theta} - 1\,d\theta = 2\int_0^{\frac{\pi}{4}}\sqrt{1+\sec^2\theta}\,d\theta - \frac{\pi}{2} \xleftarrow{\sin\theta=\sqrt{2}\sin\psi}$

$= 2\displaystyle\int_0^{\frac{\pi}{6}} 1+\sec(2\psi)\,d\psi - \frac{\pi}{2} = 2\left[\psi + \frac{1}{2}\ln(\sec2\psi + \tan2\psi)\right]_0^{\frac{\pi}{6}} - \frac{\pi}{2} = \ln(2+\sqrt{3}) - \frac{\pi}{6}.$

216 (1) $y \le x \le \sqrt{y}, 0 \le y \le 1 \xrightarrow{\text{아래그림}} x^2 \le y \le x, 0 \le x \le 1.$

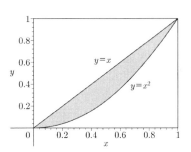

$$\therefore \text{준 식} \xleftrightarrow{(1)} \int_0^1 \int_{x^2}^x \frac{y}{\sqrt{x^2+y^2}}\, dy\, dx = \int_0^1 \sqrt{2x^2} - \sqrt{x^2+x^4}\, dx = \int_0^1 \sqrt{2}\, x - x\sqrt{1+x^2}\, dx$$

$$= \left[\frac{\sqrt{2}}{2} x^2 - \frac{1}{3}\sqrt{(1+x^2)^3} \right]_0^1 = \frac{2-\sqrt{2}}{6}.$$

217 (1) $\dfrac{x^{2n-1}}{\sqrt{x^n+1}} = (x^{n-1})\dfrac{(x^n+1-1)}{\sqrt{x^n+1}} = (x^{n-1})\left(\sqrt{x^n+1} - \dfrac{1}{\sqrt{x^n+1}} \right).$

$$\therefore \text{준 식} \xleftrightarrow{(1)} \int_0^1 \left(\sqrt{x^n+1} - \frac{1}{\sqrt{x^n+1}} \right) x^{n-1}\, dx = \frac{1}{n}\int_0^1 \sqrt{x^n+1} - \frac{1}{\sqrt{x^n+1}}\, d(x^n+1)$$

$$= \frac{1}{n}\left[\frac{2}{3}(x^n+1)^{\frac{3}{2}} - 2\sqrt{x^n+1} \right]_0^1 = \frac{4-2\sqrt{2}}{3n}.$$

218 (1) $f(x) = \dfrac{x^{2n}}{1+e^x} \Rightarrow f(-x) = \dfrac{e^x x^{2n}}{1+e^x} = e^x f(x).$

$$\therefore \text{준 식} \xleftrightarrow{(1)} \int_{-1}^1 f(x)\, dx = \int_{-1}^0 f(x)\, dx + \int_0^1 f(x)\, dx \xleftrightarrow{x=-t} \int_0^1 f(-t)\, dt + \int_0^1 f(x)\, dx$$

$$= \int_0^1 f(x) + f(-x)\, dx \xleftrightarrow{(1)} \int_0^1 (1+e^x)f(x)\, dx \xleftrightarrow{(1)} \int_0^1 x^{2n}\, dx = \frac{1}{2n+1}.$$

219 (1) $F(s) = \displaystyle\int_0^\infty e^{-st}\sin t\, dt \xrightarrow[\text{두번사용}]{\text{부분적분}} \dfrac{1}{1+s^2}.$

$$\therefore \text{준 식} = \int_0^\infty e^{-\sqrt{3}\,x}\left(\frac{\sin x}{x} \right) dx \xleftarrow[f(x)=\sin x,\, s=\sqrt{3}]{[\text{정리}187,(5)],\,(1)} \int_{\sqrt{3}}^\infty \frac{1}{1+u^2}\, du = \left[\tan^{-1}u \right]_{\sqrt{3}}^\infty = \frac{\pi}{6}.$$

220 $\text{준 식} \xrightarrow[g'(x)=(1+x)^{-1}]{f(x)=\tan^{-1}x} \left[\tan^{-1}x \ln(1+x) \right]_0^1 - \int_0^1 \frac{\ln(1+x)}{1+x^2}\, dx \xrightarrow{[\text{문제}108]}$

$$= \frac{\pi}{8}\ln 2.$$

221 (1) $0 \le u \le y, 0 \le y \le 1 \xrightarrow{\text{아래 그림}} u \le y \le 1, 0 \le u \le 1.$

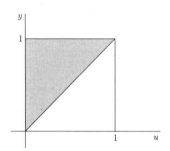

$\therefore$ 준 식 $\xleftarrow{xy=u} \int_0^1 \int_0^y \frac{2-4u}{(9-u)(8+u)} \left(\frac{1}{y}\right) dudy \xleftarrow{(1)} \int_0^1 \int_u^1 \frac{2-4u}{(9-u)(8+u)} \left(\frac{1}{y}\right) dydu$

$= \int_0^1 \frac{2-4u}{(9-u)(8+u)} \int_u^1 \frac{1}{y} \, dy \, du = \int_0^1 \frac{(4u-2)\ln u}{(9-u)(8+u)} du = 2\int_0^1 \frac{\ln u}{9-u} - \frac{\ln u}{8+u} du$

$\xleftarrow{[\text{정리}24,(19)]} \left(\ln \frac{8}{9}\right)^2.$

222 (1) $\int_{\frac{\pi}{4}}^{\frac{\pi}{2}} \ln \sin\left(x+\frac{\pi}{4}\right) dx \xleftarrow{x+\frac{\pi}{4}=\theta} \int_{\frac{\pi}{2}}^{\frac{3\pi}{4}} \ln \sin\theta \, d\theta \xleftarrow{\theta=\pi-\psi} \int_{\frac{\pi}{4}}^{\frac{\pi}{2}} \ln \sin\psi \, d\psi$

$= \int_{\frac{\pi}{4}}^{\frac{\pi}{2}} \ln \sin x \, dx.$

$\therefore$ 준 식 $= \int_{\frac{\pi}{4}}^{\frac{\pi}{2}} \ln\left(\frac{\sin x + \cos x}{\sin x}\right) dx = \int_{\frac{\pi}{4}}^{\frac{\pi}{2}} \ln\left(\frac{\sqrt{2}\,\sin\left(x+\frac{\pi}{4}\right)}{\sin x}\right) dx$

$= \int_{\frac{\pi}{4}}^{\frac{\pi}{2}} \ln(\sqrt{2}) + \ln \sin\left(x+\frac{\pi}{4}\right) - \ln \sin x \, dx \xleftarrow{(1)} \frac{\pi}{8} \ln 2.$

223

(1) $e^u = \sum_{n=0}^{\infty} \frac{u^n}{n!} \xrightarrow{u=e^{ix}} e^{e^{ix}} = \sum_{n=0}^{\infty} \frac{e^{inx}}{n!} \xrightarrow{[\text{정리}33]} e^{\cos x + i\sin x} = \sum_{n=0}^{\infty} \frac{\cos(nx) + i\sin(nx)}{n!}$

$\xrightarrow{[\text{정리}33]} e^{\cos x}[\cos(\sin x) + i\sin(\sin x)] = \sum_{n=0}^{\infty} \frac{\cos(nx)}{n!} + i \sum_{n=0}^{\infty} \frac{\sin(nx)}{n!}$

$\Rightarrow e^{\cos x} \cos(\sin x) = \sum_{n=0}^{\infty} \frac{\cos(nx)}{n!}.$

$$\therefore \text{준 식} \xrightarrow{(1)} \sum_{n=0}^{\infty} \frac{1}{n!} \int_0^{2\pi} \cos(nx)\cos x\,dx = \sum_{n=0}^{\infty}\left(\frac{1}{2}\right)\frac{1}{n!}\int_0^{2\pi}\cos(n+1)x + \cos(n-1)x\,dx$$

$$= \frac{1}{2}\int_0^{2\pi}(\cos 2x + 1)\,dx + \sum_{n=0,\,n\neq 1}^{\infty}\frac{1}{2}\left(\frac{1}{n!}\right)\int_0^{2\pi}\cos(n+1)x + \cos(n-1)x\,dx$$

$$= \pi + \sum_{n=0,\,n\neq 1}^{\infty}\frac{1}{2}\left(\frac{1}{n!}\right)\left[\frac{\sin(n+1)x}{n+1} + \frac{\sin(n-1)x}{n-1}\right]_0^{2\pi} = \pi.$$

224 (1) $\dfrac{(a-x)^{an-1}}{(a+x)^{an+1}} = \left(\dfrac{a-x}{a+x}\right)^{an-1}\cdot\dfrac{1}{(a+x)^2} = \left(\dfrac{-(x+a)+2a}{a+x}\right)^{an-1}\cdot\dfrac{1}{(a+x)^2}$

$$= \left(-1+\frac{2a}{a+x}\right)^{an-1}\left(-1+\frac{2a}{a+x}\right)'\left(-\frac{1}{2a}\right).$$

$$\therefore \text{준 식} \xleftarrow{(1)} -\frac{1}{2a}\int_0^a\left(-1+\frac{2a}{a+x}\right)^{an-1}d\left(-1+\frac{2a}{a+x}\right)$$

$$= -\frac{1}{2a}\left[\frac{1}{an}\left(-1+\frac{2a}{a+x}\right)^{an}\right]_0^a = \frac{1}{2a^2n}.$$

225 (1) $\displaystyle\int_0^{\infty} e^{-\alpha x}\,dx = \frac{1}{\alpha} \xrightarrow{\text{양변에}\,\alpha\,\text{로 미분}} \int_0^{\infty} -xe^{-\alpha x}\,dx = -\frac{1}{\alpha^2} \xrightarrow{\alpha\text{로 미분}}$

$$\int_0^{\infty} x^2 e^{-\alpha x}\,dx = \frac{2}{\alpha^3} \xrightarrow{\alpha=3} \therefore \int_0^{\infty} x^2 e^{-3x}\,dx = \frac{2}{27}.$$

226 $\text{준 식} = \displaystyle\int_0^1 (1-x)^n d\left(\frac{x^{m+1}}{m+1}\right) = \left[\frac{x^{m+1}(1-x)^n}{m+1}\right]_0^1 - \int_0^1 \frac{x^{m+1}}{m+1}d(1-x)^n$

$$= \frac{n}{m+1}\int_0^1 x^{m+1}(1-x)^{n-1}\,dx \xleftarrow{\text{반복 부분적분}} \left(\frac{n}{m+1}\right)\left(\frac{n-1}{m+2}\right)\cdots\left(\frac{1}{m+n}\right)\int_0^1 x^{m+n}\,dx$$

$$= \frac{n!}{(m+1)(m+2)\cdots(m+n+1)} = \frac{n!\,m!}{(m+n+1)!}.$$

227 $\text{준 식} \xleftarrow{x^4=u} \dfrac{1}{16}\displaystyle\int_0^1 u^{-\frac{3}{4}}(1-u)^{-\frac{1}{2}}\,du \int_0^1 u^{-\frac{1}{4}}(1-u)^{-\frac{1}{2}}\,du \xleftarrow{[\text{정리}82]}$

$$= \frac{1}{16}B\left(\frac{1}{4},\frac{1}{2}\right)B\left(\frac{3}{4},\frac{1}{2}\right) \xleftarrow{[\text{미분과 증명},904]} \frac{1}{16}\frac{\Gamma\left(\frac{1}{4}\right)\Gamma\left(\frac{1}{2}\right)}{\Gamma\left(\frac{3}{4}\right)}\frac{\Gamma\left(\frac{3}{4}\right)\Gamma\left(\frac{1}{2}\right)}{\Gamma\left(\frac{5}{4}\right)} \xleftarrow{[\text{정리}81]}$$

$$= \frac{1}{16}\times\frac{\Gamma\left(\frac{1}{2}\right)\Gamma\left(\frac{1}{2}\right)}{\frac{1}{4}} \xrightarrow{[\text{문제}35]} \frac{\pi}{4}.$$

228 준 식 $\xleftarrow{\begin{array}{c}f(x)=(\tan^{-1}x)^2\\ g'(x)=x\end{array}}$ $\dfrac{\pi^2}{32} - \displaystyle\int_0^1 \left(\dfrac{x^2+1-1}{x^2+1}\right)\tan^{-1}x\,dx$

$= \dfrac{\pi^2}{32} - \displaystyle\int_0^1 \tan^{-1}x\,dx + \int_0^1 \dfrac{\tan^{-1}x}{1+x^2}\,dx$

$\xleftarrow{\begin{array}{c}u(x)=\tan^{-1}x\\ v'(x)=1\end{array}}$ $\dfrac{\pi^2}{32} - \dfrac{\pi}{4} + \displaystyle\int_0^1 \dfrac{x}{1+x^2}\,dx + \int_0^1 \tan^{-1}x\,d(\tan^{-1}x)$

$= \dfrac{\pi^2}{32} - \dfrac{\pi}{4} + \dfrac{1}{2}\Big[\ln(1+x^2)\Big]_0^1 + \dfrac{1}{2}\Big[(\tan^{-1}x)^2\Big]_0^1 = \dfrac{\pi^2}{16} - \dfrac{\pi}{4} + \dfrac{1}{2}\ln 2.$

229 준 식 $\xleftarrow{\ x=4\sin^2\theta\ }$ $8\displaystyle\int_0^{\frac{\pi}{4}} \sin^2\theta\,d\theta = 8\int_0^{\frac{\pi}{4}} \dfrac{1-\cos 2\theta}{2}\,d\theta = \pi - 2.$

230 (1) $\displaystyle\int_0^\infty \dfrac{\sin(yx)}{x}\,dx \xrightarrow{\ yx=t\ } \int_0^\infty \dfrac{\sin t}{t}\,dt \xleftarrow{[\text{문제}61]} \dfrac{\pi}{2}.$

$\therefore$ 준 식 $= \displaystyle\int_0^\infty \left[-\dfrac{\cos(xy)}{x^2}\right]_a^b dx = \int_0^\infty \int_a^b \dfrac{\sin(xy)}{x}\,dy\,dx = \int_a^b \int_0^\infty \dfrac{\sin(xy)}{x}\,dx\,dy \xleftarrow{(1)}$

$= \displaystyle\int_a^b \dfrac{\pi}{2}\,dy = \dfrac{\pi}{2}(b-a).$

231 (1) $\displaystyle\int_0^{\frac{\pi}{2}} \dfrac{1}{1+y\cos x}\,dx \xleftarrow{\ t=\tan\frac{x}{2}\ } 2\int_0^1 \dfrac{1}{(1+y)+(1-y)t^2}\,dt$

$= \dfrac{2}{\sqrt{1-y}} \displaystyle\int_0^1 \dfrac{d(\sqrt{1-y}\,t)}{(\sqrt{1+y})^2 + (\sqrt{1-y}\,t)^2} = \dfrac{2}{\sqrt{1-y^2}} \tan^{-1}\left(\sqrt{\dfrac{1-y}{1+y}}\right).$

(2) $\tan^{-1}\sqrt{\dfrac{1-y}{1+y}} = \dfrac{u}{2}$ 라고 하자. $\tan u = \dfrac{\sqrt{1-y^2}}{y} \Rightarrow \cos u = y$

$\Rightarrow \cos^{-1}y = u = 2\tan^{-1}\sqrt{\dfrac{1-y}{1+y}}.$

$\therefore$ 준 식 $= 2\displaystyle\int_0^{\frac{\pi}{2}} \left[\dfrac{\ln(1+y\cos x)}{\cos x}\right]_\alpha^\beta dx = 2\int_0^{\frac{\pi}{2}} \int_\alpha^\beta \dfrac{1}{1+y\cos x}\,dy\,dx$

$= 2\displaystyle\int_\alpha^\beta \int_0^{\frac{\pi}{2}} \dfrac{1}{1+y\cos x}\,dx\,dy \xrightarrow{(1)} 4\int_\alpha^\beta \dfrac{1}{\sqrt{1-y^2}} \tan^{-1}\left(\sqrt{\dfrac{1-y}{1+y}}\right) dy \xleftarrow{(2)} 2\int_\alpha^\beta \dfrac{\cos^{-1}y}{\sqrt{1-y^2}}\,dy$

$= 2\displaystyle\int_\beta^\alpha \cos^{-1}y\,d(\cos^{-1}y) = \Big[(\cos^{-1}y)^2\Big]_\beta^\alpha = (\cos^{-1}\alpha)^2 - (\cos^{-1}\beta)^2.$

232 준 식 $\xleftarrow{x^2 = \tan\theta}$ $\dfrac{1}{2}\displaystyle\int_0^{\frac{\pi}{4}} \sec\theta\, d\theta = \dfrac{1}{2}\big[\ln(\sec\theta + \tan\theta)\big]_0^{\frac{\pi}{4}} = \dfrac{\ln 2\sqrt{2}}{2}.$

233 준 식 $\xleftarrow{x = \cos t}$ $2\displaystyle\int_0^{\frac{\pi}{2}} \sqrt{\dfrac{2\sin^2\left(\dfrac{t}{2}\right)}{2\cos^2\left(\dfrac{t}{2}\right)}}\; \sin t\, dt = 2\int_0^{\frac{\pi}{2}} \sin^2\left(\dfrac{t}{2}\right) dt = \int_0^{\frac{\pi}{2}} 1 - \cos t\, dt$

$= \dfrac{\pi}{2} - 1.$

234 준 식 $\xleftarrow{e^x - 1 = u}$ $\displaystyle\int_0^{\frac{1}{3}} \dfrac{\sqrt{u}}{1+u}\, du \xleftarrow{u = t^2} \int_0^{\frac{1}{\sqrt{3}}} \dfrac{2t^2}{t^2+1}\, dt = 2\int_0^{\frac{1}{\sqrt{3}}} 1 - \dfrac{1}{1+t^2}\, dt$

$= 2\big[t - \tan^{-1}t\big]_0^{\frac{1}{\sqrt{3}}} = 2\left(\dfrac{1}{\sqrt{3}} - \dfrac{\pi}{6}\right).$

235 준 식 $= \displaystyle\int_1^e \dfrac{1 + \dfrac{1}{x^2}}{\sqrt{x^2 - 1 + \dfrac{1}{x^2}}}\, dx = \int_1^e \dfrac{d\left(x - \dfrac{1}{x}\right)}{\sqrt{1 + \left(x - \dfrac{1}{x}\right)^2}} \xleftarrow{x - \frac{1}{x} = t} \int_0^{e - \frac{1}{e}} \dfrac{dt}{\sqrt{1+t^2}}$

$= \big[\ln\big(t + \sqrt{t^2+1}\big)\big]_0^{e - \frac{1}{e}} = \ln\left(e - \dfrac{1}{e} + \sqrt{e^2 + e^{-2} - 1}\right).$

236 (1) $\displaystyle\int \dfrac{dx}{x\sqrt{x+3}} \xrightarrow{\sqrt{x+3} = y} 2\int \dfrac{dy}{y^2 - 3} = \dfrac{1}{\sqrt{3}}\int \dfrac{1}{y - \sqrt{3}} - \dfrac{1}{y + \sqrt{3}}\, dy$

$= \dfrac{1}{\sqrt{3}} \ln\left(\dfrac{y - \sqrt{3}}{y + \sqrt{3}}\right) + c = \dfrac{1}{\sqrt{3}} \ln\left(\dfrac{\sqrt{x+3} - \sqrt{3}}{\sqrt{x+3} + \sqrt{3}}\right) + c.$

$\therefore$ 준 식 $= \displaystyle\int_0^6 \dfrac{e^x dx}{e^x \sqrt{e^x + 3}} \xleftarrow{e^x = t} \int_1^{e^6} \dfrac{dt}{t\sqrt{t+3}} \xrightarrow{(1)} \dfrac{1}{\sqrt{3}} \left[\ln\left(\dfrac{\sqrt{t+3} - \sqrt{3}}{\sqrt{t+3} + \sqrt{3}}\right)\right]_1^{e^6}$

$= \dfrac{1}{\sqrt{3}} \ln\left(\dfrac{(\sqrt{4} + \sqrt{3})(\sqrt{e^6 + 3} - \sqrt{3})}{(\sqrt{4} - \sqrt{3})(\sqrt{e^6 + 3} + \sqrt{3})}\right).$

237

(1) $I = \displaystyle\int_2^4 \dfrac{\sqrt{\ln(9-x)}}{\sqrt{\ln(9-x)} + \sqrt{\ln(x+1)}}\, dx \xleftarrow{9 - x = t + 1} \int_4^6 \dfrac{\sqrt{\ln(t+1)}}{\sqrt{\ln(t+1)} + \sqrt{\ln(9-t)}}\, dt$

$= \displaystyle\int_4^6 \dfrac{\sqrt{\ln(x+1)}}{\sqrt{\ln(9-x)} + \sqrt{\ln(x+1)}}\, dx.$

(2) $\displaystyle\int_2^6 \frac{\sqrt{\ln(9-x)}}{\sqrt{\ln(9-x)}+\sqrt{\ln(x+1)}}\,dx \xrightarrow{(1)} \int_4^6 \frac{\sqrt{\ln(x+1)}+\sqrt{\ln(9-x)}}{\sqrt{\ln(9-x)}+\sqrt{\ln(x+1)}}\,dx = 2.$

(3) $\displaystyle\int_4^6 \frac{\sqrt{\ln(9-x)}}{\sqrt{\ln(9-x)}+\sqrt{\ln(x+1)}}\,dx \xrightarrow{9-x=t+1} \int_2^4 \frac{\sqrt{\ln(t+1)}}{\sqrt{\ln(t+1)}+\sqrt{\ln(9-t)}}\,dt$

$\displaystyle = \int_2^4 \frac{\sqrt{\ln(x+1)}}{\sqrt{\ln(9-x)}+\sqrt{\ln(x+1)}}\,dx.$

(4) $f(x) = \dfrac{\sqrt{\ln(9-x)}}{\sqrt{\ln(9-x)}+\sqrt{\ln(x+1)}}$, $g(x) = \dfrac{\sqrt{\ln(x+1)}}{\sqrt{\ln(9-x)}+\sqrt{\ln(x+1)}}$ 라고 하자.

$\Rightarrow f(8-x) = g(x)$ 성립함으로 $f(x), g(x)$는 축 $x=4$으로 대칭이다.

$\therefore 2 \xleftrightarrow{(2),(3)} I + \displaystyle\int_2^4 \frac{\sqrt{\ln(x+1)}}{\sqrt{\ln(9-x)}+\sqrt{\ln(x+1)}}\,dx \xrightarrow{(4)} 2I \Rightarrow I = 1.$

238 준 식 $\xleftarrow{x^n=y} \dfrac{1}{n}\displaystyle\int_0^\infty y^{-\left(1-\frac{1}{n}\right)} \sin y\,dy \xleftarrow{[\text{문제}61]} \dfrac{1}{n}\left(\dfrac{\pi}{2\Gamma\left(1-\frac{1}{n}\right)\sin\frac{\pi}{2}\left(1-\frac{1}{n}\right)} \right)$

$= \dfrac{\pi}{2n\Gamma\left(1-\frac{1}{n}\right)\cos\frac{\pi}{2n}}.$

239 (1) $\dfrac{d}{dx}\left(x^{\sin x+1}\right) = \dfrac{d}{dx}\left(e^{(\sin x+1)\ln x}\right) = x^{\sin x}\left[\cos x\ln x + \dfrac{\sin x+1}{x}\right]x$

$= x^{\sin x}(x\cos x\ln x + \sin x + 1).$

$\therefore$ 준 식 $\xleftrightarrow{(1)} \displaystyle\int_{\frac{\pi}{2}}^{\pi}\left(x^{\sin x+1}\right)'dx = \left[x^{\sin x+1}\right]_{\frac{\pi}{2}}^{\pi} = \pi - \dfrac{\pi^2}{4}.$

240 준 식 $= -\displaystyle\int_{-1}^1 \frac{-(xe^x+e^x+1)}{(x(e^x+1))^2}\,dx = -\int_{-1}^1 \left(\frac{1}{x(e^x+1)}\right)'dx = -\left[\frac{1}{x(e^x+1)}\right]_{-1}^1$

$= -1.$

241 준 식 $= \displaystyle\int_0^1 \frac{\frac{1}{2}\sinh(2x)+4x}{\frac{1}{4}\cosh^2 x}\,dx = 2\int_0^1 \frac{\sinh(2x)}{\cosh^2 x} + \frac{8x}{\cosh^2 x}\,dx$

$= 4\displaystyle\int_0^1 \tanh x\,dx + 16\int_0^1 x\,\text{sech}^2 x\,dx \xleftarrow[g'(x)=\text{sech}^2 x]{f(x)=x} 16\left[x\tanh x\right]_0^1 - 12\int_0^1 \tanh x\,dx$

$= 16\tanh(1) - 12\left[\ln\cosh x\right]_0^1 = 16\left(\dfrac{e^2-1}{e^2+1}\right) - 12\ln\left(\dfrac{e+e^{-1}}{2}\right).$

242 (1) $\dfrac{d}{dx}\left(\dfrac{x(1+e^x)}{(x+e^x)^2}\right)=\dfrac{(x^2e^x+e^x+e^{2x})-(x+3xe^x+xe^{2x})}{(x+e^x)^3}$.

$\therefore$ 준 식 $\xleftrightarrow{(1)}\displaystyle\int_0^1\left(\dfrac{x(1+e^x)}{(x+e^x)^2}\right)'dx=\left[\dfrac{x(1+e^x)}{(x+e^x)^2}\right]_0^1=\dfrac{1}{1+e}$.

243 (1) $g(x)=f(x)f(-x)$ 라고 하자. $g'(x)=f'(x)f(-x)-f(x)f'(-x)\xleftrightarrow{\text{조건식}}$

$=0\Rightarrow g(x)=c\xleftrightarrow{x=0}c=g(0)=f(0)f(0)\xleftrightarrow{\text{조건식}}9\Rightarrow f(x)f(-x)=9$.

$\therefore$ 준 식 $=\displaystyle\int_{-2}^2\dfrac{1}{3+f(x)}dx\xleftrightarrow{[\text{정리}24,(7)]}\int_0^2\dfrac{1}{3+f(x)}+\dfrac{1}{3+f(-x)}dx\xrightarrow{(1)}$

$=\displaystyle\int_0^2\dfrac{3+f(x)}{3[3+f(x)]}dx=\dfrac{2}{3}$.

244 (1) $I=\displaystyle\int_0^1\ln\Gamma(x)\,dx\xleftrightarrow{[\text{정리}24,(1)]}\int_0^1\ln\Gamma(1-x)\,dx\xleftrightarrow{[\text{정리}98]}$

$=\displaystyle\int_0^1\ln\left(\dfrac{\pi}{\Gamma(x)\sin(\pi x)}\right)dx=\ln\pi-\int_0^1\ln\Gamma(x)\,dx-\int_0^1\ln\sin(\pi x)\,dx$

$=\ln\pi-I-\displaystyle\int_0^1\ln\sin(\pi x)\,dx\Rightarrow I=\dfrac{\ln\pi}{2}-\dfrac{1}{2}\int_0^1\ln\sin(\pi x)\,dx\xleftrightarrow{(2)}\dfrac{\ln 2\pi}{2}=\ln\sqrt{2\pi}$.

(2) $\displaystyle\int_0^1\ln\sin(\pi x)\,dx\xleftrightarrow{\pi x=2t}\dfrac{2}{\pi}\int_0^{\frac{\pi}{2}}\ln\sin(2t)\,dt=\dfrac{2}{\pi}\int_0^{\frac{\pi}{2}}\ln(2\sin t\cos t)\,dt$

$=\dfrac{2}{\pi}\left[\dfrac{\pi}{2}\ln 2+\displaystyle\int_0^{\frac{\pi}{2}}\ln\sin x\,dx+\int_0^{\frac{\pi}{2}}\ln\cos x\,dx\right]\xleftrightarrow{[\text{정리}24,(1)]}\ln 2+\dfrac{4}{\pi}\int_0^{\frac{\pi}{2}}\ln\sin x\,dx$

$\xleftrightarrow{[\text{문제}13]}=-\ln 2$.

$\therefore$ 준 식 $\xrightarrow{[\text{정리}81]}\displaystyle\int_0^1\ln\Gamma(x+1)\,dx\xrightarrow{[\text{정리}81]}\int_0^1\ln(x\,\Gamma(x))\,dx=\int_0^1\ln x\,dx+\int_0^1\ln\Gamma(x)\,dx$

$\xrightarrow[(1)]{f(x)=\ln x,\,g'(x)=1}\ln\sqrt{2\pi}-1$.

245 (1) $0\le u,v\le\infty\xrightarrow[\text{아래 그림}]{z=u+v,\,w=u-v}-z\le w\le z,\,0\le z\le\infty$.

$\left(\because u=\dfrac{z+w}{2},\,v=\dfrac{z-w}{2}\Rightarrow 0\le z+w,\,0\le z-w\right)$

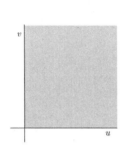
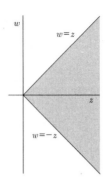

(2) $2\phi = \sqrt{5}+1 \Rightarrow \phi^2 - \phi - 1 = 0 \Rightarrow \phi^2 - \phi = 1$.

$$\therefore \int_0^1 \int_0^1 \frac{1}{(\phi - xy)\ln(xy)} dx dy \underset{[\text{정리}46]}{\overset{x=e^{-u},\, y=e^{-v}}{\longleftarrow}} - \int_0^\infty \int_0^\infty \frac{e^{-(u+v)}}{(\phi - e^{-(u+v)})(u+v)} du dv$$

$$\underset{(1)}{\overset{[\text{정리}46]}{\longleftarrow}} - \int_0^\infty \int_{-z}^z \frac{e^{-z}}{2z(\phi - e^{-z})} dw dz = - \int_0^\infty \frac{e^{-z}}{\phi - e^{-z}} dz = -\left[\ln(\phi - e^{-z})\right]_0^\infty = \ln\left(\frac{\phi - 1}{\phi}\right)$$

$$= \ln\left(\frac{\phi^2 - \phi}{\phi^2}\right) \overset{(2)}{\longleftrightarrow} \ln\left(\frac{1}{\phi^2}\right) \overset{\text{조건식}}{\longleftrightarrow} \ln\left(\frac{2}{3+\sqrt{5}}\right).$$

246 $\displaystyle \int_1^e \sqrt{\frac{\ln x}{x}}\, dx \underset{g'(x)=x^{-\frac{1}{2}}}{\overset{f(x)=\sqrt{\ln x}}{\longleftarrow}} \left[2\sqrt{x\ln x}\right]_1^e - \int_1^e \frac{1}{\sqrt{x\ln x}}\, dx \Rightarrow \therefore \text{준식} = 2\sqrt{e}\,.$

247 $\displaystyle I = \int_0^{2a} \frac{\sqrt[4]{\sin(3a-x)}}{\sqrt[4]{\sin(3a-x)} + \sqrt[4]{\sin(a+x)}}\, dx \overset{[\text{정리}24,(1)]}{\longleftarrow}$

$$= \int_0^{2a} \frac{\sqrt[4]{\sin(a+x)}}{\sqrt[4]{\sin(a+x)} + \sqrt[4]{\sin(3a-x)}}\, dx \Rightarrow 2I = \int_0^{2a} 1\, dx = 2a \Rightarrow \therefore I = a.$$

248 (1) $\displaystyle \int_0^\infty \frac{x^a \ln x}{1+x^3}\, dx = \int_0^\infty \frac{d}{da}\left(\frac{x^a}{1+x^3}\right) dx = \frac{d}{da}\int_0^\infty \frac{x^a}{1+x^3}\, dx \overset{x^3=t}{\longleftarrow}$

$$= \frac{d}{da}\left(\frac{1}{3}\right)\int_0^\infty \frac{t^{\left(\frac{a}{3}+\frac{1}{3}\right)-1}}{1+t}\, dt \overset{[\text{문제}40]}{\longleftarrow} \frac{d}{da}\left(\frac{\pi}{3}\operatorname{cosec}\frac{\pi(a+1)}{3}\right)$$

$$= -\left(\frac{\pi}{3}\right)^2 \operatorname{cosec}\frac{\pi(a+1)}{3} \cot\frac{\pi(a+1)}{3}.$$

$$\therefore \text{준식} \underset{a=1}{\overset{(1)}{\longleftrightarrow}} -\left(\frac{\pi}{3}\right)^2 \operatorname{cosec}\frac{2\pi}{3} \cot\frac{2\pi}{3} = \frac{2\pi^2}{27}.$$

249 (1) $\left(-\dfrac{1}{3}\right)\dfrac{\partial^2}{\partial a\partial b}\left(\displaystyle\int_0^\infty \dfrac{x^a}{b^3+x^3}dx\right)=\left(-\dfrac{1}{3}\right)\dfrac{\partial}{\partial a}\left(\displaystyle\int_0^\infty \dfrac{-3b^2x^a}{\left(b^3+x^3\right)^2}dx\right)$

$=\displaystyle\int_0^\infty \dfrac{b^2x^a\ln x}{\left(b^3+x^3\right)^2}dx.$

(2) $\displaystyle\int_0^\infty \dfrac{x^a}{b^3+x^3}dx=\dfrac{1}{b^3}\int_0^\infty \dfrac{x^a}{1+\left(\dfrac{x}{b}\right)^3}dx\xleftarrow{x=bt}\dfrac{b^{a+1}}{b^3}\int_0^\infty \dfrac{t^a}{1+t^3}dt\xleftarrow{[\text{문제}40]}$

$=\dfrac{\pi b^{a-2}}{3}\operatorname{cosec}\dfrac{(a+1)\pi}{3}.$

$\therefore \text{준 식}\xleftarrow[a=b=1]{(1),(2)}\left(-\dfrac{1}{3}\right)\dfrac{\partial^2}{\partial a\partial b}\left(\dfrac{\pi b^{a-2}}{3}\operatorname{cosec}\dfrac{(a+1)\pi}{3}\right)=\left(-\dfrac{\pi}{9}\right)\dfrac{\partial}{\partial a}\left((a-2)b^{a-3}\operatorname{cosec}\dfrac{(a+1)\pi}{3}\right)$

$=-\dfrac{\pi}{9}\left(b^{a-3}\operatorname{cosec}\dfrac{(a+1)\pi}{3}+(a-2)b^{a-3}\ln b\operatorname{cosec}\dfrac{(a+1)\pi}{3}-\dfrac{\pi}{3}(a-2)b^{a-3}\operatorname{cosec}\dfrac{(a+1)\pi}{3}\cot\dfrac{(a+1)\pi}{3}\right)$

$\xleftarrow{a=b=1}\left(-\dfrac{\pi}{9}\right)\left(\operatorname{cosec}\dfrac{2\pi}{3}+\dfrac{\pi}{3}\operatorname{cosec}\dfrac{2\pi}{3}\cot\dfrac{2\pi}{3}\right)=\dfrac{2\pi^2}{81}-\dfrac{2\pi\sqrt{3}}{27}.$

250 (1) $\displaystyle\int_0^\infty \dfrac{x^a(\ln x)^2}{1+x^3}dx=\int_0^\infty \dfrac{d}{da}\left(\dfrac{x^a\ln x}{1+x^3}\right)dx=\int_0^\infty \dfrac{d^2}{da^2}\left(\dfrac{x^a}{1+x^3}\right)dx$

$=\dfrac{d^2}{da^2}\left(\displaystyle\int_0^\infty \dfrac{x^a}{1+x^3}dx\right)\xleftarrow{[\text{문제}248,(1)]}\dfrac{d^2}{da^2}\left(\dfrac{\pi}{3}\operatorname{cosec}\dfrac{(a+1)\pi}{3}\right)$

$=\dfrac{d}{da}\left(-\dfrac{\pi^2}{9}\operatorname{cosec}\dfrac{(a+1)\pi}{3}\cot\dfrac{(a+1)\pi}{3}\right)$

$=\dfrac{\pi^3}{27}\left(\operatorname{cosec}\dfrac{(a+1)\pi}{3}\cot^2\dfrac{(a+1)\pi}{3}+\operatorname{cosec}^3\dfrac{(a+1)\pi}{3}\right).\quad \therefore \text{준 식}\xleftarrow[a=1]{(1)}\dfrac{10\pi^3}{81\sqrt{3}}.$

251 (1) $\displaystyle\int_1^2 \dfrac{1}{\sqrt{8x^2-7}}dx=\dfrac{1}{\sqrt{8}}\int_1^2 \dfrac{d\left(\sqrt{\dfrac{8}{7}}x\right)}{\sqrt{\dfrac{8}{7}x^2-1}}=\dfrac{1}{\sqrt{8}}\left[\cosh^{-1}\sqrt{\dfrac{8}{7}}x\right]_1^2=$

$=\dfrac{1}{\sqrt{8}}\left[\cosh^{-1}\dfrac{4\sqrt{2}}{\sqrt{7}}-\cosh^{-1}\sqrt{\dfrac{8}{7}}\right].$

(2) $\displaystyle\int_1^2 \dfrac{1}{(x^2+1)\sqrt{8x^2-7}}dx\xleftarrow{y^2=\dfrac{8x^2-7}{x^2+1}}\dfrac{1}{15}\int_{\frac{1}{\sqrt{2}}}^{\sqrt{5}}\sqrt{1+\dfrac{8-y^2}{7+y^2}}\,dy$

$=\dfrac{1}{\sqrt{15}}\displaystyle\int_{\frac{1}{\sqrt{2}}}^{\sqrt{5}}\dfrac{1}{\sqrt{7+y^2}}\,dy$

$$= \frac{1}{\sqrt{15}} \left[\sinh^{-1}\left(\frac{y}{\sqrt{7}}\right) \right]_{\frac{1}{\sqrt{2}}}^{\sqrt{5}} = \frac{1}{\sqrt{15}} \left[\sinh^{-1}\sqrt{\frac{5}{7}} - \sinh^{-1}\sqrt{\frac{1}{14}} \right].$$

$$\therefore \text{준 식} = \int_1^2 \frac{8(x^2+1)-15}{(x^2+1)\sqrt{8x^2-7}} dx = 8\int_1^2 \frac{1}{\sqrt{8x^2-7}} dx - 15\int_1^2 \frac{1}{(x^2+1)\sqrt{8x^2-7}} dx$$

$$\xrightarrow{(1),(2)} \sqrt{8}\left(\cosh^{-1}4\sqrt{\frac{2}{7}} - \cosh^{-1}2\sqrt{\frac{2}{7}} \right) - \sqrt{15}\left(\sinh^{-1}\sqrt{\frac{5}{7}} - \sinh^{-1}\sqrt{\frac{1}{14}} \right).$$

252 (1) $x \le y \le 2, 0 \le x \le 2 \xrightarrow{\text{아래그림}} 0 \le x \le y, 0 \le y \le 2$

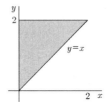

$$\therefore \text{준 식} \xrightarrow{(1)} \int_0^2 \int_0^y y^2 \sin(xy) dx dy = \int_0^2 y^2 \left[-\frac{\cos(xy)}{y} \right]_0^y dy = \int_0^2 y - y\cos(y^2) dy$$

$$= \left[\frac{y^2}{2} - \frac{\sin y^2}{2} \right]_0^2 = 2 - \frac{\sin 4}{2}.$$

253 (1) $0 \le x, y \le 1 \xrightarrow{\text{아래그림}} \begin{cases} 0 \le y \le x^{\frac{m}{n}}, 0 \le x \le 1 \\ 0 \le x \le y^{\frac{n}{m}}, 0 \le y \le 1 \end{cases}$.

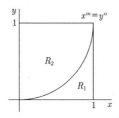

$$\therefore \text{준 식} \xrightarrow{(1)} \iint_{R_1} x^m dx dy + \iint_{R_2} y^n dx dy \xrightarrow{(1)} \int_0^1 \int_0^{x^{\frac{m}{n}}} x^m dy dx + \int_0^1 \int_0^{y^{\frac{n}{m}}} y^n dx dy$$

$$= \int_0^1 x^{m+\frac{m}{n}} dx + \int_0^1 y^{n+\frac{n}{m}} dy = \frac{m+n}{mn+n+m}.$$

254 준 식 $= \displaystyle\int_0^{\frac{\pi}{6}} \frac{\tan^4 x}{\cos^2 x - \sin^2 x}\, dx = \int_0^{\frac{\pi}{6}} \frac{\tan^4 x}{\cos^2 x\left(1 - \tan^2 x\right)}\, dx \xleftrightarrow{\ \tan x = t\ }$

$= \displaystyle\int_0^{\frac{1}{\sqrt{3}}} \frac{t^4}{1 - t^2}\, dt = \int_0^{\frac{1}{\sqrt{3}}} \frac{1}{1 - t^2} - (1 + t^2)\, dt = \frac{1}{2}\ln\left(2 + \sqrt{3}\right) - \frac{10}{9\sqrt{3}}.$

255 (1) $t^2 = 1 + 2\sin x \cos x \Rightarrow 2\sin x \cos x = t^2 - 1.$

$\therefore$ 준 식 $\xleftarrow[\ (1)\ ]{\ \sin x + \cos x = t\ } -\frac{1}{\sqrt{2}} \displaystyle\int_1^{\sqrt{2}} \frac{1}{(t+1)^2}\, dt = \frac{4 - 3\sqrt{2}}{4}.$

256 준 식 $\xleftrightarrow{\ x - 1003 = t\ } \displaystyle\int_{-1003}^{1003} (t + 1003)(t + 1002)\cdots t \cdots (t - 1002)(t - 1003)\, dt$

$\xrightarrow{\ \text{기함수}\ } 0.$

257 (1) $I(\alpha) = \displaystyle\int_0^{\infty} \frac{\ln x}{\alpha^2 + x^2}\, dx = \frac{1}{\alpha}\int_0^{\infty} \frac{\ln x}{1 + \left(\frac{x}{\alpha}\right)^2}\, d\left(\frac{x}{\alpha}\right) \xleftrightarrow{\ \frac{x}{\alpha} = t\ } \frac{1}{\alpha}\int_0^{\infty} \frac{\ln(\alpha t)}{1 + t^2}\, dt$

$= \dfrac{\ln \alpha}{\alpha}\displaystyle\int_0^{\infty} \frac{1}{1 + t^2}\, dt + \frac{1}{\alpha}\int_0^{\infty} \frac{\ln t}{1 + t^2}\, dt \xleftrightarrow{\ t = \tan u\ } \frac{\ln\alpha}{\alpha}\left[\tan^{-1} t\right]_0^{\infty} + \frac{1}{\alpha}\int_0^{\frac{\pi}{2}} \ln(\tan u)\, du$

$\xleftarrow{\ [\text{문제}123]\ } \dfrac{\pi\ln\alpha}{2\alpha}.$ 양변을 α로 미분한다.

$\Rightarrow I'(\alpha) = -2\alpha \displaystyle\int_0^{\infty} \frac{\ln x}{(\alpha^2 + x^2)^2}\, dx = \frac{\pi(1 - \ln\alpha)}{2\alpha^2} \xrightarrow{\ \alpha = 1\ } \therefore \text{준 식} = -\frac{\pi}{4}.$

258 (1) 준 식 $\xleftrightarrow{\ x - \frac{1}{x} = y\ } \displaystyle\int_0^1 \frac{\ln(1 + y)}{1 + y^2}\, dy \xleftarrow{\ [\text{문제}108]\ } \frac{\pi}{8}\ln 2.$

(2) 준 식 $\xleftrightarrow{\ x - \frac{1}{x} = y\ } \displaystyle\int_0^1 \frac{\ln(1 + y)}{1 + y^2}\, dy \xleftrightarrow{\ y = \tan\theta\ } \int_0^{\frac{\pi}{4}} \ln(1 + \tan\theta)\, d\theta \xleftarrow{\ [\text{정리}24, (1)]\ }$

$= \displaystyle\int_0^{\frac{\pi}{4}} \ln\left(1 + \tan\left(\frac{\pi}{4} - \theta\right)\right) d\theta = \int_0^{\frac{\pi}{4}} \ln\left(\frac{2}{1 + \tan\theta}\right) d\theta = \frac{\pi}{4}\ln 2 - \int_0^{\frac{\pi}{4}} \ln(1 + \tan\theta)\, d\theta$

$\Rightarrow \therefore \text{준식} = \frac{\pi}{8}\ln 2.$

259 (1) $\sin^{-1}\dfrac{1}{\sqrt{1+y^2}} = \theta \xleftrightarrow{\text{아래그림}} \tan^{-1}\dfrac{1}{y}$

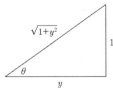

(2) 준 식 $= I = \xleftrightarrow{x=\frac{1}{1+y^2}} \displaystyle\int_0^\infty \frac{2y\sin^{-1}\dfrac{1}{\sqrt{1+y^2}}}{1+y^2+y^4}\,dy \xleftrightarrow{(1)} \int_0^\infty \frac{2y\tan^{-1}\dfrac{1}{y}}{1+y^2+y^4}\,dy \xleftarrow{\frac{1}{y}=t}$

$\displaystyle = \int_0^\infty \frac{2t\tan^{-1}t}{1+t^2+t^4}\,dt = \int_0^\infty \frac{2y\tan^{-1}y}{1+y^2+y^4}\,dy \Rightarrow 2I = \int_0^\infty \frac{2y\left(\tan^{-1}y+\tan^{-1}\dfrac{1}{y}\right)}{1+y^2+y^4}\,dy.$

(3) $\displaystyle\int_0^\infty \frac{x}{1+x^2+x^4}\,dx = \frac{1}{2}\int_0^\infty \frac{1}{1-x+x^2} - \frac{1}{1+x+x^2}\,dx$

$\displaystyle = \frac{1}{2}\int_0^\infty \frac{1}{\dfrac{3}{4}+\left(x-\dfrac{1}{2}\right)^2} - \frac{1}{\dfrac{3}{4}+\left(x+\dfrac{1}{2}\right)^2}\,dx$

$\displaystyle = \frac{1}{\sqrt 3}\left[\tan^{-1}\left(\frac{2}{\sqrt 3}\left(x-\frac{1}{2}\right)\right) - \tan^{-1}\left(\frac{2}{\sqrt 3}\left(x+\frac{1}{2}\right)\right)\right]_0^\infty = \frac{\pi}{3\sqrt 3}.$

$\displaystyle \therefore I = \int_0^\infty \frac{y\left(\tan^{-1}y+\tan^{-1}\dfrac{1}{y}\right)}{1+y^2+y^4}\,dy \xleftarrow{[\text{정리}56,(6)]} \frac{\pi}{2}\int_0^\infty \frac{x}{1+x^2+x^4}\,dx \xleftrightarrow{(3)} \frac{\pi^2}{6\sqrt 3}.$

260 준 식 $= \displaystyle\int_0^1 \frac{1}{(1+e^x)(1+x^2)}\,dx + \int_{-1}^0 \frac{1}{(1+e^x)(1+x^2)}\,dx \xleftrightarrow{x=-t}$

$\displaystyle = \int_0^1 \frac{1}{(1+e^x)(1+x^2)}\,dx + \int_0^1 \frac{e^t}{(1+e^t)(1+t^2)}\,dt = \int_0^1 \frac{1}{1+x^2}\,dx = \frac{\pi}{4}.$

261 준 식 $= \dfrac{1}{2}\displaystyle\int_0^{\frac{\pi}{2}} e^x[\cos(\sin x) + \sin(\sin x) + \cos x\{\cos(\sin x) - \sin(\sin x)\}]\,dx$

$= \dfrac{1}{2}\displaystyle\int_0^{\frac{\pi}{2}} [e^x(\cos(\sin x) + \sin(\sin x))]'\,dx = \frac{1}{2}\left(e^{\frac{\pi}{2}}\cos 1 - 1\right).$

262 준 식 $= \displaystyle\int_0^{\frac{\pi}{3}} \frac{2\cos^2 x + \sin^2 x}{\cos x \sqrt{\cos x}}\,dx = \int_0^{\frac{\pi}{3}} \frac{2\cos x \sqrt{\cos x} + \sin^2 x\,\dfrac{1}{\sqrt{\cos x}}}{\cos x}\,dx$

$= \displaystyle\int_0^{\frac{\pi}{3}} \left(\frac{2\sin x}{\sqrt{\cos x}}\right)' dx = \left[\frac{2\sin x}{\sqrt{\cos x}}\right]_0^{\frac{\pi}{3}} = \sqrt{6}\,.$

263 준 식 $= \displaystyle\int_{e^{e^{e}}}^{e^{e^{e^{e}}}} \big(\ln(\ln(\ln(\ln x)))\big)'\,dx = 1.$

264 (1) 빗금 친 부분의 넓이는 x의 범위가 0에서 π까지의 넓이와 일치한다.

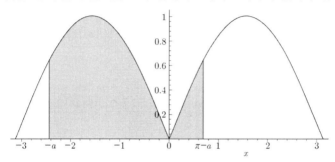

$\therefore$ 준 식 $\xleftarrow{\ 2x-a=t\ } \dfrac{1}{2}\displaystyle\int_{-a}^{\pi-a} \sin|t|\,dt \xleftarrow{(1)} \dfrac{1}{2}\int_0^{\pi} \sin t\,dt = 1.$

265 준 식 $\xleftarrow{\ e^x \sin x = u\ } \displaystyle\int_{\frac{e^{\frac{\pi}{4}}}{\sqrt{2}}}^{\frac{e^{\frac{\pi}{3}}\sqrt{3}}{2}} \frac{1}{\sqrt{u}}\,du = 2\left(\sqrt{\frac{e^{\frac{\pi}{3}}\sqrt{3}}{2}} - \sqrt{\frac{e^{\frac{\pi}{4}}\sqrt{2}}{2}}\right).$

266 준 식 $\xleftarrow{\ \frac{-1+\sqrt{1+4x}}{2}=u\ } \displaystyle\int_1^2 (1+2u)\ln u\,du = \int_1^2 \ln u\,du + \int_1^2 2u\ln u\,du$

$\xleftarrow{\ 부분적분\ } 6\ln 2 - \dfrac{3}{2}\,.$

267 (1) $\cos\alpha = \dfrac{\sin\alpha}{2\alpha},\ \cos\beta = \dfrac{\sin\beta}{2\beta}\,.$

$I = \displaystyle\int_0^1 \sin\alpha x \sin\beta x\,dx = -\frac{1}{2}\int_0^1 \cos(\alpha+\beta)x - \cos(\alpha-\beta)x\,dx$

$$= \frac{1}{2}\left[\frac{\sin(\alpha-\beta)}{\alpha-\beta} - \frac{\sin(\alpha+\beta)}{\alpha+\beta}\right]$$

$$= \frac{1}{2}\left[\frac{\sin\alpha\cos\beta - \sin\beta\cos\alpha}{\alpha-\beta} - \frac{\sin\alpha\cos\beta + \sin\beta\cos\alpha}{\alpha+\beta}\right]$$

$$\xrightarrow[\text{양변에 } \frac{\alpha^2-\beta^2}{\alpha^2} \text{ 을 곱}]{}\left(\frac{\alpha^2-\beta^2}{\alpha^2}\right)I = -\frac{1}{\alpha}\cos\alpha\sin\beta + \frac{\beta}{\alpha^2}\sin\alpha\cos\beta \xleftrightarrow{(1)} 0. \quad \therefore I = 0.$$

268 준 식

$$= \int_0^{\frac{\pi}{4}} \frac{\left(\frac{1}{1+x}\right)\cos^2 x + 2\sin x\cos x\ln(1+x)}{\cos^4 x}dx = \int_0^{\frac{\pi}{4}} \frac{(\ln(1+x))'\cos^2 x - (\cos^2 x)'\ln(1+x)}{\cos^4 x}dx$$

$$= \int_0^{\frac{\pi}{4}}\left(\frac{\ln(1+x)}{\cos^2 x}\right)' dx = 2\ln\left(1+\frac{\pi}{4}\right).$$

269 준 식 $\xleftrightarrow{\sqrt{x}=u}$ $2\int_0^{\frac{\pi}{2}}(2u\sin u + u^2\cos u)du = 2\int_0^{\frac{\pi}{2}}(u^2\sin u)'\,du = \frac{\pi^2}{2}.$

270 $I_k = \int_{-1}^1 {}_nC_k(1+x)^{n-k}(1-x)^k dx \xleftrightarrow[g'(x)=(1+x)^{n-k}]{f(x)=(1-x)^k}$

$$= \int_{-1}^1 {}_nC_{k-1}(1+x)^{n-(k-1)}(1-x)^{k-1}dx = I_{k-1} \xleftrightarrow{\text{반복}} I_0 = \int_{-1}^1(1+x)^n dx = \frac{2^{n+1}}{n+1}.$$

271 (1) $(1+\cos x)^n = 2^n\cos^{2n}\left(\frac{x}{2}\right).$

(2) $I_n = \int_0^{\frac{\pi}{2}}\frac{1}{(1+\cos x)^n}dx \xleftrightarrow{(1)} \frac{1}{2^n}\int_0^{\frac{\pi}{2}}\sec^{2n}\left(\frac{x}{2}\right)dx = \frac{1}{2^n}\int_0^{\frac{\pi}{2}}\left(1+\tan^2\frac{x}{2}\right)^n dx \xleftrightarrow{\tan\frac{x}{2}=t}$

$$= \frac{1}{2^{n-1}}\int_0^1(1+t^2)^{n-1}dt = \frac{1}{2^{n-1}}\int_0^1(1+x^2)^{n-1}dx.$$

$$\therefore I_{n+1} = \frac{1}{2^n}\int_0^1(1+x^2)^n dx = \frac{1}{2^n}\int_0^1(1+x^2)^{n-1}dx + \frac{1}{2^n}\int_0^1 x^2(1+x^2)^{n-1}dx$$

$$\xleftrightarrow[g'(x)=2x(1+x^2)^{n-1}]{f(x)=\frac{x}{2}} \frac{1}{2}I_{n-1} + \frac{1}{2n} - \frac{1}{2n}I_{n+1} \Rightarrow I_{n+1} = \frac{1+nI_{n-1}}{1+2n}, (I_1=1).$$

272 (1) $0 \le x, y \le \infty$ $\xrightarrow[\text{아래 그림}]{x=uv,\ y=u(1-v)}$ $0 \le u \le \infty, 0 \le v \le 1.$

$$\left(u=x+y, v=\frac{x}{x+y}\right) \Rightarrow \begin{cases} x=0 \to v=0, u=y \\ y=0 \to v=1, u=x \\ x=1 \to 1 \le u \le \infty, v=\dfrac{1}{u} \\ x=2 \to 2 \le u \le \infty, v=\dfrac{2}{u} \end{cases}$$

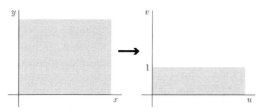

$\therefore$ 준 식 $\xleftarrow[\text{[정리 46]}]{(1)} \displaystyle\int_0^\infty \int_0^1 \frac{\sin^3 u}{u^2} dv du = \int_0^\infty \frac{\sin^3 u}{u^2} du = \int_0^\infty \sin^3 u \left(\int_0^\infty t e^{-ut} dt \right) du$

$= \displaystyle\int_0^\infty \int_0^\infty t e^{-ut} \sin^3 u\, du dt = \int_0^\infty t \left(\int_0^\infty e^{-ut} \sin^3 u\, du \right) dt$

$= \displaystyle\int_0^\infty t \left(\int_0^\infty \frac{e^{-ut}(3\sin u - \sin 3u)}{4} du \right) dt \xleftarrow{\text{부분적분}} \frac{3}{4} \int_0^\infty \frac{t}{1+t^2} - \frac{t}{9+t^2} dt = \frac{3}{4} \ln 3.$

273 준 식 $= \displaystyle\int_0^1 \frac{\sin x}{x} dx + \int_0^1 \frac{\sin \frac{1}{x}}{x} dx \xleftarrow{\frac{1}{x}=t} \int_0^1 \frac{\sin x}{x} d + \int_1^\infty \frac{\sin t}{t} dt$

$= \displaystyle\int_0^\infty \frac{\sin x}{x} dx \xleftarrow{\text{[문제 19]}} \frac{\pi}{2}.$

274 (1) [문제 40]에서 $\displaystyle\int_0^\infty \frac{x^{p-1}}{1+x} dx = \frac{\pi}{\sin(p\pi)}$ 이다. 양변을 p로 미분한다.

$\therefore \displaystyle\int_0^\infty \left(\frac{x^{p-1}}{1+x} \right) \ln x\, dx = -\pi^2 \text{cosec}(p\pi) \cot(p\pi).$

275 (1) $\mathcal{L}(t^a) \xleftarrow{\text{[정리 187]}} \displaystyle\int_0^\infty e^{-st} t^a dt \xleftarrow{st=x} \frac{1}{s^{a+1}} \int_0^\infty e^{-x} x^a dx \xleftarrow{\text{[정리 81]}}$

$= \dfrac{\Gamma(a+1)}{s^{a+1}} \Rightarrow \dfrac{1}{s^{a+1}} = \dfrac{1}{\Gamma(a+1)} \displaystyle\int_0^\infty e^{-st} t^a dt.$

$$\therefore \text{준 식} \xleftrightarrow{x^3=t} \frac{1}{3}\int_0^\infty \cot t\left(\frac{1}{t^{\frac{1}{3}}}\right)dt \xleftarrow{(1)} \frac{1}{3\Gamma\left(\frac{1}{3}\right)}\int_0^\infty \cot t\left(\int_0^\infty e^{-tu}u^{-\frac{2}{3}}du\right)dt$$

$$= \frac{1}{3\Gamma\left(\frac{1}{3}\right)}\int_0^\infty\int_0^\infty \cot t\, e^{-tu}u^{-\frac{2}{3}}dtdu = \frac{1}{3\Gamma\left(\frac{1}{3}\right)}\int_0^\infty u^{-\frac{2}{3}}\left(\int_0^\infty e^{-tu}\cot t\, dt\right)du \xleftarrow{\text{부분적분}}$$

$$= \frac{1}{3\Gamma\left(\frac{1}{3}\right)}\int_0^\infty u^{-\frac{2}{3}}\left(\frac{u}{1+u^2}\right)du = \frac{1}{3\Gamma\left(\frac{1}{3}\right)}\int_0^\infty \frac{u^{\frac{1}{3}}}{1+u^2}du \xleftarrow{u=\tan\theta} \frac{1}{3\Gamma\left(\frac{1}{3}\right)}\int_0^{\frac{\pi}{2}}\tan^{\frac{1}{3}}\theta\, d\theta$$

$$\xleftarrow{[\text{문제 }54]} \frac{1}{3\Gamma\left(\frac{1}{3}\right)}\cdot\frac{\Gamma\left(\frac{2}{3}\right)\Gamma\left(\frac{1}{3}\right)}{2\Gamma\left(\frac{2}{3}+\frac{1}{3}\right)} = \frac{1}{6}\Gamma\left(\frac{2}{3}\right).$$

276 $\text{준 식} = \displaystyle\int_0^{\frac{\pi}{2}}\frac{\sec^2x}{(1+\sqrt[n]{\tan x})^{2n}}dx \xleftarrow{\tan x=t^n} n\int_0^\infty t^{n-1}\left(\frac{1}{(1+t)^{2n}}\right)dt \xleftarrow{[\text{문제 }275,(1)]}$

$$= \frac{n}{\Gamma(2n)}\int_0^\infty t^{n-1}\int_0^\infty e^{-(1+t)u}u^{2n-1}du\,dt = \frac{n}{\Gamma(2n)}\int_0^\infty\int_0^\infty u^{2n-1}e^{-(1+t)u}t^{n-1}dtdu$$

$$= \frac{n}{\Gamma(2n)}\int_0^\infty u^{2n-1}e^{-u}\left(\int_0^\infty e^{-tu}t^{n-1}dt\right)du \xrightarrow{[\text{정리 }187]} \frac{n}{\Gamma(2n)}\int_0^\infty u^{2n-1}e^{-u}\,\mathcal{L}\left(t^{n-1}\right)du$$

$$\xleftarrow{[\text{정리 }187,(11)]} \frac{n}{\Gamma(2n)}\int_0^\infty u^{2n-1}e^{-u}\frac{\Gamma(n)}{u^n}du = \frac{n\Gamma(n)}{\Gamma(2n)}\int_0^\infty u^{n-1}e^{-u}du \xleftarrow{[\text{정리 }81]}$$

$$= \frac{n\Gamma(n)\Gamma(n)}{\Gamma(2n)} \xleftarrow{[\text{정리 }81]} n\frac{(n-1)!\,(n-1)!}{(2n-1)!} = \frac{2(n!)^2}{(2n)!}.$$

277 $\text{준 식} = \displaystyle\int_0^{\frac{\pi}{4}}\frac{1}{\cos^2x(\tan^2x+\tan x+1)}dx \xleftrightarrow{\tan x=u} \int_0^1 \frac{1}{u^2+u+1}du$

$$= \int_0^1 \frac{1}{\left(u+\frac{1}{2}\right)^2+\frac{3}{4}}du = \frac{2}{\sqrt{3}}\left[\tan^{-1}\left(\frac{2u+1}{\sqrt{3}}\right)\right]_0^1 = \frac{2}{\sqrt{3}}\left(\frac{\pi}{3}-\frac{\pi}{6}\right) = \frac{\pi}{3\sqrt{3}}.$$

278 $\text{준 식} = \displaystyle\frac{1}{2}\int_0^1 \frac{1}{x^2+\sqrt{2}x+1}+\frac{1}{x^2-\sqrt{2}x+1}dx$

$$= \frac{1}{2}\int_0^1 \frac{1}{\left(x+\frac{1}{\sqrt{2}}\right)^2+\frac{1}{2}}+\frac{1}{\left(x-\frac{1}{\sqrt{2}}\right)^2+\frac{1}{2}}dx$$

$$= \frac{\sqrt{2}}{2} \left[\tan^{-1}(\sqrt{2}\,x+1) + \tan^{-1}(\sqrt{2}\,x-1) \right]_0^1$$

$$= \frac{1}{\sqrt{2}} \left[\tan^{-1}(\sqrt{2}+1) + \tan^{-1}(\sqrt{2}-1) \right] - \frac{\sqrt{2}\,\pi}{4} \xleftarrow{[\text{정리}56,(6)]} \frac{\pi}{2\sqrt{2}}.$$

279 준 식 $= \displaystyle\int_0^1 1 + \frac{x^2-1}{x^4+1}\,dx = 1 + \frac{1}{2\sqrt{2}} \int_0^1 \frac{2x-\sqrt{2}}{x^2-\sqrt{2}\,x+1} - \frac{2x+\sqrt{2}}{x^2+\sqrt{2}\,x+1}\,dx$

$$= 1 + \frac{1}{2\sqrt{2}} \left[\ln(x^2 - \sqrt{2}\,x+1) - \ln(x^2 + \sqrt{2}\,x+1) \right]_0^1 = 1 + \frac{1}{2\sqrt{2}} \ln\left(\frac{2-\sqrt{2}}{2+\sqrt{2}} \right).$$

280 준 식 $\xleftarrow[g'(x)=1]{f(x)=\tan^{-1}\sqrt{2}} \dfrac{\pi}{4} - \dfrac{1}{2} \displaystyle\int_0^1 \frac{\sqrt{x}}{1+x}\,dx \xleftarrow{\sqrt{x}=t} \dfrac{\pi}{4} - \int_0^1 1 - \frac{1}{1+t^2}\,dt$

$$= \frac{\pi}{4} - \left[t - \tan^{-1} t \right]_0^1 = \frac{\pi}{2} - 1.$$

281 준 식 $= \displaystyle\int_0^1 \frac{x}{1+e^x}\,dx + \int_{-1}^0 \frac{|x|}{1+e^x}\,dx \xleftarrow{x=-t} \int_0^1 \frac{x}{1+e^x}\,dx + \int_0^1 \frac{te^t}{1+e^t}\,dt$

$$= \int_0^1 \frac{x(1+e^x)}{1+e^x}\,dx = \frac{1}{2}.$$

282 준 식 $= \displaystyle\int_0^1 \frac{(x+a\sqrt{x}) + \left(\frac{x}{2} + \frac{a}{4}\sqrt{x} \right)}{\sqrt{x+a\sqrt{x}}}\,dx = \int_0^1 \sqrt{x+a\sqrt{x}} + \frac{x\left[\frac{1}{2} + \frac{a}{4\sqrt{x}} \right]}{\sqrt{x+a\sqrt{x}}}\,dx$

$$= \int_0^1 (x')\sqrt{x+a\sqrt{x}} + x\left(\sqrt{x+a\sqrt{x}} \right)'\,dx = \int_0^1 \left(x\sqrt{x+a\sqrt{x}} \right)'\,dx = \sqrt{1+a} \xleftarrow{\text{조건식}} 2008.$$

283 준 식 $\xleftarrow{\sqrt{1-x}=u} 2\displaystyle\int_0^1 \frac{1}{1+u^2}\,du = 2\left[\tan^{-1} u \right]_0^1 = \frac{\pi}{2}.$

284 (1) $\theta_1 + \theta_2 \xleftarrow{\text{조건식}} \dfrac{\pi}{2}$, $f(\theta) = \dfrac{1}{1+\tan\theta}$ 라고 하자. $f\left(\dfrac{\pi}{2} - \theta \right) + f(\theta) = 1$ 된다.

$\therefore$ 준 식 $\xleftarrow[(1)]{[\text{정리}24,(1)]} \displaystyle\int_{\theta_1}^{\theta_2} f(\theta_2 + \theta_1 - \theta)\,d\theta \xleftarrow{(1)} \int_{\theta_1}^{\theta_2} f\left(\dfrac{\pi}{2} - \theta \right) d\theta = \dfrac{1}{2} \int_{\theta_1}^{\theta_2} f(\theta) + f\left(\dfrac{\pi}{2} - \theta \right) d\theta$

$$\xleftarrow{(1)} \frac{1}{2} \int_{\theta_1}^{\theta_2} 1\,d\theta = \frac{\theta_2 - \theta_1}{2} = \frac{501\pi}{2008}.$$

285 준 식 $= \int_0^\pi e^{x^2 + \sin x} + x(2x + \cos x)e^{x^2 + \sin x} - \dfrac{\pi}{2}(2x + \cos x)e^{x^2 + \sin x}\, dx$

$= \int_0^\pi \left(xe^{x^2 + \sin x}\right)' - \dfrac{\pi}{2}\left(e^{x^2 + \sin x}\right)' dx = \left[xe^{x^2 + \sin x} - \dfrac{\pi}{2}e^{x^2 + \sin x}\right]_0^\pi = \dfrac{\pi}{2}\left(1 + e^{\pi^2}\right).$

286 준 식 $\xrightarrow{\;x = \frac{\pi}{2} - 2y\;} \int_{-\frac{\pi}{4}}^{\frac{\pi}{4}} (\pi - 4y)\sqrt{1 + |\sin 2y|}\; dy \xleftarrow{\;우함수, 기함수\;}$

$= 2\pi \int_0^{\frac{\pi}{4}} \sqrt{1 + |\sin 2y|}\; dy = 2\pi \int_0^{\frac{\pi}{4}} \sqrt{|\sin^2 y| + 2|\sin y||\cos y| + |\cos^2 y|}\; dy$

$= 2\pi \int_0^{\frac{\pi}{4}} |\sin y| + |\cos y|\, dy = 2\pi\left[-\cos y + \sin y\right]_0^{\frac{\pi}{4}} = 2\pi.$

287 (1) $\Gamma(z) \xleftarrow{\;[정리\ 81]\;} \int_0^\infty t^{z-1}e^{-t}dt \xleftarrow{\;t = ns\;} n^z \int_0^\infty s^{z-1}e^{-ns}ds = n^z \int_0^\infty t^{z-1}e^{-nt}dt$

$\Rightarrow \dfrac{\Gamma(z)}{n^z} = \int_0^\infty t^{z-1}e^{-nt}dt \Rightarrow \sum_{n=1}^\infty \dfrac{\Gamma(z)}{n^z} = \sum_{n=1}^\infty \int_0^\infty t^{z-1}e^{-nt}dt \xrightarrow{\;[정리\ 115]\;}$

$\Rightarrow \Gamma(z)\zeta(z) = \int_0^\infty t^{z-1}\left(\sum_{n=1}^\infty e^{-nt}\right)dt = \int_0^\infty t^{z-1}\left(\dfrac{e^{-t}}{1 - e^{-t}}\right)dt = \int_0^\infty \dfrac{t^{z-1}}{e^t - 1}\, dt.$

$\therefore$ 준 식 $\xrightarrow{\;\frac{(1)}{z=4}\;} \Gamma(4)\zeta(4) \xrightarrow[\;[수열과\ 급수,14]\;]{\;[정리\ 81]\;} \dfrac{\pi^4}{15}.$

288 준 식 $= \int_0^1 [f(x)g'(x) + f'(x)g(x)] + \dfrac{f'(x)g(x) - f(x)g'(x)}{g^2(x)}\, dx$

$= \int_0^1 [f(x)g(x)]' + \left(\dfrac{f(x)}{g(x)}\right)' dx = \left[f(x)g(x) + \dfrac{f(x)}{g(x)}\right]_0^1 \xrightarrow{\;조건식\;} 2009.$

289 (1) $I = \int_0^{\frac{\pi}{2}} \cos\theta f(\sin\theta + \cos^2\theta)d\theta \xleftarrow{\;\sin\theta = t\;} \int_0^1 f(t + 1 - t^2)dt.$

(2) $J = \int_0^{\frac{\pi}{2}} \sin 2\theta f(\sin\theta + \cos^2\theta)d\theta \xleftarrow{\;\sin\theta = t\;} 2\int_0^1 t f(t + 1 - t^2)dt \xleftarrow{\;1 - t = u\;}$

$= 2\int_0^1 (1 - u)f(u + 1 - u^2)\, du = 2\int_0^1 f(u + 1 - u^2)du - J \xleftarrow{\;(1)\;} 2I - J \Rightarrow \therefore I = J.$

290 준 식 $= \displaystyle\int_0^1 \frac{e^x}{1+\cos x}\,dx + \int_0^1 \left(\frac{\sin x}{1+\cos x}\right)e^x\,dx \xleftarrow{\text{부분적분}}$

$= \displaystyle\int_0^1 \frac{e^x}{1+\cos x}\,dx + \frac{e\sin(1)}{1+\cos(1)} - \int_0^1 \frac{e^x}{1+\cos x}\,dx = \frac{e\sin(1)}{1+\cos(1)}.$

291 (1) $1+\sqrt{3}\,\tan\left(\dfrac{\pi}{3}-x\right) = 1+\sqrt{3}\cdot\dfrac{\sqrt{3}-\tan x}{1+\sqrt{3}\,\tan x} = \dfrac{4}{1+\sqrt{3}\,\tan x}.$

$I = \displaystyle\int_0^{\frac{\pi}{3}} \ln\left(1+\sqrt{3}\,\tan x\right)dx \xleftarrow{[정리]24,(1)} \int_0^{\frac{\pi}{3}} \ln\left(1+\sqrt{3}\,\tan\left(\frac{\pi}{3}-x\right)\right)dx \xrightarrow{(1)}$

$= \displaystyle\int_0^{\frac{\pi}{3}} \ln 4 - \ln\left(1+\sqrt{3}\,\tan x\right)dx = \frac{\pi}{3}\ln 4 - I \Rightarrow \therefore I = \frac{\pi}{6}\ln 4.$

292 준 식 $\xleftarrow{x=t+\frac{\pi}{2}} \displaystyle\int_{-\frac{\pi}{2}}^{\frac{\pi}{2}} t\sin^2 t\,dt + \frac{\pi}{2}\int_{-\frac{\pi}{2}}^{\frac{\pi}{2}} \sin^2 t\,dt \xleftarrow{\text{우함수, 기함수}} \pi\int_0^{\frac{\pi}{2}} \sin^2 t\,dt$

$= \dfrac{\pi}{2}\displaystyle\int_0^{\frac{\pi}{2}} 1 - \cos 2t\,dt = \dfrac{\pi^2}{4}.$

293 준 식 $= \displaystyle\int_0^{\frac{\pi}{4}} \frac{\cos x}{\sin^4 x - \sin^2 x + 1}\,dx + \int_0^{\frac{\pi}{4}} \frac{\sin x}{\cos^4 x - \cos^2 x + 1}\,dx \xleftarrow{\substack{u=\sin x \\ v=\cos x}}$

$= \displaystyle\int_0^{\frac{1}{\sqrt{2}}} \frac{du}{u^4-u^2+1} - \int_1^{\frac{1}{\sqrt{2}}} \frac{dv}{v^4-v^2+1} = \int_0^1 \frac{1}{x^4-x^2+1}\,dx = \int_0^1 \frac{\dfrac{1}{x^2}\,dx}{x^2+\dfrac{1}{x^2}-1}$

$= \dfrac{1}{2}\displaystyle\int_0^1 \frac{d\left(x-\frac{1}{x}\right) - d\left(x+\frac{1}{x}\right)}{x^2+\frac{1}{x^2}-1} = \frac{1}{2}\left(\int_0^1 \frac{d\left(x-\frac{1}{x}\right)}{\left(x-\frac{1}{x}\right)^2+1} - \int_0^1 \frac{d\left(x+\frac{1}{x}\right)}{\left(x+\frac{1}{x}\right)^2-3}\right)$

$= \dfrac{1}{2}\left[\tan^{-1}\left(x-\frac{1}{x}\right) - \frac{1}{2\sqrt{3}}\ln\left(\frac{x+\frac{1}{x}-\sqrt{3}}{x+\frac{1}{x}+\sqrt{3}}\right)\right]_0^1 = \frac{\pi}{4} - \frac{1}{2\sqrt{3}}\ln(2-\sqrt{3}).$

294 준 식 $\xleftarrow{x^{2n}=t} \dfrac{1}{2n}\displaystyle\int_0^{\infty} \frac{t^{\frac{1}{2n}-1}}{1+t}\,dt \xleftarrow{[문제40]} \frac{\pi}{2n\sin\left(\frac{\pi}{2n}\right)}.$

295 준 식 $\xleftarrow{x^2=t}$ $\dfrac{1}{2}\displaystyle\int_0^\infty \dfrac{t^{\frac{\alpha}{2}-1}}{1+t}\,dt \xleftarrow{\text{[문제40]}} \dfrac{\pi}{2\sin\left(\dfrac{\alpha\pi}{2}\right)}$.

296 (1) $f(n)=\displaystyle\int_{-\infty}^{\infty}\dfrac{\cos(nx)}{(x^2+1)^2}\,dx \xleftarrow{\text{우함수}} 2\displaystyle\int_0^\infty \dfrac{\cos(nx)}{(x^2+1)^2}\,dx$. 양변을 미분한다.

$f'(n)=\displaystyle\int_0^\infty \dfrac{(-2x)\sin(nx)}{(x^2+1)^2}\,dx \xleftarrow[\substack{v'(x)=\dfrac{-2x}{(x^2+1)^2}}]{u(x)=\sin(nx)} (-n)\displaystyle\int_0^\infty \dfrac{\cos(nx)}{1+x^2}\,dx \xleftarrow{\text{[문제86]}}$

$\qquad =\dfrac{(-n)e^{-n}\pi}{2}$.

(2) $\displaystyle\int_0^m f'(n)dn=f(m)-f(0)=\displaystyle\int_{-\infty}^{\infty}\dfrac{\cos(mx)}{(x^2+1)^2}\,dx-\displaystyle\int_{-\infty}^{\infty}\dfrac{1}{(x^2+1)^2}\,dx \xrightarrow[x=\tan\theta]{(1),\,\text{우함수}}$

$\Rightarrow \displaystyle\int_0^m \dfrac{(-n)e^{-n}\pi}{2}\,dn=\displaystyle\int_{-\infty}^{\infty}\dfrac{\cos(mx)}{(x^2+1)^2}\,dx-2\displaystyle\int_0^{\frac{\pi}{2}}\cos^2\theta\,d\theta \xrightarrow{\text{부분적분}}$

$\Rightarrow \dfrac{\pi}{2}(me^{-m}+e^{-m}-1)=\displaystyle\int_{-\infty}^{\infty}\dfrac{\cos(mx)}{(x^2+1)^2}\,dx-\dfrac{\pi}{2} \Rightarrow \therefore \text{준식}=\dfrac{\pi}{2}e^{-n}(n+1)$.

297 (1) $(x_1+x_2)' \xleftarrow{\text{조건식}} -2(x_1+x_2)+e^{-t} \Rightarrow (x_1+x_2)'+2(x_1+x_2)=e^{-t} \xrightarrow{\text{[정리70]}}$

$\Rightarrow x_1+x_2=e^{-\int 2dt}\left[\displaystyle\int e^{-t}e^{\int 2dt}\,dt+c\right]=e^{-2t}\left[\displaystyle\int e^t\,dt+c\right]=e^{-t}+ce^{-2t} \xrightarrow{t=0}$

$\Rightarrow x_1(0)+x_2(0)=e^0+ce^0=1+c \Rightarrow c=-1 \Rightarrow x_1+x_2=e^{-t}-e^{-2t}$.

$\therefore \text{준 식} \xleftarrow{(1)} \displaystyle\int_0^\infty e^{-t}-e^{-2t}\,dt=\dfrac{1}{2}$.

298 (1) $\displaystyle\int_{\frac{\pi}{2}}^{\frac{3\pi}{2}}(xf(x))'\,dx=\displaystyle\int_{\frac{\pi}{2}}^{\frac{3\pi}{2}}f(x)\,dx+\displaystyle\int_{\frac{\pi}{2}}^{\frac{3\pi}{2}}xf'(x)\,dx \xrightarrow{\text{조건식}}$

$\Rightarrow \dfrac{3\pi}{2}f\left(\dfrac{3\pi}{2}\right)-\dfrac{\pi}{2}f\left(\dfrac{\pi}{2}\right)=\displaystyle\int_{\frac{\pi}{2}}^{\frac{3\pi}{2}}f(x)\,dx+\displaystyle\int_{\frac{\pi}{2}}^{\frac{3\pi}{2}}\cos x\,dx \xrightarrow{\text{조건식}}$

$\dfrac{\pi}{2}(3b-a)=\displaystyle\int_{\frac{\pi}{2}}^{\frac{3\pi}{2}}f(x)\,dx-2$

$\therefore \text{준 식} = 2+\dfrac{\pi}{2}(3b-a)$.

299 준 식 $= \int_0^1 \frac{1}{x^2+1}\,dx + \int_0^1 \frac{2x}{(x^2+1)^2}\,dx = \left[\tan^{-1}x\right]_0^1 + \int_0^1 \frac{d(x^2+1)}{(x^2+1)^2}$

$= \frac{\pi}{4} - \left[\frac{1}{x^2+1}\right]_0^1 = \frac{\pi}{4} + \frac{1}{2}.$

300 (1) $\int_1^{\sqrt{2}-1} \frac{\ln u}{u}\,du \xleftarrow[\,g'(u)=u^{-1}\,]{f(u)=\ln u} \ln^2(\sqrt{2}-1) - \int_1^{\sqrt{2}-1} \frac{\ln u}{u}\,du$

$\Rightarrow \int_1^{\sqrt{2}-1} \frac{\ln u}{u}\,du = \frac{1}{2}\ln^2(\sqrt{2}-1).$

(2) $\int_1^{\sqrt{2}-1} \frac{\ln u}{(1+u)^2}\,du \xleftarrow[\,g'(u)=(1+u)^{-2}\,]{f(u)=\ln u} -\frac{\ln(\sqrt{2}-1)}{\sqrt{2}} + \int_1^{\sqrt{2}-1} \frac{1}{u(1+u)}\,du$

$= -\frac{\ln(\sqrt{2}-1)}{\sqrt{2}} + \left[\ln u - \ln(u+1)\right]_1^{\sqrt{2}-1} = \left(\frac{\sqrt{2}-1}{\sqrt{2}}\right)\ln(\sqrt{2}-1) - \ln\sqrt{2}.$

$\therefore$ 준 식 $\xleftarrow[\quad]{\frac{1-x}{1+x}=u} \int_1^{\sqrt{2}-1} \frac{(u^2+1)\ln u}{u(1+u)^2}\,du = \int_1^{\sqrt{2}-1} \frac{\ln u}{u} - \frac{2\ln u}{(1+u)^2}\,du \xleftarrow[\quad]{(1),(2)}$

$= \frac{1}{2}\ln^2(\sqrt{2}-1) + (\sqrt{2}-2)\ln(\sqrt{2}-1) + 2\ln\sqrt{2}.$

301 (1) $y = \sqrt{2ax-x^2} \xrightarrow[\,y=r\sin\theta\,]{x=r\cos\theta} r = 2a\cos\theta,$

$0 \le x \le 2a,\ 0 \le y \le \sqrt{2ax-x^2} \xrightarrow{\text{아래 그림}} 0 \le \theta \le \frac{\pi}{2},\ 0 \le r \le 2a\cos\theta.$

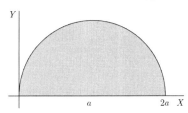

(2) $(1+\cos\psi)^2 \sin^{n-1}\psi \xleftarrow[\quad]{\sin^2\psi+\cos^2\psi=1} 2\sin^{n-1}\psi + 2\cos\psi\sin^{n-1}\psi - \sin^{n+1}\psi.$

(3) $\int_0^{\frac{\pi}{2}} \cos\psi\sin^{n-1}\psi\,d\psi = \int_0^{\frac{\pi}{2}} \sin^{n-1}\psi\,d(\sin\psi) = \left[\frac{\sin^n\psi}{n}\right]_0^{\frac{\pi}{2}} = \frac{1}{n}.$

$\therefore$ 준 식 $\xleftarrow[\quad]{f(y)=y^n,\,f'(y)=ny^{n-1}} \int_0^{2a} \int_0^{\sqrt{2ax-x^2}} \frac{x(x^2+y^2)f'(y)}{\sqrt{4(ax)^2-(x^2+y^2)^2}}\,dy\,dx$

$\xleftarrow[\,[\text{정리}46],\,(1)\,]{x=r\cos\theta,\,y=r\sin\theta} \int_0^{\frac{\pi}{2}} \int_0^{2a\cos\theta} \frac{r^3\cos\theta f'(r\sin\theta)}{\sqrt{4a^2\cos^2\theta-r^2}}\,dr\,d\theta \xleftarrow[\quad]{r=2as\cos\theta}$

$$= 8a^3 \int_0^{\frac{\pi}{2}} \int_0^1 \frac{s^3 \cos^4\theta \, f'(sa\sin(2\theta))}{\sqrt{1-s^2}} \, ds \, d\theta$$

$$= 2a^3 \int_0^{\frac{\pi}{2}} \int_0^1 \frac{s^3(1+\cos(2\theta))^2 f'(sa\sin(2\theta))}{\sqrt{1-s^2}} \, ds \, d\theta \xleftrightarrow{\psi=2\theta}$$

$$= a^3 \int_0^1 \int_0^\pi \frac{s^3(1+\cos\psi)^2 f'(sa\sin\psi)}{\sqrt{1-s^2}} \, d\psi \, ds \; = 2a^3 \int_0^1 \int_0^{\frac{\pi}{2}} \frac{s^3(1+\cos\psi)^2 f'(sa\sin\psi)}{\sqrt{1-s^2}} \, d\psi \, ds$$

$$\xleftrightarrow{s=\sin\phi} 2a^3 \int_0^{\frac{\pi}{2}} \int_0^{\frac{\pi}{2}} \sin^3\phi \, (1+\cos\psi)^2 f'(a\sin\phi\sin\psi) \, d\psi \, d\phi \xrightarrow{f'(y)=ny^{n-1}}$$

$$= 2a^3 \int_0^{\frac{\pi}{2}} \int_0^{\frac{\pi}{2}} \sin^3\phi \, (1+\cos\psi)^2 \left[na^{n-1}\sin^{n-1}\phi\sin^{n-1}\psi \right] d\psi \, d\phi$$

$$= 2na^{n+2} \left(\int_0^{\frac{\pi}{2}} \sin^{n+2}\phi \, d\phi \right) \left(\int_0^{\frac{\pi}{2}} (1+\cos\psi)^2 \sin^{n-1}\psi \, d\psi \right) \xleftarrow{(2)}$$

$$= 2na^{n+2} \left(\int_0^{\frac{\pi}{2}} \sin^{n+2}\phi \, d\phi \right) \left(\int_0^{\frac{\pi}{2}} 2\sin^{n-1}\psi + 2\cos\psi\sin^{n-1}\psi - \sin^{n+1}\psi \, d\psi \right) \xrightarrow[\text{(3)}]{\text{[정리83]}}$$

$$= na^{n+2} \sqrt{\pi} \left(\frac{\Gamma\left(\frac{n+3}{2}\right)}{\Gamma\left(2+\frac{n}{2}\right)} \right) \left(\frac{2}{n} + \frac{\Gamma\left(\frac{n}{2}\right)\sqrt{\pi}}{\Gamma\left(\frac{n+1}{2}\right)} - \frac{\Gamma\left(\frac{n+2}{2}\right)\sqrt{\pi}}{2\Gamma\left(\frac{n+3}{2}\right)} \right).$$

302 (1) $\displaystyle\int_0^\pi \frac{d\theta}{a+\cos\theta} \xleftrightarrow{\tan\frac{\theta}{2}=x} 2\int_0^\infty \frac{dx}{a(x^2+1)+(1-x^2)} = 2\int_0^\infty \frac{dx}{(a+1)+(a-1)x^2}$

$$= \frac{2}{\sqrt{a^2-1}} \left[\tan^{-1} x\sqrt{\frac{a-1}{a+1}} \right]_0^\infty = \frac{\pi}{\sqrt{a^2-1}} \xrightarrow{\text{양변을 }a\text{로 미분}}$$

$$\int_0^\pi \frac{d\theta}{(a+\cos\theta)^2} = \frac{\pi a}{(a^2-1)^{\frac{3}{2}}}$$

(2) $a > 1$인 경우: $\therefore$ 준 식 $= \displaystyle\int_0^\pi \frac{d\theta}{(a+\cos\theta)^2} + \int_\pi^{2\pi} \frac{d\theta}{(a+\cos\theta)^2} \xleftarrow{(1),\, \theta=\pi+t}$

$$= \frac{\pi a}{\sqrt{(a^2-1)^3}} + \int_0^\pi \frac{dt}{(a-\cos t)^2} \xrightarrow{\text{[문제9]}} \frac{2\pi a}{\sqrt{(a^2-1)^3}}.$$

(3) $a < -1$인 경우:

$$\therefore 준 식 = \int_0^\pi \frac{d\theta}{(a+\cos\theta)^2} + \int_0^\pi \frac{d\theta}{(a-\cos\theta)^2} \xrightarrow{-a>1} \int_0^\pi \frac{d\theta}{(-a-\cos\theta)^2} + \int_0^\pi \frac{d\theta}{(-a+\cos\theta)^2}$$

$$\xrightarrow{(2),\, \text{[문제9]}} \frac{-2\pi a}{\sqrt{(a^2-1)^3}}. \qquad \therefore 준 식 \xleftarrow{(2),(3)} \frac{2\pi|a|}{\sqrt{(a^2-1)^3}}.$$

303 준 식 $=\displaystyle\int_0^1 \frac{\left(e^{2x}+(x+2)e^x+x+1\right)'}{\left(e^x+1\right)^2\left(e^x+x+1\right)^2}\,dx = \int_0^1 \frac{\left[\left(e^x+1\right)\left(e^x+x+1\right)\right]'dx}{\left[\left(e^x+1\right)\left(e^x+x+1\right)\right]^2}$

$=\left[-\dfrac{1}{\left(e^x+1\right)\left(e^x+x+1\right)}\right]_0^1 = \dfrac{1}{4}-\dfrac{1}{(e+1)(e+2)}.$

304 $I=\displaystyle\int_{\frac{1}{a}}^{a} \frac{(x+1)f(x)}{x\sqrt{x^2+1}}\,dx \xleftarrow{\ x=y^{-1}\ } \int_{\frac{1}{a}}^{a} \frac{(y+1)f\!\left(\frac{1}{y}\right)}{y\sqrt{y^2+1}}\,dy = \int_{\frac{1}{a}}^{a} \frac{(x+1)f\!\left(\frac{1}{x}\right)}{x\sqrt{x^2+1}}\,dx$

$\Rightarrow 2I=\displaystyle\int_{\frac{1}{a}}^{a} \frac{(x+1)\left[f(x)+f\!\left(\frac{1}{x}\right)\right]}{x\sqrt{x^2+1}}\,dx \xleftarrow{\ 조건식\ } k\int_{\frac{1}{a}}^{a} \frac{x+1}{x\sqrt{x^2+1}}\,dx$

$=k\left(\displaystyle\int_{\frac{1}{a}}^{a}\frac{1}{\sqrt{x^2+1}}\,dx + \int_{\frac{1}{a}}^{a}\frac{1}{x\sqrt{x^2+1}}\,dx\right)$

$=k\left[\sinh^{-1}x+\operatorname{cosech}^{-1}x\right]_{\frac{1}{a}}^{a} = 2k\ln\!\left(\dfrac{a^2+a\sqrt{1+a^2}}{1+\sqrt{1+a^2}}\right) \Rightarrow \therefore I=k\ln\!\left(\dfrac{a^2+a\sqrt{1+a^2}}{1+\sqrt{1+a^2}}\right).$

305 $I=\displaystyle\int_{-\pi}^{\pi} \frac{\sin(3x)}{(1+2009^x)\sin x}\,dx \xleftarrow{\ [정리24,(1)]\ } \int_{-\pi}^{\pi} \frac{2009^x\sin(3x)}{(1+2009^x)\sin x}\,dx.$

$\Rightarrow 2I=\displaystyle\int_{-\pi}^{\pi} \frac{\sin(3x)}{\sin x}\,dx \xleftarrow{\ 우함수\ } 2\int_0^{\pi} \frac{\sin(3x)}{\sin x}\,dx = 2\int_0^{\pi} 3-4\sin^2 x\,dx = 4\pi \Rightarrow \therefore I=2\pi.$

306 $I=\displaystyle\int_0^{\theta}\ln(1+\tan\theta\tan x)dx \xleftarrow{\ [정리24,(1)]\ } \int_0^{\theta}\ln\!\left(\dfrac{1+\tan^2\theta}{1+\tan\theta\tan x}\right)dx$

$=\displaystyle\int_0^{\theta}\ln(1+\tan^2\theta)dx - I \Rightarrow 2I=\int_0^{\theta}\ln(1+\tan^2\theta)dx = \theta\ln(1+\tan^2\theta).$

$\therefore I=\dfrac{\theta}{2}\ln(1+\tan^2\theta).$

307 준 식 $\xleftarrow{\ x=\cos^2(2\theta)\ } 2\displaystyle\int_{\frac{\pi}{8}}^{\frac{\pi}{4}} \frac{\sin\theta}{\cos\theta}(\cos 2\theta\sin 2\theta)d\theta = 4\int_{\frac{\pi}{8}}^{\frac{\pi}{4}} 2\sin^2\theta\cos^2\theta - \sin^2\theta\,d\theta$

$=2\displaystyle\int_{\frac{\pi}{8}}^{\frac{\pi}{4}} \sin^2 2\theta\,d\theta - 2\int_{\frac{\pi}{8}}^{\frac{\pi}{4}} 1-\cos 2\theta\,d\theta = \dfrac{5}{4}-\dfrac{1}{\sqrt{2}}-\dfrac{\pi}{8}.$

308 (1) $\displaystyle\int_0^1 \frac{1}{\sqrt{1-x^a}}\,dx \xleftarrow{\;x^a=u\;} \frac{1}{a}\int_0^1 u^{\frac{1}{a}-1}(1-u)^{\frac{1}{2}-1}\,du \xleftarrow{\text{[정리82]}} \frac{1}{a}B\!\left(\frac{1}{a},\frac{1}{2}\right)$

$\xleftarrow{\text{[미분과 증명,904]}} \left(\dfrac{1}{a}\right)\dfrac{\Gamma\!\left(\frac{1}{a}\right)\Gamma\!\left(\frac{1}{2}\right)}{\Gamma\!\left(\frac{1}{a}+\frac{1}{2}\right)} \xleftarrow{\text{[정리143]}} \dfrac{\sqrt{\pi}\,\Gamma\!\left(\frac{1}{a}\right)}{a\Gamma\!\left(\frac{1}{a}+\frac{1}{2}\right)}.$

$\therefore$ 준 식 $\xleftarrow{(1),\,a=\frac{1}{7}} 7\sqrt{\pi}\,\dfrac{\Gamma(7)}{\Gamma\!\left(\frac{15}{2}\right)} \xleftarrow{\text{[정리81]}} \dfrac{2^{11}}{429}.$

---

309 (1) $I(\alpha)=\displaystyle\int_{-\infty}^{\infty} e^{-\frac{x^2}{2}}\cos(\alpha x)\,dx \Rightarrow I'(\alpha)=\int_{-\infty}^{\infty} -xe^{-\frac{x^2}{2}}\sin(\alpha x)\,dx$

$\xleftarrow[g'(x)=-xe^{-\frac{x^2}{2}}]{f(x)=\sin\alpha x} -\alpha\displaystyle\int_{-\infty}^{\infty} e^{-\frac{x^2}{2}}\cos(\alpha x)\,dx = -\alpha I(\alpha).$

$\Rightarrow \dfrac{I'(\alpha)}{I(\alpha)}=-\alpha \xrightarrow{\text{양변을 적분}} \ln(I(\alpha))=-\dfrac{\alpha^2}{2}+c$

$\Rightarrow I(\alpha)=e^{-\frac{1}{2}\alpha^2}e^c \xrightarrow{\alpha=0} e^c=\displaystyle\int_{-\infty}^{\infty} e^{-\frac{1}{2}x^2}\,dx \xleftarrow{\text{우함수}} 2\int_0^{\infty} e^{-\frac{1}{2}x^2}\,dx \xleftarrow{\text{[문제31]}} \sqrt{2\pi}.$

$\therefore$ 준 식 $\xleftarrow{(1)} I(\alpha)=\sqrt{2\pi}\,e^{-\frac{1}{2}\alpha^2}.$

---

310 (1) $f(1-x)=(1-x)^3-\dfrac{3}{2}(1-x)^2+(1-x)+\dfrac{1}{4}=1-\left(x^3-\dfrac{3}{2}x^2+x+\dfrac{1}{4}\right)$

$=1-f(x) \Rightarrow f(x)+f(1-x)=1$

$\xrightarrow{x\sim f(x)} 1=f^2(x)+f(1-f(x))=f^2(x)+f^2(1-x)$

수학적 귀납법으로 다음이 성립한다고 가정하자.

$f^n(x)+f^n(1-x)=1 \xrightarrow{x\sim f(x)} 1=f^{n+1}(x)+f^n(1-f(x)) \xleftarrow{(1)} f^{n+1}(x)+f^{n+1}(1-x).$

$\therefore$ 준 식 $\xleftarrow{\text{[정리24,(1)]}} \displaystyle\int_0^1 \underbrace{f\circ\cdots\circ f}_{2009}(1-x)\,dx=\dfrac{1}{2}\int_0^1 f^{2009}(x)+f^{2009}(1-x)\,dx$

$\xleftarrow{(1)} \dfrac{1}{2}\displaystyle\int_0^1 1\,dx=\dfrac{1}{2}.$

311 (1) $f(a) = \int_0^\pi \dfrac{\ln(1+a\cos x)}{\cos x}\,dx \xrightarrow{\text{양변을 }a\text{로 미분}} f'(a) = \int_0^\pi \dfrac{dx}{1+a\cos x}$

$\xrightarrow{\tan\frac{x}{2}=t} 2\int_0^\infty \dfrac{1}{(1+a)+(1-a)t^2}\,dt = \dfrac{2}{\sqrt{1-a^2}}\left[\tan^{-1}\left(\sqrt{\dfrac{1-a}{1+a}}\,t\right)\right]_0^\infty = \dfrac{\pi}{\sqrt{1-a^2}}$

$\xrightarrow{\text{양변을 적분}} f(a) = \pi\sin^{-1}a + c \xrightarrow{a=0} c = f(0) = 0 \Rightarrow \therefore \text{준 식} = \pi\sin^{-1}a.$

312 (1) $\displaystyle\int_{-1}^1 \dfrac{\sqrt{1+x^2}}{x^2}\,dx \xleftarrow{\text{우함수}} 2\int_0^1 \dfrac{\sqrt{1+x^2}}{x^2}\,dx \xleftarrow{x=\tan\theta} 2\int_0^{\frac{\pi}{4}} \dfrac{d\theta}{\cos\theta\sin^2\theta}$

$= 2\displaystyle\int_0^{\frac{\pi}{4}} \dfrac{\sin^2\theta+\cos^2\theta}{\cos\theta\sin^2\theta}\,d\theta = 2\int_0^{\frac{\pi}{4}} \sec\theta + \operatorname{cosec}\theta\cot\theta\,d\theta = 2\left[\ln(\sec\theta+\tan\theta) - \operatorname{cosec}\theta\right]_0^{\frac{\pi}{4}}$

$= 2\big(\ln(\sqrt{2}+1) - \sqrt{2}\big).$

(2) $\displaystyle\int_{-1}^1 \dfrac{\sqrt{1-x^2}}{x^2}\,dx \xleftarrow{x=\cos\theta} \int_0^{-\pi} \left(\dfrac{\sin\theta}{\cos\theta}\right)^2 d\theta = \int_0^{-\pi} \sec^2\theta - 1\,d\theta = [\tan\theta - \theta]_0^{-\pi} = \pi$

$\therefore \text{준 식} = \displaystyle\int_{-1}^1 \dfrac{\sqrt{1+x^2} - \sqrt{1-x^2}}{(1+x^2)-(1-x^2)}\,dx = \dfrac{1}{2}\int_{-1}^1 \dfrac{\sqrt{1+x^2} - \sqrt{1-x^2}}{x^2}\,dx \xleftarrow{(1),(2)}$

$= \ln(\sqrt{2}+1) - \sqrt{2} - \dfrac{\pi}{2}.$

313 $\text{준 식} \xleftarrow{x^4=t} \dfrac{1}{4}\displaystyle\int_0^1 t^{\frac{1}{4}-1}(1-t)^{\frac{3}{4}-1}\,dt \xleftarrow{[\text{정리}82]} \dfrac{1}{4}B\left(\dfrac{3}{4}, \dfrac{1}{4}\right) \xleftarrow{[\text{미분과 증명},904]}$

$= \left(\dfrac{1}{4}\right)\dfrac{\Gamma\left(\dfrac{3}{4}\right)\Gamma\left(\dfrac{1}{4}\right)}{\Gamma\left(\dfrac{3}{4}+\dfrac{1}{4}\right)} \xleftarrow{[\text{정리}81]} \dfrac{1}{4}\Gamma\left(1-\dfrac{1}{4}\right)\Gamma\left(\dfrac{1}{4}\right) \xleftarrow{[\text{정리}98]} \dfrac{\sqrt{2}\,\pi}{4}.$

314 $\text{준 식} = \displaystyle\int_0^\infty \dfrac{xe^{-x}}{1-e^{-2x}}\,dx = \int_0^\infty xe^x\dfrac{e^{-2x}}{1-e^{-2x}}\,dx \xleftarrow{e^{-2x}=p} \int_0^\infty xe^x\left(\dfrac{p}{1-p}\right)dx$

$= \displaystyle\int_0^\infty xe^x\left(\sum_{k=1}^\infty p^k\right)dx = \sum_{k=1}^\infty \int_0^\infty xe^x e^{-2kx}\,dx = \sum_{k=1}^\infty \int_0^\infty xe^{(1-2k)x}\,dx \xleftarrow{\text{부분적분}}$

$= \displaystyle\sum_{k=1}^\infty \left\{\left[\dfrac{x}{1-2k}e^{(1-2k)x}\right]_0^\infty - \int_0^\infty \dfrac{e^{(1-2k)x}}{1-2k}\,dx\right\} = -\sum_{k=1}^\infty \left[\dfrac{e^{(1-2k)x}}{(1-2k)^2}\right]_0^\infty = \sum_{k=1}^\infty \dfrac{1}{(2k-1)^2}$

$\xleftarrow{[\text{수열과 급수},9]} \dfrac{\pi^2}{8}.$

315 (1) $I(a) = \displaystyle\int_0^\infty \frac{ax - \sin(ax)}{x^3}dx \xrightarrow{\text{양변을}\,a로\,\text{미분}} I'(a) = \int_0^\infty \frac{x - x\cos(ax)}{x^3}dx$

$\quad = \displaystyle\int_0^\infty \frac{1 - \cos(ax)}{x^2}dx \xleftarrow{[\text{문제 }230]} \frac{\pi}{2}a \xrightarrow{\text{적분}} I(a) = \frac{\pi}{4}a^2 + c \xrightarrow{a=0} c = I(0) = 0.$

$\Rightarrow \displaystyle\int_0^\infty \frac{ax - \sin(ax)}{x^3}dx = \frac{\pi a^2}{4} \Rightarrow \therefore \text{준 식} \xleftarrow{a=1} \frac{\pi}{4}.$

316 $\displaystyle\int_0^{\frac{\pi}{2}} \sqrt[3]{\cos x}\,dx \xleftarrow{[\text{정리 }24,(1)]} \int_0^{\frac{\pi}{2}} \sqrt[3]{\sin x}\,dx \Rightarrow \therefore \text{준 식} = 0.$

317 (1) $I = \displaystyle\int_0^{\frac{\pi}{4}} \left[\cos^4(2x) + \sin^4(2x)\right]\ln(1 + \tan x)dx \xleftarrow{[\text{정리}24,(1)]}$

$\quad = \displaystyle\int_0^{\frac{\pi}{4}} \left[\sin^4(2x) + \cos^4(2x)\right]\left[\ln\left(\frac{2}{1 + \tan x}\right)\right]dx = (\ln 2)\int_0^{\frac{\pi}{4}} \sin^4(2x) + \cos^4(2x)\,dx - I$

$\therefore \text{준 식} = \dfrac{\ln 2}{2}\displaystyle\int_0^{\frac{\pi}{4}} \sin^4(2x) + \cos^4(2x)\,dx \xleftarrow{2x = t} \dfrac{\ln 2}{4}\int_0^{\frac{\pi}{2}} \sin^4 t + \cos^4 t\,dt \xleftarrow{[\text{정리}83]}$

$= \dfrac{3\pi \ln 2}{32}.$

318 (1) $|r| < 1,\ \displaystyle\sum_{k=0}^\infty r^k \cos(kx) \xrightarrow{[\text{정리}33]} Re\left\{\sum_{k=0}^\infty r^k e^{i(kx)}\right\} = Re\left\{\sum_{k=0}^\infty (re^{ix})^k\right\}$

$\quad = Re\left\{\dfrac{1}{1 - re^{ix}}\right\} \xleftarrow{[\text{정리}33]} Re\left\{\dfrac{1}{1 - r(\cos x + i\sin x)}\right\} = Re\left\{\dfrac{(1 - r\cos x) + i\,(r\sin x)}{(1 - r\cos x)^2 + r^2\sin^2 x}\right\}$

$\quad = \dfrac{1 - r\cos x}{1 - 2r\cos x + r^2} \xrightarrow{r = \frac{b}{a}} \displaystyle\sum_{k=0}^\infty \left(\dfrac{b}{a}\right)^k \cos(kx) = \dfrac{1 - \dfrac{b}{a}\cos x}{1 - 2\left(\dfrac{b}{a}\right)\cos x + \left(\dfrac{b}{a}\right)^2}$

$\quad = \dfrac{a(a - b\cos x)}{a^2 + b^2 - 2ab\cos x}.$

$\therefore \text{준 식} \xleftarrow{(1)} \dfrac{1}{a}\displaystyle\int_0^\pi \sum_{k=0}^\infty \left(\dfrac{b}{a}\right)^k \cos(kx)\,dx = \sum_{k=0}^\infty \dfrac{b^k}{a^{k+1}}\int_0^\pi \cos(kx)\,dx = \dfrac{1}{a}\int_0^\pi 1\,dx = \dfrac{\pi}{a}.$

319 [문제 318,(1)]에서 다음 등식이 성립한다.

$\displaystyle\sum_{k=0}^\infty \left(\dfrac{a}{b}\right)^k \cos(kx) = \dfrac{b(b - a\cos x)}{a^2 + b^2 - 2ab\cos x} \Rightarrow \dfrac{1}{a} - \dfrac{1}{a}\sum_{k=0}^\infty \left(\dfrac{a}{b}\right)^k \cos(kx) = \dfrac{a - b\cos x}{a^2 + b^2 - 2ab\cos x}.$

$\therefore \text{준 식} = \displaystyle\int_0^\pi \dfrac{1}{a} - \dfrac{1}{a}\sum_{k=0}^\infty \left(\dfrac{a}{b}\right)^k \cos(kx)\,dx = \dfrac{\pi}{a} - \dfrac{1}{a}\sum_{k=0}^\infty \left(\dfrac{a}{b}\right)^k \int_0^\pi \cos(kx)dx = \dfrac{\pi}{a} - \dfrac{1}{a}\int_0^\pi 1dx$

$= 0.$

320 (1) 조건식을 미분하면 다음과 같은 등식이 성립한다.

$$\frac{x}{1+x^4} = \frac{d}{dx}\left(\int_0^x t\,f(2x-t)dt\right)\xleftarrow{\text{[정리 162]}} x\,f(x)+\int_0^x 2t\,f'(2x-t)\,dt$$

$$\Rightarrow \frac{x}{1+x^4}-x\,f(x)=2\int_0^x t\,f'(2x-t)\,dt \xleftarrow{2x-t=y} 2\int_x^{2x}(2x-y)f'(y)dy \xleftarrow{\text{부분적분}}$$

$$=-2x\,f(x)+2\int_x^{2x}f(y)dy \Rightarrow \int_x^{2x}f(y)dy=\frac{1}{2}\left(\frac{x}{1+x^4}+x\,f(x)\right)$$

$$\therefore 준\;식 \xleftarrow{(1),\,x=1} \frac{1}{2}\left(\frac{1}{2}+f(1)\right) \xleftarrow{\text{조건식}} \frac{3}{4}.$$

321 준 식 $\xleftarrow{\text{[정리 56,(5)]}} \displaystyle\int_0^{\frac{\pi}{2}}\frac{\pi}{2}\,dx=\frac{\pi^2}{4}.$

322 (1) $\displaystyle\int_0^{\frac{\pi}{2}}(x\cos x+1)e^{\sin x}\,dx=\int_0^{\frac{\pi}{2}}x\,d(e^{\sin x})+\int_0^{\frac{\pi}{2}}e^{\sin x}\,dx \xleftarrow{\text{부분적분}}$

$$=\left[xe^{\sin x}\right]_0^{\frac{\pi}{2}}-\int_0^{\frac{\pi}{2}}e^{\sin x}\,dx+\int_0^{\frac{\pi}{2}}e^{\sin x}\,dx=\frac{\pi}{2}e.$$

(2) $\displaystyle\int_0^{\frac{\pi}{2}}(x\sin x-1)e^{\cos x}\,dx=-\int_0^{\frac{\pi}{2}}x\,d(e^{\cos x})-\int_0^{\frac{\pi}{2}}e^{\cos x}\,dx \xleftarrow{\text{부분적분}}$

$$=-\left[xe^{\cos x}\right]_0^{\frac{\pi}{2}}+\int_0^{\frac{\pi}{2}}e^{\cos x}\,dx-\int_0^{\frac{\pi}{2}}e^{\cos x}\,dx=-\left[xe^{\cos x}\right]_0^{\frac{\pi}{2}}=-\frac{\pi}{2}.$$

$$\therefore 준\;식 \xleftarrow{(1),(2)} \left|\begin{array}{c}\dfrac{\pi}{2}e\\[2mm]-\dfrac{\pi}{2}\end{array}\right|=e.$$

323 $I=\displaystyle\int_0^{\frac{\pi}{2}}\frac{(\sin x)^{\cos x}}{(\cos x)^{\sin x}+(\sin x)^{\cos x}}\,dx \xleftarrow{\text{[정리24,(1)]}} \int_0^{\frac{\pi}{2}}\frac{(\cos x)^{\sin x}}{(\sin x)^{\cos x}+(\cos x)^{\sin x}}\,dx$

$$\Rightarrow 2I=\int_0^{\frac{\pi}{2}}1\,dx=\frac{\pi}{2}\Rightarrow \therefore 준\;식=\frac{\pi}{4}.$$

324 (1) $\displaystyle\int_0^{\infty}e^{-sx}x^5\,dx \xleftarrow{\text{[정리187,(11)]}} \frac{\Gamma(6)}{s^6} \xleftarrow{\text{[정리81]}} \frac{5!}{s^6}.$

$$\therefore 준\;식 \xleftarrow{\text{나누면}} \int_0^{\infty}\left(e^{-ax}+e^{-2ax}+e^{-3ax}+\cdots\right)x^5\,dx=\sum_{n=1}^{\infty}\int_0^{\infty}e^{-nax}x^5\,dx \xleftarrow{(1)} \sum_{n=1}^{\infty}\frac{5!}{(na)^6}$$

$$=\frac{5!}{a^6}\sum_{n=1}^{\infty}\frac{1}{n^6} \xleftarrow{\text{[수열과 급수,775]}} \frac{5!}{a^6}\left(\frac{\pi^6}{945}\right)=\frac{8}{63}\left(\frac{\pi}{a}\right)^6.$$

325 $I = \displaystyle\int_0^\pi \frac{x}{a^2\cos^2 x + b^2\sin^2 x}\,dx \xleftrightarrow{[\text{정리 }24,(1)]} \int_0^\pi \frac{\pi-x}{a^2\cos^2 x + b^2\sin^2 x}\,dx$

$= \pi\displaystyle\int_0^\pi \frac{1}{a^2\cos^2 x + b^2\sin^2 x}\,dx - I \Rightarrow I = \frac{\pi}{2}\int_0^\pi \frac{1}{a^2\cos^2 x + b^2\sin^2 x}\,dx = \pi\int_0^{\frac{\pi}{2}} \frac{\sec^2 x\,dx}{a^2 + b^2\tan^2 x}$

$= \dfrac{\pi}{ab}\displaystyle\int_0^{\frac{\pi}{2}} \frac{\dfrac{b}{a}\sec^2 x\,dx}{1 + \left(\dfrac{b}{a}\tan x\right)^2} = \dfrac{\pi}{ab}\int_0^{\frac{\pi}{2}} \frac{d\left(\dfrac{b}{a}\tan x\right)}{1 + \left(\dfrac{b}{a}\tan x\right)^2} = \dfrac{\pi}{ab}\left[\tan^{-1}\left(\dfrac{b}{a}\tan x\right)\right]_0^{\frac{\pi}{2}} = \dfrac{\pi^2}{2ab}.$

---

326 (1) $\displaystyle\int_0^\pi \frac{1}{\alpha\cos x - 1}\,dx \xleftrightarrow{\tan\frac{x}{2}=t} -2\int_0^\infty \frac{1}{(1-\alpha)+(1+\alpha)t^2}\,dt$

$= -2\sqrt{\dfrac{1}{1-\alpha^2}}\displaystyle\int_0^\infty \frac{d\left(\sqrt{\dfrac{1+\alpha}{1-\alpha}}\,t\right)}{1 + \left(\sqrt{\dfrac{1+\alpha}{1-\alpha}}\,t\right)^2} = -\dfrac{2}{\sqrt{1-\alpha^2}}\left[\tan^{-1}\sqrt{\dfrac{1+\alpha}{1-\alpha}}\,t\right]_0^\infty = -\dfrac{\pi}{\sqrt{1-\alpha^2}}.$

(2) $\displaystyle\int \frac{1}{x}\left(1 - \frac{1}{\sqrt{1-x^2}}\right)dx = \int \frac{\sqrt{1-x^2}-1}{x\sqrt{1-x^2}}\,dx = \int \left(\frac{1}{x}\right)\frac{-x^2}{\sqrt{1-x^2}\left(\sqrt{1-x^2}+1\right)}\,dx$

$= \displaystyle\int \frac{-\dfrac{x}{\sqrt{1-x^2}}}{1 + \sqrt{1-x^2}}\,dx = \int \frac{d\left(1+\sqrt{1-x^2}\right)}{1+\sqrt{1-x^2}} = \ln\left(1+\sqrt{1-x^2}\right) + c.$

(3) $I(\alpha) = \displaystyle\int_{-\pi}^\pi \ln(1-\alpha\cos x)\,dx \xrightarrow{\text{양변을 }\alpha\text{로 미분}} I'(\alpha) = \int_{-\pi}^\pi \frac{\cos x}{\alpha\cos x - 1}\,dx$

$= 2\displaystyle\int_0^\pi \frac{\cos x}{\alpha\cos x - 1}\,dx = 2\int_0^\pi \frac{1}{\alpha}\,dx + \frac{2}{\alpha}\int_0^\pi \frac{1}{\alpha\cos x - 1}\,dx \xleftrightarrow{(1)} \frac{2\pi}{\alpha}\left(1 - \frac{1}{\sqrt{1-\alpha^2}}\right).$

$\xrightarrow[(2)]{\text{양변을 적분}} I(\alpha) = 2\pi\ln\left(1+\sqrt{1-\alpha^2}\right) + c \xrightarrow[\text{[문제]}190]{\alpha=1} c = -\pi\ln 4$

$\Rightarrow I(\alpha) = 2\pi\ln\left(\dfrac{1+\sqrt{1-\alpha^2}}{2}\right).$

$\therefore \text{준식} = \displaystyle\int_{-\pi}^\pi \ln(a^2+b^2) + \ln\left(1 - \frac{2ab}{a^2+b^2}\cos x\right)dx \xleftarrow{\alpha = \dfrac{2ab}{a^2+b^2}}$

$= 2\pi\ln(a^2+b^2) + \displaystyle\int_{-\pi}^\pi \ln(1-\alpha\cos x)\,dx \xleftrightarrow{(3)} 2\pi\ln(a^2+b^2) + 2\pi\ln\left(\dfrac{1+\sqrt{1-\alpha^2}}{2}\right)$

$= 2\pi\ln\left(\dfrac{a^2+b^2+|a^2-b^2|}{2}\right).$

327 $I = \displaystyle\int_0^\pi e^{\cos^2 x}\cos^3(2n+1)x\,dx \xleftarrow{[\text{정리 } 24,(1)]} \int_0^\pi e^{\cos^2 x}\cos^3(2n+1)(\pi-x)\,dx$

$= -\displaystyle\int_0^\pi e^{\cos^2 x}\cos^3(2n+1)x\,dx = -I \Rightarrow \therefore I = 0.$

328 준 식 $\xleftarrow{[\text{정리 } 56,(4)]} \displaystyle\int_0^1 \tan^{-1}x + \tan^{-1}(x-1)\,dx \xleftarrow{[\text{정리 } 24,(1)]}$

$= \displaystyle\int_0^1 \tan^{-1}x\,dx + \int_0^1 \tan^{-1}(-x)\,dx = \int_0^1 \tan^{-1}x\,dx - \int_0^1 \tan^{-1}x\,dx = 0.$

329 (1) $\displaystyle\int_0^1 \left| \sqrt{1-x^2}-\sin\theta \right|\,dx \xleftarrow{x=\cos t} \int_0^{\frac{\pi}{2}} |\sin t - \sin\theta|\sin t\,dt$

$= \displaystyle\int_0^\theta (\sin\theta-\sin t)\sin t\,dt + \int_\theta^{\frac{\pi}{2}} (\sin t - \sin\theta)\sin t\,dt$

$= \sin\theta\left[-\cos t\right]_0^\theta - \left[\dfrac{t}{2}-\dfrac{\sin 2t}{4}\right]_0^\theta + \left[\dfrac{t}{2}-\dfrac{\sin 2t}{4}\right]_\theta^{\frac{\pi}{2}} - \sin\theta\left[-\cos t\right]_\theta^{\frac{\pi}{2}}$

$= \dfrac{\pi}{4}-\theta+\sin\theta-\dfrac{\sin 2\theta}{2}$

$\therefore$ 준 식 $\xleftarrow{(1)} \displaystyle\int_0^{\frac{\pi}{2}} \left(\dfrac{\pi}{4}-\theta+\sin\theta-\dfrac{\sin 2\theta}{2}\right)\,d\theta = \dfrac{1}{2}-\dfrac{\pi^2}{8}.$

330 $I = \displaystyle\int_0^4 (x-2)\sec(x-2)\,dx \xleftarrow{[\text{정리}24,(1)]} -\int_0^4 (x-2)\sec(x-2)\,dx = -I \Rightarrow \therefore I = 0.$

331 (1) $x \le y \le \infty,\ 0 \le x \le \infty \xrightarrow[x=r\cos\theta,\, y=r\sin\theta]{\text{아래 그림}} 0 \le r \le \infty,\ \dfrac{\pi}{4} \le \theta \le \dfrac{\pi}{2}.$

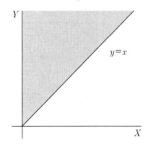

$\therefore$ 준 식 $\xleftarrow{[\text{정리}46]}_{(1)} \displaystyle\int_{\frac{\pi}{4}}^{\frac{\pi}{2}}\int_0^\infty \dfrac{r}{(r^2+1)^2}\,dr\,d\theta = \dfrac{1}{2}\int_{\frac{\pi}{4}}^{\frac{\pi}{2}}\int_0^\infty \dfrac{d(r^2+1)}{(r^2+1)^2}\,d\theta = \dfrac{1}{2}\int_{\frac{\pi}{4}}^{\frac{\pi}{2}} 1\,d\theta = \dfrac{\pi}{8}.$

332 준 식 $= \displaystyle\int_0^\infty \frac{1}{(x+\cos\alpha)^2+\sin^2\alpha}\,dx \xleftarrow{\;x+\cos\alpha=t\;} \int_{\cos\alpha}^\infty \frac{dt}{t^2+\sin^2\alpha}$

$= \dfrac{1}{\sin\alpha}\left[\tan^{-1}\!\left(\dfrac{t}{\sin\alpha}\right)\right]_{\cos\alpha}^\infty = \dfrac{1}{\sin\alpha}\left(\dfrac{\pi}{2}-\tan^{-1}(\cot\alpha)\right) \xrightarrow{[\text{정리 } 56,(9)]} \dfrac{\cot^{-1}(\cot\alpha)}{\sin\alpha}=\dfrac{\alpha}{\sin\alpha}.$

333 $I=\displaystyle\int_0^\pi \frac{x\tan x}{\sec x+\tan x}\,dx \xleftarrow{[\text{정리 } 24,(1)]} \pi\int_0^\pi \frac{\tan x}{\sec x+\tan x}\,dx-\int_0^\pi \frac{x\tan x}{\sec x+\tan x}\,dx$

$\Rightarrow 2I=\pi\displaystyle\int_0^\pi \frac{\tan x}{\sec x+\tan x}\,dx \Rightarrow I=\pi\int_0^{\frac{\pi}{2}}\frac{\tan x}{\sec x+\tan x}\,dx=\pi\int_0^{\frac{\pi}{2}}\frac{\sin x}{1+\sin x}\,dx$

$=\displaystyle\int_0^{\frac{\pi}{2}}\frac{\sin x-\sin^2 x}{1-\sin^2 x}\,dx=\pi\int_0^{\frac{\pi}{2}}\sec x\tan x-\tan^2 x\,dx=\pi\int_0^{\frac{\pi}{2}}\sec x\tan x+1-\sec^2 x\,dx$

$=\pi\left[\sec x+x-\tan x\right]_0^{\frac{\pi}{2}}=\dfrac{\pi^2}{2}-\pi. \ \left(\because \lim_{x\to\frac{\pi}{2}}\sec x-\tan x=\lim_{x\to\frac{\pi}{2}}\dfrac{1-\sin x}{\cos x}=0\right)$

334 (1) $A=\tan^{-1}(\cot a)\Rightarrow \tan A=\cot a=\tan\!\left(\dfrac{\pi}{2}-a\right)\Rightarrow \tan^{-1}(\cot a)=\dfrac{\pi}{2}-a.$

$I=\displaystyle\int_0^\pi \frac{x}{1+\cos a\sin x}\,dx \xleftarrow{[\text{정리 } 24,(1)]} \pi\int_0^\pi \frac{1}{1+\cos a\sin x}\,dx-I$

$\Rightarrow I=\dfrac{\pi}{2}\displaystyle\int_0^\pi \frac{1}{1+\cos a\sin x}\,dx \xleftarrow{\tan\frac{x}{2}=y} \pi\int_0^\infty \frac{dy}{1+y^2+2y\cos a}=\pi\int_0^\infty \frac{dy}{(y+\cos a)^2+\sin^2 a}$

$=\dfrac{\pi}{\sin a}\left[\tan^{-1}\!\left(\dfrac{y+\cos a}{\sin a}\right)\right]_0^\infty =\dfrac{\pi}{\sin a}\left(\dfrac{\pi}{2}-\tan^{-1}(\cot a)\right) \xleftarrow{(1)} \dfrac{a\pi}{\sin a}.$

335 (1) $1-\cos^2 x=1-\left(\dfrac{a}{b}\right)^2+\left(\dfrac{a}{b}\right)^2-\left(\dfrac{b}{b}\right)^2\cos^2 x=1-\left(\dfrac{a}{b}\right)^2+\dfrac{1}{b^2}\left(a^2-b^2\cos^2 x\right).$

(2) $I=\displaystyle\int_0^{2\pi}\frac{\sin^2 x}{a-b\cos x}\,dx=2\int_0^\pi \frac{\sin^2 x}{a-b\cos x}\,dx \xrightarrow{[\text{정리 } 24,(1)]} 2\int_0^\pi \frac{\sin^2 x}{a+b\cos x}\,dx.$

$\Rightarrow 2I=2\displaystyle\int_0^\pi\left(\frac{1}{a-b\cos x}+\frac{1}{a+b\cos x}\right)\sin^2 x\,dx=2\int_0^\pi \frac{2a\sin^2 x}{a^2-b^2\cos^2 x}\,dx.$

$\Rightarrow I=2a\displaystyle\int_0^\pi \frac{1-\cos^2 x}{a^2-b^2\cos^2 x}\,dx \xleftarrow{(1)} 2a\left(1-\frac{a^2}{b^2}\right)\int_0^\pi \frac{dx}{a^2-b^2\cos^2 x}+\frac{2a}{b^2}\int_0^\pi 1\,dx$

$=2a\left(\dfrac{b^2-a^2}{b^2}\right)\displaystyle\int_0^\pi \frac{\operatorname{cosec}^2 x\,dx}{a^2\operatorname{cosec}^2 x-b^2\cot^2 x}+\frac{2a\pi}{b^2} \xleftarrow{\cot x=t}$

$=2a\left(\dfrac{b^2-a^2}{b^2}\right)\displaystyle\int_{-\infty}^\infty \frac{dt}{a^2+(a^2-b^2)t^2}+\frac{2a\pi}{b^2}=4a\left(\dfrac{b^2-a^2}{b^2}\right)\int_0^\infty \frac{dt}{a^2+(a^2-b^2)t^2}+\frac{2a\pi}{b^2}.$

(3) $a^2 > b^2$인 경우: $I = \dfrac{4a}{\sqrt{a^2-b^2}}\left(\dfrac{b^2-a^2}{b^2}\right)\displaystyle\int_0^\infty \dfrac{d\left(\sqrt{a^2-b^2}\,t\right)}{a^2+\left(a^2-b^2\right)t^2} + \dfrac{2a\pi}{b^2}$

$= \dfrac{4}{\sqrt{a^2-b^2}}\left(\dfrac{b^2-a^2}{b^2}\right)\left[\tan^{-1}\left(\dfrac{\sqrt{a^2-b^2}\,t}{a}\right)\right]_0^\infty + \dfrac{2a\pi}{b^2} = \dfrac{2\pi}{b^2}\left(a - \sqrt{a^2-b^2}\right).$

(4) $b^2 > a^2$인 경우: $I = \dfrac{4a}{\sqrt{b^2-a^2}}\left(\dfrac{b^2-a^2}{b^2}\right)\displaystyle\int_0^\infty \dfrac{d\left(\sqrt{b^2-a^2}\,t\right)}{a^2-\left(b^2-a^2\right)t^2} + \dfrac{2a\pi}{b^2}$

$= \dfrac{2\sqrt{b^2-a^2}}{b^2}\left[\ln\left(\dfrac{a+\sqrt{b^2-a^2}\,t}{a-\sqrt{b^2-a^2}\,t}\right)\right]_0^\infty + \dfrac{2a\pi}{b^2} \xleftarrow{l'Hospital \text{ 법칙}} \dfrac{2a\pi}{b^2}.$

$\therefore$ 준 식 $= \begin{cases} \dfrac{4\pi}{b^2}\left(a - \sqrt{a^2-b^2}\right), & (a^2 > b^2) \\[2mm] \dfrac{4a\pi}{b^2}, & (b^2 > a^2) \end{cases} \xleftarrow{\text{조건식}} \begin{cases} \dfrac{4\pi}{b^2}\left(a - \sqrt{a^2-b^2}\right), & (a > b > 0) \\[2mm] \dfrac{4a\pi}{b^2}, & (0 > a > b) \end{cases}.$

336 [문제 335]에서 다음과 같은 결과가 나온다.

$\therefore$ 준 식 $= \begin{cases} \dfrac{4\pi}{b^2}\left(a - \sqrt{a^2-b^2}\right), & (a^2 > b^2) \\[2mm] \dfrac{4a\pi}{b^2}, & (b^2 > a^2) \end{cases} \xleftarrow{\text{조건식}} \begin{cases} \dfrac{4\pi}{b^2}\left(a - \sqrt{a^2-b^2}\right), & (a < b < 0) \\[2mm] \dfrac{4a\pi}{b^2}, & (0 < a < b) \end{cases}.$

337 (1) $\sin\dfrac{t}{2}\sin t = \dfrac{1}{2}\left(\cos\dfrac{t}{2} - \cos\dfrac{3t}{2}\right)$, $\sin\dfrac{t}{2}\sin 2t = \dfrac{1}{2}\left(\cos\dfrac{3t}{2} - \cos\dfrac{5t}{2}\right)$, ...

$\sin\dfrac{t}{2}\sin(2n-1)t = \dfrac{1}{2}\left(\cos\left(\dfrac{3}{2}-2n\right)t - \cos\left(2n-\dfrac{1}{2}\right)t\right) \xrightarrow{\text{모든 식을 더하면}}$

$\Rightarrow \sin\dfrac{t}{2}\left(\sin t + \sin 2t + \cdots + \sin(2n-1)t\right) = \dfrac{1}{2}\left(\cos\dfrac{t}{2} - \cos\left(2n-\dfrac{1}{2}\right)t\right).$

$\therefore$ 준 식 $\xleftarrow{2x = \pi t} \dfrac{\pi}{2}\displaystyle\int_0^{2n}\sin[t]\,dt = \dfrac{\pi}{2}\left(\int_0^1 0\,dt + \int_1^2 \sin 1\,dt + \cdots + \int_{2n-1}^{2n}\sin(2n-1)\,dt\right)$

$= \dfrac{\pi}{2}\left(\sin 1 + \sin 2 + \cdots + \sin(2n-1)\right) \xleftarrow{(1)} \dfrac{\pi\left(\cos\dfrac{1}{2} - \cos\left(2n - \dfrac{1}{2}\right)\right)}{4\sin\dfrac{1}{2}} = \dfrac{\pi\sin n \sin\left(n - \dfrac{1}{2}\right)}{2\sin\dfrac{1}{2}}.$

338 준 식 $= \displaystyle\int_0^\infty \left(\cos x - e^{-x}\right)\int_0^\infty e^{-xu}\,du\,dx = \int_0^\infty \int_0^\infty \cos x\, e^{-xu} - e^{-(1+u)x}\,dx\,du$

$\xleftarrow{\text{부분적분}} \displaystyle\int_0^\infty \dfrac{u}{1+u^2} - \dfrac{1}{1+u}\,du = \lim_{a\to\infty}\left[\ln\dfrac{\sqrt{1+u^2}}{1+u}\right]_0^a = \lim_{a\to\infty}\ln\left(\dfrac{\sqrt{1+a^2}}{1+a}\right) = 0.$

339 (1) $F(a) = \displaystyle\int_0^\infty \frac{\tan^{-1}(ax) - \tan^{-1}x}{x}\,dx \Rightarrow F'(a) = \displaystyle\int_0^\infty \frac{1}{1+(ax)^2}\,dx$

$= \dfrac{1}{a}\left[\tan^{-1}(ax)\right]_0^\infty = \dfrac{\pi}{2a} \Rightarrow F(a) = \dfrac{\pi}{2}\ln a + c \xrightarrow{a=1} c = F(1) = 0 \Rightarrow F(a) = \dfrac{\pi}{2}\ln a$

$\therefore$ 준 식 $\xleftarrow{(1),\,a=\pi} F(\pi) = \dfrac{\pi}{2}\ln\pi.$

340 (1) $\dfrac{1}{1+x} = 1 - x + x^2 - x^3 + \cdots \Rightarrow \dfrac{1}{1+x^2} = 1 - x^2 + x^4 - x^6 + \cdots \xrightarrow{\text{양변을 적분}}$

$\Rightarrow \tan^{-1}x = x - \dfrac{x^3}{3} + \dfrac{x^5}{5} - \dfrac{x^7}{7} + \cdots.$

(2) $-\displaystyle\int_0^1 \frac{\ln x}{1+x^2}\,dx \xleftarrow[g'(x)=(x^2+1)^{-1}]{f(x)=\ln x} -\left[\tan^{-1}x\ln x\right]_0^1 + \int_0^1 \frac{\tan^{-1}x}{x}\,dx$

$\xleftarrow{(1)} \displaystyle\int_0^1 \frac{1}{x}\left(x - \frac{x^3}{3} + \frac{x^5}{5} - \frac{x^7}{7} + \cdots\right)dx$

$= \displaystyle\int_0^1 1 - \frac{x^2}{3} + \frac{x^4}{5} - \frac{x^6}{7} + \cdots\,dx = 1 - \frac{1}{3^2} + \frac{1}{5^2} - \frac{1}{7^2} + \cdots \xleftarrow{\text{[정리 163]}} 0.915..$

(3) $I(\alpha) = \displaystyle\int_0^\infty \frac{\ln(1+\alpha x)}{1+x^2}\,dx = \int_0^\infty \frac{1}{1+x^2}\left[\ln(1+\alpha x) - \ln(1)\right]dx$

$= \displaystyle\int_0^\infty \frac{1}{1+x^2}\left[\ln(1+\beta x)\right]_0^\alpha dx = \int_0^\infty \frac{1}{1+x^2}\int_0^\alpha \frac{x}{1+\beta x}\,d\beta\,dx$

$= \displaystyle\int_0^\alpha \int_0^\infty \frac{x}{(1+x^2)(1+\beta x)}\,dx\,d\beta = \int_0^\alpha \int_0^\infty \frac{\left(\dfrac{1}{1+\beta^2}\right)x + \dfrac{\beta}{1+\beta^2}}{1+x^2} - \frac{\left(\dfrac{\beta}{1+\beta^2}\right)}{1+\beta x}\,dx\,d\beta$

$= \displaystyle\int_0^\alpha \left[\frac{\ln(1+x^2)}{2(1+\beta^2)} + \frac{\beta\tan^{-1}x}{1+\beta^2}\right]_0^\infty - \frac{1}{1+\beta^2}\left[\ln(1+\beta x)\right]_0^\infty d\beta = \int_0^\alpha \frac{-\ln\beta}{1+\beta^2} + \frac{\pi\beta}{2(1+\beta^2)}\,d\beta$

$= \dfrac{\pi}{4}\left[\ln(1+\beta^2)\right]_0^\alpha - \displaystyle\int_0^\alpha \frac{\ln\beta}{1+\beta^2}\,d\beta = \frac{\pi}{4}\ln(1+\alpha^2) - \int_0^\alpha \frac{\ln x}{1+x^2}\,dx.$

$\therefore$ 준 식 $\xleftarrow{\tan x = t} \displaystyle\int_0^\infty \frac{\ln(1+t)}{1+t^2}\,dt \xleftarrow{(3)} I(1) = \frac{\pi}{4}\ln 2 - \int_0^1 \frac{\ln x}{1+x^2}\,dx \xleftarrow{(2)} \frac{\pi}{4}\ln 2 + 0.915\cdots.$

341 $I = \displaystyle\int_0^\pi \frac{x^3\cos^2 x\sin^2 x}{\pi^2 - 3\pi x + 3x^2}\,dx \xleftarrow{\text{[정리 24,(1)]}} \int_0^\pi \frac{(\pi-x)^3\sin^2(2x)}{4(\pi^2 - 3\pi x + 3x^2)}\,dx \xrightarrow{\text{두 식을 더하면}}$

$\Rightarrow 2I = \dfrac{1}{4}\displaystyle\int_0^\pi \frac{\{(\pi-x)^3 + x^3\}\sin^2(2x)}{\pi^2 - 3\pi x + 3x^2}\,dx = \frac{\pi}{4}\int_0^\pi \sin^2(2x)\,dx = \frac{\pi}{8}\int_0^\pi 1 - \cos 4x\,dx = \frac{\pi^2}{8}$

$\Rightarrow \therefore$ 준 식 $= \dfrac{\pi^2}{16}.$

342 준 식 $\xleftarrow{\begin{array}{c}f(x)=\tan^{-1}(\sin x)\\g'(x)=\sin 2x\end{array}}\left[-\dfrac{1}{2}\cos 2x\tan^{-1}(\sin x)\right]_0^{\frac{\pi}{2}}+\dfrac{1}{2}\displaystyle\int_0^{\frac{\pi}{2}}\dfrac{\cos x\cos(2x)}{1+\sin^2 x}dx$

$=\dfrac{\pi}{8}+\dfrac{1}{2}\displaystyle\int_0^{\frac{\pi}{2}}\dfrac{1-2\sin^2 x}{1+\sin^2 x}\cos x\,dx\xleftarrow{\sin x=t}\dfrac{\pi}{8}-\dfrac{1}{2}\displaystyle\int_0^1 2-\dfrac{3}{1+t^2}dt=\dfrac{\pi}{2}-1.$

343 (1) $0\le x\le\dfrac{\pi}{4}\Rightarrow 1\le\sec x\le\sqrt{2}\Rightarrow[\sec x]=1.$

(2) $g(x)=\cos x+\tan x+1\Rightarrow g'(x)=\sec^2 x-\sin x>0\Rightarrow g(x):$ 증가함수.

$\Rightarrow g(0)\le g(x)\le g\left(\dfrac{\pi}{4}\right)\Rightarrow 2\le g(x)\le 2+\dfrac{1}{\sqrt{2}}\Rightarrow[\cos x+\tan x+1]=2.$

(3) $f(x)=[\sin x+2]\xrightarrow{0\le x\le\frac{\pi}{4}}f(x)=2.$ $\therefore$ 준 식 $\xleftarrow{(1),(2),(3)}\displaystyle\int_0^{\frac{\pi}{4}}2dx=\dfrac{\pi}{2}.$

344 $I=\displaystyle\int_0^{\frac{\pi}{4}}\ln(1+\tan x)dx\xrightarrow{[정리24,(1)]}\displaystyle\int_0^{\frac{\pi}{4}}\ln\left(\dfrac{2}{1+\tan x}\right)dx=\dfrac{\pi}{4}\ln 2-I$

$\Rightarrow 2I=\dfrac{\pi}{4}\ln 2\Rightarrow\therefore$ 준 식 $=\dfrac{\pi}{8}\ln 2.$

345 $\displaystyle\int_0^a F(x)dx=[xF(x)]_0^a-\displaystyle\int_0^a xF'(x)dx\xrightarrow{[정리\ 24,(1)]}$

$=aF(a)-\displaystyle\int_0^a (a-x)F'(a-x)dx\xleftarrow{조건식}aF(a)-a[F(x)]_0^a+\displaystyle\int_0^a xF'(x)dx$

$=aF(0)+[xF(x)]_0^a-\displaystyle\int_0^a F(x)dx=a[F(0)+F(a)]-\displaystyle\int_0^a F(x)dx.$

$\Rightarrow\therefore\displaystyle\int_0^a F(x)dx=\dfrac{a}{2}[F(0)+F(a)].$

346 (1) $0=\ln 1<x<\ln 2\Rightarrow 1<e^x<2\Rightarrow 1<\dfrac{2}{e^x}<2\Rightarrow\left[\dfrac{2}{e^x}\right]=1.$

(2) $\ln 2<x\Rightarrow 2<e^x<\infty\Rightarrow 0<\dfrac{2}{e^x}<1\Rightarrow\left[\dfrac{2}{e^x}\right]=0.$

$\therefore\displaystyle\int_0^\infty\left[\dfrac{2}{e^x}\right]dx=\displaystyle\int_0^{\ln 2}\left[\dfrac{2}{e^x}\right]dx+\displaystyle\int_{\ln 2}^\infty\left[\dfrac{2}{e^x}\right]dx\xleftarrow{(1),(2)}\displaystyle\int_0^{\ln 2}1dx=\ln 2.$

347 (1) $K = \displaystyle\int_0^{\frac{\pi}{4}} x\left(\dfrac{1}{1+\cos 2x} - \dfrac{1}{1+\sin 2x}\right)dx = \int_0^{\frac{\pi}{4}} x\left(\dfrac{\sin 2x - \cos 2x}{(1+\cos 2x)(1+\sin 2x)}\right)dx$

$= \dfrac{1}{2}\displaystyle\int_0^{\frac{\pi}{4}} x\,\dfrac{\sin 2x - \cos 2x}{(1+\sin 2x)\cos^2 x}dx = \dfrac{1}{2}\int_0^{\frac{\pi}{4}} x\left(\dfrac{\tan 2x - 1}{\sec 2x + \tan 2x}\right)\sec^2 x\,dx$

$= \dfrac{1}{2}\displaystyle\int_0^{\frac{\pi}{4}} x\left(\dfrac{(1+\tan x)^2 - 2}{1+2\tan x + \tan^2 x}\right)\sec^2 x\,dx = \dfrac{1}{2}\int_0^{\frac{\pi}{4}} x\left(1 - \dfrac{2}{(1+\tan x)^2}\right)\sec^2 x\,dx$

$\overrightarrow{\begin{array}{l}f(x) = x\\[4pt] g'(x) = \left(1 - \dfrac{2}{(1+\tan x)^2}\right)\sec^2 x\end{array}}$

$\dfrac{1}{2}\left[x\left(\tan x + \dfrac{2}{1+\tan x}\right)\right]_0^{\frac{\pi}{4}} - \dfrac{1}{2}\displaystyle\int_0^{\frac{\pi}{4}} \tan x + \dfrac{2}{1+\tan x}dx$

$= \dfrac{\pi}{4} - \dfrac{1}{4}\ln 2 - \displaystyle\int_0^{\frac{\pi}{4}} \dfrac{1}{1+\tan x}dx \xleftarrow{\text{[정리 24,(1)]}} \dfrac{\pi}{4} - \dfrac{\ln 2}{4} - \dfrac{1}{2}\int_0^{\frac{\pi}{4}} 1+\tan x\,dx = \dfrac{\pi}{8} - \dfrac{\ln 2}{2}.$

(2) $J = \displaystyle\int_0^{\frac{\pi}{4}} \dfrac{1}{1+\cos 2x} - \dfrac{1}{1+\sin 2x}dx \xleftarrow{\text{[정리 24,(1)]}} \int_0^{\frac{\pi}{4}} \dfrac{1}{1+\sin 2x} - \dfrac{1}{1+\cos 2x}dx$

$\Rightarrow 2J = 0 \Rightarrow J = 0.$

$\therefore$ 준 식 $= I = 2\displaystyle\int_0^{\frac{\pi}{4}} \dfrac{x^2(\sin 2x - \cos 2x)}{(1+\sin 2x)(1+\cos 2x)}dx = 2\int_0^{\frac{\pi}{4}} x^2\left(\dfrac{1}{1+\cos 2x} - \dfrac{1}{1+\sin 2x}\right)dx$

$\xleftarrow{\text{[정리 24,(1)]}} -2\displaystyle\int_0^{\frac{\pi}{4}} \left(\dfrac{\pi}{4} - x\right)^2\left(\dfrac{1}{1+\cos 2x} - \dfrac{1}{1+\sin 2x}\right)dx \xrightarrow{\text{두 식을 더하면}}$

$\Rightarrow 2I = 2\displaystyle\int_0^{\frac{\pi}{4}} \left(x^2 - \left(\dfrac{\pi}{4} - x\right)^2\right)\left(\dfrac{1}{1+\cos 2x} - \dfrac{1}{1+\sin 2x}\right)dx$

$= \dfrac{\pi}{2}\displaystyle\int_0^{\frac{\pi}{4}} \left(2x - \dfrac{\pi}{4}\right)\left(\dfrac{1}{1+\cos 2x} - \dfrac{1}{1+\sin 2x}\right)dx \Rightarrow \therefore I = \dfrac{\pi}{2}K - \dfrac{\pi^2}{16}J \xleftarrow{(1),(2)} \dfrac{\pi^2}{16} - \dfrac{\pi}{4}\ln 2.$

348 준 식 $\xleftarrow{x = e^{y^2}} \displaystyle\int_1^2 y(2ye^{y^2})dy = \int_1^2 y(e^{y^2})'dy = \left[ye^{y^2}\right]_1^2 - \int_1^2 e^{y^2}dy \xleftarrow{\text{조건식}}$

$= 2e^4 - e - \alpha.$

349 $I = \displaystyle\int_{-\pi}^{\pi} \dfrac{\cos^2 x}{1+a^x}dx \xleftarrow{\text{[정리 24,(1)]}} \int_{-\pi}^{\pi} \dfrac{\cos^2 x}{1+a^{-x}}dx \xrightarrow{\text{두 식을 더하면}}$

$\Rightarrow 2I = \displaystyle\int_{-\pi}^{\pi} \cos^2 x\left(\dfrac{1}{1+a^x} + \dfrac{1}{1+a^{-x}}\right)dx = \int_{-\pi}^{\pi} \cos^2 x\,dx = 2\int_0^{\pi} \cos^2 x\,dx = \int_0^{\pi} 1+\cos 2x\,dx$

$\Rightarrow \therefore$ 준 식 $= \dfrac{1}{2}\left[x + \dfrac{1}{2}\sin 2x\right]_0^{\pi} = \dfrac{\pi}{2}.$

350 $I = \displaystyle\int_{-1}^{1} \dfrac{x^4}{1+e^{x^7}}\, dx \xleftarrow{\text{[정리 24,(1)]}} \int_{-1}^{1} \dfrac{x^4}{1+e^{-x^7}}\, dx \xrightarrow{\text{두 식을 더하면}}$

$\Rightarrow 2I = \displaystyle\int_{-1}^{1} x^4\left(\dfrac{1}{1+e^{x^7}}+\dfrac{1}{1+e^{-x^7}}\right)dx = 2\int_{0}^{1} x^4\, dx = \dfrac{2}{5} \Rightarrow \therefore I = \dfrac{1}{5}.$

351 준 식 $= \displaystyle\int_{0}^{1}[x]\,dx + \int_{1}^{2}[x]\,dx + \cdots + \int_{[t]-1}^{[t]}[x]\,dx + \int_{[t]}^{t}[x]\,dx$

$= \displaystyle\int_{0}^{1}0\,dx + \int_{1}^{2}1\,dx + \int_{2}^{3}2\,dx + \cdots + \int_{[t]-1}^{[t]}[t]-1\,dx + \int_{[t]}^{t}[t]\,dx$

$= 1+2+\cdots+([t]-1)+[t](t-[t]) = \dfrac{([t]-1)[t]}{2} + [t](t-[t]) = t[t] - \dfrac{3}{2}[t]^2 - \dfrac{1}{2}[t].$

352 (1) $\displaystyle\int_{0}^{1}(x+my)(x-y)^m\,dx = \int_{0}^{1}(x-y)^{m+1} + (m+1)y(x-y)^m\,dx$

$= \left[\dfrac{(x-y)^{m+2}}{m+2} + y(x-y)^{m+1}\right]_{0}^{1} = \dfrac{(1-y)^{m+2}-(-y)^{m+2}}{m+2} + y\{(1-y)^{m+1}-(-y)^{m+1}\}.$

(2) $\displaystyle\int_{0}^{1}y\{(1-y)^{m+1}-(-y)^{m+1}\}\,dy \xleftarrow[\ g'(y)=(1-y)^{m+1}-(-y)^{m+1}\ ]{f(y)=y}$

$= \left[y\left(\dfrac{(-y)^{m+2}-(1-y)^{m+2}}{m+2}\right)\right]_{0}^{1} + \dfrac{1}{m+2}\int_{0}^{1}(1-y)^{m+2}-(-y)^{m+2}\,dy$

$= \dfrac{(-1)^{m+2}}{m+2} + \dfrac{1}{m+2}\left(\dfrac{(-1)^{m+3}+1}{m+3}\right).$

$\therefore$ 준 식 $\xleftarrow{\ (1)\ } \displaystyle\int_{0}^{1}\dfrac{(1-y)^{m+2}-(-y)^{m+2}}{m+2} + y\{(1-y)^{m+1}-(-y)^{m+1}\}\,dy \xrightarrow{\ (2)\ }$

$= \dfrac{1}{(m+2)(m+3)}\left[(-y)^{m+3}-(1-y)^{m+3}\right]_{0}^{1} + \dfrac{(-1)^{m+2}}{m+2} + \dfrac{(-1)^{m+3}+1}{(m+2)(m+3)}$

$= \dfrac{2\{1+(-1)^{m+3}\}}{(m+2)(m+3)} + \dfrac{(-1)^m(m+3)}{(m+2)(m+3)} = \dfrac{2+(-1)^m(m+1)}{(m+2)(m+3)}.$

353 준 식 $\xleftarrow{\text{[정리 24,(1)]}} \displaystyle\int_{0}^{\frac{\pi}{2}}\left[\sin^{-1}(\sin x) + \cos^{-1}(\cos x)\right]dx = \int_{0}^{\frac{\pi}{2}}[2x]\,dx$

$= \displaystyle\int_{0}^{\frac{1}{2}}[2x]\,dx + \int_{\frac{1}{2}}^{1}[2x]\,dx + \int_{1}^{\frac{3}{2}}[2x]\,dx + \int_{\frac{3}{2}}^{\frac{\pi}{2}}[2x]\,dx$

$= \displaystyle\int_{0}^{\frac{1}{2}}0\,dx + \int_{\frac{1}{2}}^{1}1\,dx + \int_{1}^{\frac{3}{2}}2\,dx + \int_{\frac{3}{2}}^{\frac{\pi}{2}}3\,dx = \dfrac{3}{2}(\pi-2).$

354 준 식 $=I \xleftarrow{[정리\ 24,(1)]} \int_{\frac{\pi}{6}}^{\frac{\pi}{3}} \frac{1}{1+\sqrt{\cot x}}\,dx = \int_{\frac{\pi}{6}}^{\frac{\pi}{3}} \frac{\sqrt{\tan x}}{1+\sqrt{\tan x}}\,dx \xrightarrow{\text{두 식을 더하면}}$

$\Rightarrow 2I = \int_{\frac{\pi}{6}}^{\frac{\pi}{3}} \frac{1+\sqrt{\tan x}}{1+\sqrt{\tan x}}\,dx = \frac{\pi}{6} \Rightarrow \therefore \text{준 식} = \frac{\pi}{12}.$

355 $I = \int_{0}^{\frac{\pi}{2}} x(\sqrt{\tan x}+\sqrt{\cot x})\,dx \xleftarrow{[정리\ 24,(1)]} \int_{0}^{\frac{\pi}{2}}\left(\frac{\pi}{2}-x\right)(\sqrt{\tan x}+\sqrt{\cot x})\,dx$

$\Rightarrow 2I = \frac{\pi}{2}\int_{0}^{\frac{\pi}{2}} \sqrt{\tan x}+\sqrt{\cot x}\,dx \xleftarrow{\tan x = t^2} \frac{\pi}{2}\int_{0}^{\infty}\left(t+\frac{1}{t}\right)\frac{2t\,dt}{1+t^4} = \pi \int_{0}^{\infty}\frac{t^2+1}{t^4+1}\,dt$

$= \pi \int_{0}^{\infty}\frac{\left(1+\frac{1}{t^2}\right)dt}{t^2+\frac{1}{t^2}} = \pi \int_{0}^{\infty}\frac{d\left(t-\frac{1}{t}\right)}{\left(t-\frac{1}{t}\right)^2+2} = \frac{\pi}{\sqrt{2}}\left[\tan^{-1}\left(\frac{t-\frac{1}{t}}{\sqrt{2}}\right)\right]_{0}^{\infty} = \frac{\pi^2}{\sqrt{2}}. \quad \therefore \frac{\pi^2}{2\sqrt{2}}.$

356 준 식 $\xleftarrow{\substack{f(x)=\ln(1+\tan x)\\ g'(x)=\cos 2x}} \left[\frac{\sin 2x}{2}\ln(1+\tan x)\right]_{0}^{\frac{\pi}{4}} - \frac{1}{2}\int_{0}^{\frac{\pi}{4}}\frac{\sin 2x \sec^2 x}{1+\tan x}\,dx$

$= \frac{\ln 2}{2} - \frac{1}{2}\int_{0}^{\frac{\pi}{4}}\frac{2\sin x}{\sin x+\cos x}\,dx = \frac{\ln 2}{2} - \frac{1}{2}\int_{0}^{\frac{\pi}{4}}1+\frac{\sin x-\cos x}{\sin x+\cos x}\,dx$

$= \frac{\ln 2}{2} - \frac{\pi}{8} + \left[\ln(\sin x+\cos x)\right]_{0}^{\frac{\pi}{4}} = \ln 2 - \frac{\pi}{8}.$

357 $\int_{0}^{1}\sqrt[b]{1-x^a}\,dx \xleftarrow{\sqrt[b]{1-x^a}=t} \int_{1}^{0} t\,d(\sqrt[a]{1-t^b}) = \left[t\sqrt[a]{1-t^b}\right]_{1}^{0} - \int_{1}^{0}\sqrt[a]{1-t^b}\,dt$

$= \int_{0}^{1}\sqrt[a]{1-x^b}\,dx \Rightarrow \therefore \text{준 식} = 0.$

358 $I_1 = \int_{\sin^2 t}^{1+\cos^2 t} x f(x(2-x))\,dx \xleftarrow{[정리\ 24,(1)]} \int_{\sin^2 t}^{1+\cos^2 t}(2-x)f(x(2-x))\,dx$

$= 2\int_{\sin^2 t}^{1+\cos^2 t} f(x(2-x))\,dx - \int_{\sin^2 t}^{1+\cos^2 t} x f(x(2-x))\,dx \xleftarrow{\text{조건식}} 2I_2 - I_1 \Rightarrow \therefore \frac{I_1}{I_2} = 1.$

359 (1) $\int_{0}^{n^2}[\sqrt{x}]\,dx = \int_{0}^{1}[\sqrt{x}]\,dx + \int_{1}^{2^2}[\sqrt{x}]\,dx + \cdots + \int_{(n-1)^2}^{n^2}[\sqrt{x}]\,dx$

$= \int_{0}^{1}0\,dx + \int_{1}^{2^2}1\,dx + \cdots + \int_{(n-1)^2}^{n^2}(n-1)\,dx = \sum_{k=1}^{n-1}k(2k+1) = \frac{n(n-1)(4n+1)}{6}.$

$\therefore \text{준 식} \xleftarrow{\text{조건식}} \int_{0}^{100}\sqrt{x}-[\sqrt{x}]\,dx \xleftarrow{(1)} \frac{2}{3}\left[\sqrt{x^3}\right]_{0}^{100} - \frac{90\cdot 41}{6} = \frac{155}{3}.$

수학에서의 **정적분 문제와 풀이**

360 $\displaystyle\int_0^1 \cot^{-1}(1-x+x^2)\,dx = \int_0^1 \tan^{-1}\left(\frac{1}{1-x+x^2}\right)dx$ ←[정리 56,(13)]

$\displaystyle = \int_0^1 \tan^{-1}x - \tan^{-1}(x-1)\,dx = \int_0^1 \tan^{-1}x\,dx + \int_0^1 \tan^{-1}(1-x)\,dx$ ←[정리 24,(1)]

$\displaystyle = \int_0^1 \tan^{-1}x\,dx + \int_0^1 \tan^{-1}x\,dx = \int_0^1 2\tan^{-1}x\,dx \Rightarrow \therefore 준식 = 1.$

361 (1) $\tan^6 x = \tan^4 x(\sec^2 x - 1) = \tan^4 x\sec^2 x - \tan^2 x(\sec^2 x - 1)$

$\displaystyle = \tan^4 x\sec^2 x - \tan^2 x\sec^2 x + \sec^2 x - 1 = \frac{d}{dx}\left(\frac{\tan^5 x}{5} - \frac{\tan^3 x}{3} + \tan x - x\right).$

(2) $\displaystyle\int_0^{\frac{\pi}{4}} \tan^5 x\,dx = \int_0^{\frac{\pi}{4}} \frac{\tan^4 x}{\sec x}\,d(\sec x) = \int_0^{\frac{\pi}{4}} \sec^3 x - 2\sec x + \frac{1}{\sec x}\,d(\sec x)$

$\displaystyle = \left[\frac{\sec^4 x}{4} - \sec^2 x + \ln(\sec x)\right]_0^{\frac{\pi}{4}} = \ln\sqrt{2} - \frac{1}{4}.$

(3) $\displaystyle\int_0^{\frac{\pi}{4}} \tan^3 x\,dx = \int_0^{\frac{\pi}{4}} \frac{\tan^2 x}{\sec x}\,d(\sec x) = \int_0^{\frac{\pi}{4}} \sec x - \frac{1}{\sec x}\,d(\sec x) = \frac{1}{2} - \ln\sqrt{2}.$

$\displaystyle\therefore 준식 \xleftarrow{x=\tan^2 y} \int_0^{\frac{\pi}{4}} (y\tan^2 y)^2\, 2\sec^2 y\tan y\,dy = \int_0^{\frac{\pi}{4}} y^2(2\tan^5 y)\sec^2 y\,dy = \int_0^{\frac{\pi}{4}} y^2\,d\left(\frac{\tan^6 y}{3}\right)$

$\displaystyle = \left[\frac{y^2\tan^6 y}{3}\right]_0^{\frac{\pi}{4}} - \frac{2}{3}\int_0^{\frac{\pi}{4}} y\tan^6 y\,dy \xleftarrow{(1)} \frac{\pi^2}{48} - \frac{2}{3}\int_0^{\frac{\pi}{4}} y\,d\left(\frac{\tan^5 y}{5} - \frac{\tan^3 y}{3} + \tan y - y\right)$

$\displaystyle = \frac{\pi^2}{48} - \frac{2}{3}\left(\left[y\left(\frac{\tan^5 y}{5} - \frac{\tan^3 y}{3} + \tan y - y\right)\right]_0^{\frac{\pi}{4}} - \int_0^{\frac{\pi}{4}} \frac{\tan^5 y}{5} - \frac{\tan^3 y}{3} + \tan y - y\,dy\right)$ ←(2),(3)

$\displaystyle = \frac{\pi^2}{24} - \frac{13}{90}(\pi+1) + \frac{46}{45}\ln\sqrt{2}.$

362 $\displaystyle I = \int_0^{\frac{1}{4}} \frac{1}{1+\sqrt{\cot(2\pi x)}}\,dx = \int_0^{\frac{1}{4}} \frac{\sqrt{\tan(2\pi x)}}{1+\sqrt{\tan(2\pi x)}}\,dx$ ←[정리 24,(1)]

$\displaystyle = \int_0^{\frac{1}{4}} \frac{1}{1+\sqrt{\tan(2\pi x)}}\,dx \xrightarrow{두식을더하면} 2I = \int_0^{\frac{1}{4}} 1\,dx \Rightarrow \therefore I = \frac{1}{8}.$

363 (1) $\displaystyle\frac{1}{1-x} = 1 + x + x^2 + \cdots = \sum_{n=0}^{\infty} x^n.$

$\displaystyle\therefore 준식 \xleftarrow{(1)} \sum_{n=0}^{\infty} \int_0^1 x^n\ln x\,dx \xleftarrow[g'(x)=x^n]{f(x)=\ln x} \sum_{n=0}^{\infty}\left\{\left[\frac{x^{n+1}\ln x}{n+1}\right]_0^1 - \int_0^1 \frac{x^n}{n+1}\,dx\right\}$

$\displaystyle = -\sum_{n=0}^{\infty}\left[\frac{x^{n+1}}{(n+1)^2}\right]_0^1 = -\left(1 + \frac{1}{2^2} + \frac{1}{3^2} + \cdots\right)$ ←[수열과 급수,12] $\displaystyle -\frac{\pi^2}{6}.$

364 (1) [정리 28]에 의해 다음 등식이 성립한다.

$$e^x = \sum_{n=0}^{\infty} \frac{x^n}{n!}, \ e^{\frac{x}{a}} = \sum_{n=0}^{\infty} \frac{x^n}{a^n n!}, \ e^{\frac{b}{x}} = \sum_{n=0}^{\infty} \frac{b^n}{x^n n!}.$$

(2) $\displaystyle \int_a^b \frac{\sqrt[a]{e^x}}{x} dx \xleftrightarrow{(1)} \sum_{n=0}^{\infty} \frac{1}{a^n n!} \int_a^b x^{n-1} dx = \int_a^b x^{-1} dx + \sum_{n=1}^{\infty} \frac{1}{a^n n!} \int_a^b x^{n-1} dx$

$\displaystyle = \ln\left(\frac{b}{a}\right) + \sum_{n=1}^{\infty} \frac{1}{na^n n!}(b^n - a^n).$

(3) $\displaystyle \int_a^b \frac{\sqrt[x]{e^b}}{x} dx \xleftrightarrow{(1)} \sum_{n=0}^{\infty} \frac{b^n}{n!} \int_a^b x^{-(n+1)} dx = \int_a^b x^{-1} dx + \sum_{n=1}^{\infty} \frac{b^n}{n!} \int_a^b x^{-(n+1)} dx$

$\displaystyle = \ln\left(\frac{b}{a}\right) - \sum_{n=1}^{\infty} \frac{b^n}{n \cdot n!}\left(\frac{1}{b^n} - \frac{1}{a^n}\right) = \ln\left(\frac{b}{a}\right) + \sum_{n=1}^{\infty} \frac{1}{na^n n!}(b^n - a^n). \quad \therefore 준\ 식 \xleftrightarrow{(2),(3)} 0.$

365 준 식 $\xleftarrow{[정리\ 24,(1)]} -\int_0^1 \sqrt[3]{2x^3 - 3x^2 - x + 1}\, dx \Rightarrow \therefore 준\ 식 = 0.$

366 준 식 $\displaystyle = \int_0^{\frac{\pi}{2}} \frac{x + 2\sin\frac{x}{2}\cos\frac{x}{2}}{2\cos^2\frac{x}{2}} dx = \frac{1}{2}\int_0^{\frac{\pi}{2}} x\sec^2\frac{x}{2}\, dx + \int_0^{\frac{\pi}{2}} \tan\frac{x}{2}\, dx$

$\displaystyle \xleftarrow[g'(x)=\sec^2\frac{x}{2}]{f(x)=x} \frac{1}{2}\left(\left[2x\tan\frac{x}{2}\right]_0^{\frac{\pi}{2}} - 2\int_0^{\frac{\pi}{2}} \tan\frac{x}{2}\, dx\right) + \int_0^{\frac{\pi}{2}} \tan\frac{x}{2}\, dx = \frac{\pi}{2}.$

367 (1) $\sin x \cos x = \frac{1}{2}(\sin 2x), \ \sin x \cos 3x = \frac{1}{2}(\sin 4x - \sin 2x), \dots,$

$\sin x \cos(2n-1)x = \frac{1}{2}(\sin 2nx - \sin(2n-2)x) \xrightarrow{모든\ 식을\ 더하면}$

$\Rightarrow \sin x(\cos x + \cos 3x + \cdots + \cos(2n-1)x) = \frac{1}{2}\sin 2nx \Rightarrow \frac{\sin 2nx}{\sin x} = 2\sum_{k=1}^{n} \cos(2k-1)x.$

$\therefore 준\ 식 \xleftarrow[g'(x)=\cos 2nx]{f(x)=\ln|\sin x|} \left[\frac{\sin 2nx}{2n}\ln|\sin x|\right]_0^{\frac{3\pi}{2}} - \frac{1}{2n}\int_0^{\frac{3\pi}{2}} \sin 2nx \cot x\, dx$

$\displaystyle = -\frac{1}{2n}\int_0^{\frac{3\pi}{2}} \cos x\left(\frac{\sin 2nx}{\sin x}\right) dx \xleftrightarrow{(1)} -\frac{1}{2n}\int_0^{\frac{3\pi}{2}} 2\sum_{k=1}^{n} \cos x \cos(2k-1)x\, dx$

$\displaystyle = -\frac{1}{2n}\int_0^{\frac{3\pi}{2}} \cos 2x + 1 + \cos 4x + \cos 2x + \cdots + \cos 2nx + \cos(2n-2)x\, dx = -\frac{3\pi}{4n}.$

368 $I = \displaystyle\int_0^\infty \frac{\ln x}{x^2+x+1}\,dx \xleftarrow{\ x=t^{-1}\ } -\int_0^\infty \frac{\ln t}{t^2+t+1}\,dt = -\int_0^\infty \frac{\ln x}{x^2+x+1}\,dx.$

$\Rightarrow \therefore$ 준 식 $= 0.$

369 $I = \displaystyle\int_0^\infty \frac{\ln x}{x^2+ax+a}\,dx \xleftarrow{\ x=ay^{-1}\ } \int_0^\infty \frac{\ln a - \ln y}{y^2+ay+a}\,dy = \ln a \int_0^\infty \frac{1}{x^2+ax+a}\,dx - I.$

$\Rightarrow 2I = \ln a \displaystyle\int_0^\infty \frac{1}{\left(x+\dfrac{a}{2}\right)^2 + \left(a - \dfrac{a^2}{4}\right)}\,dx = \frac{\ln a}{\sqrt{a - \dfrac{a^2}{4}}}\left[\tan^{-1}\!\left(\frac{x + \dfrac{a}{2}}{\sqrt{a - \dfrac{a^2}{4}}} \right) \right]_0^\infty = \frac{\pi \ln a}{2\sqrt{a - \dfrac{a^2}{4}}}.$

$\therefore$ 준 식 $= \dfrac{\pi \ln a}{2\sqrt{4a - a^2}}.$

370 (1) $\displaystyle\int_0^\infty e^{-\beta x}\left(\frac{\sin \alpha x}{x} \right)dx = \int_0^\infty e^{-\beta x}\left(\frac{\sin \alpha x - \sin 0x}{x} \right)dx$

$= \displaystyle\int_0^\infty e^{-\beta x}\int_0^\alpha \cos(xy)\,dy\,dx = \int_0^\alpha \int_0^\infty e^{-\beta x}\cos(xy)\,dx\,dy \xleftarrow{\ f(x)=e^{-\beta x}\ }_{g'(x)=\cos(xy)}$

$= \displaystyle\int_0^\alpha \frac{\beta}{y^2+\beta^2}\,dy = \left[\tan^{-1}\!\left(\frac{y}{\beta} \right) \right]_0^\alpha = \tan^{-1}\!\left(\frac{\alpha}{\beta} \right). \xrightarrow{\ \beta=0\ } \therefore$ 준 식 $= \tan^{-1}\!\left(\frac{\alpha}{0} \right) = \frac{\pi}{2}.$

371 준 식 $= \dfrac{1}{2}\displaystyle\int_0^\infty \frac{\sin(a+b)x + \sin(a-b)x}{x}\,dx \xleftarrow{[\text{문제 } 370]} \frac{1}{2}\left(\frac{\pi}{2} + \frac{\pi}{2} \right) = \frac{\pi}{2}.$

372 준 식 $= \displaystyle\int_0^{\frac{\pi}{2}} \cos x\,\frac{\sin(2kx)}{\sin x}\,dx \xleftarrow{[\text{문제 } 367,(1)]} 2\sum_{n=1}^k \int_0^{\frac{\pi}{2}} \cos x \cos(2n-1)x\,dx$

$= \displaystyle\int_0^{\frac{\pi}{2}} \cos 2x + 1 + \cos 4x + \cos 2x + \cdots + \cos(2kx) + \cos(2k-2)x\,dx = \frac{\pi}{2}.$

373 준 식 $\xleftarrow{[\text{정리 } 21,(12)]} \displaystyle\int_0^a \frac{dx}{1 - \cos a\left(\dfrac{1 - \tan^2\dfrac{x}{2}}{\sec^2\dfrac{x}{2}} \right)} = \int_0^a \frac{\sec^2\dfrac{x}{2}\,dx}{\sec^2\dfrac{x}{2} - \cos a\left(1 - \tan^2\dfrac{x}{2} \right)}$

$$= \int_0^a \frac{\sec^2\frac{x}{2}\,dx}{1+\tan^2\frac{x}{2}-\cos a\left(1-\tan^2\frac{x}{2}\right)} = \int_0^a \frac{\sec^2\frac{x}{2}\,dx}{\tan^2\frac{x}{2}(1+\cos a)+(1-\cos a)}$$

$$= \frac{2}{1+\cos a}\int_0^a \frac{\frac{1}{2}\sec^2\frac{x}{2}\,dx}{\tan^2\frac{x}{2}+\left(\sqrt{\frac{1-\cos a}{1+\cos a}}\right)^2} = \frac{2}{1+\cos a}\int_0^a \frac{d\left(\tan\frac{x}{2}\right)}{\tan^2\frac{x}{2}+\left(\sqrt{\frac{1-\cos a}{1+\cos a}}\right)^2}$$

$$= \frac{2}{\sin a}\left[\tan^{-1}\left(\sqrt{\frac{1+\cos a}{1-\cos a}}\,\tan\frac{x}{2}\right)\right]_0^a = \frac{2}{\sin a}\left(\tan^{-1}\sqrt{\frac{1+\cos a}{1-\cos a}}\,\tan\frac{a}{2}\right) \xleftarrow{\ [\text{정리}21,(6)]\ }$$

$$= \frac{2}{\sin a}\tan^{-1}(1) = \frac{2}{\sin a}\left(\frac{\pi}{4}\right) = \frac{\pi}{2}\operatorname{cosec}a.$$

374 $I = \displaystyle\int_0^{10\pi} \frac{\cos 6x\cos 7x\cos 8x\cos 9x}{1+e^{2\sin^3 4x}}\,dx \xleftarrow{\ [\text{정리 } 24,(1)]\ }$

$$= \int_0^{10\pi} \frac{e^{2\sin^3 4x}\cos 6x\cos 7x\cos 8x\cos 9x}{1+e^{2\sin^3 4x}}\,dx \xrightarrow{\ \text{두 식을 더하면}\ }$$

$$\Rightarrow 2I = \int_0^{10\pi}\cos 6x\cos 7x\cos 8x\cos 9x\,dx = \int_0^{10\pi}\cos 6x\cos 8x\cos 7x\cos 9x\,dx$$

$$= \frac{1}{4}\int_0^{10\pi}(\cos 14x+\cos 2x)(\cos 16x+\cos 2x)dx \xleftarrow{\ \text{전개한 후 곱을 합의 공식}\ }$$

$$= \frac{1}{8}\int_0^{10\pi}\cos 30x+\cos 2x+\cos 16x+\cos 12x+\cos 18x+\cos 14x+1+\cos 4x\,dx = \frac{5\pi}{4}.$$

$$\therefore \text{준 식} = \frac{5\pi}{8}.$$

375 (1) $I(k) = \displaystyle\int_0^{\frac{\pi}{2}}\ln\left(\sin^2 x+k^2\cos^2 x\right)dx$라고 하자. 양변을 k로 미분한다.

$$I'(k) = 2k\int_0^{\frac{\pi}{2}}\frac{\cos^2 x}{\sin^2 x+k^2\cos^2 x}\,dx = 2k\int_0^{\frac{\pi}{2}}\frac{1}{k^2+\tan^2 x}\,dx \xleftarrow{\ \tan x = u\ }$$

$$= 2k\int_0^{\infty}\frac{du}{(u^2+k^2)(u^2+1)} = 2k\int_0^{\infty}\left(\frac{1}{k^2-1}\right)\frac{1}{u^2+1}+\left(\frac{1}{1-k^2}\right)\frac{1}{u^2+k^2}\,du$$

$$= \frac{2k}{k^2-1}\left[\tan^{-1}u\right]_0^{\infty}+\frac{2}{1-k^2}\left[\tan^{-1}\left(\frac{u}{k}\right)\right]_0^{\infty} = \frac{\pi}{k+1} \xrightarrow{\ \text{양변을 } k \text{로 적분}\ }$$

$$I(k) = \pi\ln(k+1)+c \xrightarrow{\ k=1\ } c = I(1)-\pi\ln 2 \xrightarrow{\ (1)\ } -\pi\ln 2 \ \Rightarrow \therefore I(k) = \pi\ln\left(\frac{k+1}{2}\right).$$

376 준 식 $= \displaystyle\int_0^1 \tan^{-1}\left(\dfrac{1}{1-x+x^2}\right)dx \xleftarrow{\text{[정리 56,(13)]}} \int_0^1 \tan^{-1}x - \tan^{-1}(x-1)\,dx$

$= \displaystyle\int_0^1 \tan^{-1}x\,dx - \int_0^1 \tan^{-1}(x-1)\,dx \xleftarrow{\text{[정리 24,(1)]}} \int_0^1 \tan^{-1}x\,dx - \int_0^1 \tan^{-1}(-x)\,dx$

$= 2\displaystyle\int_0^1 \tan^{-1}x\,dx \xleftarrow[g'(x)=1]{f(x)=\tan^{-1}x} 2\left\{\left[x\tan^{-1}x\right]_0^1 - \int_0^1 \dfrac{x}{1+x^2}\,dx\right\}$

$= \dfrac{\pi}{2} - \left[\ln(1+x^2)\right]_0^1 = \dfrac{\pi}{2} - \ln 2.$

377 준 식 $\xleftarrow{\text{[정리 56,(9)]}} \displaystyle\int_0^1 \dfrac{\pi}{2} - \cot^{-1}(1-x+x^2)\,dx = \dfrac{\pi}{2} - \int_0^1 \cot^{-1}(1-x+x^2)\,dx$

$\xleftarrow{\text{[문제 376]}} \ln 2.$

378 $I = \displaystyle\int_0^\pi \dfrac{x}{1+\sin x}\,dx \xleftarrow{\text{[정리 24,(1)]}} \int_0^\pi \dfrac{\pi-x}{1+\sin x}\,dx = \pi\int_0^\pi \dfrac{1}{1+\sin x}\,dx - I$

$\Rightarrow \therefore I = \dfrac{\pi}{2}\displaystyle\int_0^\pi \dfrac{1}{1+\sin x}\,dx \xleftarrow{\tan\frac{x}{2}=t} 2\pi\int_0^1 \dfrac{1}{(1+t)^2}\,dt = \pi.$

379 (1) $t = \sec x + \tan x$라고 하자. $dt = \sec x(\tan x + \sec x)\,dx = t\sec x\,dx,$

$\sec x - \tan x = \dfrac{1}{t}$이고 두 식을 더하면 $\sec x = \dfrac{1}{2}\left(t+\dfrac{1}{t}\right) = \dfrac{t^2+1}{2t}$이다.

$\therefore$ 준 식 $\xleftarrow[(1)]{t=\sec x+\tan x} \dfrac{1}{2}\displaystyle\int_1^\infty t^{-n} + t^{-(n+2)}\,dt = \dfrac{n}{n^2-1}.$

380 (1) $\displaystyle\int_0^\pi \dfrac{dx}{a^2\sin^2 x + b^2\cos^2 x} = \int_0^{\frac{\pi}{2}} \dfrac{dx}{a^2\sin^2 x + b^2\cos^2 x} + \int_{\frac{\pi}{2}}^\pi \dfrac{dx}{a^2\sin^2 x + \cos^2 x}$

$\xleftarrow{x=t+\frac{\pi}{2}} \displaystyle\int_0^{\frac{\pi}{2}} \dfrac{dx}{a^2\sin^2 x + b^2\cos^2 x} + \int_0^{\frac{\pi}{2}} \dfrac{dt}{a^2\cos^2 t + b^2\sin^2 t}$

$= \displaystyle\int_0^{\frac{\pi}{2}} \dfrac{\sec^2 x}{a^2\tan^2 x + b^2} + \dfrac{\sec^2 x}{a^2+b^2\tan^2 x}\,dx \xleftarrow{\tan x = y} \int_0^\infty \dfrac{1}{a^2 y^2 + b^2} + \dfrac{1}{a^2 + b^2 y^2}\,dy$

$= \dfrac{1}{ab}\left(\left[\tan^{-1}\left(\dfrac{ay}{b}\right) + \tan^{-1}\left(\dfrac{by}{a}\right)\right]_0^\infty\right) = \dfrac{\pi}{ab}.$

(2) $I=\displaystyle\int_0^\pi \frac{\sin^2x}{a^2\sin^2x+b^2\cos^2x}dx$, $J=\displaystyle\int_0^\pi \frac{\cos^2x}{a^2\sin^2x+b^2\cos^2x}dx$라고 하자.

$\Rightarrow a^2I+b^2J=\displaystyle\int_0^\pi 1dx=\pi.$

(3) $I=\displaystyle\int_0^\pi \frac{1-\cos^2x}{a^2\sin^2x+b^2\cos^2x}dx=\int_0^\pi \frac{dx}{a^2\sin^2x+b^2\cos^2x}-J \xleftarrow{(1)} \frac{\pi}{ab}-J.$

$\therefore$ (2),(3)연립방정식 : $I=\dfrac{\pi}{a(a+b)}.$

381 (1) $\sin^2(n+1)x+\sin^2(n-1)x=2\sin^2nx\cos^2x+2\cos^2nx\sin^2x,$

$\sin^2(n+1)x+\sin^2(n-1)x-\sin^2nx=\sin^2nx+2\sin^2x(1-2\sin^2nx)$

$=\sin^2nx+2\sin^2x\cos2nx$

$\Rightarrow \dfrac{\sin^2(n+1)x+\sin^2(n-1)x-\sin^2nx}{\sin^2x}=\dfrac{\sin^2nx}{\sin^2x}+2\cos2nx.$

(2) $I_n=\displaystyle\int_{-\pi}^\pi \frac{\sin^2nx}{(e^x+1)\sin^2x}dx \xleftarrow{[정리\ 24,(7)]} \int_0^\pi \frac{\sin^2nx}{\sin^2x}dx.$

$I_1=\displaystyle\int_0^\pi 1dx=\pi, \quad I_2=\int_0^\pi 4\cos^2x\,dx=2\pi.$

$\xrightarrow{(1)} I_{n+1}-I_n+I_{n-1}=I_n+2\displaystyle\int_0^\pi \cos2nx\,dx=I_n \Rightarrow I_{n+1}=2I_n-I_{n-1} \xrightarrow{[정리\ 35,(1)]}$

$\therefore$ 준 식 $=I_n=n\pi.$

382 $I=\displaystyle\int_0^1 \frac{dx}{(5+2x-2x^2)(1+e^{2-4x})} \xleftarrow{[정리\ 24,(1)]} \int_0^1 \frac{e^{2-4x}\,dx}{(5+2x-2x^2)(1+e^{2-4x})} \xrightarrow{합}$

$\Rightarrow 2I=\displaystyle\int_0^1 \frac{1}{5+2x-2x^2}dx \Rightarrow \therefore I=\frac{1}{4}\int_0^1 \frac{dx}{\dfrac{11}{4}-\left(x-\dfrac{1}{2}\right)^2}=\frac{1}{4\sqrt{11}}\left[\ln\left|\dfrac{x-\dfrac{1}{2}+\dfrac{\sqrt{11}}{2}}{x-\dfrac{1}{2}-\dfrac{\sqrt{11}}{2}}\right|\right]_0^1$

$=\dfrac{1}{2\sqrt{11}}\ln\left(\dfrac{\sqrt{11}+1}{\sqrt{11}-1}\right).$

383 준 식 $=\displaystyle\int_0^{\frac{\pi^2}{4}} 2\sin\sqrt{x}+\sqrt{x}\cos\sqrt{x}\,dx=\int_0^{\frac{\pi^2}{4}} (2x)'\sin\sqrt{x}+(2x)(\sin\sqrt{x})'dx$

$=\left[2x\sin\sqrt{x}\right]_0^{\frac{\pi^2}{4}}=\dfrac{\pi^2}{2}.$

384 준 식 $= \displaystyle\int_{\sqrt{2}-1}^{\sqrt{2}+1} 1 - \frac{x^2-1}{x^4+2x^2+1}\,dx = 2 - \int_{\sqrt{2}-1}^{\sqrt{2}+1} \frac{\left(1-\dfrac{1}{x^2}\right)dx}{x^2+2+\dfrac{1}{x^2}}$

$= 2 - \displaystyle\int_{\sqrt{2}-1}^{\sqrt{2}+1} \frac{d\left(x+\dfrac{1}{x}\right)}{\left(x+\dfrac{1}{x}\right)^2} = 2 - \left[\frac{1}{x+\dfrac{1}{x}}\right]_{\sqrt{2}-1}^{\sqrt{2}+1} = 2.$

385 준 식 $= 2\displaystyle\int_0^1 \frac{d(\sqrt{x})}{\sqrt{1+\sqrt{x}}\,\sqrt{1+\sqrt{1+\sqrt{x}}}} = 4\int_0^1 \frac{d\left(\sqrt{1+\sqrt{x}}\right)}{\sqrt{1+\sqrt{1+\sqrt{x}}}}$

$= 8\displaystyle\int_0^1 1\, d\left(\sqrt{1+\sqrt{1+\sqrt{x}}}\right) = 8\left[\sqrt{1+\sqrt{1+\sqrt{x}}}\,\right]_0^1 = 8\left(\sqrt{1+\sqrt{2}} - \sqrt{2}\right).$

386

준 식 $= \displaystyle\int_{\frac{\pi}{4}}^{\frac{\pi}{2}} \frac{dx}{\sin^2 x(1+\cot x + 2\sqrt{\cot x})\sqrt{\cot x}} = -\int_{\frac{\pi}{4}}^{\frac{\pi}{2}} \frac{d(\cot x)}{(1+\cot x + 2\sqrt{\cot x})\sqrt{\cot x}}$

$\xrightarrow{\sqrt{\cot x}\,=\,u} 2\displaystyle\int_0^1 \frac{1}{1+u^2+2u}\,du = 2\int_0^1 \frac{1}{(u+1)^2}\,du = 2\left[\frac{-1}{u+1}\right]_0^1 = 1.$

387 $0 \xleftarrow{\text{조건식}} \displaystyle\int_{\frac{a}{2}}^{t} F'(x) - F'(a-x)\,dx = \int_{\frac{a}{2}}^{t} F'(x)\,dx - \int_{\frac{a}{2}}^{t} F'(a-x)\,dx \xleftarrow{a-x=y}$

$= \displaystyle\int_{\frac{a}{2}}^{t} F'(x)\,dx - \int_{\frac{a}{2}}^{a-t} F'(y)(-dy) = F(t) - F\left(\frac{a}{2}\right) - F\left(\frac{a}{2}\right) + F(a-t).$

$\Rightarrow 2F\left(\dfrac{a}{2}\right) = F(x) + F(a-x).$

$\Rightarrow 2\displaystyle\int_0^a F\left(\frac{a}{2}\right)dx = \int_0^a F(x)\,dx + \int_0^a F(a-x)\,dx \xleftarrow{\text{[정리 24,(1)]}} 2\int_0^a F(x)\,dx.$

$\therefore \displaystyle\int_0^a F(x)\,dx = \int_0^a F\left(\frac{a}{2}\right)dx = aF\left(\frac{a}{2}\right).$

388 $I = \displaystyle\int_0^{\frac{\pi}{2}} \frac{\sin 8x \ln(\cot x)}{\cos 2x}\,dx = 4\int_0^{\frac{\pi}{2}} \sin 2x \cos 4x \ln(\cot x)\,dx \xrightarrow{\text{[정리 24,(1)]}}$

$= 4\displaystyle\int_0^{\frac{\pi}{2}} \sin 2x \cos 4x \ln(\tan x)\,dx \xrightarrow{\text{두 식을 더하면}} 2I = 4\int_0^{\frac{\pi}{2}} \sin 2x \cos 4x (\ln 1)\,dx = 0.$

$\therefore$ 준 식 $= 0.$

389 준 식 $= \displaystyle\int_0^{\frac{\pi}{4}} \frac{\tan x + 1}{\sqrt{\tan x}}\, dx = \int_0^{\frac{\pi}{4}} \left(\frac{\tan x + 1}{\sqrt{\tan x}}\right)\left(\frac{\sec^2 x}{1 + \tan^2 x}\right) dx \xleftarrow{\tan x = t^2}$

$= 2\displaystyle\int_0^1 \frac{1 + t^2}{1 + t^4}\, dt = 2\int_0^1 \frac{1 + \dfrac{1}{t^2}}{t^2 + \dfrac{1}{t^2}}\, dt = 2\int_0^1 \frac{d\left(t - \dfrac{1}{t}\right)}{\left(t - \dfrac{1}{t}\right)^2 + 2} = \frac{1}{\sqrt{2}}\left[\tan^{-1}\left(\frac{1}{\sqrt{2}}\left(t - \frac{1}{t}\right)\right)\right]_0^1$

$= \dfrac{\pi}{\sqrt{2}}.$

390 준 식 $\xleftarrow{x = \sin 2\theta} \displaystyle\int_{\frac{\pi}{6}}^{\frac{\pi}{4}} \frac{2\cos\theta}{2\sin\theta}(2\cos 2\theta)d\theta \xleftarrow{\text{2배각 공식}} 2\int_{\frac{\pi}{6}}^{\frac{\pi}{4}} \cot\theta - \sin 2\theta\, d\theta$

$= \left[2\ln(\sin\theta) + \cos(2\theta)\right]_{\frac{\pi}{6}}^{\frac{\pi}{4}} = 2\ln\sqrt{2} - \dfrac{1}{2}.$

391 준 식 $= 2\displaystyle\int_0^{\frac{\pi}{6}} \frac{d(\sin x - \cos x)}{2 + 2\sin x \cos x} = 2\int_0^{\frac{\pi}{6}} \frac{d(\sin x - \cos x)}{3 - (\sin x - \cos x)^2}$

$= \dfrac{1}{\sqrt{3}}\left[\ln\left(\dfrac{\sin x - \cos x + \sqrt{3}}{\sin x - \cos x - \sqrt{3}}\right)\right]_0^{\frac{\pi}{6}} = \dfrac{1}{\sqrt{3}}\ln\left(\dfrac{(\sqrt{2}+1)(\sqrt{3}+1)}{(3\sqrt{3}-1)(\sqrt{3}-1)}\right).$

392 준 식 $\xleftarrow{x = t^{-1}} \displaystyle\int_0^1 \frac{t^3 + 3t^6}{t^2 + 1}\, dt = \int_0^1 3t^4 - 3t^2 + t + 3 - \frac{t+3}{t^2+1}\, dt$

$= \dfrac{31}{10} - \ln\sqrt{2} - \dfrac{3\pi}{4}.$

393 (1) $f(a) = \displaystyle\int_0^1 \frac{\ln(1 + ax) - \ln(1 - ax)}{x\sqrt{1 - x^2}}\, dx \xrightarrow{\text{양변을 } a \text{로 미분}}$

$\Rightarrow f'(a) = \displaystyle\int_0^1 \frac{dx}{(1 + ax)\sqrt{1 - x^2}} + \int_0^1 \frac{dx}{(1 - ax)\sqrt{1 - x^2}} = 2\int_0^1 \frac{1}{(1 - (ax)^2)\sqrt{1 - x^2}}\, dx$

$\xleftarrow{x = t^{-1}} 2\displaystyle\int_1^\infty \frac{t}{(t^2 - a^2)\sqrt{t^2 - 1}}\, dt \xleftarrow{t^2 = u} \int_1^\infty \frac{1}{(u - a^2)\sqrt{u - 1}}\, du \xleftarrow{u - 1 = s^2}$

$= 2\displaystyle\int_0^\infty \frac{1}{s^2 + (1 - a^2)}\, ds = \frac{2}{\sqrt{1 - a^2}}\left[\tan^{-1}\left(\frac{s}{\sqrt{1 - a^2}}\right)\right]_0^\infty = \frac{\pi}{\sqrt{1 - a^2}}$

$\xrightarrow{\text{양변을 } a \text{로 적분}} \Rightarrow f(a) = \pi\sin^{-1}a + c \xrightarrow{a = 0} c = f(0) = \displaystyle\int_0^1 0\, dx = 0.$

$\therefore$ 준 식 $\xleftrightarrow{(1)} \pi\sin^{-1}a.$

394 (1) $x+\sqrt{x^2+1}=t$라고 하자.

$$\frac{1}{t}=\frac{1}{x+\sqrt{x^2+1}}=\sqrt{x^2+1}-x \xrightarrow{\text{두 식을 더하면}} \sqrt{x^2+1}=\frac{1}{2}\left(t+\frac{1}{t}\right).$$

$$\therefore 준\ 식 \xleftarrow[(1)]{t=x+\sqrt{x^2+1}} \frac{1}{2}\int_1^\infty \frac{t^2+1}{t^{n+2}}dt=\frac{1}{2}\int_1^\infty t^{-n}+t^{-(n+2)}dt=\frac{n}{n^2-1}.$$

395 (1) 준 식

$$= \xrightarrow{x+1=u} \int_0^1 \frac{u^2-1}{\ln u}du \xrightarrow{\ln u=y} \int_{-\infty}^0 \frac{e^{2y}-1}{y}e^y dy \xrightarrow{y=-x} -\int_0^\infty \frac{e^{-3x}-e^{-x}}{x}dx$$

$$= -\int_0^\infty (e^{-3x}-e^{-x})\left(\int_0^\infty e^{-xy}dy\right)dx = -\int_0^\infty \int_0^\infty e^{-(y+3)x}-e^{-(y+1)x}dxdy$$

$$= -\int_0^\infty \frac{1}{y+3}-\frac{1}{y+1}dy = -\left[\ln\frac{y+3}{y+1}\right]_0^\infty = \ln 3.$$

(2) $f(\alpha)=\int_0^1 \frac{x^\alpha-1}{\ln x}dx \xrightarrow{\text{양변을 미분}} f'(\alpha)=\int_0^1 x^\alpha dx=\frac{1}{1+\alpha} \xrightarrow{\text{양변을 적분}}$

$$\Rightarrow f(\alpha)=\ln(1+\alpha)+c \xrightarrow{\alpha=0} c=f(0)=\int_0^1 0dx=0 \Rightarrow f(\alpha)=\ln(1+\alpha).$$

$$\therefore 준\ 식 = \int_0^1 \frac{u^2-1}{\ln u}du \xleftarrow{(2)} f(2)=\ln 3.$$

396 (1) $\displaystyle\int_2^{1+e^2} \frac{\ln(x-1)}{x^3}dx = -\frac{1}{2}\left[\frac{\ln(x-1)}{x^2}\right]_2^{1+e^2} + \frac{1}{2}\int_2^{1+e^2}\frac{dx}{x^2(x-1)}$

$$=-\frac{\ln e^2}{2(1+e^2)^2}+\frac{1}{2}\int_2^{1+e^2}\frac{1}{x-1}-\frac{1}{x}-\frac{1}{x^2}dx.$$

(2) $\displaystyle\int_2^{1+e^2}\frac{\ln(x-1)}{2x^2}dx = -\frac{\ln e^2}{2(1+e^2)}+\frac{1}{2}\int_2^{1+e^2}\frac{1}{x-1}-\frac{1}{x}dx.$

$$\therefore 준\ 식 \xleftrightarrow{1+e^{2x}=t} \int_2^{1+e^2}\frac{(t-1)(1-\ln(t-1))+1+\ln(t-1)}{2t^3}dt = \int_2^{1+e^2}\frac{1}{2t^2}+\left(\frac{1}{t^3}-\frac{1}{2t^2}\right)\ln(t-1)dt$$

$$=-\frac{1}{2}\left[\frac{1}{t}\right]_2^{1+e^2}+\int_2^{1+e^2}\frac{\ln(x-1)}{x^3}dx-\int_2^{1+e^2}\frac{\ln(x-1)}{2x^2}dx \xleftarrow{(1),(2)}$$

$$=\frac{1}{4}+\frac{1}{2(1+e^2)}-\frac{1}{(1+e^2)^2}-\frac{1}{2}\int_2^{1+e^2}\frac{1}{x^2}dx=\frac{e^2}{(1+e^2)^2}.$$

397 준 식 $\xleftarrow{x=\tan\theta}$ $\displaystyle\int_{\tan^{-1}\frac{\pi}{6}}^{\tan^{-1}\frac{\pi}{4}} \frac{1+\sec^2\theta}{\sin^4(\tan\theta+\theta)}\,d\theta$ $\xleftarrow{u=\theta+\tan\theta}$ $\displaystyle\int_{\frac{\pi}{6}+\tan^{-1}\frac{\pi}{6}}^{\frac{\pi}{4}+\tan^{-1}\frac{\pi}{4}} \mathrm{cosec}^4u\,du$

$$=-\int_{\frac{\pi}{6}+\tan^{-1}\frac{\pi}{6}}^{\frac{\pi}{4}+\tan^{-1}\frac{\pi}{4}} 1+\cot^2u\,d(\cot u)=-\left[\cot u+\frac{\cot^3u}{3}\right]_{\frac{\pi}{6}+\tan^{-1}\frac{\pi}{6}}^{\frac{\pi}{4}+\tan^{-1}\frac{\pi}{4}}$$

$$=\frac{1}{3}\left(\cot^3\!\left(\frac{\pi}{6}+\frac{1}{\sqrt3}\right)-\cot^3\!\left(\frac{\pi}{4}+1\right)\right)+\cot\!\left(\frac{\pi}{6}+\frac{1}{\sqrt3}\right)-\cot\!\left(\frac{\pi}{4}+1\right).$$

398 준 식 $\xleftarrow{u=\sqrt{1+\frac{1}{\sqrt x}}}$ $\displaystyle\int_{\sqrt{\frac{3}{2}}}^{\sqrt2} \frac{20u^2+4}{(u^2-1)^4}\,du$

$$=\int_{\sqrt{\frac{3}{2}}}^{\sqrt2} \frac{3}{2(u-1)^4}-\frac{1}{2(u-1)^3}+\frac{3}{2(u+1)^4}+\frac{1}{2(u+1)^3}\,du=16\sqrt6-4\sqrt2.$$

399 $I=\displaystyle\int_0^{\frac{\pi}{2}} \frac{x\sin x\cos x}{\sin^4x+\cos^4x}\,dx$ $\xleftarrow{[정리24,(1)]}$ $\displaystyle\frac{\pi}{2}\int_0^{\frac{\pi}{2}} \frac{\sin x\cos x}{\sin^4x+\cos^4x}\,dx-I$

$$\Rightarrow 2I=\frac{\pi}{2}\int_0^{\frac{\pi}{2}} \frac{\sin x\cos x}{\sin^4x+\cos^4x}\,dx=\frac{\pi}{4}\int_0^{\frac{\pi}{2}} \frac{\sin2x}{1-2\sin^2x\cos^2x}\,dx=\frac{\pi}{4}\int_0^{\frac{\pi}{2}} \frac{\sin2x\,dx}{1-\frac{\sin^22x}{2}}$$

$$=-\frac{\pi}{4}\int_0^{\frac{\pi}{2}} \frac{d(\cos2x)}{1+\cos^22x}=-\frac{\pi}{4}\left[\tan^{-1}(\cos2x)\right]_0^{\frac{\pi}{2}}=\frac{\pi^2}{8}\Rightarrow\therefore I=\frac{\pi^2}{16}.$$

400 $I=\displaystyle\int_0^{\pi} \frac{x^2\sin2x\sin\!\left(\frac{\pi}{2}\cos x\right)}{2x-\pi}\,dx$ $\xleftarrow{[정리24,(1)]}$ $\displaystyle\int_0^{\pi} \frac{(\pi-x)^2\sin2x\sin\!\left(\frac{\pi}{2}\cos x\right)}{\pi-2x}\,dx$

$$\xrightarrow{\text{두 식을 더하면}} 2I=\int_0^{\pi} \frac{(2\pi x-\pi^2)\sin2x\sin\!\left(\frac{\pi}{2}\cos x\right)}{2x-\pi}\,dx=\pi\int_0^{\pi}\sin2x\sin\!\left(\frac{\pi}{2}\cos x\right)dx$$

$$\xleftarrow{y=\frac{\pi}{2}\cos x}\frac{8}{\pi}\int_{-\frac{\pi}{2}}^{\frac{\pi}{2}} y\sin y\,dy\xleftarrow{\text{우함수}}\frac{16}{\pi}\int_0^{\frac{\pi}{2}} x\sin x\,dx\xleftarrow{\text{부분적분}}\frac{16}{\pi}.\quad\therefore I=\frac{8}{\pi}.$$

401 준 식 $=\displaystyle\int_0^{\frac{\pi}{2}} \frac{\cos^2x+\sin^2x+2\cos x}{(2+\cos x)^2}\,dx=\int_0^{\frac{\pi}{2}} \frac{\cos x}{\cos x+2}+\frac{\sin^2x}{(2+\cos x)^2}\,dx$

$$\xleftarrow[g'(x)=\cos x]{f(x)=\frac{1}{2+\cos x}}\left[\frac{\sin x}{2+\cos x}\right]_0^{\frac{\pi}{2}}-\int_0^{\frac{\pi}{2}} \frac{\sin^2x}{(2+\cos x)^2}\,dx+\int_0^{\frac{\pi}{2}} \frac{\sin^2x}{(2+\cos x)^2}\,dx=\frac{1}{2}.$$

402 $I = \displaystyle\int_0^\infty e^{-px}(\sin qx + \cos qx)dx \xleftarrow{\quad\begin{array}{c}f(x)=e^{-px}\\ g'(x)=\sin qx+\cos qx\end{array}\quad}$

$= \dfrac{1}{q} + \dfrac{p}{q}\displaystyle\int_0^\infty e^{-px}(\sin qx - \cos qx)dx \xleftarrow{\quad\begin{array}{c}u(x)=e^{-px}\\ v'(x)=\sin qx-\cos qx\end{array}\quad}$

$= \dfrac{1}{q} + \dfrac{p}{q}\left(\dfrac{1}{q} - \dfrac{p}{q}\displaystyle\int_0^\infty e^{-px}(\sin qx + \cos qx)dx\right) = \dfrac{1}{q} + \dfrac{p}{q^2} - \left(\dfrac{p}{q}\right)^2 I \Rightarrow \therefore I = \dfrac{p+q}{p^2+q^2}.$

403 (1) $\displaystyle\int \dfrac{1}{1+\sin x}\,dx \xleftarrow{\quad\tan\frac{x}{2}=t\quad} 2\int \dfrac{1}{(1+t)^2}\,dt = -\dfrac{2}{1+t} = \dfrac{-2}{1+\tan\frac{x}{2}}.$

$\therefore$ 준 식 $\xleftarrow{\quad\begin{array}{c}f(x)=x^2\\ g'(x)=\frac{\cos x}{(1+\sin x)^2}\end{array}\quad} -\left[\dfrac{x^2}{1+\sin x}\right]_0^\pi + 2\displaystyle\int_0^\pi \dfrac{x}{1+\sin x}\,dx$

$\xleftarrow{\quad\begin{array}{c}(1),\,u(x)=x\\ v'(x)=(1+\sin x)^{-1}\end{array}\quad} -\pi^2 + 4\left[\dfrac{-x}{1+\tan\frac{x}{2}}\right]_0^\pi + 4\displaystyle\int_0^\pi \dfrac{1}{1+\tan\frac{x}{2}}\,dx$

$= -\pi^2 + 4\displaystyle\int_0^\pi \dfrac{\cos\frac{x}{2}}{\sin\frac{x}{2}+\cos\frac{x}{2}}\,dx \xleftarrow{\quad\frac{x}{2}=\theta\quad} -\pi^2 + 2\displaystyle\int_0^{\frac{\pi}{2}} \dfrac{\cos\theta}{\sin\theta+\cos\theta}\,d\theta \xleftarrow{\quad[\text{문제}5]\quad} -\pi^2 + \dfrac{\pi}{2}.$

404 준 식 $= \displaystyle\int_{\frac{\pi}{4}}^{\frac{\pi}{3}} \dfrac{x\sec^2 x + \tan x}{1+x\tan x} + \dfrac{\tan^2 x}{x-\tan x}\,dx$

$= \displaystyle\int_{\frac{\pi}{4}}^{\frac{\pi}{3}} \dfrac{d(1+x\tan x)}{1+x\tan x} - \int_{\frac{\pi}{4}}^{\frac{\pi}{3}} \dfrac{d(x-\tan x)}{x-\tan x} = \left[\ln\left(\dfrac{1+x\tan x}{x-\tan x}\right)\right]_{\frac{\pi}{4}}^{\frac{\pi}{3}} = \ln\dfrac{(3+\sqrt{3}\,\pi)(4-\pi)}{(3\sqrt{3}-\pi)(4+\pi)}.$

405 준 식 $= \displaystyle\int_0^{\ln 2} \dfrac{2e^{2x}+e^x}{e^{4x}+2e^{3x}+e^{2x}-1}\,dx \xleftarrow{\quad t=e^{2x}+e^x\quad} \int_2^6 \dfrac{1}{t^2-1}\,dt$

$= \dfrac{1}{2}\left[\ln\left(\dfrac{t-1}{t+1}\right)\right]_2^6 = \ln\sqrt{\dfrac{15}{7}}.$

406 (1) $x\sin t - \cos t = \sqrt{x^2+1}\left(\dfrac{x}{\sqrt{x^2+1}}\sin t - \dfrac{1}{\sqrt{x^2+1}}\cos t\right)\xleftarrow{\quad\sin\theta=\frac{1}{\sqrt{x^2+1}}\quad}$

$$= \sqrt{x^2+1}\,\sin(t-\theta) = \sqrt{x^2+1}\,\sin\!\left(t-\tan^{-1}\frac{1}{x}\right).$$

(2) $\cos\theta = \dfrac{x}{\sqrt{x^2+1}}$, $\tan\theta = \dfrac{1}{x} \Rightarrow \cos\!\left(\tan^{-1}\dfrac{1}{x}\right)= \dfrac{x}{\sqrt{x^2+1}}$, $\sin\!\left(\tan^{-1}\dfrac{1}{x}\right)= \dfrac{1}{\sqrt{x^2+1}}$.

(3) $\displaystyle\int_0^{\frac{\pi}{2}} |x\sin t - \cos t|\,dt \xleftrightarrow{(1)} \int_0^{\tan^{-1}\frac{1}{x}} \sqrt{x^2+1}\,\sin\!\left(\tan^{-1}\frac{1}{x}-t\right)dt$

$\displaystyle + \int_{\tan^{-1}\frac{1}{x}}^{\frac{\pi}{2}} \sqrt{x^2+1}\,\sin\!\left(t-\tan^{-1}\frac{1}{x}\right)dt = \sqrt{x^2+1}\left[\cos\!\left(\tan^{-1}\frac{1}{x}-t\right)\right]_0^{\tan^{-1}\frac{1}{x}}$

$\displaystyle - \sqrt{x^2+1}\left[\cos\!\left(t-\tan^{-1}\frac{1}{x}\right)\right]_{\tan^{-1}\frac{1}{x}}^{\frac{\pi}{2}} \xleftrightarrow{(2)} 2\sqrt{x^2+1} - (x+1) = f(x)$ 라고 하자.

$\Rightarrow f'(x) = \dfrac{2x}{\sqrt{x^2+1}} - 1 = 0 \Rightarrow x = \dfrac{1}{\sqrt{3}} \Rightarrow \therefore$ 준 식 $= f\!\left(\dfrac{1}{\sqrt{3}}\right) = \sqrt{3}-1.$

407 준 식 $\xleftrightarrow{[\text{정리 } 24,(7)]} \displaystyle\int_0^a \frac{x^2\cos x + e^x}{e^x+1} + \frac{x^2\cos x + e^{-x}}{e^{-x}+1}\,dx = \int_0^a x^2\cos x + 1\,dx$

$= [x^2\sin x]_0^a - 2\displaystyle\int_0^a x\sin x\,dx + a = (a^2-2)\sin a + 2a\cos a + a.$

408 준 식 $\xleftrightarrow{\sqrt[3]{x^2}=\tan^2 u} \displaystyle\int_{\frac{\pi}{4}}^{\frac{\pi}{3}} \left(\frac{1}{\tan^2 u} - \frac{1}{\sec^2 u}\right)(3\tan^2 u \sec^2 u)\,du = \frac{\pi}{4}.$

409 (1) $\displaystyle\int_{-\frac{\pi}{3}}^{0} \frac{4\sin x}{\sin x - \sqrt{3}\cos x}\,dx = \int_{-\frac{\pi}{3}}^{0} \frac{(\sin x - \sqrt{3}\cos x) + \sqrt{3}(\sqrt{3}\sin x + \cos x)}{\sin x - \sqrt{3}\cos x}\,dx$

$= \left[x + \sqrt{3}\ln(\sqrt{3}\cos x - \sin x)\right]_{-\frac{\pi}{3}}^{0} = \dfrac{\pi}{3}.$

(2) $\displaystyle\int_0^{\frac{\pi}{6}} \frac{4\sin x}{\sqrt{3}\cos x - \sin x}\,dx = \int_0^{\frac{\pi}{6}} \frac{(\sin x - \sqrt{3}\cos x) + \sqrt{3}(\sqrt{3}\sin x + \cos x)}{\sqrt{3}\cos x - \sin x}\,dx$

$= \left[-x - \sqrt{3}\ln(\sqrt{3}\cos x - \sin x)\right]_0^{\frac{\pi}{6}} = -\dfrac{\pi}{6} + \dfrac{\sqrt{3}}{2}\ln 3.$

$\therefore$ 준 식 $= \displaystyle\int_{-\frac{\pi}{3}}^{0} \frac{4\sin x}{\sin x - \sqrt{3}\cos x}\,dx + \int_0^{\frac{\pi}{6}} \frac{4\sin x}{\sqrt{3}\cos x - \sin x}\,dx \xleftrightarrow{(1),(2)} \frac{\pi}{6} + \frac{\sqrt{3}}{2}\ln 3.$

410 준 식 $= \displaystyle\int_{\frac{\pi}{3}}^{\frac{\pi}{2}} \frac{1}{2\sin\frac{x}{2}\cos\frac{x}{2} + 2\sin^2\frac{x}{2}}\,dx = \int_{\frac{\pi}{3}}^{\frac{\pi}{2}} \frac{\frac{1}{2}\sec^2\frac{x}{2}}{\tan\frac{x}{2}\left(\tan\frac{x}{2}+1\right)}\,dx$

$= \displaystyle\int_{\frac{\pi}{3}}^{\frac{\pi}{2}} \frac{d\left(\tan\frac{x}{2}\right)}{\tan\frac{x}{2}\left(\tan\frac{x}{2}+1\right)} = \int_{\frac{\pi}{3}}^{\frac{\pi}{2}} \frac{1}{\tan\frac{x}{2}} - \frac{1}{\tan\frac{x}{2}+1}\,d\left(\tan\frac{x}{2}\right) = \left[\ln\left(\frac{\tan\frac{x}{2}}{\tan\frac{x}{2}+1}\right)\right]_{\frac{\pi}{3}}^{\frac{\pi}{2}}$

$= \ln\dfrac{\sqrt{3}+1}{2}$.

411 (1) $\displaystyle\int_{\frac{\pi}{4}}^{\tan^{-1}e} \sec^3\theta\,d\theta \xrightarrow[\ g'(\theta)=\sec^2\theta\ ]{f(\theta)=\sec\theta} \left[\sec\theta\tan\theta\right]_{\frac{\pi}{4}}^{\tan^{-1}e} - \int_{\frac{\pi}{4}}^{\tan^{-1}e} \sec\theta\tan^2\theta\,d\theta$

$= \sec(\tan^{-1}e)e - \sqrt{2} - \displaystyle\int_{\frac{\pi}{4}}^{\tan^{-1}e} \sec\theta\,d\theta - \int_{\frac{\pi}{4}}^{\tan^{-1}e} \sec^3\theta\,d\theta$.

$\Rightarrow \displaystyle\int_{\frac{\pi}{4}}^{\tan^{-1}e} \sec^3\theta\,d\theta = \frac{e}{2}\sec(\tan^{-1}e) - \frac{\sqrt{2}}{2} - \frac{1}{2}\left[\ln(\sec\theta+\tan\theta)\right]_{\frac{\pi}{4}}^{\tan^{-1}e}$

$= \dfrac{e\sqrt{1+e^2} - \sqrt{2}}{2} + \dfrac{1}{2}\ln\left(\dfrac{1+\sqrt{2}}{e+\sqrt{1+e^2}}\right)$.

$\therefore$ 준 식 $\xleftarrow[\ v'(x)=\frac{1+2x^2}{\sqrt{1+x^2}}=\sqrt{1+x^2}+\frac{x^2}{\sqrt{1+x^2}}\ ]{u(x)=\ln x} \left[x\sqrt{1+x^2}\ln x\right]_{1}^{e} - \int_{1}^{e}\sqrt{1+x^2}\,dx$

$\xleftarrow{x=\tan\theta} e\sqrt{1+e^2} - \displaystyle\int_{\frac{\pi}{4}}^{\tan^{-1}e}\sec^3\theta\,d\theta \xleftarrow{(1)} \dfrac{e\sqrt{1+e^2}+\sqrt{2}}{2} - \dfrac{1}{2}\ln\left(\dfrac{1+\sqrt{2}}{e+\sqrt{1+e^2}}\right)$.

412 (1) $\displaystyle\int_{0}^{1} \frac{x\cos\ln\left(x+\sqrt{1+x^2}\right)}{\sqrt{(x^2+1)^3}}\,dx \xrightarrow[\ g'(x)=x(x^2+1)^{-\frac{3}{2}}\ ]{f(x)=\cos\ln\left(x+\sqrt{1+x^2}\right)}$

$= \left[-\dfrac{\cos\ln\left(x+\sqrt{1+x^2}\right)}{\sqrt{x^2+1}}\right]_{0}^{1} - \displaystyle\int_{0}^{1}\frac{\sin\ln\left(x+\sqrt{1+x^2}\right)}{1+x^2}\,dx$.

$\therefore$ 준 식 $= \displaystyle\int_{0}^{1}\frac{(1+x^2)\cos\ln\left(x+\sqrt{1+x^2}\right)}{\sqrt{(x^2+1)^3}}\,dx - \int_{0}^{1}\frac{x\cos\ln\left(x+\sqrt{1+x^2}\right)}{\sqrt{(x^2+1)^3}}\,dx$

$- \displaystyle\int_{0}^{1}\frac{\sin\ln\left(x+\sqrt{1+x^2}\right)}{1+x^2}\,dx \xleftarrow{(1)} \left[\frac{\cos\ln\left(x+\sqrt{1+x^2}\right)}{\sqrt{x^2+1}}\right]_{0}^{1} + \int_{0}^{1}\frac{\cos\ln\left(x+\sqrt{1+x^2}\right)}{\sqrt{x^2+1}}\,dx$

$$\xleftarrow{t=\ln\left(x+\sqrt{1+x^2}\right)}\frac{\cos\ln(1+\sqrt{2})}{\sqrt{2}}-1+\int_0^{\ln(1+\sqrt{2})}\cos t\,dt$$

$$=\sin\ln(1+\sqrt{2})+\frac{\cos\ln(1+\sqrt{2})}{\sqrt{2}}-1.$$

413 (1) $e^x\xleftarrow{[정리28]}\sum_{n=0}^{\infty}\frac{x^n}{n!}\Rightarrow e^{-\frac{1}{2}x^2}=\sum_{n=0}^{\infty}\frac{\left(-\frac{1}{2}x^2\right)^n}{n!}\Rightarrow xe^{-\frac{1}{2}x^2}=\sum_{n=0}^{\infty}\frac{\left(-\frac{1}{2}\right)^n x^{2n+1}}{n!}.$

(2) $1+\frac{x^2}{2^2}+\frac{x^4}{2^24^2}+\frac{x^6}{2^24^26^2}+\cdots=1+\frac{1}{2}\left(\frac{x^2}{2}\right)+\frac{1}{2^2(2!)^2}\left(\frac{x^2}{2}\right)^2+\cdots=\sum_{n=0}^{\infty}\frac{1}{2^n(n!)^2}\left(\frac{x^2}{2}\right)^n.$

$\therefore$ 준 식 $\xleftarrow{(1),(2)}\int_0^{\infty}xe^{-\frac{1}{2}x^2}\sum_{n=0}^{\infty}\frac{1}{2^n(n!)^2}\left(\frac{x^2}{2}\right)^n dx\xleftarrow{t=\frac{x^2}{2}}\int_0^{\infty}e^{-t}\sum_{n=0}^{\infty}\frac{t^n}{2^n(n!)^2}dt$

$$=\sum_{n=0}^{\infty}\frac{1}{2^n(n!)^2}\int_0^{\infty}e^{-t}t^n dt\xleftarrow{[정리81]}\sum_{n=0}^{\infty}\frac{\Gamma(n+1)}{2^n(n!)^2}=\sum_{n=0}^{\infty}\frac{n!}{2^n(n!)^2}=\sum_{n=0}^{\infty}\frac{\left(\frac{1}{2}\right)^n}{n!}\xleftarrow{[정리28]}\sqrt{e}.$$

414 (1) $x^4+x^2+1=(x^2+x+1)(x^2-x+1).$

(2) $(2x+1)^2(x^2-x+1)^2(x^2+x+1)-(2x-1)^2(x^2+x+1)^2(x^2-x+1)$

$\quad=(x^2-x+1)(x^2+x+1)\{(2x+1)^2(x^2-x+1)-(2x-1)^2(x^2+x+1)\}$

$\quad\xleftarrow{(1)}6x(x^4+x^2+1).$

$\therefore$ 준 식 $\xleftarrow{(2)}\int_0^{\frac{1}{2}}\dfrac{x\{(2x+1)\sqrt{x^2+x+1}\,(x^2-x+1)-(2x-1)\sqrt{x^2-x+1}\,(x^2+x+1)\}}{6x(x^4+x^2+1)}dx$

$=\dfrac{1}{6}\int_0^{\frac{1}{2}}\dfrac{(2x+1)\sqrt{x^2+x+1}\,(x^2-x+1)}{(x^2+x+1)(x^2-x+1)}-\dfrac{(2x-1)\sqrt{x^2-x+1}\,(x^2+x+1)}{(x^2+x+1)(x^2-x+1)}dx$

$=\dfrac{1}{6}\int_0^{\frac{1}{2}}\dfrac{2x+1}{\sqrt{x^2+x+1}}-\dfrac{2x-1}{\sqrt{x^2-x+1}}dx=\dfrac{1}{3}\left[\sqrt{x^2+x+1}-\sqrt{x^2-x+1}\right]_0^{\frac{1}{2}}=\dfrac{\sqrt{7}-\sqrt{3}}{6}$

415 (1) $\displaystyle\int_0^{\frac{\pi}{2}}\frac{1}{1+\sin^2 x}dx\xleftarrow{\tan\frac{x}{2}=t}2\int_0^1\frac{t^2+1}{t^4+6t^2+1}dt=2\int_0^1\frac{\left(1+\frac{1}{t^2}\right)dt}{t^2+\frac{1}{t^2}+6}$

$$= 2\int_0^1 \frac{d\left(t-\frac{1}{t}\right)}{\left(t-\frac{1}{t}\right)^2+8} = \frac{1}{\sqrt{2}}\left[\tan^{-1}\frac{1}{\sqrt{8}}\left(t-\frac{1}{t}\right)\right]_0^1 = \frac{\pi}{2\sqrt{2}}.$$

(2) $\displaystyle\int_0^{\frac{\pi}{2}} \frac{1}{2+\sin^2 x}\,dx \xleftarrow{\tan\frac{x}{2}=t} \int_0^1 \frac{d\left(t-\frac{1}{t}\right)}{\left(t-\frac{1}{t}\right)^2+6} = \left[\frac{1}{\sqrt{6}}\tan^{-1}\frac{1}{\sqrt{6}}\left(t-\frac{1}{t}\right)\right]_0^1 = \frac{\pi}{2\sqrt{6}}.$

$\therefore$ 준 식 $\xleftarrow{x=\sin^2\theta} 2\displaystyle\int_0^{\frac{\pi}{2}} \frac{1}{1+\sin^2\theta} - \frac{1}{2+\sin^2\theta}\,d\theta \xleftarrow{(1),(2)} \frac{\pi}{\sqrt{6}}\left(\sqrt{3}-1\right).$

416 (1) $I_n = \displaystyle\int_{-\pi}^{\pi} \frac{\sin nx}{\sin x\,(2^x+1)}\,dx \xleftarrow{[\text{정리}24,(1)]} \int_{-\pi}^{\pi} \frac{2^x\sin nx}{\sin x\,(2^x+1)}\,dx \xrightarrow{\text{두 식을 더하면}}$

$\Rightarrow 2I_n = \displaystyle\int_{-\pi}^{\pi} \frac{\sin nx}{\sin x}\,dx \xleftarrow{\text{우함수}} 2\int_0^{\pi} \frac{\sin nx}{\sin x}\,dx. \quad I_0=0,\ I_1=\pi.$

(2) $I_{n+2}-I_n = \displaystyle\int_0^{\pi} \frac{\sin(n+2)x-\sin nx}{\sin x}\,dx = 2\int_0^{\pi}\cos(n+1)x\,dx = 0 \Rightarrow I_{n+2}=I_n.$

$\therefore$ 준 식 $\xleftarrow{(2)} \begin{cases} 0, & (n:\text{짝수}) \\ \pi, & (n:\text{홀수}). \end{cases}$

417 준 식 $= \displaystyle\int_0^{\infty} \frac{1}{1+x}\left[\frac{x^t}{\ln x}\right]_{\lambda-1}^{\phi-1}\,dx = \int_0^{\infty} \frac{1}{1+x}\int_{\lambda-1}^{\phi-1} x^t\,dt\,dx$

$= \displaystyle\int_0^{\infty}\int_{\lambda-1}^{\phi-1} \frac{x^t}{1+x}\,dt\,dx = \int_{\lambda-1}^{\phi-1}\int_0^{\infty} \frac{x^t}{1+x}\,dx\,dt \xleftarrow{[\text{문제}40]} \int_{\lambda-1}^{\phi-1} \frac{\pi}{\sin(t+1)\pi}\,dt$

$= -\pi\displaystyle\int_{\lambda-1}^{\phi-1}\operatorname{cosec}\pi t\,dt = \int_{\lambda-1}^{\phi-1} \frac{(-\pi)(\operatorname{cosec}\pi t\cot\pi t+\operatorname{cosec}^2\pi t)}{\operatorname{cosec}\pi t+\cot\pi t}\,dt = \left[\ln(\operatorname{cosec}\pi t+\cot\pi t)\right]_{\lambda-1}^{\phi-1}$

$= \ln\left|\dfrac{\cot\pi\phi-\operatorname{cosec}\pi\phi}{\cot\pi\lambda-\operatorname{cosec}\pi\lambda}\right|.$

418 (1) $\displaystyle\int_0^{\infty} \frac{t^{\alpha-1}}{1+t}\,dt \xleftarrow{[\text{문제}40]} \frac{\pi}{\sin\alpha\pi} \xrightarrow{\text{양변을 }\alpha\text{로 미분}}$

$\displaystyle\int_0^{\infty} \frac{t^{\alpha-1}\ln t}{1+t}\,dt = -\pi^2\operatorname{cosec}\alpha\pi\cot\alpha\pi.$

$\therefore$ 준 식 $\xleftarrow{x^2=t} \dfrac{1}{4}\displaystyle\int_0^{\infty} \frac{t^{-\frac{1}{3}}\ln t}{1+t}\,dt \xleftarrow{(1)} -\frac{\pi^2}{4}\operatorname{cosec}\frac{2\pi}{3}\cot\frac{2\pi}{3} = \frac{\pi^2}{6}.$

419 준 식 $\xleftrightarrow{x^2=t}$ $\dfrac{1}{4}\displaystyle\int_0^\infty \dfrac{t^0\ln t}{1+t}\,dt \xleftrightarrow{[문제\ 418,(1)]} -\dfrac{\pi^2}{4}\operatorname{cosec}\pi\cot\pi = \infty.$

420 $I=\displaystyle\int_{-1}^1 \dfrac{x^2+1}{(x^4+x^2+1)(e^x+1)}\,dx \xleftrightarrow{[정리\ 24,(1)]} \int_{-1}^1 \dfrac{e^x(x^2+1)}{(x^4+x^2+1)(e^x+1)}\,dx \xrightarrow{더하면}$

$\Rightarrow 2I=\displaystyle\int_{-1}^1 \dfrac{x^2+1}{x^4+x^2+1}\,dx = 2\int_0^1 \dfrac{x^2+1}{x^4+x^2+1}\,dx \Rightarrow \therefore I=\int_0^1 \dfrac{x^2+1}{x^4+x^2+1}\,dx$

$=\displaystyle\int_0^1 \dfrac{\left(1+\dfrac{1}{x^2}\right)dx}{x^2+\dfrac{1}{x^2}+1}=\int_0^1 \dfrac{d\left(x-\dfrac{1}{x}\right)}{\left(x-\dfrac{1}{x}\right)^2+3}=\dfrac{1}{\sqrt{3}}\left[\tan^{-1}\dfrac{1}{\sqrt{3}}\left(x-\dfrac{1}{x}\right)\right]_0^1=\dfrac{\pi}{2\sqrt{3}}.$

421 (1) $\displaystyle\int_0^\infty \dfrac{dx}{(x^2+a^2)^2}\xleftrightarrow{x=a\tan\theta}\dfrac{1}{a^3}\int_0^{\frac{\pi}{2}}\cos^2\theta\,d\theta=\dfrac{\pi}{4a^3}.$

$\therefore 준 식 = \dfrac{a^2}{a^2-b^2}\displaystyle\int_0^\infty \dfrac{dx}{(x^2+a^2)^2}+\dfrac{b^2}{(a^2-b^2)^2}\int_0^\infty \dfrac{dx}{x^2+a^2}-\dfrac{b^2}{(a^2-b^2)^2}\int_0^\infty \dfrac{dx}{x^2+b^2}\xleftrightarrow{(1)}$

$=\dfrac{\pi}{4a(a^2-b^2)}+\dfrac{b^2}{a(a^2-b^2)^2}\left[\tan^{-1}\dfrac{x}{a}\right]_0^\infty-\dfrac{b}{(a^2-b^2)^2}\left[\tan^{-1}\dfrac{x}{b}\right]_0^\infty=\dfrac{\pi}{4a(a+b)^2}.$

422 $I=\displaystyle\int_0^1 \dfrac{\ln(1+x)}{\ln(1+x)+\ln(2-x)}\,dx \xleftrightarrow{[정리\ 24,(1)]} \int_0^1 \dfrac{\ln(2-x)}{\ln(2-x)+\ln(1+x)}\,dx \xrightarrow{더하면}$

$\Rightarrow 2I=\displaystyle\int_0^1 1\,dx = 1 \Rightarrow \therefore 준 식 = \dfrac{1}{2}.$

423 (1) $\dfrac{1}{1+\sin 2x}=\dfrac{1}{1+2\sin x\cos x}=\dfrac{\sec^2 x}{\sec^2 x+2\tan x}=\dfrac{\sec^2 x}{(1+\tan x)^2}.$

$\therefore 준 식 \xleftrightarrow[\;(1)\;]{u=\dfrac{\tan x-1}{\tan x+1}} \displaystyle\int_1^0 \dfrac{1}{2}\sqrt[2009]{u}\,du=-\dfrac{2009}{4020}.$

424 (1) $\sin^{-1}(3\sin x-4\sin^3 x)-\cos^{-1}(4\sin^3 x-3\sin x)=\sin^{-1}(\sin 3x)$

$-\cos^{-1}\left(4\cos^3\left(\dfrac{\pi}{2}-x\right)-3\cos\left(\dfrac{\pi}{2}-x\right)\right)=3x-\cos^{-1}\left(\cos\left(\dfrac{3\pi}{2}-3x\right)\right)=6x-\dfrac{3\pi}{2}.$

$\therefore 준 식 \xleftrightarrow{x=\sin\theta} \displaystyle\int_{-\frac{\pi}{6}}^{\frac{\pi}{6}}\{\sin^{-1}(3\sin\theta-4\sin^3\theta)-\cos^{-1}(4\sin^3\theta-3\sin\theta)\}\cos\theta\,d\theta \xleftrightarrow{(1)}$

$=\displaystyle\int_{-\frac{\pi}{6}}^{\frac{\pi}{6}}\left(6\theta-\dfrac{3\pi}{2}\right)\cos\theta\,d\theta \xleftrightarrow{우함수,\ 기함수} -3\pi\int_0^{\frac{\pi}{6}}\cos\theta\,d\theta=-\dfrac{3\pi}{2}.$

425 (1) $\displaystyle\int_0^\pi |\sin x|\,dx = 2\int_0^{\frac{\pi}{2}} \sin x\,dx = 2, \quad \int_0^\pi |\cos x|\,dx = 2\int_0^{\frac{\pi}{2}} \cos x\,dx = 2,$

$\displaystyle\int_0^{\frac{\pi}{2}} \frac{1}{\sin x + \cos x}\,dx = \frac{1}{\sqrt{2}}\int_0^{\frac{\pi}{2}} \sec\left(x - \frac{\pi}{4}\right)dx = \frac{1}{\sqrt{2}}\left[\ln\left(\sec\left(x - \frac{\pi}{4}\right) + \tan\left(x - \frac{\pi}{4}\right)\right)\right]_0^{\frac{\pi}{2}}$

$\displaystyle = \sqrt{2}\ln\left(1 + \sqrt{2}\right).$

(2) $I_n = \displaystyle\int_0^{\frac{n\pi}{4}} \frac{|\sin 2x|}{|\sin x| + |\cos x|}\,dx$라고 하자. 그러면 다음 등식이 성립한다.

$\displaystyle I_{4(k+1)} - I_{4k} = \int_{k\pi}^{(k+1)\pi} \frac{|\sin 2x|}{|\sin x| + |\cos x|}\,dx = \int_{k\pi}^{(k+1)\pi} \frac{2|\sin x|\,|\cos x|}{|\sin x| + |\cos x|}\,dx$

$\displaystyle = \int_{k\pi}^{(k+1)\pi} |\sin x| + |\cos x| - \frac{1}{|\sin x| + |\cos x|}\,dx$

$\displaystyle = \int_0^\pi |\sin x| + |\cos x| - \frac{1}{|\sin x| + |\cos x|}\,dx \xleftrightarrow{(1)} 4 - 2\sqrt{2}\ln\left(1 + \sqrt{2}\right).$

$\Rightarrow I_{4(k+1)} = I_{4k} + 4 - 2\sqrt{2}\ln\left(1 + \sqrt{2}\right) = I_{4(k-1)} + 2\left[4 - 2\sqrt{2}\ln\left(1 + \sqrt{2}\right)\right] = \ldots$

$= I_0 + (k+1)\left[4 - 2\sqrt{2}\ln\left(1 + \sqrt{2}\right)\right] = (k+1)\left[4 - 2\sqrt{2}\ln\left(1 + \sqrt{2}\right)\right].$

$\therefore I_n = \dfrac{n}{4}\left(4 - 2\sqrt{2}\ln\left(1 + \sqrt{2}\right)\right).$

426 $I = \displaystyle\int_0^{2\alpha} \frac{\sqrt[4]{\sin(3\alpha - x)}}{\sqrt[4]{\sin(3\alpha - x)} + \sqrt[4]{\sin(\alpha + x)}}\,dx \xleftarrow{[정리\ 24,(1)]}$

$= \displaystyle\int_0^{2\alpha} \frac{\sqrt[4]{\sin(\alpha + x)}}{\sqrt[4]{\sin(\alpha + x)} + \sqrt[4]{\sin(3\alpha - x)}}\,dx \xrightarrow{두식을\ 더하면} 2I = \int_0^{2\alpha} 1\,dx = 2\alpha \Rightarrow \therefore I = \alpha.$

427 준 식 $\xleftarrow{우함수} 2\displaystyle\int_0^1 \frac{1}{\sqrt{1+x} + \sqrt{1-x}}\,dx = \int_0^1 \frac{\sqrt{1+x} - \sqrt{1-x}}{x}\,dx$

$= \displaystyle\int_0^1 \frac{1+x}{x\sqrt{1+x}} - \frac{1-x}{x\sqrt{1-x}}\,dx = \int_0^1 \frac{1}{x\sqrt{1+x}} - \frac{1}{x\sqrt{1-x}} + \frac{1}{\sqrt{1+x}} + \frac{1}{\sqrt{1-x}}\,dx$

$\xleftarrow[t = \sqrt{1-x}]{u = \sqrt{1+x}} 2\displaystyle\int_1^{\sqrt{2}} \frac{du}{(u^2 - 1)} - 2\int_0^1 \frac{dt}{1 - t^2} + 2\left[\sqrt{1+x} - \sqrt{1-x}\right]_0^1 = 2\sqrt{2} + \ln\left(\frac{\sqrt{2} - 1}{\sqrt{2} + 1}\right).$

428 $I = \displaystyle\int_0^{\frac{\pi}{2}} \frac{\sin x - \cos x}{1 + \sin x \cos x}\,dx \xleftarrow{[정리\ 24,(1)]} \int_0^{\frac{\pi}{2}} \frac{\cos x - \sin x}{1 + \sin x \cos x}\,dx \xrightarrow{두식을\ 더하면}$

$\Rightarrow 2I = 0 \Rightarrow \therefore 준 식 = 0.$

429 준 식 $\xrightarrow{x=\tan\theta}$ $\int_0^{\frac{\pi}{2}}\theta\sin\theta\cos\theta\,d\theta=\frac{1}{2}\int_0^{\frac{\pi}{2}}\theta\sin2\theta\,d\theta\xleftarrow{\text{부분적분}}$

$$=\frac{1}{2}\left[-\frac{\theta}{2}\cos2\theta\right]_0^{\frac{\pi}{2}}+\frac{1}{4}\int_0^{\frac{\pi}{2}}\cos2\theta\,d\theta=\frac{\pi}{8}.$$

430 $I=\displaystyle\int_0^1\frac{\tan^{-1}\left(\dfrac{x}{x+1}\right)}{\tan^{-1}\left(\dfrac{1+2x-x^2}{2}\right)}\,dx\xleftarrow{[\text{정리 }24,(1)]}\int_0^1\frac{\tan^{-1}\left(\dfrac{1-x}{2-x}\right)}{\tan^{-1}\left(\dfrac{1+2x-x^2}{2}\right)}\,dx.$

$\xrightarrow{\text{두 식을 더하면}}2I=\displaystyle\int_0^1\frac{\tan^{-1}\left(\dfrac{x}{x+1}\right)+\tan^{-1}\left(\dfrac{1-x}{2-x}\right)}{\tan^{-1}\left(\dfrac{1+2x-x^2}{2}\right)}\,dx\xrightarrow{[\text{정리 }56,(14)]}\int_0^1 1\,dx=1.$

$\Rightarrow\therefore$ 준 식 $=\dfrac{1}{2}.$

431 준 식 $\xrightarrow{1+x=t^3}3\displaystyle\int_0^2\frac{t^2}{1+t}\,dt=3\int_0^2 t-1+\frac{1}{t+1}\,dt=3\ln3.$

432 준 식 $\xrightarrow{x=\tan\theta}\displaystyle\int_0^{\frac{\pi}{4}}\theta\cos\theta\,d\theta=\left[\theta\sin\theta\right]_0^{\frac{\pi}{4}}-\int_0^{\frac{\pi}{4}}\sin\theta\,d\theta=\sqrt{2}\left(\frac{\pi}{8}+\frac{1}{2}\right)-1.$

433 (1) $\displaystyle\int_0^\pi\frac{1}{2+\tan^2x}\,dx=\int_0^\pi\frac{\cos^2x}{1+\cos^2x}\,dx\xleftarrow{[\text{정리 }24,(2)]}\int_{-\frac{\pi}{2}}^{\frac{\pi}{2}}\frac{\sin^2x}{1+\sin^2x}\,dx$

$=2\displaystyle\int_0^{\frac{\pi}{2}}1-\frac{1}{1+\sin^2x}\,dx=\pi-2\int_0^{\frac{\pi}{2}}\frac{\sec^2x}{\tan^2x+\sec^2x}\,dx=\pi-2\int_0^{\frac{\pi}{2}}\frac{d(\tan x)}{2\tan^2x+1}$

$=\pi-\sqrt{2}\displaystyle\int_0^{\frac{\pi}{2}}\frac{d(\sqrt{2}\tan x)}{(\sqrt{2}\tan x)^2+1}=\pi-\sqrt{2}\left[\tan^{-1}(\sqrt{2}\tan x)\right]_0^{\frac{\pi}{2}}=\frac{\pi}{2}(2-\sqrt{2}).$

$\therefore$ 준 식 $=I\xleftarrow{[\text{정리 }24,(1)]}\pi\displaystyle\int_0^\pi\frac{1}{2+\tan^2x}\,dx-I\Rightarrow I=\frac{\pi}{2}\int_0^\pi\frac{1}{2+\tan^2x}\,dx\xrightarrow{(1)}\frac{\pi^2}{4}(2-\sqrt{2}).$

434 준 식 $=\displaystyle\int_0^{\frac{\pi}{4}}\frac{\tan x(1-\sin x)}{\cos^2x}\,dx\xleftarrow[g'(x)=\tan x\sec^2x]{f(x)=1-\sin x}\frac{1}{2}\left[\tan^2x(1-\sin x)\right]_0^{\frac{\pi}{4}}$

$+\frac{1}{2}\displaystyle\int_0^{\frac{\pi}{4}}\tan^2x\cos x\,dx=\frac{1}{2}\left(1-\frac{1}{\sqrt{2}}\right)+\frac{1}{2}\int_0^{\frac{\pi}{4}}\sec x-\cos x\,dx=\frac{1-\sqrt{2}}{2}+\frac{1}{2}\ln(1+\sqrt{2}).$

435 준 식 $\xleftarrow{[정리24,(8)]}$ $\dfrac{1}{2}\displaystyle\int_0^1 \dfrac{1}{(x^2-x+1)(e^{2x-1}+1)}+\dfrac{1}{(x^2-x+1)(e^{-(2x-1)}+1)}\,dx$

$=\dfrac{1}{2}\displaystyle\int_0^1 \dfrac{1}{x^2-x+1}\,dx=\dfrac{1}{\sqrt{3}}\displaystyle\int_0^1 \dfrac{d\left(\dfrac{2}{\sqrt{3}}\left(x-\dfrac{1}{2}\right)\right)}{1+\dfrac{4}{3}\left(x-\dfrac{1}{2}\right)^2}=\dfrac{\pi}{3\sqrt{3}}.$

436 (1) $\dfrac{d}{dx}\left(\tan^{-1}\dfrac{f(x)}{g(x)}\right)=\dfrac{\left(\dfrac{f(x)}{g(x)}\right)'}{1+\left(\dfrac{f(x)}{g(x)}\right)^2}=\dfrac{f'(x)g(x)-f(x)g'(x)}{f(x)^2+g(x)^2}.$

(2) $\dfrac{(x^2+1)(x^2+2x-1)}{x^6+14x^3-1}=\dfrac{x^2+1}{x^4-2x^3+5x^2+2x+1}=\dfrac{x^2+1}{(x^2-x-1)^2+6x^2}$

$=\dfrac{-1}{\sqrt{6}}\left(\dfrac{\sqrt{6}(x^2-x-1)-(\sqrt{6}x)(2x-1)}{(x^2-x-1)^2+(\sqrt{6}x)^2}\right)\xleftarrow{(1)}\dfrac{-1}{\sqrt{6}}\left(\tan^{-1}\dfrac{\sqrt{6}x}{x^2-x-1}\right)'.$

(3) $x=\dfrac{1+\sqrt{5}}{2}:x^2-x-1=0$의 근,

$r=\dfrac{1+\sqrt{2}+\sqrt{7+2\sqrt{2}}}{2}=\dfrac{\alpha+\sqrt{\alpha^2+4}}{2}:r^2-\alpha r-1=0$의 근.

(4) $1-r^2=-\alpha r\Rightarrow 1+r-r^2=r(1-\alpha)=-\sqrt{2}r.$

$\therefore$ 준 식 $\xleftarrow{(2)}-\dfrac{1}{\sqrt{6}}\left[\tan^{-1}\dfrac{\sqrt{6}x}{x^2-x-1}\right]_{\frac{1+\sqrt{5}}{2}}^{\frac{1+\sqrt{2}+\sqrt{7+2\sqrt{2}}}{2}}\xleftarrow{(3)}\dfrac{1}{\sqrt{6}}\left[\tan^{-1}\dfrac{\sqrt{6}x}{1+x-x^2}\right]_x^r$

$=\dfrac{1}{\sqrt{6}}\left(\tan^{-1}\dfrac{\sqrt{6}r}{1+r-r^2}+\tan^{-1}\dfrac{\sqrt{6}x}{x^2-x+1}\right)\xleftarrow{(4),(3)}\dfrac{1}{\sqrt{6}}\left(\tan^{-1}\left(\dfrac{\sqrt{6}x}{0}\right)-\tan^{-1}\sqrt{3}\right)$

$=\dfrac{1}{\sqrt{6}}\left(\dfrac{\pi}{2}-\dfrac{\pi}{3}\right)=\dfrac{\pi}{6\sqrt{6}}.$

437 준 식 $=\displaystyle\int_0^1 \dfrac{-\left(\dfrac{e^x}{x}\right)'}{1+\left(\dfrac{e^x}{x}\right)^2}\,dx=-\left[\tan^{-1}\dfrac{e^x}{x}\right]_0^1=-\tan^{-1}e+\dfrac{\pi}{2}\xleftarrow{[정리\ 56,(6)]}$

$=\tan^{-1}\dfrac{1}{e}.$

438 (1) $\cos^4 x = \cos^2 x - (\sin x \cos x)^2 = \cos^2 x - \dfrac{\sin^2 2x}{4} = \dfrac{1}{4}(4\cos^2 x - \sin^2 2x + 2 - 2)$

$$= \dfrac{1}{4}\{2 + 2(2\cos^2 x - 1) - \sin^2 2x\} = \dfrac{1}{4}(2 + 2\cos 2x - \sin^2 2x)$$

$$= \dfrac{1}{4}\{(\sqrt{2} + \sin 2x)(\sqrt{2} - \sin 2x) + 2\cos 2x\}.$$

$$\therefore \text{준 식} \overset{(1)}{\longleftrightarrow} \dfrac{1}{4}\int_0^{\frac{\pi}{2}} (\sqrt{2} + \sin 2x) + \dfrac{2\cos 2x}{\sqrt{2} - \sin 2x}\, dx = \dfrac{1}{4}\left[\sqrt{2}\,x - \dfrac{\cos 2x}{2} - \ln(\sqrt{2} - \sin 2x)\right]_0^{\frac{\pi}{2}}$$

$$= \dfrac{2 + \sqrt{2}\,\pi}{8}.$$

439 $\text{준 식} \xleftarrow{x - \frac{\pi}{8} = t} \int_{-\frac{\pi}{8}}^0 \dfrac{\cos\left(t + \dfrac{\pi}{8}\right)}{\cos t}\, dt = \int_{-\frac{\pi}{8}}^0 \dfrac{\cos\dfrac{\pi}{8}\cos t - \sin\dfrac{\pi}{8}\sin t}{\cos t}\, dt$

$$= \left[t\cos\dfrac{\pi}{8} + \sin\dfrac{\pi}{8}\ln|\cos t|\right]_{-\frac{\pi}{8}}^0 = \dfrac{\pi}{8}\cos\dfrac{\pi}{8} - \sin\dfrac{\pi}{8}\ln\left(\cos\dfrac{\pi}{8}\right).$$

440 $\text{준 식} = \int_0^1 \dfrac{2(a + bx + cx^2) + (b + 2cx)x}{2\sqrt{a + bx + cx^2}}\, dx = \int_0^1 \sqrt{a + bx + cx^2} + \dfrac{(2cx + b)x}{2\sqrt{a + bx + cx^2}}\, dx$

$$= \left[\sqrt{a + bx + cx^2}\right]_0^1 + \int_0^1 \sqrt{a + bx + cx^2}\, dx = \sqrt{a + b + c} - \sqrt{a} + \left[x\sqrt{a + bx + cx^2}\right]_0^1$$

$$- \int_0^1 \dfrac{(2cx + b)x}{2\sqrt{a + bx + cx^2}}\, dx = 2\sqrt{a + b + c} - \sqrt{a} - \left[\sqrt{a + bx + cx^2}\right]_0^1 = \sqrt{a + b + c}.$$

441 $I = \int_{\frac{1}{2}}^2 \dfrac{1}{x}\cosec^{101}\left(x - \dfrac{1}{x}\right)dx \xleftarrow{x = t^{-1}} \int_{\frac{1}{2}}^2 \dfrac{1}{t}\cosec^{101}\left(\dfrac{1}{t} - t\right)dt$

$$= -\int_{\frac{1}{2}}^2 \dfrac{1}{x}\cosec^{101}\left(x - \dfrac{1}{x}\right)dx = -I \Rightarrow \therefore 2I = 0 \Rightarrow I = 0.$$

442 (1) $y \le x \le 1,\ 0 \le y \le 1 \xrightarrow{\text{아래 그림}} 0 \le y \le x,\ 0 \le x \le 1.$

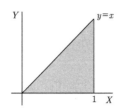

$$\therefore \text{준 식} \xleftarrow{(1)} \int_0^1 \int_0^x x^2 e^{xy} \, dy dx = \int_0^1 \left[x e^{xy} \right]_0^x dx = \int_0^1 x e^{x^2} - x \, dx$$

$$= \left[\frac{1}{2} e^{x^2} - \frac{1}{2} x^2 \right]_0^1 = \frac{e-2}{2}.$$

443 준 식 $\xleftarrow{x = \pi + \theta} \int_{-\pi}^{\pi} \frac{1}{a - b\cos\theta} \, d\theta \xleftarrow{\text{우함수}} 2\int_0^{\pi} \frac{dx}{a - b\cos x}$

$$= 2\int_0^{\pi} \frac{dx}{(a-b)\cos^2\frac{x}{2} + (a+b)\sin^2\frac{x}{2}} = 2\int_0^{\pi} \frac{\sec^2\frac{x}{2} \, dx}{(a-b) + (a+b)\tan^2\frac{x}{2}}$$

$$= 4\int_0^{\pi} \frac{d\left(\tan\frac{x}{2}\right)}{(a-b) + (a+b)\tan^2\frac{x}{2}} = 4\left[\frac{1}{\sqrt{a^2-b^2}} \tan^{-1}\left(\sqrt{\frac{a+b}{a-b}} \tan\frac{x}{2} \right) \right]_0^{\pi} = \frac{2\pi}{\sqrt{a^2-b^2}}.$$

444 준 식 $= \int_0^{\frac{\pi}{2}} \frac{\sin x \, dx}{2 - \cos^2 x} \xleftarrow{\cos x = t} -\int_0^1 \frac{1}{t^2 - 2} \, dt = \frac{1}{2\sqrt{2}} \left[\ln\frac{t + \sqrt{2}}{t - \sqrt{2}} \right]_0^1$

$$= \frac{1}{2\sqrt{2}} \ln\left| \frac{\sqrt{2}+1}{\sqrt{2}-1} \right|.$$

445 준 식 $= \int_0^{\frac{\pi}{2}} \frac{2\sin x \cos x}{1 + \sin^2 x} \, dx = \left[\ln(1 + \sin^2 x) \right]_0^{\frac{\pi}{2}} = \ln 2.$

446 준 식 $\xleftarrow{1 + x^4 = t^3} \frac{3}{4}\int_1^{\sqrt[3]{2}} t - 1 + \frac{1}{t+1} \, dt = \frac{3}{4}\left(\frac{\sqrt[3]{4} - 2\sqrt[3]{2} + 1}{2} + \ln\frac{1 + \sqrt[3]{2}}{2} \right).$

447 준 식 $\xleftarrow{x = \frac{-1}{1+t^2}} 2\int_1^{\infty} \frac{t}{(1+t^2)(1+t+t^2)} \, dt = 2\int_1^{\infty} \frac{1}{1+t^2} - \frac{1}{1+t+t^2} \, dt$

$$= 2\left[\tan^{-1} t - \frac{2}{\sqrt{3}} \tan\frac{2}{\sqrt{3}}\left(t + \frac{1}{2} \right) \right]_1^{\infty} = \frac{9 - 4\sqrt{3}}{18} \pi.$$

448 (1) $\int_0^{\frac{\pi}{2}} \frac{1}{\sin x + 2\cos x} \, dx \xleftarrow{\tan\frac{x}{2} = t} \int_0^1 \frac{1}{1 + t - t^2} \, dt = \frac{1}{\sqrt{5}} \left[\ln\frac{t + \frac{\sqrt{5}-1}{2}}{\frac{\sqrt{5}+1}{2} - t} \right]_0^1$

$$= \frac{2}{\sqrt{5}} \ln\left| \frac{\sqrt{5}+1}{\sqrt{5}-1} \right|.$$

$$\therefore \text{준 식} = I = \int_0^{\frac{\pi}{2}} \sin x - 2\cos x + \frac{4 - 4\sin^2 x}{\sin x + 2\cos x}\, dx$$

$$= \int_0^{\frac{\pi}{2}} \sin x - 2\cos x + \frac{4}{\sin x + 2\cos x}\, dx - 4I \Rightarrow I = \frac{-1}{5} + \frac{4}{5} \int_0^{\frac{\pi}{2}} \frac{1}{\sin x + 2\cos x}\, dx \xleftrightarrow{(1)}$$

$$= -\frac{1}{5} + \frac{8}{5\sqrt{5}} \ln \left| \frac{\sqrt{5}+1}{\sqrt{5}-1} \right|.$$

449 $\text{준 식} \xleftrightarrow{x = \sin\theta} \int_0^{\frac{\pi}{6}} \sin^2\theta\, d\theta = \frac{\pi}{12} - \frac{\sqrt{3}}{8}.$

450 $\text{준 식} \xleftrightarrow{x = \tan\theta} \int_0^{\frac{\pi}{4}} \frac{1 - \tan\theta}{\sec^2\theta}\, d\theta = \int_0^{\frac{\pi}{4}} \cos^2\theta - \cos\theta\sin\theta\, d\theta = \frac{\pi}{8}.$

451 $\int_0^1 \sqrt[4]{1 - x^7}\, dx \xleftrightarrow{y = \sqrt[4]{1 - x^7}} \int_1^0 y\, d\left(\sqrt[7]{1 - y^4} \right) = \left[y\sqrt[7]{1 - y^4} \right]_1^0 + \int_0^1 \sqrt[7]{1 - y^4}\, dy$

$$= \int_0^1 \sqrt[7]{1 - x^4}\, dx \Rightarrow \therefore \int_0^1 \sqrt[4]{1 - x^7} - \sqrt[7]{1 - x^4}\, dx = 0.$$

452 (1) $1 + \sin x \cos x = 1 + \frac{1}{2} \sin 2x \xleftrightarrow{x = t - \frac{\pi}{4}} 1 + \frac{1}{2} \sin\left(2t - \frac{\pi}{2} \right) = 1 - \frac{1}{2} \cos 2t.$

$$\therefore \text{준 식} \xleftrightarrow[(1)]{x = t - \frac{\pi}{4}} \int_{\frac{\pi}{4}}^{\frac{5\pi}{4}} \frac{2}{2 - \cos 2t}\, dt = \int_{\frac{\pi}{4}}^{\frac{5\pi}{4}} \frac{2}{1 + 2\sin^2 t}\, dt = \int_{\frac{\pi}{4}}^{\frac{5\pi}{4}} \frac{2}{\cos^2 t + 3\sin^2 t}\, dt$$

$$= 2\int_{\frac{\pi}{4}}^{\frac{5\pi}{4}} \frac{\sec^2 t\, dt}{1 + 3\tan^2 t} = \frac{2}{\sqrt{3}} \int_{\frac{\pi}{4}}^{\frac{5\pi}{4}} \frac{d(\sqrt{3}\tan t)}{1 + (\sqrt{3}\tan t)^2} = \frac{2}{\sqrt{3}} \left[\tan^{-1}(\sqrt{3}\tan t) \right]_{\frac{\pi}{4}}^{\frac{5\pi}{4}} = \frac{2\pi}{\sqrt{3}}.$$

(2) $\text{준 식} \xleftrightarrow{\tan\frac{x}{2} = t} 2\int_0^\infty \frac{1 + t^2}{t^4 - 2t^3 + 2t^2 + 2t + 1}\, dt = 2\int_0^\infty \frac{\left(1 + \frac{1}{t^2} \right) dt}{t^2 - 2t + 2 + \frac{2}{t} + \frac{1}{t^2}}$

$$= 2\int_0^\infty \frac{d\left(t - \frac{1}{t} \right)}{\left(t - \frac{1}{t} \right)^2 - 2\left(t - \frac{1}{t} \right) + 4} = 2\int_0^\infty \frac{d\left(t - \frac{1}{t} - 1 \right)}{\left(t - \frac{1}{t} - 1 \right)^2 + 3}$$

$$= \frac{2}{\sqrt{3}} \left[\tan^{-1} \frac{1}{\sqrt{3}} \left(t - \frac{1}{t} - 1 \right) \right]_0^\infty = \frac{2\pi}{\sqrt{3}}.$$

453 준 식 $= \displaystyle\int_0^{\frac{\pi}{4}} \frac{\tan x}{1+\tan^2 x}\, dx = \int_0^{\frac{\pi}{4}} \tan x \cos^2 x\, dx = \int_0^{\frac{\pi}{4}} \sin x \cos x\, dx$

$= \dfrac{1}{2} \displaystyle\int_0^{\frac{\pi}{4}} \sin 2x\, dx = \dfrac{1}{4}.$

454 (1) $\sin^{-1}\left(\dfrac{x}{\sqrt{1+x^2}}\right) \xleftrightarrow{\text{아래 그림에서}} \tan^{-1} x.$

$\therefore I = $ 준 식 $\xleftrightarrow{(1)} \displaystyle\int_{\frac{1}{a}}^{a} \frac{\tan^{-1} x}{x}\, dx \xleftrightarrow{[\text{정리 } 56,(6)]} \int_{\frac{1}{a}}^{a} \frac{\frac{\pi}{2} - \tan^{-1}\frac{1}{x}}{x}\, dx$

$= \dfrac{\pi}{2}\big[\ln x\big]_{\frac{1}{a}}^{a} - \displaystyle\int_{\frac{1}{a}}^{a} \frac{\tan^{-1}\frac{1}{x}}{x}\, dx \xleftrightarrow{\frac{1}{x}=t} \pi \ln a + \int_{a}^{\frac{1}{a}} \frac{\tan^{-1} t}{t}\, dt = \pi \ln a - \int_{\frac{1}{a}}^{a} \frac{\tan^{-1} x}{x}\, dx$

$\Rightarrow 2I = \pi \ln a \Rightarrow \therefore I = \dfrac{\pi}{2}\ln a.$

455 (1) $\sqrt[6]{\dfrac{1+\sin x}{1-\sin x}} = \sqrt[6]{\dfrac{(1+\sin x)^2}{\cos^2 x}} \xleftrightarrow{u = (1-\sin x)^{-1}} \sqrt[3]{u\cos x}\,.$

$\Rightarrow (u\cos x)^2 = \dfrac{1+\sin x}{1-\sin x} = \dfrac{2-(1-\sin x)}{1-\sin x} = \dfrac{2}{1-\sin x} - 1 = 2u - 1.$

$\therefore$ 준 식 $\xleftrightarrow[(1)]{u = \frac{1}{1-\sin x}} \displaystyle\int_{2+\sqrt{2}}^{4+2\sqrt{3}} (2u-1)^{-\frac{5}{6}}\, du = 3\left(\sqrt[6]{\dfrac{2+\sqrt{3}}{2-\sqrt{3}}} - \sqrt[6]{\dfrac{2+\sqrt{2}}{2-\sqrt{2}}}\right).$

456 (1) $f(x) = \dfrac{\sqrt{\sin^2 x + 1} + \sin x - 1}{\sqrt{\sin^2 x + 1} + \sin x + 1} = \dfrac{1 + \sqrt{\sin^2 x + 1}}{\sin x} = -f(-x).$

$\therefore$ 준 식 $\xleftrightarrow[(1)]{\text{기함수}} 0.$

457 (1) $0 \le y \le x, 0 \le x \le 1 \xrightarrow[A]{\text{아래 그림}} 0 \le x-y \le 1$

$\qquad\quad\ 0 \le x \le y, 0 \le y \le 1 \xrightarrow[B]{\text{아래 그림}} -1 \le x-y \le 0$.

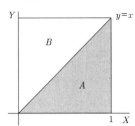

$\therefore$ 준 식 $= \iint_A \{x-y\}\, dydx + \iint_B \{x-y\}\, dxdy \xleftarrow{(1)} \int_0^1 \int_0^x x-y\, dydx + \int_0^1 \int_0^y x-y+1\, dxdy$

$= \int_0^1 \dfrac{x^2}{2}\, dx + \int_0^1 y - \dfrac{y^2}{2}\, dy = \dfrac{1}{2}$.

458 (1) $\displaystyle\sum_{n=0}^{\infty} \dfrac{e^{-(m+1)n}}{m+1} = \dfrac{1}{(m+1)(1-e^{-(m+1)})} = \dfrac{e^{m+1}}{(m+1)(e^{m+1}-1)}$.

$\therefore$ 준 식 $\xleftarrow{y=\ln x} \displaystyle\int_{-\infty}^{0} \{y\} e^{(m+1)y}\, dy = \sum_{n=0}^{\infty} \int_{-(n+1)}^{-n} \{y\} e^{(m+1)y}\, dy$

$= \displaystyle\sum_{n=0}^{\infty} \int_{-(n+1)}^{-n} (y+n+1) e^{(m+1)y}\, dy = \sum_{n=0}^{\infty} \left\{ \left[\dfrac{y+n+1}{m+1} e^{(m+1)y} \right]_{-(n+1)}^{-n} - \left[\dfrac{e^{(m+1)y}}{(m+1)^2} \right]_{-(n+1)}^{-n} \right\}$

$= \displaystyle\sum_{n=0}^{\infty} \dfrac{e^{-(m+1)n}}{m+1} - \dfrac{1}{(m+1)^2} \sum_{n=0}^{\infty} \left(e^{-(m+1)n} - e^{-(m+1)(n+1)} \right) \xleftarrow{(1)}$

$= \dfrac{e^{m+1}}{(m+1)(e^{m+1}-1)} - \dfrac{1}{(m+1)^2}$.

459 준 식 $= I = \displaystyle\int_0^{\frac{\pi}{2}} \dfrac{2010 + \sin^{2010}x + \cos^{2010}x - (2010\cos^2 x + \sin^{2010}x)}{2010 + \sin^{2010}x + \cos^{2010}x}\, dx$

$= \dfrac{\pi}{2} - \displaystyle\int_0^{\frac{\pi}{2}} \dfrac{2010\cos^2 x + \sin^{2010}x}{2010 + \sin^{2010}x + \cos^{2010}x}\, dx \xleftarrow{\text{[정리 24,(1)]}} \dfrac{\pi}{2} - I \Rightarrow \therefore I = \dfrac{\pi}{4}$.

460 (1) $I = \displaystyle\int_0^{\frac{\pi}{2}} \dfrac{x}{1+\sin x \cos x}\, dx \xleftarrow{\text{[정리 24,(1)]}} \dfrac{\pi}{2} \int_0^{\frac{\pi}{2}} \dfrac{1}{1+\sin x \cos x}\, dx - I$

$\Rightarrow I = \dfrac{\pi}{4} \displaystyle\int_0^{\frac{\pi}{2}} \dfrac{1}{1+\sin x \cos x}\, dx = \dfrac{\pi}{4} \int_0^{\frac{\pi}{2}} \dfrac{1}{\sin^2 x + \cos^2 x + \sin x \cos x}\, dx$

$$= \frac{\pi}{4} \int_0^{\frac{\pi}{2}} \frac{d(\tan x)}{\tan^2 x + \tan x + 1} = \frac{\pi}{2\sqrt{3}} \left[\tan^{-1} \left(\frac{2}{\sqrt{3}} \left(\tan x + \frac{1}{2} \right) \right) \right]_0^{\frac{\pi}{2}} = \frac{\pi^2}{6\sqrt{3}}.$$

(2) $\displaystyle J = \int_0^{\frac{\pi}{2}} \frac{x + \frac{\pi}{2}}{1 - \sin x \cos x} dx = \frac{\pi}{2} \int_0^{\frac{\pi}{2}} \frac{1}{1 - \sin x \cos x} dx + \int_0^{\frac{\pi}{2}} \frac{x}{1 - \sin x \cos x} dx$

$\underleftarrow{\text{[정리 24, (1)]}}$

$$\frac{\pi}{2} \int_0^{\frac{\pi}{2}} \frac{1}{1 - \sin x \cos x} dx + \frac{\pi}{2} \int_0^{\frac{\pi}{2}} \frac{1}{1 - \sin x \cos x} dx - \int_0^{\frac{\pi}{2}} \frac{x}{1 - \sin x \cos x} dx$$

$$= \frac{3\pi}{2} \int_0^{\frac{\pi}{2}} \frac{1}{1 - \sin x \cos x} dx - J \Rightarrow J = \frac{3\pi}{4} \int_0^{\frac{\pi}{2}} \frac{1}{1 - \sin x \cos x} dx$$

$$= \frac{3\pi}{4} \int_0^{\frac{\pi}{2}} \frac{dx}{\sin^2 x + \cos^2 x - \sin x \cos x} = \frac{3\pi}{4} \int_0^{\frac{\pi}{2}} \frac{\sec^2 x \, dx}{1 + \tan^2 x - \tan x}$$

$$= \frac{3\pi}{4} \int_0^{\frac{\pi}{2}} \frac{d\left(\tan x - \frac{1}{2} \right)}{\left(\tan x - \frac{1}{2} \right)^2 + \frac{3}{4}} = \frac{\sqrt{3}}{2} \pi \left[\tan^{-1} \frac{2}{\sqrt{3}} \left(\tan x - \frac{1}{2} \right) \right]_0^{\frac{\pi}{2}} = \frac{\pi^2}{\sqrt{3}}.$$

$$\therefore \text{준 식} = \int_0^{\frac{\pi}{2}} \frac{x}{1 + \sin x \cos x} dx + \int_{\frac{\pi}{2}}^{\pi} \frac{x}{1 + \sin x \cos x} dx \xrightarrow{x = y + \frac{\pi}{2}} I + J \xrightarrow{(1),(2)} \frac{7\pi^2}{6\sqrt{3}}.$$

461 준 식 $= I$ 라고 하자.

(1) $\displaystyle f(u) = \int_0^1 \frac{\tan^{-1}\left(u\sqrt{x^2 + 2} \right)}{(x^2 + 1)\sqrt{x^2 + 2}} dx$ 라고 하자.

(2) $\displaystyle f(\infty) = \frac{\pi}{2} \int_0^1 \frac{1}{(x^2 + 1)\sqrt{x^2 + 2}} dx = \frac{\pi}{2} \int_0^1 \left(\tan^{-1} \frac{x}{\sqrt{x^2 + 2}} \right)' dx = \frac{\pi^2}{12}.$

(3) $\displaystyle \frac{d}{du}\left(\tan^{-1} u \sqrt{x^2 + 2} \right) = \frac{\sqrt{x^2 + 2}}{1 + u^2(x^2 + 2)}$ $\xrightarrow{\underset{\text{양변을 } u \text{로 미분}}{(1)}}$

$$f'(u) = \int_0^1 \frac{1}{(x^2 + 1)(1 + u^2(x^2 + 2))} dx = \int_0^1 \frac{1}{(u^2 + 1)(x^2 + 1)} - \frac{u^2}{u^2 + 1} \left(\frac{1}{u^2(x^2 + 2) + 1} \right) dx$$

$$= \left(\frac{1}{u^2 + 1} \right) \left[\tan^{-1} x \right]_0^1 - \left(\frac{1}{u^2 + 1} \right) \int_0^1 \frac{dx}{x^2 + \frac{2u^2 + 1}{u^2}}$$

$$= \frac{1}{u^2 + 1} \left[\frac{\pi}{4} - \frac{u}{\sqrt{2u^2 + 1}} \tan^{-1} \frac{u}{\sqrt{2u^2 + 1}} \right].$$

(4) $\displaystyle\int_1^\infty f'(u)du \xleftarrow{(3)} \frac{\pi}{4}\int_1^\infty \frac{1}{1+u^2}du - \int_1^\infty \frac{u}{(u^2+1)\sqrt{2u^2+1}}\tan^{-1}\frac{u}{\sqrt{2u^2+1}}du$

$\xleftarrow{u=v^{-1}} \dfrac{\pi}{4}\big[\tan^{-1}u\big]_1^\infty - \displaystyle\int_0^1 \frac{1}{(v^2+1)\sqrt{v^2+2}}\tan^{-1}\Big(\frac{1}{\sqrt{v^2+2}}\Big)dv \xleftarrow{[정리\ 56,(6)]}$

$= \dfrac{\pi^2}{16} - \dfrac{\pi}{2}\displaystyle\int_0^1 \frac{1}{(v^2+1)\sqrt{v^2+2}}dv + \int_0^1 \frac{\tan^{-1}\sqrt{v^2+2}}{(v^2+1)\sqrt{v^2+2}}dv \xleftarrow{(2)} \dfrac{\pi^2}{16} - \dfrac{\pi^2}{12} + I.$

$\displaystyle\int_1^\infty f'(u)du = f(\infty) - f(1) \xrightarrow{(1),(2),(3)} \dfrac{\pi^2}{12} - \int_0^1 \frac{\tan^{-1}\sqrt{x^2+2}}{(x^2+1)\sqrt{x^2+2}}dx = \dfrac{\pi^2}{12} - I.$

$\therefore 준\ 식 = I = \dfrac{1}{2}\Big(\dfrac{\pi^2}{6} - \dfrac{\pi^2}{16}\Big) = \dfrac{5\pi^2}{96}.$

462 (1) $\displaystyle\int_{-\frac{\pi}{2}}^0 \frac{\sin^{2m}x}{1+\sin^{2n+1}x+\sqrt{1+\sin^{4n+2}x}}dx \xleftarrow{x=-y}$

$= \displaystyle\int_0^{\frac{\pi}{2}} \frac{\sin^{2m}y}{1-\sin^{2n+1}y+\sqrt{1+\sin^{4n+2}y}}dy.$

$\therefore 준\ 식 \xleftarrow{(1)} \displaystyle\int_0^{\frac{\pi}{2}}(\sin^{2m}x)\Big(\frac{1}{1-\sin^{2n+1}x+\sqrt{1+\sin^{4n+2}x}} + \frac{1}{1+\sin^{2n+1}x+\sqrt{1+\sin^{4n+2}x}}\Big)dx$

$= 2\displaystyle\int_0^{\frac{\pi}{2}} \frac{(\sin^{2m}x)\big(1+\sqrt{1+\sin^{4n+2}x}\big)}{\big(1-\sin^{2n+1}x+\sqrt{1+\sin^{4n+2}x}\big)\big(1+\sin^{2n+1}x+\sqrt{1+\sin^{4n+2}x}\big)}dx$

$= \displaystyle\int_0^{\frac{\pi}{2}}\sin^{2m}x\,dx \xrightarrow[{[정리\ 81]}]{[정리\ 83]} \frac{(2m)!}{2^{2m}(m!)^2}\Big(\frac{\pi}{2}\Big).$

463 $준\ 식 = -\dfrac{1}{4}\displaystyle\int_0^\infty \frac{x^2-2}{x^4+4}dx + \frac{1}{4}\int_0^\infty \frac{x^2+2}{x^4+4}dx$

$= \dfrac{1}{4}\displaystyle\int_0^\infty \frac{\Big(1+\frac{2}{x^2}\Big)dx}{x^2+\frac{4}{x^2}} - \frac{1}{4}\int_0^\infty \frac{\Big(1-\frac{2}{x^2}\Big)dx}{x^2+\frac{4}{x^2}} = \frac{1}{4}\int_0^\infty \frac{d\Big(x-\frac{2}{x}\Big)}{\Big(x-\frac{2}{x}\Big)^2+4} - \frac{1}{4}\int_0^\infty \frac{d\Big(x+\frac{2}{x}\Big)}{\Big(x+\frac{2}{x}\Big)^2-4}$

$= \dfrac{1}{8}\Big[\tan^{-1}\frac{1}{2}\Big(x-\frac{2}{x}\Big)\Big]_0^\infty - \frac{1}{16}\Big[\ln\frac{x+\frac{2}{x}-2}{x+\frac{2}{x}+2}\Big]_0^\infty = \frac{\pi}{8}.$

464 $준\ 식 \xleftarrow{[정리\ 24,(9)]} \dfrac{\pi}{2}\displaystyle\int_0^\pi \frac{\sin^3 x}{\sin^2 x+8}dx = \frac{\pi}{2}\int_0^\pi \frac{(\cos^2 x-1)d(\cos x)}{9-\cos^2 x}$

$= \pi\displaystyle\int_0^{\frac{\pi}{2}} \frac{8}{9-\cos^2 x}-1\,d(\cos x) = \pi\Big[\frac{4}{3}\ln\Big|\frac{3+\cos x}{3-\cos x}\Big| - \cos x\Big]_0^{\frac{\pi}{2}} = \pi\Big(1-\frac{4}{3}\ln 2\Big).$

465 준 식 $= 2\int_0^{\ln2}(x-\ln2)\dfrac{e^x}{\left(e^x+1\right)^2}\,dx \xleftarrow{\text{부분적분}} -2\left[\dfrac{x-\ln2}{1+e^x}\right]_0^{\ln2}+2\int_0^{\ln2}\dfrac{dx}{1+e^x}$

$= -\ln2 + 2\int_0^{\ln2}\dfrac{e^{-x}}{1+e^{-x}}\,dx = -\ln2 - 2\left[\ln\left(1+e^{-x}\right)\right]_0^{\ln2} = \ln\dfrac{8}{9}.$

466 (1) $\displaystyle\sum_{n=1}^{\infty}\dfrac{1}{2^n}\tan\dfrac{x}{2^n} = \lim_{n\to\infty}\left(\dfrac{1}{2}\tan\dfrac{x}{2}+\dfrac{1}{2^2}\tan\dfrac{x}{2^2}+\cdots+\dfrac{1}{2^n}\tan\dfrac{x}{2^n}\right)\xleftarrow{\text{[정리 21,(4)]}}$

$= \displaystyle\lim_{n\to\infty}\left(\dfrac{1}{2^n}\cot\dfrac{x}{2^n}-\cot x\right) = \lim_{n\to\infty}\cos\dfrac{x}{2^n}\dfrac{1}{\left(\dfrac{\sin\dfrac{x}{2^n}}{\dfrac{x}{2^n}}\right)}\dfrac{1}{x}-\cot x = \dfrac{1}{x}-\cot x.$

$\therefore$ 준 식 $\xleftrightarrow{(1)} \displaystyle\int_{\frac{\pi}{6}}^{\frac{\pi}{3}}\dfrac{1}{x}-\cot x\,dx = \left[\ln x-\ln\sin x\right]_{\frac{\pi}{6}}^{\frac{\pi}{3}} = \ln\dfrac{2}{\sqrt{3}}.$

467 (1) $I(a)=\displaystyle\int_0^{\pi}\ln(1+a\cos x)\,dx \xrightarrow{\text{양변을 } a\text{로 미분}} I'(a)=\int_0^{\pi}\dfrac{\cos x}{1+a\cos x}\,dx$

$= \dfrac{1}{a}\displaystyle\int_0^{\pi}1-\dfrac{1}{1+a\cos x}\,dx \xleftarrow{\tan\frac{x}{2}=t} \dfrac{\pi}{a}-\dfrac{2}{a}\int_0^{\infty}\dfrac{dt}{(1+a)+(1-a)t^2} = \dfrac{\pi}{a}\left(1-\dfrac{1}{\sqrt{1-a^2}}\right).$

$\xrightarrow{\text{양변을 적분}} I(a)=\displaystyle\int\dfrac{\pi}{a}-\dfrac{\pi}{a\sqrt{1-a^2}}\,da \xleftarrow{a=\sin\theta} \pi\ln a+\pi\ln(\csc\theta+\cot\theta)+c$

$= \pi\ln\left(1+\sqrt{1-a^2}\right)+c\xrightarrow{a=0}\pi\ln2+c=I(0)=0\Rightarrow c=-\pi\ln2 \Rightarrow I(a)=\pi\ln\left(\dfrac{1+\sqrt{1-a^2}}{2}\right).$

$\therefore$ 준 식 $= \displaystyle\int_0^{\pi}\ln(\alpha^2+1)+\ln\left(1-\dfrac{2\alpha}{\alpha^2+1}\cos x\right)dx \xleftarrow{a=\frac{-2\alpha}{\alpha^2+1}} \pi\ln(\alpha^2+1)+\int_0^{\pi}\ln(1+a\cos x)\,dx$

$\xleftrightarrow{(1)}\pi\ln(\alpha^2+1)+I(a)=\pi\ln(\alpha^2+1)+\pi\ln\left(\dfrac{1+\sqrt{1-a^2}}{2}\right)\xleftarrow{a=\frac{-2\alpha}{\alpha^2+1}}0.$

468 (1) $f(x)=\sqrt{x^2+x+1}=\sqrt{\left(x+\dfrac{1}{2}\right)^2+\dfrac{3}{4}}\Rightarrow f'(x)=\dfrac{x+\dfrac{1}{2}}{f(x)}.$

$f(-x)=\sqrt{x^2-x+1}=\sqrt{\left(x-\dfrac{1}{2}\right)^2+\dfrac{3}{4}}\Rightarrow f'(-x)=\dfrac{x-\dfrac{1}{2}}{f(-x)}, f(x)f(-x)=\sqrt{x^4+x^2+1}.$

(2) $\dfrac{x}{\{(2x-1)\sqrt{x^2+x+1}-(2x+1)\sqrt{x^2-x+1}\}\sqrt{x^4+x^2+1}}$

$\xleftarrow{(1)}\dfrac{x}{2\left\{\left(x-\dfrac{1}{2}\right)f(x)-\left(x+\dfrac{1}{2}\right)f(-x)\right\}f(x)f(-x)}$

$\xleftarrow{(1)}\dfrac{x}{2(f(x)f(-x))^2\{f'(x)-f'(-x)\}}$

$=\dfrac{x\{f'(x)+f'(-x)\}}{2(f(x)f(-x))^2(f'(x)^2-f'(-x)^2)}\xleftarrow{(1)}\left(\dfrac{1}{2}\right)\dfrac{x\{f'(x)+f'(-x)\}}{\left(x+\dfrac{1}{2}\right)^2 f(-x)^2-\left(x-\dfrac{1}{2}\right)^2 f(x)^2}$

$=\left(\dfrac{2}{3}\right)\dfrac{x\{f'(x)+f'(-x)\}}{2x}=\left(\dfrac{1}{3}\right)(f'(x)+f'(-x)).$

$\therefore$ 준 식 $\xleftarrow{(2)}\dfrac{1}{3}\displaystyle\int_0^1 f'(x)+f'(-x)=\dfrac{f(1)-f(-1)}{3}\xleftarrow{(1)}\dfrac{\sqrt{3}-1}{3}.$

469 (1) $I_n=\displaystyle\int_0^1\dfrac{x^{2n}}{x^2+1}dx\Rightarrow I_n+I_{n+1}=\displaystyle\int_0^1\dfrac{x^{2n}+x^{2n+2}}{x^2+1}dx=\displaystyle\int_0^1 x^{2n}dx=\dfrac{1}{2n+1}.$

$I_1=\displaystyle\int_0^1\dfrac{x^2}{x^2+1}dx=\displaystyle\int_0^1 1-\dfrac{1}{x^2+1}dx=1-\dfrac{\pi}{4}.$

$\xrightarrow{(1)}I_2+I_1=\dfrac{1}{3},\ -I_3-I_2=-\dfrac{1}{5},\ ...,\ I_n+I_{n-1}=\dfrac{1}{2n-1}\xrightarrow{\text{모든 식을 더하면}}$

$\therefore I_n=\begin{cases}\dfrac{\pi}{4}-1+\dfrac{1}{3}-\dfrac{1}{5}+\cdots+\dfrac{1}{2n-1}, & (n:\text{짝수})\\[2mm]-\dfrac{\pi}{4}+1-\dfrac{1}{3}+\dfrac{1}{5}-\dfrac{1}{7}+\cdots+\dfrac{1}{2n-1}, & (n:\text{홀수})\end{cases}.$

470 (1) $\dfrac{d}{dx}\left(e^{xe^x}(\sin x+\cos x)\right)=e^{xe^x}\left[(x+1)e^x(\cos x+\sin x)+\cos x-\sin x\right].$

$\therefore$ 준 식 $\xleftarrow{(1)}\left[e^{xe^x}(\sin x+\cos x)\right]_0^{\frac{\pi}{2}}=e^{\frac{\pi}{2}e^{\frac{\pi}{2}}}-1.$

471 준 식 $=\displaystyle\int_0^1\dfrac{x^2(e^x-e^{-x})+3x(e^x+e^{-x})+2}{\sqrt{1+x(e^x+e^{-x})}}dx$

$=\displaystyle\int_0^1\dfrac{x^3(e^x-e^{-x})+3x^2(e^x+e^{-x})+2x}{\sqrt{x^2+x^3(e^x+e^{-x})}}dx=2\left[\sqrt{x^2+x^3(e^x+e^{-x})}\right]_0^1=2\sqrt{1+e+e^{-1}}.$

472 준 식 $= \displaystyle\int_0^{\frac{\pi}{4}} \dfrac{\cos\theta + \sin\theta}{\sqrt{\cos\theta - \sin\theta}} - \dfrac{\cos\theta - \sin\theta}{\sqrt{\cos\theta + \sin\theta}} \, d\theta$

$= -2\left[\sqrt{\cos\theta - \sin\theta} + \sqrt{\cos\theta + \sin\theta}\,\right]_0^{\frac{\pi}{4}} = 4 - \sqrt{2\sqrt{2}}$.

473 (1) $\cos x + \sin x = \sqrt{2}\cos\left(x - \dfrac{\pi}{4}\right)$.

$I = \displaystyle\int_0^{\frac{\pi}{4}} \dfrac{x}{\cos x(\cos x + \sin x)} \, dx \xleftrightarrow{(1)} \int_0^{\frac{\pi}{4}} \dfrac{x}{\sqrt{2}\,\cos x \cos\left(x - \dfrac{\pi}{4}\right)} \, dx \xleftarrow{\text{[정리 24,(1)]}}$

$= \displaystyle\int_0^{\frac{\pi}{4}} \dfrac{\dfrac{\pi}{4} - x}{\sqrt{2}\cos\left(x - \dfrac{\pi}{4}\right)\cos x} \, dx = \dfrac{\pi}{4}\int_0^{\frac{\pi}{4}} \dfrac{dx}{\sqrt{2}\,\cos x\cos\left(x - \dfrac{\pi}{4}\right)} - I.$

$\therefore I \xleftrightarrow{(1)} \dfrac{\pi}{8}\displaystyle\int_0^{\frac{\pi}{4}} \dfrac{1}{\cos x(\cos x + \sin x)} \, dx = \dfrac{\pi}{8}\int_0^{\frac{\pi}{4}} \dfrac{\sec^2 x \, dx}{1 + \tan x}$

$= \dfrac{\pi}{8}\displaystyle\int_0^{\frac{\pi}{4}} \dfrac{d(\tan x)}{1 + \tan x} = \dfrac{\pi}{8}\left[\ln(1 + \tan x)\right]_0^{\frac{\pi}{4}} = \dfrac{\pi}{8}\ln 2.$

474 준 식 $\xleftarrow{\sqrt{x^2 - 1} = t} \displaystyle\int_0^\infty \dfrac{1}{1 + t^2} \, dt = \left[\tan^{-1}t\right]_0^\infty = \dfrac{\pi}{2}$.

475 준 식 $= \displaystyle\int_0^1 \dfrac{(\sinh x)' x - (x)' \sinh x}{x^2} \, dx = \left[\dfrac{\sinh x}{x}\right]_0^1 = \sinh(1) - 1.$

476 준 식 $= \dfrac{1}{\sqrt{2}}\displaystyle\int_0^{\frac{\pi}{3}} \sec\dfrac{x}{2}\, dx = \sqrt{2}\int_0^{\frac{\pi}{3}} \sec\dfrac{x}{2}\, d\left(\dfrac{x}{2}\right) = \sqrt{2}\left[\ln\left(\sec\dfrac{x}{2} + \tan\dfrac{x}{2}\right)\right]_0^{\frac{\pi}{3}}$

$= \sqrt{2}\ln\sqrt{3}$.

477 준 식 $\xleftarrow{\cot x = t^2} \displaystyle\int_1^{\sqrt[4]{3}} \dfrac{2t^2}{t^4 + 1}\, dt = \int_1^{\sqrt[4]{3}} \dfrac{t^2 + 1}{t^4 + 1} + \dfrac{t^2 - 1}{t^4 + 1}\, dt$

$= \displaystyle\int_1^{\sqrt[4]{3}} \dfrac{\left(1 + \dfrac{1}{t^2}\right)dt}{t^2 + \dfrac{1}{t^2}} + \int_1^{\sqrt[4]{3}} \dfrac{\left(1 - \dfrac{1}{t^2}\right)dt}{t^2 + \dfrac{1}{t^2}} = \int_1^{\sqrt[4]{3}} \dfrac{d\left(t - \dfrac{1}{t}\right)}{\left(t - \dfrac{1}{t}\right)^2 + 2} + \int_1^{\sqrt[4]{3}} \dfrac{d\left(t + \dfrac{1}{t}\right)}{\left(t + \dfrac{1}{t}\right)^2 - 2}$

$$= \frac{1}{\sqrt{2}} \left[\tan^{-1} \frac{1}{\sqrt{2}} \left(t - \frac{1}{t} \right) \right]_1^{\sqrt[4]{3}} + \frac{1}{2\sqrt{2}} \left[\ln \left(\frac{t + \frac{1}{t} - \sqrt{2}}{t + \frac{1}{t} + \sqrt{2}} \right) \right]_1^{\sqrt[4]{3}}$$

$$= \frac{1}{\sqrt{2}} \tan^{-1} \frac{1}{\sqrt{2}} \left(\sqrt[4]{3} - \frac{1}{\sqrt[4]{3}} \right) + \frac{1}{2\sqrt{2}} \ln \left(\frac{2 \left(\sqrt[4]{3} + 3^{-\frac{1}{4}} - \sqrt{2} \right)}{(2 - \sqrt{2})^2 \left(\sqrt[4]{3} + 3^{-\frac{1}{4}} + \sqrt{2} \right)} \right).$$

478 준 식 $\xleftrightarrow{\ln x + 1 = u}$ $\displaystyle\int_1^2 \frac{(u-1)e^{u-1}}{u^2} du = \frac{1}{e} \int_1^2 \frac{u(e^u)' - (u)'e^u}{u^2} du = \frac{1}{e} \left[\frac{e^u}{u} \right]_1^2$

$$= \frac{e}{2} - 1.$$

479 (1) $I_n = \displaystyle\int_0^\pi \frac{2(1 + \cos x) - \cos(n-1)x - 2\cos nx - \cos(n+1)x}{1 - \cos x} dx$

$$\Rightarrow I_1 = \int_0^\pi \frac{1 - \cos 2x}{1 - \cos x} dx = 2 \int_0^\pi 1 + \cos x \, dx = 2\pi,$$

$$I_2 - I_1 = \int_0^\pi \frac{2(\cos x + 1)(2\cos^2 x - \cos x - 1)}{\cos x - 1} dx$$

$$= 2 \int_0^\pi (\cos x + 1)(2\cos x + 1) dx = 2 \int_0^\pi \cos 2x + 3\cos x + 2 \, dx = 4\pi.$$

(2) $I_{n+2} - 2I_{n+1} + I_n = 0 \Rightarrow I_{n+2} - I_{n+1} = I_{n+1} - I_n = ... = I_2 - I_1 = 4\pi \xrightarrow{\text{모든 식을 더하면}}$

$$\therefore I_n \xleftrightarrow{(1)} 4\pi(n-1) + 2\pi.$$

480 (1) $\displaystyle\int_0^1 \frac{1}{x^4 + 1} dx = \frac{1}{2} \int_0^1 \frac{x^2 + 1}{x^4 + 1} - \frac{x^2 - 1}{x^4 + 1} dx = \frac{1}{2} \int_0^1 \frac{1 + \frac{1}{x^2}}{x^2 + \frac{1}{x^2}} - \frac{1 - \frac{1}{x^2}}{x^2 + \frac{1}{x^2}} dx$

$$= \frac{1}{2} \int_0^1 \frac{d\left(x - \frac{1}{x} \right)}{\left(x - \frac{1}{x} \right)^2 + 2} - \frac{1}{2} \int_0^1 \frac{d\left(x + \frac{1}{x} \right)}{\left(x + \frac{1}{x} \right)^2 - 2}$$

$$= \frac{1}{2\sqrt{2}} \left[\tan^{-1} \frac{1}{\sqrt{2}} \left(x - \frac{1}{x} \right) - \frac{1}{2} \ln \left| \frac{x + \frac{1}{x} - \sqrt{2}}{x + \frac{1}{x} + \sqrt{2}} \right| \right]_0^1 = \frac{1}{4\sqrt{2}} \left(\pi - \ln \frac{2 - \sqrt{2}}{2 + \sqrt{2}} \right).$$

$$\therefore \text{준 식} \xleftrightarrow{\sqrt{\tan x} = t} 2 \int_0^1 \frac{t^4}{t^4 + 1} dt = 2 \int_0^1 1 - \frac{1}{t^4 + 1} dt \xleftrightarrow{(1)} 2 - \frac{\pi}{2\sqrt{2}} + \frac{1}{2\sqrt{2}} \ln \left(\frac{2 - \sqrt{2}}{2 + \sqrt{2}} \right).$$

481 (1) $\dfrac{d}{dx}\left(\ln\tan\dfrac{x}{2}\right)=\dfrac{\sec^2\dfrac{x}{2}}{2\tan\dfrac{x}{2}}=\dfrac{1}{2\sin\dfrac{x}{2}\cos\dfrac{x}{2}}=\dfrac{1}{\sin x}$.

$\therefore$ 준 식 $\xleftrightarrow{e^{-x}=t}\displaystyle\int_{\frac{1}{2}}^{1}\dfrac{\sqrt{1-t^2}}{t}\,dt\xleftrightarrow{t=\sin\theta}\int_{\frac{\pi}{6}}^{\frac{\pi}{2}}\dfrac{\cos^2\theta}{\sin\theta}\,d\theta=\int_{\frac{\pi}{6}}^{\frac{\pi}{2}}\operatorname{cosec}\theta-\sin\theta\,d\theta$

$=-\displaystyle\int_{\frac{\pi}{6}}^{\frac{\pi}{2}}\dfrac{-\operatorname{cosec}^2\theta-\cot\theta\operatorname{cosec}\theta}{\operatorname{cosec}\theta+\cot\theta}+\sin\theta\,d\theta=\Big[\cos\theta-\ln(\operatorname{cosec}\theta+\cot\theta)\Big]_{\frac{\pi}{6}}^{\frac{\pi}{2}}=\ln(2+\sqrt{3})-\dfrac{\sqrt{3}}{2}$

482 $\displaystyle\int_{0}^{1}b^2x^2+(2ab+1)x-2a\sqrt{x}-2b\sqrt{x^3}+a^2\,dx=a^2+\left(b-\dfrac{4}{3}\right)a+\left(\dfrac{1}{3}b^2-\dfrac{4}{5}b+\dfrac{1}{2}\right)$

$=\left\{a+\dfrac{1}{2}\left(b-\dfrac{4}{3}\right)\right\}^2+\dfrac{1}{12}\left(b-\dfrac{4}{5}\right)^2+\dfrac{1}{450}\geq\dfrac{1}{450}\xleftrightarrow[b-\frac{4}{5}=0]{a+\frac{1}{2}\left(b-\frac{4}{3}\right)=0}\text{min.}$

$\therefore a=\dfrac{4}{15}, b=\dfrac{4}{5}$.

483 (1) $\dfrac{1}{1-x}=1+x+x^2+\cdots\xrightarrow{\text{양변을 미분}}\dfrac{1}{(1-x)^2}=\displaystyle\sum_{n=1}^{\infty}nx^{n-1}$.

$\therefore$ 준 식 $\xleftrightarrow{(1)}\displaystyle\sum_{n=1}^{\infty}n\int_{0}^{1}(\ln x)^2x^{n-1}\,dx\xleftrightarrow{\ln x=t}\sum_{n=1}^{\infty}n\int_{-\infty}^{0}t^2e^{tn}\,dt\xleftrightarrow{-t=z}\sum_{n=1}^{\infty}n\int_{0}^{\infty}z^2e^{-nz}\,dz$

$\xleftrightarrow{nz=y}\displaystyle\sum_{n=1}^{\infty}\dfrac{1}{n^2}\int_{0}^{\infty}y^2e^{-y}\,dy\xleftrightarrow{[\text{정리}81]}\sum_{n=1}^{\infty}\dfrac{1}{n^2}\,\Gamma(3)=2\sum_{n=1}^{\infty}\dfrac{1}{n^2}\xleftrightarrow{[\text{정리}66]}\dfrac{\pi^2}{3}$.

484 조건식을 a로 양변 미분하면 다음과 같다.

$\displaystyle\int_{-\infty}^{\infty}e^{ax}xf(x)\,dx=\dfrac{1}{\sqrt{1-\left(a-\dfrac{1}{\sqrt{2}}\right)^2}}\xrightarrow{a=0}\therefore\int_{-\infty}^{\infty}xf(x)\,dx=\sqrt{2}$.

485 (1) $\sin 2x+\sin x=(1+2\cos x)\sin x=-\dfrac{1}{9}(3+6\cos x)(-3\sin x)$

$=-\dfrac{2(1+3\cos x)+1}{9}(1+3\cos x)'$.

$\therefore$ 준 식 $\xleftrightarrow{(1)}-\dfrac{1}{9}\displaystyle\int_{0}^{\frac{\pi}{2}}\dfrac{2(1+3\cos x)+1}{\sqrt{1+3\cos x}}\,d(1+3\cos x)$

$$=-\frac{1}{9}\int_0^{\frac{\pi}{2}} 2\sqrt{1+3\cos x}+\frac{1}{\sqrt{1+3\cos x}}\,d(1+3\cos x)$$

$$=-\frac{1}{9}\left[\frac{4}{3}(1+3\cos x)^{\frac{3}{2}}+2\sqrt{1+3\cos x}\right]_0^{\frac{\pi}{2}}=\frac{34}{27}.$$

486 준 식 $=\displaystyle\int_2^a \frac{(a^x-1)-xa^x\ln a}{(a^x-1)^2}\,dx=\int_2^a \left(\frac{x}{a^x-1}\right)'dx=\frac{a}{a^a-1}-\frac{2}{a^2-1}.$

487 (1) $F(s)=\displaystyle\int_0^\infty \left(\frac{\sin x}{x}\right)e^{-sx}\,dx$ $\xrightarrow{\text{양변을 }s\text{로 미분}}$ $F'(s)=-\displaystyle\int_0^\infty e^{-st}\sin x\,dx$

$\xleftarrow{\text{부분적분}}$ $-\dfrac{1}{1+s^2}$, $F(\infty)=0\Rightarrow F(s)=F(s)-F(\infty)=-[F(t)]_s^\infty=-\displaystyle\int_s^\infty F'(t)dt$

$$=\int_s^\infty \frac{1}{1+t^2}dt=[\tan^{-1}t]_s^\infty=\frac{\pi}{2}-\tan^{-1}s.$$

$\therefore$ 준 식 $\xleftarrow{(1)}$ $F(\sqrt{3})=\dfrac{\pi}{2}-\tan^{-1}\sqrt{3}=\dfrac{\pi}{6}.$

488 (1) $I(a)=\displaystyle\int_0^\infty \frac{e^{ax}+1-(e^{bx}+1)}{x(e^{ax}+1)(e^{bx}+1)}\,dx=\int_0^\infty \frac{1}{x(e^{bx}+1)}-\frac{1}{x(e^{ax}+1)}\,dx.$

$\xrightarrow{\text{양변을 }a\text{로 미분}}$ $I'(a)=\displaystyle\int_0^\infty \frac{e^{ax}}{(e^{ax}+1)^2}\,dx=\frac{1}{a}\int_0^\infty \frac{1}{(e^{ax}+1)^2}\,d(e^{ax}+1)$

$$=-\frac{1}{a}\left[\frac{1}{e^{ax}+1}\right]_0^\infty=\frac{1}{2a}$$

$\xrightarrow{\text{양변을 적분}}$ $I(a)=\dfrac{1}{2}\ln a+c$ $\xrightarrow{a=b}$ $0=I(b)=\dfrac{1}{2}\ln b+c$ $\Rightarrow c=-\dfrac{1}{2}\ln b.$

$\therefore$ 준 식 $\xleftarrow{(1)}$ $I(a)=\dfrac{1}{2}\ln a-\dfrac{1}{2}\ln b=\dfrac{1}{2}\ln\left(\dfrac{a}{b}\right).$

489 (1) $\dfrac{1}{x^2+2x\cosh a+1}=\dfrac{1}{(x+\cosh a-\sinh a)(x+\cosh a+\sinh a)}$

$$=\frac{1}{2\sinh a}\left(\frac{1}{x+\cosh a-\sinh a}-\frac{1}{x+\cosh a+\sinh a}\right).$$

$\therefore$ 준 식 $\xleftarrow{(1)}$ $\dfrac{1}{2\sinh a}\displaystyle\int_0^1 \frac{1}{x+\cosh a-\sinh a}-\frac{1}{x+\cosh a+\sinh a}\,dx$

$$=\frac{1}{2\sinh a}\left[\ln\frac{x+\cosh a-\sinh a}{x+\cosh a+\sinh a}\right]_0^1=\frac{a}{2\sinh a}.$$

490 (1) $\dfrac{1}{x^2+2x\sinh a-1}=\dfrac{1}{(x+\sinh a-\cosh a)(x+\sinh a+\cosh a)}$

$=\dfrac{1}{2\cosh a}\left(\dfrac{1}{x+\sinh a-\cosh a}-\dfrac{1}{x+\sinh a+\cosh a}\right).$

$\therefore$ 준 식 $\xrightarrow{(1)}\dfrac{1}{2\cosh a}\displaystyle\int_1^\infty \dfrac{1}{x+\sinh a-\cosh a}-\dfrac{1}{x+\sinh a+\cosh a}\,dx$

$=\dfrac{1}{2\cosh a}\left[\ln\dfrac{x+\sinh a-\cosh a}{x+\sinh a+\cosh a}\right]_1^\infty=\dfrac{1}{2\cosh a}\ln\left(\dfrac{1+e^a}{1-e^{-a}}\right).$

491 $I=\displaystyle\int_{\frac{1}{2}}^2\dfrac{\sin x}{x\left(\sin x+\sin\dfrac{1}{x}\right)}\,dx\xleftarrow{x=\frac{1}{t}}\displaystyle\int_{\frac{1}{2}}^2\dfrac{\sin\dfrac{1}{t}}{t\left(\sin t+\sin\dfrac{1}{t}\right)}\,dt\xrightarrow{\text{두 식을 더하면}}$

$2I=\displaystyle\int_{\frac{1}{2}}^2\dfrac{1}{x}\,dx=\ln 4\Rightarrow\therefore$ 준 식 $=\ln 2.$

492 $I=\displaystyle\int_0^{\frac{\pi}{2}}\dfrac{\sin x}{\sin\left(x+\dfrac{\pi}{4}\right)}\,dx=\sqrt{2}\displaystyle\int_0^{\frac{\pi}{2}}\dfrac{\sin x}{\sin x+\cos x}\,dx\xleftarrow{\text{[정리 24,(1)]}}$

$=\sqrt{2}\displaystyle\int_0^{\frac{\pi}{2}}\dfrac{\cos x}{\sin x+\cos x}\,dx\xrightarrow{\text{두 식을 더하면}}2I=\sqrt{2}\displaystyle\int_0^{\frac{\pi}{2}}1\,dx=\dfrac{\pi}{\sqrt{2}}\Rightarrow\therefore I=\dfrac{\pi}{2\sqrt{2}}.$

493 (1) $x^4+2x^2\cosh a+1=(x^2+\cosh a)^2+1-\cosh^2 a=(x^2+\cosh a)^2-\sinh^2 a$

$=(x^2+\cosh a+\sinh a)(x^2+\cosh a-\sinh a)=(x^2+e^a)(x^2+e^{-a}).$

$\therefore$ 준 식 $\xrightarrow{(1)}\displaystyle\int_0^\infty\dfrac{1}{(x^2+e^a)(x^2+e^{-a})}\,dx=\dfrac{1}{e^{-a}-e^a}\displaystyle\int_0^\infty\dfrac{1}{x^2+e^a}-\dfrac{1}{x^2+e^{-a}}\,dx$

$=\dfrac{e^a}{1-e^{2a}}\left[e^{-\frac{a}{2}}\tan^{-1}\left(e^{-\frac{a}{2}}x\right)-e^{\frac{a}{2}}\tan^{-1}\left(e^{\frac{a}{2}}x\right)\right]_0^\infty=\dfrac{\pi}{2}\left(\dfrac{e^{\frac{a}{2}}}{1+e^a}\right)=\dfrac{\pi}{4\cosh\dfrac{a}{2}}.$

494 (1) $\dfrac{1}{1+x}=1-x+x^2-x^3+\cdots\Rightarrow\dfrac{1}{1+x^2}=1-x^2+x^4-x^6+\cdots$

$\Rightarrow\dfrac{2x}{1+x^2}=2(x-x^3+x^5-x^7+\cdots)\xrightarrow{\text{양변을 적분}}\ln(1+x^2)=\displaystyle\sum_{n=1}^\infty(-1)^{n+1}\dfrac{x^{2n}}{n}.$

$\Rightarrow\displaystyle\int\dfrac{dx}{1+x^2}=\int 1-x^2+\cdots\,dx\Rightarrow\tan^{-1}x=\displaystyle\sum_{n=1}^\infty(-1)^{n+1}\dfrac{x^{2n-1}}{2n-1}.$

$\Rightarrow\displaystyle\int\dfrac{1}{1+x}\,dx=\int 1-x+x^2-x^3+\cdots\,dx\Rightarrow\ln(1+x)=\displaystyle\sum_{n=1}^\infty(-1)^{n+1}\dfrac{x^n}{n}.$

(2) (1)에서 $x=1$을 대입하면 $\ln 2 = \displaystyle\sum_{n=1}^{\infty} \frac{(-1)^{n+1}}{n}$, $\dfrac{\pi}{4} = \displaystyle\sum_{n=1}^{\infty} \frac{(-1)^{n+1}}{2n-1}$ 이다.

$\therefore$ 준 식 $\xleftarrow{(1)}$ $\displaystyle\sum_{n=1}^{\infty} \frac{(-1)^{n+1}}{n} \int_0^1 x^{2n}\,dx = \sum_{n=1}^{\infty} \frac{(-1)^{n+1}}{n(2n+1)} = \sum_{n=1}^{\infty} (-1)^{n+1}\left(\frac{1}{n} - \frac{2}{2n+1}\right)$

$\xleftarrow{(2)}$ $\ln 2 - 2\left(1 - \dfrac{\pi}{4}\right)$.

495 준 식 $\xleftarrow{\;x=\frac{1}{2}(1+\sin\theta)\;}$ $\dfrac{1}{16}\displaystyle\int_{-\frac{\pi}{2}}^{\frac{\pi}{2}} \cos^4\theta\,d\theta = \frac{1}{8}\int_0^{\frac{\pi}{2}} \cos^4\theta\,d\theta \xleftarrow{[정리 83]} \dfrac{3\pi}{128}$.

496 $I = \displaystyle\int_0^{\infty} \frac{1}{1+x^6}\,dx \xleftarrow{\;x=t^{-1}\;} \int_0^{\infty} \frac{t^4}{1+t^6}\,dt = \int_0^{\infty} \frac{x^4}{1+x^6}\,dx \xrightarrow{\;두식을더하면\;}$

$\Rightarrow 2I = \displaystyle\int_0^{\infty} \frac{x^4+1}{1+x^6}\,dx \Rightarrow 2I = \int_0^{\infty} \frac{x^4-x^2+1}{x^6+1}\,dx + \int_0^{\infty} \frac{x^2\,dx}{x^6+1}$

$= \displaystyle\int_0^{\infty} \frac{1}{x^2+1}\,dx + \frac{1}{3}\int_0^{\infty} \frac{d(x^3)}{(x^3)^2+1} = \left[\tan^{-1}x\right]_0^{\infty} + \frac{1}{3}\left[\tan^{-1}x^3\right]_0^{\infty} = \frac{\pi}{2} + \frac{\pi}{6} = \frac{2\pi}{3}$.

$\therefore$ 준 식 $= \dfrac{\pi}{3}$.

497 (1) $\displaystyle\int_0^{\infty} \frac{1}{bx^6+1}\,dx \xleftarrow{\;t=\sqrt[6]{b}\,x\;} \frac{1}{\sqrt[6]{b}}\int_0^{\infty} \frac{1}{t^6+1}\,dt \xleftarrow{[문제 496]} \dfrac{\pi}{3\sqrt[6]{b}}$.

(2) $I(b) = \displaystyle\int_0^{\infty} \frac{\ln(bx^6+1)}{x^6+1}\,dx \xrightarrow{\;양변을 b로 미분\;} I'(b) = \int_0^{\infty} \frac{x^6}{(x^6+1)(bx^6+1)}\,dx$

$= \dfrac{1}{b-1}\displaystyle\int_0^{\infty} \frac{1}{x^6+1} - \frac{1}{bx^6+1}\,dx \xleftarrow{[문제 496]} \dfrac{\pi}{3(b-1)} - \frac{1}{b-1}\int_0^{\infty} \frac{1}{bx^6+1}\,dx \xleftarrow{(1)}$

$= \dfrac{\pi}{3(b-1)}\left(1 - \dfrac{1}{\sqrt[6]{b}}\right)$.

(3) $\displaystyle\int_0^1 \frac{3(x^2+1)}{x^4+x^2+1} + \frac{x^2-1}{x^4+x^2+1}\,dx = 3\int_0^1 \frac{\left(1+\frac{1}{x^2}\right)dx}{x^2+\frac{1}{x^2}+1} + \int_0^1 \frac{\left(1-\frac{1}{x^2}\right)dx}{x^2+\frac{1}{x^2}+1}$

$= 3\displaystyle\int_0^1 \frac{d\left(x-\frac{1}{x}\right)}{\left(x-\frac{1}{x}\right)^2+3} + \int_0^1 \frac{d\left(x+\frac{1}{x}\right)}{\left(x+\frac{1}{x}\right)^2-1} = \sqrt{3}\left[\tan^{-1}\frac{1}{\sqrt{3}}\left(x-\frac{1}{x}\right)\right]_0^1$

$+ \dfrac{1}{2}\left[\ln \dfrac{x-\frac{1}{x}-1}{x-\frac{1}{x}+1}\right]_0^1 = \dfrac{\sqrt{3}\,\pi}{2} - \dfrac{\ln 3}{2}$.

$$\therefore \text{준 식} = I(1) - I(0) = [I(b)]_0^1 = \int_0^1 I'(b)\,db \xrightarrow{(2)} \frac{\pi}{3}\int_0^1 \frac{1}{b-1}\left(1 - \frac{1}{\sqrt[6]{b}}\right)db \xrightarrow{b=\theta^6}$$

$$= 2\pi\int_0^1 \frac{\theta^4(\theta-1)}{\theta^6-1}\,d\theta = 2\pi\int_0^1 \frac{x^4(x-1)}{x^6-1}\,dx = 2\pi\int_0^1 \frac{x^4}{(x+1)(x^4+x^2+1)}\,dx$$

$$= \frac{\pi}{3}\int_0^1 \frac{2}{x+1} + \frac{4x^3+2x}{x^4+x^2+1} - \frac{3(x^2+1)+(x^2-1)}{x^4+x^2+1}\,dx \xrightarrow{(3)} \frac{\pi}{3}\left[2\ln(x+1) + \ln(x^4+x^2+1)\right]_0^1$$

$$- \frac{\pi}{3}\left(\frac{\sqrt{3}\,\pi}{2} - \frac{\ln 3}{2}\right) = \frac{\pi}{6}\left(\ln 432 - \sqrt{3}\,\pi\right).$$

498 (1) $\displaystyle \int_0^\infty e^{-(1+t)x^2}\,dx \xrightarrow{[\text{문제 } 31]} \frac{1}{2}\sqrt{\frac{\pi}{1+t}}\,.$

(2) $\displaystyle I(\alpha) = -\int_0^\infty \frac{e^{-x^2}}{x^2+\alpha}\,dx = -\int_0^\infty e^{-x^2}\left[\left(\frac{-1}{x^2+\alpha}\right)e^{-(x^2+\alpha)t}\right]_0^\infty dx$

$$= -\int_0^\infty e^{-x^2}\int_0^\infty e^{-(x^2+\alpha)t}\,dt\,dx = -\int_0^\infty \int_0^\infty e^{-(1+t)x^2}e^{-\alpha t}\,dx\,dt \xrightarrow{(1)}$$

$$= -\int_0^\infty \frac{\sqrt{\pi}}{2}\frac{e^{-\alpha t}}{\sqrt{1+t}}\,dt \xrightarrow{\text{양변을 }\alpha\text{로 미분}} I'(\alpha) = \frac{\sqrt{\pi}}{2}\int_0^\infty \frac{t e^{-\alpha t}}{\sqrt{1+t}}\,dt$$

$$= \frac{\sqrt{\pi}}{2}\int_0^\infty \frac{x e^{-\alpha x}}{\sqrt{1+x}}\,dx.$$

$$\Rightarrow I'\!\left(\frac{1}{2}\right) = \frac{\sqrt{\pi}}{2}\int_0^\infty \frac{x}{\sqrt{1+x}}e^{-\frac{x}{2}}\,dx = \frac{\sqrt{\pi}}{2}\int_0^\infty \frac{(1+x)e^{-\frac{x}{2}} - e^{-\frac{x}{2}}}{\sqrt{1+x}}\,dx$$

$$= \frac{\sqrt{\pi}}{2}\left(\int_0^\infty \sqrt{1+x}\,e^{-\frac{x}{2}}\,dx - \int_0^\infty \frac{e^{-\frac{x}{2}}}{\sqrt{1+x}}\,dx\right) \xleftarrow{\begin{array}{l} f(x) = \sqrt{1+x} \\ g'(x) = e^{-\frac{x}{2}} \end{array}}$$

$$= \frac{\sqrt{\pi}}{2}\left(\left[-2\sqrt{1+x}\,e^{-\frac{x}{2}}\right]_0^\infty + \int_0^\infty \frac{e^{-\frac{x}{2}}}{\sqrt{1+x}}\,dx - \int_0^\infty \frac{e^{-\frac{x}{2}}}{\sqrt{1+x}}\,dx\right) = \sqrt{\pi}\,.$$

$$\therefore I'(\alpha) = \int_0^\infty \frac{e^{-x^2}}{(x^2+\alpha)^2}\,dx \xrightarrow{\alpha = \frac{1}{2}} \therefore \text{준 식} = I'\!\left(\frac{1}{2}\right) \xrightarrow{(2)} \sqrt{\pi}\,.$$

499 (1) $\displaystyle \int_t^0 \frac{x}{(1+x)^3}\,dx \xrightarrow{1+x=y} \int_{1+t}^1 (y-1)y^{-3}\,dy = \left[-\frac{1}{y} + \frac{1}{2y^2}\right]_{1+t}^1 = \frac{-t^2}{2(1+t)^2}\,.$

(2) $1 \le t \le x,\ 0 \le x \le 1 \xrightarrow{\text{아래그림}} t \le x \le 0,\ 0 \le t \le 1.$

$\therefore$ 준 식 $= \int_0^1 \frac{x}{(1+x)^3} \int_1^x \frac{1}{t} dt\, dx = \int_0^1 \int_1^x \frac{x}{t(1+x)^3} dt\, dx \xrightarrow{(2)} \int_0^1 \int_t^0 \frac{x}{t(1+x)^3} dx\, dt$

$= \int_0^1 \frac{1}{t} \int_t^0 \frac{x}{(1+x)^3} dx\, dt \xrightarrow{(1)} \frac{-1}{2} \int_0^1 \frac{t}{(1+t)^2} dt \xrightarrow{1+t=s} -\frac{1}{2} \int_1^2 \frac{1}{s} - \frac{1}{s^2}\, ds = \frac{1}{4} - \ln\sqrt{2}$

(3) $\therefore$ 준 식 $= \lim_{a\to 0} \int_a^1 \left(\frac{1}{(1+x)^2} - \frac{1}{(1+x)^3} \right) \ln x\, dx$

$= \lim_{a\to 0} \left[\left(\frac{1}{2(1+x)^2} - \frac{1}{1+x} \right) \ln x \right]_a^1 + \int_a^1 \frac{1}{x(1+x)} - \frac{1}{2x(1+x)^2}\, dx$

$= \lim_{a\to 0} \left(\frac{1}{1+a} - \frac{1}{2(1+a)^2} \right) \ln a + \frac{1}{2} \int_a^1 \frac{1}{x} - \frac{1}{1+x} + \frac{1}{(1+x)^2}\, dx$

$= \lim_{a\to 0} \left(\frac{1}{1+a} - \frac{1}{2(1+a)^2} - \frac{1}{2} \right) \ln a + \frac{1}{4} - \frac{\ln 2}{2} \xleftarrow{L'Hospital} \frac{1}{4} - \ln\sqrt{2}$.

500 (1) $\int_1^\infty \frac{x^2}{1+x^4} dx = \frac{1}{2} \int_1^\infty \frac{1+x^2}{1+x^4} - \frac{1-x^2}{1+x^4} dx = \frac{1}{2} \int_1^\infty \frac{1+\frac{1}{x^2}}{x^2+\frac{1}{x^2}} + \frac{1-\frac{1}{x^2}}{x^2+\frac{1}{x^2}} dx$

$= \frac{1}{2} \left(\int_1^\infty \frac{d\left(x-\frac{1}{x}\right)}{\left(x-\frac{1}{x}\right)^2 + 2} + \int_1^\infty \frac{d\left(x+\frac{1}{x}\right)}{\left(x+\frac{1}{x}\right)^2 - 2} \right)$

$= \frac{1}{2\sqrt{2}} \left[\tan^{-1} \frac{1}{\sqrt{2}} \left(x - \frac{1}{x} \right) \right]_1^\infty + \frac{1}{4\sqrt{2}} \left[\ln \left(\frac{x + \frac{1}{x} - \sqrt{2}}{x + \frac{1}{x} + \sqrt{2}} \right) \right]_1^\infty$

$= \frac{\pi}{4\sqrt{2}} - \frac{1}{4\sqrt{2}} \ln \left(\frac{2-\sqrt{2}}{2+\sqrt{2}} \right)$.

$\therefore$ 준 식 $= \int_0^\infty (-e^{-x})' \ln(1+e^{4x})\, dx = \left[-e^{-x} \ln(1+e^{4x}) \right]_0^\infty + 4 \int_0^\infty \frac{e^{4x}}{e^x(1+e^{4x})} dx$

$= \ln 2 + 4 \int_0^\infty \frac{e^{3x}}{1+e^{4x}} dx \xleftarrow{e^x = y} \ln 2 + 4 \int_1^\infty \frac{y^2}{1+y^4} dy \xrightarrow{(1)} \ln 2 + \frac{\pi}{\sqrt{2}} - \frac{1}{\sqrt{2}} \ln \left(\frac{2-\sqrt{2}}{2+\sqrt{2}} \right)$.

501 (1) $\displaystyle\int_0^\pi \frac{dx}{a+b\cos x} \xleftrightarrow{\tan\frac{x}{2}=t} \int_0^\infty \frac{2dt}{(a+b)+(a-b)t^2} = \frac{2}{\sqrt{a^2-b^2}}\left[\tan^{-1}\sqrt{\frac{a-b}{a+b}}\,t\right]_0^\infty$

$= \dfrac{\pi}{\sqrt{a^2-b^2}}. \quad (a^2>b^2).$

(2) $\displaystyle I(b) = \int_0^\pi \ln(a+b\cos x)\,dx \xrightarrow{\text{양변을 미분}} I'(b) = \int_0^\pi \frac{\cos x}{a+b\cos x}\,dx$

$= \dfrac{1}{b}\displaystyle\int_0^\pi 1-\frac{a}{a+b\cos x}\,dx \xleftarrow{(1)} \frac{\pi}{b}\left(1-\frac{a}{\sqrt{a^2-b^2}}\right) \xrightarrow{\text{양변을 적분}}$

$I(b) = \displaystyle\int \frac{\pi}{b} - \frac{a\pi}{b\sqrt{a^2-b^2}}\,db$

$= \pi\ln b - a\pi\displaystyle\int \frac{1}{b\sqrt{a^2-b^2}}\,db \xleftarrow{b=a\sin\theta} \pi\ln b + \pi\ln\left(\frac{a+\sqrt{a^2-b^2}}{b}\right)+c$

$= \pi\ln\left(a+\sqrt{a^2-b^2}\right)+c$

$\Rightarrow I(0) = \displaystyle\int_0^\pi \ln a\,dx = \pi\ln a, \ I(0) = \pi\ln 2a + c \Rightarrow c = -\pi\ln 2.$

$\Rightarrow \displaystyle\int_0^\pi \ln(a+b\cos x)\,dx = \pi\ln\left(\frac{a+\sqrt{a^2-b^2}}{2}\right).$

$\therefore \text{준 식} \xleftarrow{x=\cos t} \displaystyle\int_0^\pi \ln(13-6\cos t)\,dt \xleftarrow{(2)} \pi\ln\left(\frac{13+\sqrt{133}}{2}\right).$

502 (1) $I_n = \displaystyle\int_0^\infty \frac{\sqrt{x}}{(x^2+1)^n}\,dx \xleftarrow{\substack{f(x)=(x^2+1)^{-n}\\ g'(x)=\sqrt{x}}} \left[\frac{2\sqrt{x^3}}{3(x^2+1)^n}\right]_0^\infty + \frac{4n}{3}\int_0^\infty \frac{x^2\sqrt{x}}{(x^2+1)^{n+1}}\,dx$

$= \dfrac{4n}{3}\displaystyle\int_0^\infty \frac{\sqrt{x}}{(x^2+1)^n} - \frac{\sqrt{x}}{(x^2+1)^{n+1}}\,dx = \frac{4n}{3}\left(I_n - I_{n+1}\right) \Rightarrow I_{n+1} = \left(\frac{4n-3}{4n}\right)I_n.$

$I_1 = \displaystyle\int_0^\infty \frac{\sqrt{x}}{x^2+1}\,dx \xleftarrow{x=\tan\theta} \int_0^{\frac{\pi}{2}} \sqrt{\tan\theta}\,d\theta \xleftarrow{[\text{문제 }49]} \frac{\pi}{\sqrt{2}}.$

$\therefore \text{준 식} \xleftarrow{(1)} I_2 = \dfrac{1}{4}I_1 = \dfrac{\pi}{4\sqrt{2}}.$

503 (1) $I(x) = \displaystyle\int_0^\infty e^{-(1+x^2)t}\sin t\,dt = \left[-e^{-(1+x^2)t}\cos t\right]_0^\infty - \int_0^\infty e^{-(1+x^2)t}(1+x^2)\cos t\,dt$

$= 1-(1+x^2)\displaystyle\int_0^\infty e^{-(1+x^2)t}\cos t\,dt = 1-(1+x^2)\left\{\left[e^{-(1+x^2)t}\sin t\right]_0^\infty + \int_0^\infty e^{-(1+x^2)t}\sin t\,dt\right\}$

$$= 1 - (1+x^2)^2 I(x) \Rightarrow I(x) = \frac{1}{1+(x^2+1)^2} = \int_0^\infty e^{-(1+x^2)t} \sin t \, dt.$$

(2) $\dfrac{1}{\sqrt{1-i}} = \dfrac{1}{\sqrt{2}} \sqrt{1+i} = \left(\dfrac{1}{\sqrt[4]{2}}\right) \sqrt{\cos\dfrac{\pi}{4} + i\sin\dfrac{\pi}{4}} \xrightarrow{\text{[정리 33]}} \dfrac{1}{\sqrt[4]{2}} e^{i\left(\frac{\pi}{8}\right)} \xrightarrow{\text{[정리 33]}}$

$= \dfrac{1}{\sqrt[4]{2}} \left(\cos\dfrac{\pi}{8} + i\sin\dfrac{\pi}{8}\right) \Rightarrow Im\left(\dfrac{1}{\sqrt{1-i}}\right) = \dfrac{1}{\sqrt[4]{2}} \sin\dfrac{\pi}{8}.$

$\therefore$ 준 식 $\xleftarrow{u = \frac{x}{1-x}} \displaystyle\int_0^\infty \frac{(1+u)\sqrt{u}}{(2u^2+2u+1)^2} du \xleftarrow{u = t^{-1}} \displaystyle\int_0^\infty \frac{(1+t)\sqrt{t}}{(1+(1+t)^2)^2} dt$

$\xleftarrow[\displaystyle g'(t) = \frac{1+t}{(1+(1+t)^2)^2}]{f(t) = \sqrt{t}} \left[\dfrac{-\sqrt{t}}{2(1+(1+t)^2)}\right]_0^\infty + \dfrac{1}{4} \displaystyle\int_0^\infty \frac{1}{\sqrt{t}(1+(1+t)^2)} dt \xleftarrow{t = v^2}$

$= \dfrac{1}{2} \displaystyle\int_0^\infty \frac{1}{1+(v^2+1)^2} dv = \dfrac{1}{2} \int_0^\infty \frac{1}{1+(x^2+1)^2} dx \xrightarrow{(1)} \dfrac{1}{2} \int_0^\infty \int_0^\infty e^{-(1+x^2)t} \sin t \, dt dx$

$= \dfrac{1}{2} \displaystyle\int_0^\infty e^{-t} \sin t \left(\int_0^\infty e^{-tx^2} dx\right) dt \xrightarrow{\text{[문제 31]}} \dfrac{\sqrt{\pi}}{4} \int_0^\infty \frac{\sin t}{\sqrt{t}} e^{-t} dt \xleftarrow{t = z^2}$

$= \dfrac{\sqrt{\pi}}{2} \displaystyle\int_0^\infty e^{-z^2} \sin(z^2) dz \xleftarrow{\text{[정리 33]}} \dfrac{\sqrt{\pi}}{2} Im\left(\int_0^\infty e^{-(1-i)z^2} dz\right) \xleftarrow{\text{[문제 31]}} \dfrac{\pi}{4} Im\left(\dfrac{1}{\sqrt{1-i}}\right)$

$\xrightarrow{(2)} \dfrac{\pi}{4\sqrt[4]{2}} \sin\dfrac{\pi}{8}.$

504 [문제 357]에서 $a = 2010, b = 2012$라고 하면, 답은 0이다.

505 준 식 $= -\displaystyle\int_0^{\frac{1}{\sqrt{2}}} e^{-x+\sqrt{1-x^2}} d\left(-x+\sqrt{1-x^2}\right) = -\left[e^{-x+\sqrt{1-x^2}}\right]_0^{\frac{1}{\sqrt{2}}} = e - 1.$

506

준 식 $= \displaystyle\int_0^2 (3x^2 - 6x + 4)\cos(x^3 - 3x^2 + 4x - 2) dx + \int_0^2 (3x-3)\cos(x^3 - 3x^2 + 4x - 2) dx$

$\xleftarrow{x-1=u} \displaystyle\int_0^2 \cos(x^3 - 3x^2 + 4x - 2) d(x^3 - 3x^2 + 4x - 2) + \int_{-1}^1 3u\cos(u^3 + u) du \xleftarrow{\text{기함수}}$

$= \left[\sin(x^3 - 3x^2 + 4x - 2)\right]_0^2 = 2\sin 2.$

507 준 식 $= 2\displaystyle\int_0^1 \left(\sqrt{x^3 e^x}\right)' dx = 2\left[\sqrt{x^3 e^x}\right]_0^1 = 2\sqrt{e}.$

508 (1) $\tan\dfrac{\pi}{4}=\dfrac{2\tan\dfrac{\pi}{8}}{1-\tan^2\dfrac{\pi}{8}}\Rightarrow 0=\tan^2\dfrac{\pi}{8}+2\tan\dfrac{\pi}{8}-1\Rightarrow\tan\dfrac{\pi}{8}=\sqrt{2}-1.$

$\therefore$ 준 식 $\xrightarrow{[정리21,(5),(12)]}\displaystyle\int_0^{\frac{\pi}{4}}\dfrac{1+\tan^2\dfrac{x}{2}}{\left(1-\tan\dfrac{x}{2}\right)^2}\sqrt{\dfrac{1-\tan^2\dfrac{x}{2}}{2\left(1+\tan\dfrac{x}{2}\right)}}\,dx$

$=\dfrac{1}{\sqrt{2}}\displaystyle\int_0^{\frac{\pi}{4}}\dfrac{1+\tan^2\dfrac{x}{2}}{\sqrt{\left(1-\tan\dfrac{x}{2}\right)^3}}\,dx=\dfrac{1}{\sqrt{2}}\displaystyle\int_0^{\frac{\pi}{4}}\dfrac{\sec^2\dfrac{x}{2}\,dx}{\sqrt{\left(1-\tan\dfrac{x}{2}\right)^3}}$

$=-\dfrac{2}{\sqrt{2}}\displaystyle\int_0^{\frac{\pi}{4}}\left(1-\tan\dfrac{x}{2}\right)^{-\frac{3}{2}}d\left(1-\tan\dfrac{x}{2}\right)=2\sqrt{2}\left[\left(1-\tan\dfrac{x}{2}\right)^{-\frac{1}{2}}\right]_0^{\frac{\pi}{4}}\xLeftarrow{(1)}2\sqrt{2+\sqrt{2}}-2\sqrt{2}.$

509 (1) $\displaystyle\int\dfrac{\ln^2(x-1)}{x^2}\,dx\xleftarrow{\substack{f(x)=\ln^2(x-1)\\ g'(x)=x^{-2}}}-\dfrac{\ln^2(x-1)}{x}+2\displaystyle\int\dfrac{\ln(x-1)}{(x-1)x}\,dx$

$=-\dfrac{\ln^2(x-1)}{x}+2\displaystyle\int\dfrac{\ln(x-1)}{x-1}-\dfrac{\ln(x-1)}{x}\,dx$

$=-\dfrac{\ln^2(x-1)}{x}+\ln^2(x-1)-2\displaystyle\int\dfrac{\ln(x-1)}{x}\,dx$

$\xleftarrow{\substack{u(x)=\ln(x-1)\\ v'(x)=x^{-1}}}-\dfrac{\ln^2(x-1)}{x}+\ln^2(x-1)-2\ln x\ln(x-1)+2\displaystyle\int\dfrac{\ln x}{x-1}\,dx.$

(2) $\displaystyle\int_{-\infty}^{\infty}\dfrac{e^x x^2}{(e^x+1)^2}\,dx\xleftrightarrow{u=1+e^x}\displaystyle\int_1^{\infty}\left(\dfrac{\ln(u-1)}{u}\right)^2 du,$

$\displaystyle\int_{-\infty}^{\infty}\dfrac{e^x x^2}{(e^x+1)^2}\,dx\xleftrightarrow{우함수}2\displaystyle\int_0^{\infty}\dfrac{e^x x^2}{(e^x+1)^2}\,dx\xleftrightarrow{u=1+e^x}2\displaystyle\int_2^{\infty}\left(\dfrac{\ln(u-1)}{u}\right)^2 du.$

$\Rightarrow\displaystyle\int_1^{\infty}\left(\dfrac{\ln(u-1)}{u}\right)^2 du=2\displaystyle\int_2^{\infty}\left(\dfrac{\ln(u-1)}{u}\right)^2 du\xrightarrow{우측의 한 개을 좌측 이동}$

$\Rightarrow\displaystyle\int_1^{\infty}\left(\dfrac{\ln(u-1)}{u}\right)^2 du-\displaystyle\int_2^{\infty}\left(\dfrac{\ln(u-1)}{u}\right)^2 du=\displaystyle\int_2^{\infty}\left(\dfrac{\ln(u-1)}{u}\right)^2 du$

$\Rightarrow\displaystyle\int_1^{2}\left(\dfrac{\ln(u-1)}{u}\right)^2 du=\displaystyle\int_2^{\infty}\left(\dfrac{\ln(u-1)}{u}\right)^2 du.$

$\therefore$ 준 식 $\xleftarrow{(2)}2\displaystyle\int_1^{2}\left(\dfrac{\ln(u-1)}{u}\right)^2 du\xleftarrow{(1)}2\left[\left(1-\dfrac{1}{u}\right)\ln^2(u-1)-2\ln u\ln(u-1)\right]_1^{2}+4\displaystyle\int_1^{2}\dfrac{\ln u}{u-1}\,du.$

$\xleftarrow{u=x+1}4\displaystyle\int_0^{1}\dfrac{\ln(x+1)}{x}\,dx\xleftarrow{[문제 205]}\dfrac{\pi^2}{3}.$

510 (1) $\displaystyle \int_0^1 t^{n-k}(1-t)^k\,dt \xleftrightarrow{\text{[정리 82]}} B(n-k+1,\,k+1) \xleftrightarrow{\text{[미분과 증명, 904]}}$

$\displaystyle = \frac{\Gamma(n-k+1)\,\Gamma(k+1)}{\Gamma(n+2)} \xleftrightarrow{\text{[정리 81]}} \frac{(n-k)!\,k!}{(n+1)!} = \frac{1}{n+1}\left(\frac{1}{{}_nC_k}\right).$

$\displaystyle \therefore \text{준 식} \xleftrightarrow{(1)} \sqrt[n]{\sum_{k=1}^{n}{}_nC_k x^k y^{n-k}} = \sqrt[n]{\sum_{k=0}^{n}{}_nC_k x^k y^{n-k} - y^n} = \sqrt[n]{(x+y)^n - y^n}.$

511 (1) $\displaystyle I = \int e^{-ax}\sin x \xleftrightarrow{\text{부분적분}} -\frac{e^{-ax}(a\sin x + \cos x)}{a^2+1} + c.$

$\displaystyle \therefore \text{준 식} = \int_0^{\infty} e^{-x\ln\left(\frac{3}{2}\right)}\sin x\,dx \xleftrightarrow{(1)} -\left[\frac{\left(\frac{2}{3}\right)^x\left(\sin x\ln\frac{3}{2} + \cos x\right)}{1 + \ln^2\left(\frac{3}{2}\right)}\right]_0^{\infty} = \frac{1}{1+\ln^2\frac{3}{2}}.$

512 $\displaystyle I = \int_0^{\pi} a^x\cos bx\,dx,\ J = \int_0^{\pi} a^x\sin bx\,dx.$

(1) $\displaystyle I = \int_0^{\pi} a^x\cos bx\,dx \xleftrightarrow[g'(x)=\cos bx]{f(x)=a^x} -\frac{\ln a}{b}J,\quad J \xleftrightarrow[g'(x)=\sin bx]{f(x)=a^x} \frac{1-(-1)^b a^{\pi}}{b} + \frac{\ln a}{b}I$

$\displaystyle \Rightarrow J = \frac{1-(-1)^b a^{\pi}}{b} - \left(\frac{\ln a}{b}\right)^2 J \Rightarrow J = \frac{b\left(1-(-1)^b a^{\pi}\right)}{b^2 + (\ln a)^2}.$

$\displaystyle \therefore \text{준 식} = I \xleftrightarrow{(1)} \frac{\ln a\left((-1)^b a^{\pi} - 1\right)}{b^2 + (\ln a)^2}.$

513 (1) $\displaystyle I_n = \int_0^{\pi}\frac{\cos(2n)x}{4\sin x}\,dx = \int_0^{\frac{\pi}{2}}\frac{\cos(2n)x}{4\sin x}\,dx + \int_{\frac{\pi}{2}}^{\pi}\frac{\cos(2n)x}{4\sin x}\,dx \xleftrightarrow{x=\pi-t}$

$\displaystyle = \int_0^{\frac{\pi}{2}}\frac{\cos(2n)x}{4\sin x} + \frac{\cos(2n)(\pi-x)}{4\sin(\pi-x)}\,dx = \int_0^{\frac{\pi}{2}}\frac{\cos(2n)x}{2\sin x}\,dx.$

$\displaystyle \Rightarrow I_n - I_{n-1} = \int_0^{\frac{\pi}{2}}\frac{\cos(2n)x - \cos(2n-2)x}{2\sin x}\,dx = -\int_0^{\frac{\pi}{2}}\sin(2n-1)x\,dx$

$\displaystyle = \left[\frac{\cos(2n-1)x}{2n-1}\right]_0^{\frac{\pi}{2}} = -\frac{1}{2n-1}.$

(2) $\displaystyle I_{119} - I_{120} = \frac{1}{2\cdot 120 - 1},\ I_{120} - I_{121} = \frac{1}{2\cdot 121 - 1},\ \dots,\ I_{1002} - I_{1003} = \frac{1}{2\cdot 1003 - 1}$

$\displaystyle \xleftrightarrow{\text{모든 식을 더하면}} I_{119} - I_{1003} = \sum_{n=120}^{1003}\frac{1}{2n-1}.$

$\displaystyle \therefore \text{준 식} = \int_0^{\pi}\frac{\cos(238x) - \cos(2006x)}{4\sin x}\,dx \xleftrightarrow{(1)} I_{119} - I_{1003} \xleftrightarrow{(2)} \sum_{n=120}^{1003}\frac{1}{2n-1}.$

514 준 식 $\xleftarrow{2x=t}\dfrac{1}{4}\displaystyle\int_0^\pi \{f(t)+f''(t)\}\sin t\,dt = \dfrac{1}{4}\displaystyle\int_0^\pi (-f(t)\cos t)' + (f'(t)\sin t)'\,dt$

$= \dfrac{1}{4}\left[f'(t)\sin t - f(t)\cos t \right]_0^\pi \xleftarrow{\text{조건식}} 0.$

515 (1) $\displaystyle\int_0^\infty e^{-\sqrt[b]{x}\left(\frac{1}{a}\right)}\,dx \xleftarrow{\sqrt[b]{x}\left(\frac{1}{a}\right)=t} b\,a^b \displaystyle\int_0^\infty e^{-t}\,t^{b-1}\,dt \xrightarrow{[정리\ 81]} a^b\,b\,\Gamma(b) = a^b\,\Gamma(b+1)$

$\therefore$ 준 식 $\xleftarrow{\ln x = {}^{a+1}\!\sqrt{y}}\dfrac{1}{a+1}\displaystyle\int_0^\infty e^{-(b-1)\,{}^{a+1}\!\sqrt{y}}\,dy \xrightarrow{(1)} \left(\dfrac{1}{a+1}\right)\left(\dfrac{1}{b-1}\right)^{a+1}\Gamma(a+2) \xleftarrow{[정리\ 81]}$

$= \left(\dfrac{1}{b-1}\right)^{a+1}\Gamma(a+1).$

516 (1) $\displaystyle\int_0^{\frac{\pi}{2}}\ln(\sin x)\,dx \xleftarrow{[정리\ 24,(1)]}\displaystyle\int_0^{\frac{\pi}{2}}\ln(\cos x)\,dx$

$\Rightarrow 0 = \displaystyle\int_0^{\frac{\pi}{2}}\ln(\sin x) - \ln(\cos x)\,dx = \displaystyle\int_0^{\frac{\pi}{2}}\ln(\tan x)\,dx.$

$\therefore$ 준 식 $\xleftarrow{x=b\tan\theta}\dfrac{1}{b}\displaystyle\int_0^{\frac{\pi}{2}}\ln(b\tan\theta)\,d\theta = \dfrac{1}{b}\displaystyle\int_0^{\frac{\pi}{2}}\ln b + \ln(\tan\theta)\,d\theta \xrightarrow{(1)}\dfrac{\pi}{2b}\ln b.$

517 (1) $\displaystyle\int_0^\infty x^2 e^{-(2n+1)x}\,dx \xleftarrow{u=(2n+1)x}\dfrac{1}{(2n+1)^3}\displaystyle\int_0^\infty u^2 e^{-u}\,du \xleftarrow{[정리\ 81]}$

$= \dfrac{\Gamma(3)}{(2n+1)^3} = \dfrac{2}{(2n+1)^3}.$

(2) $\dfrac{1}{1+x} = \displaystyle\sum_{n=0}^\infty (-1)^n x^n \Rightarrow \dfrac{1}{1+e^{-2x}} = \displaystyle\sum_{n=0}^\infty (-1)^n e^{-2xn},\ \dfrac{x^2 e^{-x}}{1+e^{-2x}} = \displaystyle\sum_{n=0}^\infty (-1)^n x^2 e^{-(2n+1)x}.$

(3) $\displaystyle\int_0^1 \dfrac{(\ln x)^2}{1+x^2}\,dx \xleftarrow{x=\frac{1}{t}}\displaystyle\int_1^\infty \dfrac{(\ln t)^2}{1+t^2}\,dt \Rightarrow \displaystyle\int_0^\infty \dfrac{(\ln x)^2}{1+x^2}\,dx = 2\displaystyle\int_1^\infty \dfrac{(\ln x)^2}{1+x^2}\,dx.$

$\therefore$ 준 식 $\xleftarrow{(3)}2\displaystyle\int_1^\infty \dfrac{(\ln x)^2}{1+x^2}\,dx \xleftarrow{x=e^{-t}}2\displaystyle\int_0^\infty \dfrac{t^2 e^{-t}}{1+e^{-2t}}\,dt \xleftarrow{(2)}2\displaystyle\sum_{n=0}^\infty (-1)^n \displaystyle\int_0^\infty t^2 e^{-(2n+1)t}\,dt$

$\xleftarrow{(1)}2\displaystyle\sum_{n=0}^\infty (-1)^n \dfrac{2}{(2n+1)^3} = 4\displaystyle\sum_{n=0}^\infty \dfrac{(-1)^n}{(2n+1)^3} \xrightarrow{[수열과 급수,\ 10]}\dfrac{\pi^3}{8}.$

518 $I = \displaystyle\int_{2\pi}^{4\pi}\dfrac{\sin^{-1}(\sin x)}{\tan^2 x + \cos^2 x}\,dx \xleftarrow{[정리\ 24,(1)]}-\displaystyle\int_{2\pi}^{4\pi}\dfrac{\sin^{-1}(\sin x)}{\tan^2 x + \cos^2 x}\,dx \Rightarrow 2I = 0$

$\therefore$ 준 식 $= 0.$

519 준 식 $= \displaystyle\int_0^{\frac{\pi}{2}} \dfrac{\left(\dfrac{x\cos x - \sin x}{x^2}\right)dx}{1+\left(\dfrac{\sin x}{x}\right)^2} = \int_0^{\frac{\pi}{2}} \dfrac{d\left(\dfrac{\sin x}{x}\right)}{1+\left(\dfrac{\sin x}{x}\right)^2} = \left[\tan^{-1}\dfrac{\sin x}{x}\right]_0^{\frac{\pi}{2}}$

$= \tan^{-1}\left(\dfrac{2}{\pi}\right) - \dfrac{\pi}{4}$.

520 준 식 $\xleftarrow{\quad f(x)=(x+c)^{-\mu}\quad} \displaystyle\int_0^\infty \dfrac{f(ax)-f(bx)}{x}\,dx \xleftarrow{\quad [\text{정리 161}]\quad} (f(\infty)-f(0))\ln\dfrac{a}{b}$

$= c^{-\mu}\ln\left(\dfrac{b}{a}\right)$.

521 준 식 $= \displaystyle\int_0^\infty \left(\dfrac{e^{-aqx}-e^{-apx}}{ax} - \dfrac{e^{-bqx}-e^{-bpx}}{bx}\right)\dfrac{1}{x}\,dx \xleftarrow{\quad f(x)=\dfrac{e^{-qx}-e^{-px}}{x}\quad}$

$= \displaystyle\int_0^\infty \dfrac{f(ax)-f(bx)}{x}\,dx \xleftarrow{\quad [\text{정리 161}]\quad} (p-q)\ln\left(\dfrac{b}{a}\right)$.

522 준 식 $\xleftarrow{\quad f(x)=\dfrac{x\exp(-ce^x)}{1-e^{-x}}\quad} \displaystyle\int_0^\infty \dfrac{f(ax)-f(bx)}{x}\,dx \xleftarrow{\quad [\text{정리 161}]\quad} e^{-c}\ln\left(\dfrac{b}{a}\right)$.

523 준 식 $\xleftarrow{\quad f(x)=\ln(a+be^{-x})\quad} \displaystyle\int_0^\infty \dfrac{f(px)-f(qx)}{x}\,dx \xleftarrow{\quad [\text{정리 161}]\quad} \left(\ln\dfrac{p}{q}\right)\left(\ln\dfrac{a}{a+b}\right)$.

524 준 식 $\xleftarrow{\quad f(x)=\left(1+\dfrac{a}{x}\right)^x\quad} \displaystyle\int_0^\infty \dfrac{f(qx)-f(px)}{x}\,dx \xleftarrow{\quad [\text{정리 161}]\quad} (e^a-1)\ln\dfrac{q}{p}$.

525 준 식 $\xleftarrow{\quad f(x)=\dfrac{a+be^{-x}}{ce^x+g+he^{-x}}\quad} \displaystyle\int_0^\infty \dfrac{f(px)-f(qx)}{x}\,dx = \dfrac{a+b}{c+g+h}\ln\dfrac{q}{p}$.

526 준 식 $= \dfrac{1}{2}\displaystyle\int_0^\infty \dfrac{\cos ax - \cos bx}{x}\,dx \xleftarrow{\quad [\text{문제 30}]\quad} \dfrac{1}{4}\ln\dfrac{b}{a}$.

527 준 식 $= \displaystyle\int_0^\pi x^2 \left(\frac{x}{2} - \frac{\sin 2x}{4}\right)' dx = \left[x^2\left(\frac{x}{2} - \frac{\sin 2x}{4}\right)\right]_0^\pi - \int_0^\pi x^2 - \frac{x\sin 2x}{2}\, dx$

$= \dfrac{\pi^3}{6} + \displaystyle\int_0^\pi \frac{x}{2}\left(-\frac{\cos 2x}{2}\right)' dx = \frac{\pi^3}{6} + \left[-\frac{x\cos 2x}{4}\right]_0^\pi + \frac{1}{4}\int_0^\pi \cos 2x\, dx = \frac{\pi^3}{6} - \frac{\pi}{4}.$

528 (1) $\displaystyle\int_0^1 \frac{x^2 - y^2}{(x^2+y^2)^2}\, dy = \int_0^1 \frac{1}{x^2+y^2}\, dy + \int_0^1 \frac{-2y^2}{(x^2+y^2)^2}\, dy$

$= \displaystyle\int_0^1 \frac{dy}{x^2+y^2} + \int_0^1 y\left(\frac{1}{x^2+y^2}\right)' dy \xleftrightarrow{\text{부분적분}} \left[\frac{y}{x^2+y^2}\right]_0^1 = \frac{1}{x^2+1}.$

$\therefore$ 준 식 $\xleftarrow{(1)} \displaystyle\int_0^1 \frac{1}{x^2+1}\, dx = \left[\tan^{-1} x\right]_0^1 = \frac{\pi}{4}.$

529 (1) $\dfrac{1}{1+x^2} = 1 - x^2 + x^4 - \cdots \xrightarrow{\text{양변적분}} \tan^{-1} x = x - \dfrac{x^3}{3} + \dfrac{x^5}{5} - \cdots.$

(2) $\displaystyle\int_0^{\frac{\pi}{4}} \ln(\cos x) + \ln(\sin x)\, dx \xleftrightarrow{2x=t} \frac{1}{2}\int_0^{\frac{\pi}{2}} \ln\left(\frac{1}{2}\sin t\right) dt = \frac{1}{2}\int_0^{\frac{\pi}{2}} \ln(\sin t)\, dt - \frac{\pi}{4}\ln 2$

$\xleftrightarrow{[\text{문제 }13]} -\dfrac{\pi}{2}\ln 2.$

(3) $\displaystyle\int_0^{\frac{\pi}{4}} \ln(\cos x) - \ln(\sin x)\, dx = -\int_0^{\frac{\pi}{4}} \ln(\tan x)\, dx \xleftrightarrow{\tan x = t} -\int_0^1 \frac{\ln t}{1+t^2}\, dt$

$\xleftrightarrow[\substack{f(t)=\ln t \\ g'(t)=\frac{1}{1+t^2}}]{} \displaystyle\int_0^1 \frac{\tan^{-1} t}{t}\, dt \xleftrightarrow{(1)} \int_0^1 1 - \frac{t^2}{3} + \frac{t^4}{5} - \frac{t^6}{7} + \cdots\, dt = 1 - \frac{1}{3^2} + \frac{1}{5^2} - \frac{1}{7^2} + \cdots.$

(4) $\displaystyle\int_0^{\frac{\pi}{4}} \ln(\cos x)\, dx \xleftrightarrow{(2),(3)} \frac{1}{2}\sum_{n=1}^\infty \frac{(-1)^{n+1}}{(2n-1)^2} - \frac{\pi}{4}\ln 2.$

$\therefore$ 준 식 $\xleftarrow{x=\tan y} \displaystyle\int_0^{\frac{\pi}{4}} \left(\frac{y}{\cos y}\right)^2 dy \xleftrightarrow[\substack{u(y)=y^2 \\ v'(y)=\sec^2 y}]{} \left[y^2 \tan y\right]_0^{\frac{\pi}{4}} - 2\int_0^{\frac{\pi}{4}} y\tan y\, dy \xleftrightarrow{\text{부분적분}}$

$= \dfrac{\pi^2}{16} - 2\left\{\left[-y\ln(\cos y)\right]_0^{\frac{\pi}{4}} + \int_0^{\frac{\pi}{4}} \ln(\cos y)\, dy\right\} = \frac{\pi^2}{16} - \frac{\pi}{4}\ln 2 - 2\int_0^{\frac{\pi}{4}} \ln(\cos x)\, dx \xleftarrow{(4)}$

$= \dfrac{\pi^2}{16} + \dfrac{\pi}{4}\ln 2 - \displaystyle\sum_{n=1}^\infty \frac{(-1)^{n+1}}{(2n-1)^2}.$

530 준 식 $= \displaystyle\int_{-1}^1 \frac{e^x(e^x + e^{-x}) - (x+1)(e^x + e^{-x})}{x(e^x - 1)}\, dx = \int_{-1}^1 \frac{(e^x + e^{-x})(e^x - x - 1)}{x(e^x - 1)}\, dx$

$= \displaystyle\int_0^1 \frac{(e^x + e^{-x})(e^x - x - 1)}{x(e^x - 1)}\, dx + \int_{-1}^0 \frac{(e^x + e^{-x})(e^x - x - 1)}{x(e^x - 1)}\, dx \xleftrightarrow{x = -t}$

$$= \int_0^1 \frac{(e^x + e^{-x})(e^x - x - 1)}{x(e^x - 1)} + \frac{(e^x + e^{-x})(xe^x - e^x + 1)}{x(e^x - 1)}\, dx = \int_0^1 \frac{(e^x + e^{-x})(xe^x - x)}{x(e^x - 1)}\, dx$$

$$= \int_0^1 e^x + e^{-x}\, dx = e - \frac{1}{e}.$$

531 (1) $\dfrac{1}{1+x} = 1 - x + x^2 - \cdots \xrightarrow{\text{양변적분}} \ln(1+x) = x - \dfrac{x^2}{2} + \dfrac{x^3}{3} - \cdots.$

$$\therefore \text{준 식} = \int_0^1 \frac{\ln\left(1 + \dfrac{1}{x+1}\right) + \ln(x+1)}{x+1}\, dx = \int_0^1 \frac{\ln\left(1 + \dfrac{1}{x+1}\right)}{x+1}\, dx + \int_0^1 \frac{\ln(x+1)}{x+1}\, dx$$

$$\xrightarrow{x+1=t} \int_1^2 \frac{\ln(1+t)}{t}\, dt + \left[\frac{(\ln(x+1))^2}{2} \right]_0^1 \xrightarrow{(1)} \frac{(\ln 2)^2}{2} + \int_1^2 1 - \frac{x}{2} + \frac{x^2}{3} - \cdots\, dx$$

$$= \frac{(\ln 2)^2}{2} + \left(\sum_{n=1}^{\infty} \frac{(-1)^{n+1} 2^n}{n^2} \right) - \left(\sum_{n=1}^{\infty} \frac{(-1)^{n+1}}{n^2} \right) \xrightarrow{[\text{수열과 급수, 13}]}$$

$$= \left(\sum_{n=1}^{\infty} \frac{(-1)^{n+1} 2^n}{n^2} \right) + \frac{(\ln 2)^2}{2} - \frac{\pi^2}{12}.$$

532

$$\text{준 식} = \int_0^{\frac{\pi}{2}} \frac{\sin 9x - \sin 7x + \sin 7x - \sin 5x + \sin 5x - \sin 3x + \sin 3x - \sin x + \sin x}{\sin x}\, dx$$

$$= \int_0^{\frac{\pi}{2}} 2(\cos 8x + \cos 6x + \cos 4x + \cos 2x) + 1\, dx = \frac{\pi}{2}.$$

533 (1) $\cot x = \tan\left(\dfrac{\pi}{2} - x \right) = u \Rightarrow x = \dfrac{\pi}{2} - \tan^{-1} u, \ \sin^2 x - \cos^2 x = \dfrac{1 - u^2}{1 + u^2}.$

(2) $\cos(2\tan^{-1} u - au) = \cos(2\tan^{-1} u)\cos(au) + \sin(2\tan^{-1} u)\sin(au) \xleftrightarrow{(1)}$

$$= \cos(\pi - 2x)\cos(au) + \sin(\pi - 2x)\sin(au) = \sin 2x \sin(au) - \cos(2x)\cos(au)$$

$$= 2\sin x \cos x \sin(au) - (\cos^2 x - \sin^2 x)\cos(au) \xleftrightarrow{(1)} \frac{(1 - u^2)\cos(au) + 2u\sin(au)}{1 + u^2}.$$

(3) $1 - u^2 + a(1 + u^2) = a(1 + u^2) - (1 + u^2) + 2 = (a - 1)(1 + u^2) + 2.$

(4) $\displaystyle\int_0^{\infty} \frac{\cos ax}{1 + x^2}\, dx \xleftarrow{[\text{문제 86}]} \frac{\pi}{2} e^{-a} = I(a) \xrightarrow{ax=t} \int_0^{\infty} \frac{\cos t}{a^2 + t^2}\, dt = \frac{I(a)}{a} \xrightarrow{a\text{로 미분}}$

$$\Rightarrow \frac{\pi(1+a)}{2a^2} e^{-a} = \int_0^{\infty} \frac{2a\cos t}{(a^2 + t^2)^2}\, dt \xleftarrow{ax=t} \frac{2}{a^2} \int_0^{\infty} \frac{\cos(ax)}{(1 + x^2)^2}\, dx$$

$$\Rightarrow \int_0^\infty \frac{\cos(au)}{(1+u^2)^2}\,du = \frac{\pi(1+a)}{4e^a}.$$

$$\therefore \text{준 식} \xleftrightarrow{(1)} 2a\int_0^\infty \frac{\cos(\pi - 2\tan^{-1}u + au)}{1+u^2}\,du = -2a\int_0^\infty \frac{\cos(2\tan^{-1}u - au)}{1+u^2}\,du \xleftrightarrow{(2)}$$

$$= -2a\int_0^\infty \frac{(1-u^2)\cos(au) + 2u\sin(au)}{(1+u^2)^2}\,du \xleftrightarrow{\text{부분적분}} -2a\int_0^\infty \frac{(1-u^2)\cos(au)}{(1+u^2)^2}\,du$$

$$-2a\left\{\left[-\frac{\sin(au)}{1+u^2}\right]_0^\infty + \int_0^\infty \frac{a\cos(au)}{1+u^2}\,du\right\} = -2a\int_0^\infty \frac{[1-u^2+a(1+u^2)]\cos(au)}{(1+u^2)^2}\,du \xleftrightarrow{(3)}$$

$$= -2a\int_0^\infty \frac{(a-1)(1+u^2)+2}{(1+u^2)^2}\cos(au)\,du = -2a(a-1)\int_0^\infty \frac{\cos(au)}{1+u^2}\,du - 4a\int_0^\infty \frac{\cos(au)}{(1+u^2)^2}\,du$$

$$\xleftrightarrow{(4),\,[\text{문제 86}]} -2a^2\pi e^{-a}.$$

534 (1) $\displaystyle\int_{\frac{25\pi}{4}}^{\frac{29\pi}{4}} \frac{dx}{(1+2^{\sin x})(1+2^{\cos x})} \xleftrightarrow{[\text{정리 24,(15)}]} \int_{\frac{\pi}{4}}^{\frac{5\pi}{4}} \frac{dx}{(1+2^{\sin x})(1+2^{\cos x})}$

$$= \int_{\frac{\pi}{4}}^{\frac{3\pi}{4}} \frac{dx}{(1+2^{\sin x})(1+2^{\cos x})} + \int_{\frac{3\pi}{4}}^{\frac{5\pi}{4}} \frac{dx}{(1+2^{\sin x})(1+2^{\cos x})} \xleftrightarrow{x = \frac{\pi}{2}+t}$$

$$= \int_{\frac{\pi}{4}}^{\frac{3\pi}{4}} \frac{1}{(1+2^{\sin x})(1+2^{\cos x})} + \frac{1}{(1+2^{\cos x})(1+2^{-\sin x})}\,dx = \int_{\frac{\pi}{4}}^{\frac{3\pi}{4}} \frac{dx}{1+2^{\cos x}} \xleftrightarrow[x = \pi - t]{\text{두 부분분리}}$$

$$= \int_{\frac{\pi}{4}}^{\frac{\pi}{2}} \frac{1}{1+2^{\cos x}} + \frac{1}{1+2^{-\cos x}}\,dx = \int_{\frac{\pi}{4}}^{\frac{\pi}{2}} 1\,dx = \frac{\pi}{4}.$$

(2) $\displaystyle\int_{\frac{29\pi}{4}}^{\frac{53\pi}{4}} \frac{dx}{(1+2^{\sin x})(1+2^{\cos x})} \xleftrightarrow{[\text{정리 24,(5)}]} 3\int_{-\pi}^{\pi} \frac{dx}{(1+2^{\sin x})(1+2^{\cos x})} \xleftrightarrow{[\text{정리 24,(7)}]}$

$$= 3\left(\int_0^\pi \frac{1}{(1+2^{\sin x})(1+2^{\cos x})} + \frac{1}{(1+2^{-\sin x})(1+2^{\cos x})}\,dx\right) = 3\int_0^\pi \frac{dx}{1+2^{\cos x}} \xleftrightarrow{x = \frac{\pi}{2}+t}$$

$$= 3\int_{-\frac{\pi}{2}}^{\frac{\pi}{2}} \frac{dt}{1+2^{-\sin t}} \xleftrightarrow{[\text{정리 24,(7)}]} 3\int_0^{\frac{\pi}{2}} \frac{1}{1+2^{\sin x}} + \frac{1}{1+2^{-\sin x}}\,dx = 3\int_0^{\frac{\pi}{2}} 1\,dx = \frac{3\pi}{2}.$$

$$\therefore \text{준 식} \xleftrightarrow{(1),(2)} \frac{7\pi}{4}.$$

535 (1) $\displaystyle\frac{d}{dx}(\sin^{-1}x) = \frac{1}{\sqrt{1-x^2}} \Rightarrow \int_0^x \frac{1}{\sqrt{1-t^2}}\,dt = \sin^{-1}x.$

(2) $0 \le t \le x, 0 \le x \le 1 \xrightarrow{\text{아래 그림}} t \le x \le 1, 0 \le t \le 1.$

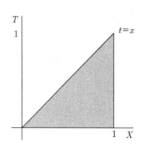

$\therefore$ 준 식 $\xrightarrow{(1)} \displaystyle\int_0^1 \int_0^x \frac{1}{x\sqrt{1-t^2}} \, dt dx \xrightarrow{(2)} \displaystyle\int_0^1 \int_t^1 \frac{1}{x\sqrt{1-t^2}} \, dx dt = \displaystyle\int_0^1 \frac{1}{\sqrt{1-t^2}} \, [\ln x]_t^1 \, dt$

$= -\displaystyle\int_0^1 \frac{\ln t}{\sqrt{1-t^2}} \, dt \xrightarrow{t = \sin\theta} -\displaystyle\int_0^{\frac{\pi}{2}} \ln(\sin\theta) \, d\theta \xrightarrow{[\text{문제 } 13]} \frac{\pi}{2} \ln 2.$

---

536 $I = \displaystyle\int_{\frac{1}{2}}^2 \frac{\tan^{-1}x}{x^2 - x + 1} \, dx \xleftarrow{x = t^{-1}} \displaystyle\int_{\frac{1}{2}}^2 \frac{\tan^{-1}\left(\frac{1}{t}\right)}{t^2 - t + 1} \, dt \xrightarrow{\text{두 식을 더하면}}$

$\Rightarrow 2I = \displaystyle\int_{\frac{1}{2}}^2 \frac{\tan^{-1}x + \tan^{-1}\frac{1}{x}}{x^2 - x + 1} \, dx \xleftarrow{[\text{정리 } 56, (6)]} \frac{\pi}{2} \displaystyle\int_{\frac{1}{2}}^2 \frac{1}{x^2 - x + 1} \, dx$

$= \dfrac{\pi}{\sqrt{3}} \left[\tan^{-1} \dfrac{2}{\sqrt{3}} \left(x - \dfrac{1}{2} \right) \right]_{\frac{1}{2}}^2 = \dfrac{\pi^2}{3\sqrt{3}} \Rightarrow \therefore$ 준 식 $= \dfrac{\pi^2}{6\sqrt{3}}.$

---

537 준 식 $= \displaystyle\int_0^a \frac{d(\cosh x)}{2\cosh^2 x - 1} = \frac{1}{2\sqrt{2}} \left[\ln \frac{\sqrt{2}\cosh x - 1}{\sqrt{2}\cosh x + 1} \right]_0^a$

$= \dfrac{1}{2\sqrt{2}} \ln \left(\dfrac{(\sqrt{2}+1)^2(\sqrt{2}\cosh a - 1)}{\sqrt{2}\cosh a + 1} \right).$

---

538 준 식 $= \displaystyle\int_0^a \frac{d(\sinh x)}{1 + 2\sinh^2 x} = \frac{1}{\sqrt{2}} \left[\tan^{-1}(\sqrt{2}\sinh x) \right]_0^a = \dfrac{\tan^{-1}(\sqrt{2}\sinh a)}{\sqrt{2}}.$

539 준 식 $= \displaystyle\int_0^\infty \dfrac{\dfrac{e^x+e^{-x}}{2}-\dfrac{e^x-e^{-x}}{2}}{1+2\left(\dfrac{e^x-e^{-x}}{2}\right)^2}\,dx = 2\int_0^\infty \dfrac{e^x}{e^{4x}+1}\,dx \xleftarrow{\ e^x=t\ } 2\int_1^\infty \dfrac{dt}{t^4+1}$

$= \displaystyle\int_1^\infty \dfrac{t^2+1}{t^4+1}-\dfrac{t^2-1}{t^4+1}\,dt = \int_1^\infty \dfrac{\left(1+\dfrac{1}{t^2}\right)dt}{t^2+\dfrac{1}{t^2}} - \int_1^\infty \dfrac{\left(1-\dfrac{1}{t^2}\right)dt}{t^2+\dfrac{1}{t^2}}$

$= \displaystyle\int_1^\infty \dfrac{d\left(t-\dfrac{1}{t}\right)}{\left(t-\dfrac{1}{t}\right)^2+2} - \int_1^\infty \dfrac{d\left(t+\dfrac{1}{t}\right)}{\left(t+\dfrac{1}{t}\right)^2-2} = \dfrac{1}{2\sqrt{2}}\left(\pi+\ln\dfrac{2-\sqrt{2}}{2+\sqrt{2}}\right).$

540 준 식 $\xleftarrow{\ \frac{a+x}{a-x}=t^2\ } 4a^2\int_1^\infty \dfrac{t^4-t^2}{(t^2+1)^3}\,dt \xleftarrow{\ t=\tan u\ } 4a^2\int_{\frac{\pi}{4}}^{\frac{\pi}{2}} \sin^4 u - \sin^2 u\cos^2 u\,du$

$= \displaystyle 4a^2\int_{\frac{\pi}{4}}^{\frac{\pi}{2}} \sin^2 u - \dfrac{1}{2}\sin^2(2u)\,du = 4a^2\int_{\frac{\pi}{4}}^{\frac{\pi}{2}} \dfrac{1-\cos 2u}{2}-\dfrac{1-\cos 4u}{4}\,du = \dfrac{a^2}{4}(\pi+4).$

541 준 식 $\xleftarrow{\ x=\sin t\ } \displaystyle\int_0^{\frac{\pi}{2}} \cos^2 t\,\tan^{-1}(\sin t)\,dt = \int_0^{\frac{\pi}{2}} (\sin t)'\tan^{-1}(\sin t)\,d(\sin t)$

$= \displaystyle\Big[\sin t\tan^{-1}(\sin t)\Big]_0^{\frac{\pi}{2}} - \int_0^{\frac{\pi}{2}} \dfrac{\sin t}{1+\sin^2 t}\,d(\sin t) = \dfrac{\pi}{4}-\dfrac{1}{2}\Big[\ln(1+\sin^2 t)\Big]_0^{\frac{\pi}{2}} = \dfrac{\pi}{4}-\ln\sqrt{2}.$

542 (1) $\displaystyle\int_{\cos x}^1 \dfrac{\cot x}{t}\,dt = \left[\dfrac{\ln t}{\tan x}\right]_{\cos x}^1 = \dfrac{\ln(\sec x)}{\tan x}.$

(2) $\cos x \le t \le 1,\ 0\le x \le \dfrac{\pi}{2} \xrightarrow{\ \text{아래 그림}\ } \cos^{-1}t \le x \le \dfrac{\pi}{2},\ 0\le t \le 1.$

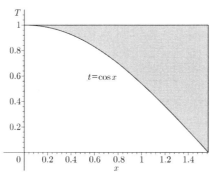

(3) $\dfrac{1}{1-x}=1+x+x^2+\cdots \Rightarrow -\ln(1-x)=x+\dfrac{x^2}{2}+\cdots \Rightarrow -\dfrac{\ln(1-x^2)}{x}=x+\dfrac{x^3}{2}+\cdots.$

$\therefore$ 준 식 $\xleftarrow{(1)} \displaystyle\int_0^{\frac{\pi}{2}}\int_{\cos x}^1 \dfrac{\cot x}{t}\,dt\,dx \xleftarrow{(2)} \displaystyle\int_0^1\int_{\cos^{-1}t}^{\frac{\pi}{2}} \dfrac{\cot x}{t}\,dx\,dt = \displaystyle\int_0^1 \dfrac{1}{t}\left[\ln(\sin x)\right]_{\cot^{-1}t}^{\frac{\pi}{2}}\,dt$

$= -\displaystyle\int_0^1 \dfrac{\ln\sin(\cos^{-1}t)}{t}\,dt \xleftarrow[\sin y=\sqrt{1-t^2}]{\cos^{-1}t=y} -\dfrac{1}{2}\displaystyle\int_0^1 \dfrac{\ln(1-t^2)}{t}\,dt \xleftarrow{(3)} \dfrac{1}{2}\displaystyle\int_0^1\sum_{n=1}^{\infty}\dfrac{t^{2n-1}}{n}\,dt$

$= \dfrac{1}{4}\displaystyle\sum_{n=1}^{\infty}\dfrac{1}{n^2} \xleftarrow{[수열과 급수, 12]} \dfrac{\pi^2}{24}.$

543 (1) $\displaystyle\int_0^{\infty}\dfrac{\ln x}{1+x^2}\,dx \xleftarrow{x=u^{-1}} -\displaystyle\int_0^{\infty}\dfrac{\ln u}{1+u^2}\,du \Rightarrow \displaystyle\int_0^{\infty}\dfrac{\ln x}{1+x^2}\,dx=0.$

$\therefore$ 준 식 $= \displaystyle\int_0^{\infty}\dfrac{1}{1+x^2}\ln\left(x+\dfrac{1}{x}\right)\,dx = \displaystyle\int_0^{\infty}\dfrac{\ln(1+x^2)}{1+x^2}\,dx - \displaystyle\int_0^{\infty}\dfrac{\ln x}{1+x^2}\,dx$

$\xleftarrow[x=\tan v]{(1)} 2\displaystyle\int_0^{\frac{\pi}{2}}\ln(\cos v)\,dv \xleftarrow{[정리 24,(1)]} 2\displaystyle\int_0^{\frac{\pi}{2}}\ln(\sin v)\,dv \xleftarrow{[문제 13]} \pi\ln 2.$

544 준 식 $\xleftarrow{[정리 24,(14)]} \dfrac{\pi}{2}\displaystyle\int_0^{\pi}\dfrac{\sin x}{3+\sin^2 x}\,dx = \dfrac{\pi}{2}\displaystyle\int_0^{\pi}\dfrac{d(\cos x)}{\cos^2 x-4} = \dfrac{\pi}{8}\left[\ln\dfrac{\cos x-2}{\cos x+2}\right]_0^{\pi}.$

545 (1) $\displaystyle\int_0^1\ln(\sin\pi x)\,dx = \displaystyle\int_0^{\frac{1}{2}}\ln(\sin\pi x)\,dx + \displaystyle\int_{\frac{1}{2}}^1\ln(\sin\pi t)\,dt \xleftarrow{t=1-x}$

$= \displaystyle\int_0^{\frac{1}{2}}\ln(\sin\pi x)\,dx + \displaystyle\int_0^{\frac{1}{2}}\ln(\sin\pi x)\,dx$

$\xleftarrow{[정리 24,(1)]} \displaystyle\int_0^{\frac{1}{2}}\ln(\cos\pi x)\,dx + \displaystyle\int_0^{\frac{1}{2}}\ln(\sin\pi x)\,dx$

$= \displaystyle\int_0^{\frac{1}{2}}\ln\left(\dfrac{1}{2}\sin 2\pi x\right)\,dx \xleftarrow{2x=t} \dfrac{1}{2}\ln\left(\dfrac{1}{2}\right) + \dfrac{1}{2}\displaystyle\int_0^1\ln(\sin\pi t)\,dt$

$\Rightarrow \displaystyle\int_0^1\ln(\sin\pi x)\,dx = \ln\left(\dfrac{1}{2}\right).$

(2) $I = \displaystyle\int_0^1\ln(\Gamma(x))\,dx \xleftarrow{[정리 24,(1)]} \displaystyle\int_0^1\ln(\Gamma(1-x))\,dx \xrightarrow{두 식을 더하면}$

$\Rightarrow 2I = \displaystyle\int_0^1\ln(\Gamma(x)\Gamma(1-x))\,dx \xleftarrow{[정리 98]} \displaystyle\int_0^1\ln\left(\dfrac{\pi}{\sin\pi x}\right)\,dx = \ln\pi - \displaystyle\int_0^1\ln(\sin\pi x)\,dx$

$\xleftarrow{\pi x=u} \ln\pi - \dfrac{1}{\pi}\displaystyle\int_0^{\pi}\ln(\sin u)\,du = \ln\pi - \dfrac{2}{\pi}\displaystyle\int_0^{\frac{\pi}{2}}\ln(\sin x)\,dx \xleftarrow{[문제 13]} \ln 2\pi. \quad \therefore I=\dfrac{\ln 2\pi}{2}.$

546 (1) $\left(\dfrac{t}{1+t^2}\right)' = \dfrac{1-t^2}{(1+t^2)^2} = \dfrac{2}{(1+t^2)^2} - \dfrac{1}{1+t^2} \Rightarrow \dfrac{2}{(1+t^2)^2} = \left(\dfrac{t}{1+t^2}\right)' + \dfrac{1}{1+t^2}$.

$\therefore$ 준 식 $\xleftarrow{x=(u+1)^{-1}} \displaystyle\int_0^\infty \dfrac{1}{\sqrt{u}\,(1+u)^2}\,du \xleftarrow{\sqrt{u}=t} \displaystyle\int_0^\infty \dfrac{2}{(1+t^2)^2}\,dt \xleftarrow{(1)} \left[\dfrac{t}{1+t^2} + \tan^{-1}t\right]_0^\infty$

$= \dfrac{\pi}{2}$.

547 (1) $k>a \Rightarrow \displaystyle\int_0^\infty \dfrac{\sin kx\,\cos ax}{x}\,dx = \dfrac{1}{2}\int_0^\infty \dfrac{\sin(k+a)x}{x}\,dx + \dfrac{1}{2}\int_0^\infty \dfrac{\sin(k-a)x}{x}\,dx$

$\xleftarrow[(k-a)x=v]{(k+a)x=u} \dfrac{1}{2}\left\{\displaystyle\int_0^\infty \dfrac{\sin u}{u}\,du + \int_0^\infty \dfrac{\sin v}{v}\,dv\right\} = \int_0^\infty \dfrac{\sin x}{x}\,dx \xleftarrow{[문제 19]} \dfrac{\pi}{2}$.

(2) $k<a \Rightarrow \displaystyle\int_0^\infty \dfrac{\sin kx\,\cos ax}{x}\,dx = \dfrac{1}{2}\left(\int_0^\infty \dfrac{\sin(k+a)x}{x}\,dx - \int_0^\infty \dfrac{\sin(a-k)x}{x}\,dx\right)$

$\xleftarrow[(a-k)x=v]{(k+a)x=u} \dfrac{1}{2}\left\{\displaystyle\int_0^\infty \dfrac{\sin u}{u}\,du - \int_0^\infty \dfrac{\sin v}{v}\,dv\right\} = 0$.

(3) $k=a \Rightarrow \displaystyle\int_0^\infty \dfrac{\sin kx\,\cos ax}{x}\,dx = \dfrac{1}{2}\int_0^\infty \dfrac{\sin 2kx}{x}\,dx \xleftarrow{2kx=u} \dfrac{1}{2}\int_0^\infty \dfrac{\sin u}{u}\,du \xleftarrow{[문제 19]} \dfrac{\pi}{4}$

(4) $(\cos x + i\sin x)^n \xleftarrow{[정리 33]} \cos nx + i\sin nx \Rightarrow \cos^k x = \displaystyle\sum_{n=0}^{k} c_n \cos nx \xleftarrow{x=0} 1 = \sum_{n=0}^{k} c_n$.

(5) $\cos^2 x = \dfrac{1}{2}\cos 2x + \dfrac{1}{2} \Rightarrow \cos^3 x = \left(\dfrac{1}{2}\cos 2x + \dfrac{1}{2}\right)\cos x = \dfrac{1}{2}\cos 2x \cos x + \dfrac{1}{2}\cos x$

$= \dfrac{1}{2^2}\cos 3x + \dfrac{1}{2^2}\cos x + \dfrac{1}{2}\cos x,\ \dots,\ \cos^k x = \dfrac{1}{2^{k-1}}\cos kx + \cdots \Rightarrow c_k = \dfrac{1}{2^{k-1}}$.

$\therefore$ 준 식 $\xleftarrow{(4)} \displaystyle\int_0^\infty \dfrac{\sin kx\left(\sum_{n=0}^{k} c_n \cos nx\right)}{x}\,dx \xleftarrow{(1),(3)} \dfrac{\pi}{2}\left(\sum_{n=0}^{k} c_n\right) - \dfrac{\pi}{4}c_k \xleftarrow{(4),(5)} \dfrac{\pi}{2}\left(1 - \dfrac{1}{2^k}\right)$.

548 준 식 $= \displaystyle\int_{-1}^{1} \dfrac{\sqrt[x]{e}}{x^2\left(1-\sqrt[x]{e}\right)^2}\,dx = \left[\dfrac{-1}{1-\sqrt[x]{e}}\right]_{-1}^{1} = \dfrac{e+1}{e-1}$.

549 (1) $\displaystyle\int_0^\infty xe^{-(y+1)x}\,dx \xrightarrow[g'(x)=e^{-(y+1)x}]{f(x)=x} \dfrac{1}{y+1}\int_0^\infty e^{-(y+1)x}\,dx = \dfrac{1}{(y+1)^2}$.

(2) $\displaystyle\int_0^\infty x^p e^{-ax}\,dx \xleftarrow{ax=t} \dfrac{1}{a^{p+1}}\int_0^\infty t^p e^{-t}\,dt \xleftarrow{[정리 81]} \dfrac{\Gamma(p+1)}{a^{p+1}}$.

$\therefore$ 준 식 $= \displaystyle\int_0^3 \left(\dfrac{x}{5-x}\right)\sqrt[4]{\dfrac{3-x}{x}}\,dx \xrightarrow{\frac{3-x}{x}=y} 9\int_0^\infty \dfrac{\sqrt[4]{y}}{(5y+2)(1+y)^2}\,dy$

$$= 25 \int_0^\infty \frac{\sqrt[4]{y}}{5y+2} dy - 5 \int_0^\infty \frac{\sqrt[4]{y}}{y+1} dy - 3 \int_0^\infty \frac{\sqrt[4]{y}}{(y+1)^2} dy \xleftarrow{(1)}$$

$$= 25 \int_0^\infty \sqrt[4]{y} \int_0^\infty e^{-(5y+2)x} dx\, dy - 5 \int_0^\infty \sqrt[4]{y} \int_0^\infty e^{-(y+1)x} dx\, dy - 3 \int_0^\infty \sqrt[4]{y} \int_0^\infty x e^{-(y+1)x} dx\, dy$$

$$= 25 \int_0^\infty e^{-2x} \int_0^\infty y^{\frac{1}{4}} e^{-5yx} dy\, dx - 5 \int_0^\infty e^{-x} \int_0^\infty y^{\frac{1}{4}} e^{-yx} dy\, dx - 3 \int_0^\infty x e^{-x} \int_0^\infty y^{\frac{1}{4}} e^{-yx} dy\, dx$$

$$\xleftarrow{(2)} \Gamma\left(\frac{5}{4}\right)\left[\frac{25}{\sqrt[4]{5^5}} \int_0^\infty x^{-\frac{5}{4}} e^{-2x} dx - 5 \int_0^\infty x^{-\frac{5}{4}} e^{-x} dx - 3 \int_0^\infty x^{-\frac{1}{4}} e^{-x} dx \right] \xrightarrow{\text{[정리 81]}}$$

$$= \Gamma\left(\frac{5}{4}\right) \Gamma\left(1-\frac{5}{4}\right)\left(\frac{5\sqrt[4]{2}}{\sqrt[4]{5}} - 5\right) - 3\Gamma\left(\frac{5}{4}\right)\Gamma\left(1-\frac{1}{4}\right) \xleftarrow{\text{[정리 98]}} 5\left(\sqrt[4]{\frac{2}{5}} - 1\right)\frac{\pi}{\sin\frac{5\pi}{4}} - \frac{3}{4}\left(\frac{\pi}{\sin\frac{\pi}{4}}\right)$$

$$= \left(\frac{17\sqrt{2}}{4} - \sqrt[4]{10^3}\right)\pi.$$

550 준 식 $= 2\int_0^1 \frac{dx}{(x^2+1)\sqrt{1-x^2}} \xrightarrow{x=\sqrt{y}} \int_0^1 \frac{1}{y(1+y)}\sqrt{\frac{y}{1-y}}\, dy \xleftarrow{\sqrt{\frac{y}{1-y}}=t}$

$$= 2\int_0^\infty \frac{dt}{1+2t^2} = \sqrt{2}\left[\tan^{-1}\sqrt{2}t\right]_0^\infty = \frac{\pi}{\sqrt{2}}.$$

551 (1) $\displaystyle\int_0^\infty x^3 e^{-x^2} dx = \frac{1}{2}\int_0^\infty x^2 e^{-x^2} d(x^2) \xleftarrow{\text{부분적분}} \frac{1}{2}.$

$\therefore$ 준 식 $= \left[\frac{x^3}{3} f(x)\right]_0^\infty - \frac{1}{3}\int_0^\infty x^3 f'(x) dx \xleftarrow{\text{조건식, (1)}} -\frac{1}{6}.$

552 (1) $(1-i)^4 = 4\left(\frac{1}{\sqrt{2}} - \frac{1}{\sqrt{2}}i\right)^4 = 4\left(\cos\left(\frac{-\pi}{4}\right) + i\sin\left(\frac{-\pi}{4}\right)\right)^4 \xleftarrow{\text{[정리 33]}} 4e^{-\pi i} = -4$

(2) $(1+i)^4 = 4\left(\frac{1}{\sqrt{2}} + \frac{1}{\sqrt{2}}i\right)^4 = 4e^{\pi i} = -4 \Rightarrow (1-i)^4 = (1+i)^4.$

$\therefore$ 준 식 $\xleftarrow{\sqrt[4]{x}=y} 4\int_0^\infty y^{4n+3} e^{-y}\sin y\, dy \xrightarrow{\text{[정리 33]}} \frac{2}{i}\int_0^\infty y^{4n+3} e^{-y}\left(e^{iy} - e^{-iy}\right) dy$

$$= \frac{2}{i}\left(\int_0^\infty y^{4n+3} e^{-(1-i)y} - y^{4n+3} e^{(1+i)y} dy\right) \xrightarrow[\text{[문제 549,(2)]}]{\text{[정리 81]}} \frac{2\Gamma(4n+4)}{i} \times$$

$$\left(\frac{1}{(1-i)^{4n+4}} - \frac{1}{(1+i)^{4n+4}}\right) \xrightarrow{(2)} 0.$$

553 (1) $\displaystyle\int_0^\infty e^{-(1+t)y}dy = \frac{1}{1+t}$.

$\therefore$ 준 식 $\xleftarrow{[\text{정리 }33]}\dfrac{1}{2}\displaystyle\int_0^{\frac{\pi}{2}} e^{ik\ln(\tan x)} + e^{-ik\ln(\tan x)}\,dx = \frac{1}{2}\int_0^{\frac{\pi}{2}} (\tan x)^{ik} + (\tan x)^{-ik}\,dx$

$\xleftarrow{\tan x = y}\dfrac{1}{2}\displaystyle\int_0^\infty \frac{y^{ik}+y^{-ik}}{1+y^2}\,dy \xleftarrow{y=\sqrt{t}}\frac{1}{4}\int_0^\infty \frac{t^{\frac{ik}{2}}+t^{-\frac{ik}{2}}}{(1+t)\sqrt{t}}\,dt$

$\xleftarrow{(1)}\dfrac{1}{4}\displaystyle\int_0^\infty \left(t^{\frac{-1+ik}{2}}+t^{-\frac{1+ik}{2}}\right)\int_0^\infty e^{-(1+t)y}\,dy\,dt$

$=\dfrac{1}{4}\displaystyle\int_0^\infty e^{-y}\left(\int_0^\infty t^{\frac{-1+ik}{2}}e^{-ty}+t^{-\frac{1+ik}{2}}e^{-ty}\,dt\right)dy \xrightarrow{[\text{문제 }549,(2)]}$

$=\dfrac{1}{4}\Gamma\left(\dfrac{1+ik}{2}\right)\displaystyle\int_0^\infty y^{-\frac{1+ik}{2}}e^{-y}\,dy + \frac{1}{4}\Gamma\left(\frac{1-ik}{2}\right)\int_0^\infty y^{-\frac{1-ik}{2}}e^{-y}\,dy \xleftarrow{[\text{정리 }81]}$

$=\dfrac{1}{2}\Gamma\left(\dfrac{1+ik}{2}\right)\Gamma\left(\dfrac{1-ik}{2}\right)\xleftarrow{[\text{정리 }98]}\dfrac{\pi}{2\sin\left(\dfrac{1-ik}{2}\pi\right)}\xleftarrow{[\text{정리 }33]}\dfrac{i\pi}{e^{\frac{\pi}{2}(i+k)}-e^{-\frac{\pi}{2}(i+k)}}$

$=\dfrac{\pi}{e^{\frac{k\pi}{2}}+e^{-\frac{k\pi}{2}}}$.

554 $I_n = \displaystyle\int_{-\frac{\pi}{2}}^{\frac{\pi}{2}} \frac{\sin(2n+1)x}{\sin x}\,dx \Rightarrow I_{n+1}-I_n = \int_{-\frac{\pi}{2}}^{\frac{\pi}{2}} \frac{\sin(2n+3)x-\sin(2n+1)x}{\sin x}\,dx$

$=2\displaystyle\int_{-\frac{\pi}{2}}^{\frac{\pi}{2}} \frac{\cos(2n+2)x\sin x}{\sin x}\,dx = 4\int_0^{\frac{\pi}{2}}\cos(2n+2)x\,dx = 0. \quad \therefore I_n = I_0 = \int_{-\frac{\pi}{2}}^{\frac{\pi}{2}} 1\,dx = \pi.$

555 준 식 $=\displaystyle\int_{-\infty}^\infty \frac{1}{\left(\left(x+\frac{1}{2}\right)^2+\frac{3}{4}\right)^3}\,dx \xleftarrow{x+\frac{1}{2}=\frac{\sqrt{3}}{2}\tan\theta}\frac{32}{9\sqrt{3}}\int_{-\frac{\pi}{2}}^{\frac{\pi}{2}}\cos^4\theta\,d\theta$

$=\dfrac{64}{9\sqrt{3}}\displaystyle\int_0^{\frac{\pi}{2}}\cos^4 x\,dx \xleftarrow{[\text{정리 }83]}\frac{4\pi}{3\sqrt{3}}$.

556 $I(a) = \displaystyle\int_0^{\frac{\pi}{2}} \frac{\tan^{-1}(a\sin x)}{\sin x}\,dx \xrightarrow{\text{양변을 }a\text{로 미분}} I'(a) = \int_0^{\frac{\pi}{2}} \frac{dx}{1+a^2\sin^2 x}$

$=\displaystyle\int_0^{\frac{\pi}{2}} \frac{\sec^2 x\,dx}{\sec^2 x + a^2\tan^2 x} = \int_0^{\frac{\pi}{2}} \frac{d(\tan x)}{1+(a^2+1)\tan^2 x} = \frac{1}{\sqrt{a^2+1}}\left[\tan^{-1}\left(\sqrt{a^2+1}\,\tan x\right)\right]_0^{\frac{\pi}{2}}$

$$= \frac{\pi}{2\sqrt{a^2+1}} \xrightarrow{\text{양변을 적분}} I(a) = \frac{\pi}{2}\ln\left(a+\sqrt{a^2+1}\right)+c \xrightarrow{a=0} c=0.$$

$$\therefore \text{준식} = \frac{\pi}{2}\ln\left(a+\sqrt{a^2+1}\right).$$

557 $I=\displaystyle\int_0^{\frac{\pi}{2}}\ln^2(\cos x)\,dx$, $J=\displaystyle\int_0^{\frac{\pi}{2}}\ln(\cos x)dx$ 라고 하자.

(1) $\displaystyle\int_0^{\frac{\pi}{2}}\ln(\sin 2x)dx \xleftarrow{2x=y} \frac{1}{2}\int_0^{\pi}\ln(\sin y)\,dy = \frac{1}{2}\left(\int_0^{\frac{\pi}{2}}\ln(\sin x)dx + \int_{\frac{\pi}{2}}^{\pi}\ln(\sin y)dy\right)$

$\xleftarrow{y=\pi-x} \frac{1}{2}\left(\int_0^{\frac{\pi}{2}}\ln(\sin x)dx + \int_0^{\frac{\pi}{2}}\ln(\sin x)dx\right) = \int_0^{\frac{\pi}{2}}\ln(\sin x)\,dx \xleftarrow{[\text{정리 }24,(1)]} J.$

(2) $\displaystyle\int_0^{\frac{\pi}{2}}\ln^2(\sin 2x)dx \xleftarrow{2x=y} \frac{1}{2}\int_0^{\pi}\ln^2(\sin y)\,dy = \frac{1}{2}\left(\int_0^{\frac{\pi}{2}}\ln^2(\sin x)dx + \int_{\frac{\pi}{2}}^{\pi}\ln^2(\sin y)dy\right)$

$\xleftarrow{y=\pi-x} \frac{1}{2}\left(\int_0^{\frac{\pi}{2}}\ln^2(\sin x)dx + \int_0^{\frac{\pi}{2}}\ln^2(\sin x)dx\right) = \int_0^{\frac{\pi}{2}}\ln^2(\sin x)dx = I.$

(3) $J=\displaystyle\int_0^{\frac{\pi}{2}}\ln(\sin 2x)dx = \int_0^{\frac{\pi}{2}}\ln 2 + \ln(\sin x) + \ln(\cos x)dx \xleftarrow{[\text{정리 }24,(1)]} \frac{\pi}{2}\ln 2 + 2J$

$\Rightarrow J = -\dfrac{\pi}{2}\ln 2.$

$$\therefore \text{준 식} = I \xleftarrow{[\text{정리 }24,(1)]} \int_0^{\frac{\pi}{2}}\ln^2(\sin x)dx \xleftarrow{(2)} \int_0^{\frac{\pi}{2}}\ln^2(\sin 2x)dx = \int_0^{\frac{\pi}{2}}\ln^2(2\sin x\cos x)\,dx$$

$$= \int_0^{\frac{\pi}{2}}(\ln 2 + \ln(\sin x) + \ln(\cos x))^2\,dx = \frac{\pi}{2}\ln^2 2 + 2I + 4\ln 2\,J + 2\int_0^{\frac{\pi}{2}}\ln(\sin x)\ln(\cos x)dx$$

$$\xrightarrow{\text{조건식},(3)} \therefore \text{준 식} = \frac{\pi^3}{24} + \frac{\pi}{2}\ln^2 2.$$

558 준 식 $= \dfrac{1}{2}\displaystyle\int_0^{2^{-2}}\ln(x^{-2}-1)dx = \frac{1}{2}\left[x\ln(x^{-2}-1)\right]_0^{2^{-2}} - \int_0^{2^{-2}}\frac{1}{x^2-1}dx$

$= -\dfrac{1}{2}\left[\ln\left|\dfrac{x-1}{x+1}\right|\right]_0^{2^{-2}} = \ln(1+\sqrt{2}).$

559 (1) $\displaystyle\int_0^{\infty}e^{-(x+1)y}dy = \frac{1}{x+1}$, $\displaystyle\int_0^{\infty}x^p e^{-ax}dx \xrightarrow{[\text{문제 }549,(2)]} \frac{\Gamma(p+1)}{a^{p+1}}.$

$\therefore \text{준 식} \xleftarrow{(1)} \displaystyle\int_0^{\infty}\int_0^{\infty}x^{-a}e^{-(x+1)y}dydx = \int_0^{\infty}e^{-y}\int_0^{\infty}x^{-a}e^{-xy}dx\,dy$

$\xrightarrow{(1)} \Gamma(1-a)\displaystyle\int_0^{\infty}y^{a-1}e^{-y}dy \xleftarrow{[\text{정리}81]} \Gamma(1-a)\Gamma(a) \xleftarrow{[\text{정리}98]} \frac{\pi}{\sin\pi a}.$

560 준 식 $\xrightarrow{\frac{e^x+1}{e^x-1}=y}$ $2\int_1^\infty \frac{\ln y}{y^2-1}\,dy$ $\xleftarrow{y=t^{-1}}$ $-2\int_0^1 \frac{\ln t}{1-t^2}\,dt$ $\xrightarrow{[\text{문제 }97]}$ $\frac{\pi^2}{4}$.

561 (1) $\displaystyle\int_0^\infty e^{\sqrt{x}-ax}\,dx$ $\xleftarrow{ax=y}$ $\dfrac{1}{a}\int_0^\infty e^{a^{-\frac{1}{2}}\sqrt{y}-y}\,dy$ $= \dfrac{\sqrt[4a]{e}}{a}\int_0^\infty e^{-\left(\sqrt{y}-\frac{1}{2\sqrt{a}}\right)^2}\,dy$

$\xleftarrow{\sqrt{y}-\frac{1}{2\sqrt{a}}=x}$ $\dfrac{\sqrt[4a]{e}}{a}\int_{-\frac{1}{2\sqrt{a}}}^\infty \left(2x+\dfrac{1}{\sqrt{a}}\right)e^{-x^2}\,dx$

$= \dfrac{\sqrt[4a]{e}}{a}\left(\int_0^\infty \left(2x+\dfrac{1}{\sqrt{a}}\right)e^{-x^2}\,dx + \int_{-\frac{1}{2\sqrt{a}}}^0 \left(2x+\dfrac{1}{\sqrt{a}}\right)e^{-x^2}\,dx\right)$ $\xrightarrow{[\text{문제 }31]}$

$= \dfrac{\sqrt[4a]{e}}{a}\left(1+\dfrac{\sqrt{\pi}}{2\sqrt{a}}+\int_{-\frac{1}{2\sqrt{a}}}^0 \left(2x+\dfrac{1}{\sqrt{a}}\right)e^{-x^2}\,dx\right)$ $\xrightarrow{x=-t}$

$= \dfrac{\sqrt[4a]{e}}{a}\left(1+\sqrt{\dfrac{\pi}{4a}}-\int_0^{\frac{1}{2\sqrt{a}}}\left(2t-\dfrac{1}{\sqrt{a}}\right)e^{-t^2}\,dt\right).$

(2) $\displaystyle\int_0^\infty e^{-(\sqrt{x}+ax)}\,dx$ $\xleftarrow{ax=y}$ $\dfrac{1}{a}\int_0^\infty e^{-\left(\sqrt{\frac{y}{a}}+y\right)}\,dy$ $= \dfrac{\sqrt[4a]{e}}{a}\int_0^\infty e^{-\left(\sqrt{y}+\frac{1}{2\sqrt{a}}\right)^2}\,dy$

$\xleftarrow{\sqrt{y}+\frac{1}{2\sqrt{a}}=x}$ $\dfrac{\sqrt[4a]{e}}{a}\int_{\frac{1}{2\sqrt{a}}}^\infty \left(2x-\dfrac{1}{\sqrt{a}}\right)e^{-x^2}\,dx$

$= \dfrac{\sqrt[4a]{e}}{a}\left(\int_0^\infty \left(2x-\dfrac{1}{\sqrt{a}}\right)e^{-x^2}\,dx - \int_0^{\frac{1}{2\sqrt{a}}}\left(2x-\dfrac{1}{\sqrt{a}}\right)e^{-x^2}\,dx\right)$ $\xleftarrow{[\text{문제 }31]}$

$= \dfrac{\sqrt[4a]{e}}{a}\left(1-\sqrt{\dfrac{\pi}{4a}}-\int_0^{\frac{1}{2\sqrt{a}}}\left(2x-\dfrac{1}{\sqrt{a}}\right)e^{-x^2}\,dx\right).$

$\therefore$ 준 식 $\xleftarrow{(1),(2)}$ $\dfrac{\sqrt[4a]{e}}{a}\sqrt{\dfrac{\pi}{a}}$.

562 준 식 $= \displaystyle\int_{\frac{\pi}{4}}^{\frac{\pi}{3}}\dfrac{\sec^2 x\,dx}{\tan^{\frac{3}{4}}x}$ $= \int_{\frac{\pi}{4}}^{\frac{\pi}{3}}\dfrac{1}{\tan^{\frac{3}{4}}x}\,d(\tan x)$ $= 4\left[\sqrt[4]{\tan x}\right]_{\frac{\pi}{4}}^{\frac{\pi}{3}}$ $= 4(\sqrt[8]{3}-1).$

563 준 식 $\xrightarrow{\tan x=u}$ $\displaystyle\int_0^\infty \dfrac{1}{(1+u^2)(1+a^2u^2)}\,du = \dfrac{1}{a^2-1}\int_0^\infty \dfrac{a^2}{1+a^2u^2}-\dfrac{1}{1+u^2}\,du$

$= \dfrac{a}{a^2-1}\left[\tan^{-1}(au)\right]_0^\infty - \dfrac{1}{a^2-1}\left[\tan^{-1}u\right]_0^\infty = \dfrac{\pi}{2(a+1)}.$

564 (1) $f(\alpha) = \int_0^{\frac{\pi}{2}} \dfrac{\tan^{-1}(\alpha\tan x)}{\tan x}\,dx \xrightarrow{\text{양변을 }\alpha\text{로 미분}} f'(\alpha) = \int_0^{\frac{\pi}{2}} \dfrac{dx}{1+(\alpha\tan x)^2}$

$\xleftarrow{[\text{문제 }563]} \dfrac{\pi}{2(\alpha+1)} \xrightarrow{\text{양변을 적분}} f(\alpha) = \dfrac{\pi}{2}\ln(\alpha+1) + c \xrightarrow{\alpha=0} c=0.$

$\therefore$ 준 식 $= f(1) = \dfrac{\pi}{2}\ln 2$.

565 준 식 $\xleftrightarrow{x=2\pi+u} \int_0^{2\pi} \dfrac{\sin^{-1}(\sin u)}{\tan^2 u + \cos^2 u}\,du = \int_0^{\pi} \dfrac{\sin^{-1}(\sin x)}{\tan^2 x + \cos^2 x}\,dx +$

$+ \int_{\pi}^{2\pi} \dfrac{\sin^{-1}(\sin x)}{\tan^2 x + \cos^2 x}\,dx \xleftrightarrow{x=2\pi-t} \int_0^{\pi} \dfrac{\sin^{-1}(\sin x)}{\tan^2 x + \cos^2 x}\,dx + \int_{\pi}^{0} \dfrac{\sin^{-1}(\sin t)}{\tan^2 t + \cos^2 t}\,dt = 0.$

566 준 식 $= \int_{\frac{3\pi}{4}}^{\pi} e^{-x}(\sec^2 x - \tan x - 1)\,dx = \int_{\frac{3\pi}{4}}^{\pi} -e^{-x}\{(\tan x + 1) - (\tan x + 1)'\}\,dx$

$= \left[e^{-x}(\tan x + 1)\right]_{\frac{3\pi}{4}}^{\pi} = e^{-\pi}.$

567

$\dfrac{1}{2k+3k^2+k^3} = \dfrac{1}{k(k+1)(k+2)} = \left(\dfrac{1}{k+1}\right)\dfrac{1}{2}\left(\dfrac{1}{k} - \dfrac{1}{k+2}\right) = \dfrac{1}{2}\left(\dfrac{1}{k(k+1)} - \dfrac{1}{(k+1)(k+2)}\right).$

$\therefore$ 준식 $= \displaystyle\sum_{k=1}^{\infty} \int_k^{k+1} \dfrac{1}{2k+3k^2+k^3}\,dx = \sum_{k=1}^{\infty} \dfrac{1}{2k+3k^2+k^3}$

$= \dfrac{1}{2}\displaystyle\sum_{k=1}^{\infty}\left(\dfrac{1}{k(k+1)} - \dfrac{1}{(k+1)(k+2)}\right) = \dfrac{1}{4}.$

568 (1) $\dfrac{e^{-\tan^{-1}(\sin x)}}{e^{-\tan^{-1}(\sin x)} + e^{-\tan^{-1}(\cos x)}} = \dfrac{e^{\tan^{-1}(\cos x)}}{e^{\tan^{-1}(\cos x)} + e^{\tan^{-1}(\sin x)}}.$

$\therefore$ 준 식 $\xleftarrow{[\text{정리 }24,(15)]} \displaystyle\int_0^{2\pi} \dfrac{e^{\tan^{-1}(\sin x)}}{e^{\tan^{-1}(\sin x)} + e^{\tan^{-1}(\cos x)}}\,dx$

$= \displaystyle\int_0^{\pi} \dfrac{e^{\tan^{-1}(\sin x)}}{e^{\tan^{-1}(\sin x)} + e^{\tan^{-1}(\cos x)}}\,dx + \int_{\pi}^{2\pi} \dfrac{e^{\tan^{-1}(\sin x)}}{e^{\tan^{-1}(\sin x)} + e^{\tan^{-1}(\cos x)}}\,dx \xleftrightarrow{x=\pi+t}$

$= \displaystyle\int_0^{\pi} \dfrac{e^{\tan^{-1}(\sin x)}}{e^{\tan^{-1}(\sin x)} + e^{\tan^{-1}(\cos x)}}\,dx + \int_0^{\pi} \dfrac{e^{-\tan^{-1}(\sin t)}}{e^{-\tan^{-1}(\sin t)} + e^{-\tan^{-1}(\cos t)}}\,dt \xleftrightarrow{(1)} \int_0^{\pi} 1\,dx = \pi.$

569 (1) $\int_0^\infty ye^{-yx}\,dy = \left[-\dfrac{y}{x}e^{-yx}\right]_0^\infty + \dfrac{1}{x}\int_0^\infty e^{-yx}\,dy = \dfrac{1}{x^2}.$

(2) $\int_0^\infty \sin x\,e^{-yx}\,dx \xleftarrow{\text{부분적분}} \dfrac{1}{1+y^2}$, $\int_0^\infty \sin 3x\,e^{-yx}\,dx \xleftarrow{\text{부분적분}} \dfrac{3}{9+y^2}.$

$\therefore$ 준 식 $\xleftarrow{(1)} \int_0^\infty \sin^3 x \int_0^\infty ye^{-yx}\,dy\,dx = \int_0^\infty y \int_0^\infty \sin^3 x\,e^{-yx}\,dx\,dy$

$= \int_0^\infty y \int_0^\infty \left(\dfrac{3}{4}\sin x - \dfrac{1}{4}\sin 3x\right)e^{-yx}\,dx\,dy \xleftarrow{(2)} \int_0^\infty \dfrac{3y}{4(1+y^2)} - \dfrac{3y}{4(9+y^2)}\,dy$

$= \dfrac{3}{8}\left[\ln\dfrac{1+y^2}{9+y^2}\right]_0^\infty = \dfrac{3}{4}\ln 3.$

570 (1) $\sin x \xleftarrow{[\text{정리 }28]} \displaystyle\sum_{n=0}^\infty \dfrac{(-1)^n x^{2n+1}}{(2n+1)!}.$

$\therefore$ 준 식 $\xleftarrow{(1)} \displaystyle\sum_{n=0}^\infty \dfrac{(-1)^n}{(2n+1)!} \int_0^\infty x^{2n+1} e^{-(2n+1)x}\,dx \xleftarrow{(2n+1)x=t}$

$= \displaystyle\sum_{n=0}^\infty \dfrac{(-1)^n}{(2n+1)!\,(2n+1)^{2n+2}} \int_0^\infty t^{2n+1} e^{-t}\,dt \xleftarrow{[\text{정리 }81]} \sum_{n=0}^\infty \dfrac{(-1)^n}{(2n+1)^{2n+2}}.$

571 준 식 $= \displaystyle\sum_{k=0}^\infty \dfrac{1}{k+1} \int_0^1 x(1-x)^k\,dx \xleftarrow{[\text{정리 }82]} \sum_{k=0}^\infty \dfrac{B(2,k+1)}{k+1} \xleftarrow[\ [\text{정리 }81]\ ]{[\text{미분과 증명}, 904]}$

$= \displaystyle\sum_{k=0}^\infty \dfrac{k!}{(k+1)(k+2)!} = \sum_{k=0}^\infty \dfrac{1}{(k+2)(k+1)^2} = \sum_{k=0}^\infty \dfrac{1}{(k+1)^2} - \dfrac{1}{k+1} + \dfrac{1}{k+2} \xrightarrow{[\text{정리 }66]}$

$= \dfrac{\pi^2}{6} - 1.$

572 (1) $\int_x^1 \dfrac{1}{y}\,dy = -\ln x$, $\int_0^1 \dfrac{\sin^{-1} x}{x}\,dx \xrightarrow{[\text{문제 }535]} \dfrac{\pi}{2}\ln 2.$

(2) $x \le y \le 1,\, 0 \le x \le 1 \xrightarrow{\text{아래 그림}} 0 \le x \le y,\, 0 \le y \le 1.$

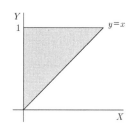

(3) $\displaystyle\int_0^y \frac{x^2}{\sqrt{1-x^2}}dx \xleftrightarrow{\ x=\sin\theta\ } \int_0^{\sin^{-1}y} \frac{1-\cos2\theta}{2}d\theta = \frac{\sin^{-1}y}{2} - \frac{y\sqrt{1-y^2}}{2}$.

$\displaystyle\therefore \text{준 식} \xleftrightarrow{(1)} -\int_0^1\int_x^1 \frac{x^2}{y\sqrt{1-x^2}}dydx \xleftrightarrow{(2)} -\int_0^1\int_0^y \frac{x^2}{y\sqrt{1-x^2}}dxdy \xleftrightarrow{(3)}$

$\displaystyle= \frac{1}{2}\int_0^1 \sqrt{1-y^2} - \frac{\sin^{-1}y}{y}dy \xleftrightarrow{(1)} \frac{\pi}{8}(1-\ln4)$.

573 (1) $\displaystyle\int_0^\infty y^{a-1}e^{-(u+1)y}dy \xleftrightarrow{\ (u+1)y=x\ } \frac{1}{(u+1)^a}\int_0^\infty x^{a-1}e^{-x}dx \xrightarrow{[\text{정리}81]}$

$\displaystyle= \frac{\Gamma(a)}{(u+1)^a} \Rightarrow \frac{1}{\Gamma(a)}\int_0^\infty y^{a-1}e^{-(u+1)y}dy = \frac{1}{(u+1)^a}$.

$\displaystyle\therefore \text{준 식} \xleftrightarrow{\ x^2=u\ } \frac{1}{2}\int_0^\infty \frac{1}{\sqrt{u}}\left(\frac{1}{(u+1)^a}\right)du \xleftrightarrow{(1)} \frac{1}{2\Gamma(a)}\int_0^\infty\int_0^\infty \frac{y^{a-1}}{\sqrt{u}}e^{-(u+1)y}dydu$

$\displaystyle= \frac{1}{2\Gamma(a)}\int_0^\infty y^{a-1}e^{-y}\int_0^\infty u^{-\frac{1}{2}}e^{-uy}du\,dy \xleftrightarrow{\ uy=t\ } \frac{1}{2\Gamma(a)}\int_0^\infty y^{a-\frac{3}{2}}e^{-y}\int_0^\infty t^{-\frac{1}{2}}e^{-t}dt\,dy$

$\displaystyle\xrightarrow{[\text{정리}81]} \frac{\Gamma\left(\frac{1}{2}\right)}{2\Gamma(a)}\int_0^\infty y^{a-\frac{3}{2}}e^{-y}dy \xrightarrow[{[\text{정리}81]}]{[\text{정리}143]} \frac{\sqrt{\pi}\,\Gamma\left(a-\frac{1}{2}\right)}{2\Gamma(a)}$.

574 (1) $\displaystyle\int_0^\infty y^{-\frac{1}{2}}e^{-(u+1)y}dy \xleftrightarrow{\ (u+1)y=t\ } \frac{1}{\sqrt{u+1}}\int_0^\infty t^{-\frac{1}{2}}e^{-t}dt \xrightarrow{[\text{정리}81]}$

$\displaystyle= \frac{\Gamma\left(\frac{1}{2}\right)}{\sqrt{u+1}} \xleftarrow{[\text{정리}143]} \sqrt{\frac{\pi}{u+1}}$.

$\displaystyle\therefore \text{준 식} \xleftrightarrow{\ x^2-1=t\ } \frac{1}{2}\int_0^\infty \frac{1}{t^a\sqrt{t+1}}dt = \frac{1}{2\sqrt{\pi}}\int_0^\infty t^{-a}\sqrt{\frac{\pi}{t+1}}dt \xleftrightarrow{(1)}$

$\displaystyle= \frac{1}{2\sqrt{\pi}}\int_0^\infty t^{-a}\int_0^\infty y^{-\frac{1}{2}}e^{-(t+1)y}dy\,dt = \frac{1}{2\sqrt{\pi}}\int_0^\infty y^{-\frac{1}{2}}e^{-y}\int_0^\infty t^{-a}e^{-ty}dt\,dy \xleftrightarrow{\ ty=x\ }$

$\displaystyle= \frac{1}{2\sqrt{\pi}}\int_0^\infty y^{a-\frac{3}{2}}e^{-y}dy\int_0^\infty x^{-a}e^{-x}dx \xrightarrow{[\text{정리}81]} \frac{1}{2\sqrt{\pi}}\Gamma\left(a-\frac{1}{2}\right)\Gamma(1-a)$.

575 (1) $\displaystyle f(a) = \int_0^\infty \frac{\ln(a+x^2)}{1+x^2}dx \xrightarrow{\ \text{양변을}\,a\text{로 미분}\ } f'(a) = \int_0^\infty \frac{dx}{(1+x^2)(a+x^2)}$

$\displaystyle= \frac{1}{a-1}\int_0^\infty \frac{1}{1+x^2} - \frac{1}{a+x^2}dx = \frac{1}{a-1}\left[\tan^{-1}x - \frac{1}{\sqrt{a}}\tan^{-1}\frac{x}{\sqrt{a}}\right]_0^\infty = \frac{\pi}{2(a+\sqrt{a})}$.

$$\xrightarrow{\text{양변 적분}} f(a) = \frac{\pi}{2} \int \frac{da}{a + \sqrt{a}} \xleftarrow{a = u^2} \pi \int \frac{du}{1 + u} = \pi \ln(1 + \sqrt{a}) + c$$

$$\xrightarrow{a = 0} c = \int_0^\infty \frac{\ln x^2}{1 + x^2} dx = 2 \int_0^\infty \frac{\ln x}{1 + x^2} dx = 2 \int_0^1 \frac{\ln x}{1 + x^2} dx + 2 \int_1^\infty \frac{\ln x}{1 + x^2} dx \xleftarrow{x = \frac{1}{y}}$$

$$= 2 \int_0^1 \frac{\ln x}{1 + x^2} dx - 2 \int_0^1 \frac{\ln y}{1 + y^2} dy = 0 \Rightarrow \int_0^\infty \frac{\ln(a + x^2)}{1 + x^2} dx = \pi \ln(1 + \sqrt{a}).$$

$$\therefore \text{준 식} \xleftarrow{\frac{1 + a^2}{2a} = A} \frac{1}{2a} \int_0^\pi \frac{x \sin x}{A - \cos x} dx = \frac{1}{2a} \int_0^\pi x \{\ln(A - \cos x)\}' dx \xrightarrow{\text{부분적분}}$$

$$= \frac{1}{2a} \left[x \ln(A - \cos x) \right]_0^\pi - \frac{1}{2a} \int_0^\pi \ln(A - \cos x) dx$$

$$= \frac{\pi \ln(A + 1)}{2a} - \frac{1}{2a} \left(\int_0^{\frac{\pi}{2}} \ln(A - \cos x) dx + \int_{\frac{\pi}{2}}^\pi \ln(A - \cos x) dx \right) \xleftarrow{x = \pi - u}$$

$$= \frac{\pi \ln(A + 1)}{2a} - \frac{1}{2a} \left(\int_0^{\frac{\pi}{2}} \ln(A - \cos x) dx + \int_0^{\frac{\pi}{2}} \ln(A + u) du \right)$$

$$= \frac{\pi \ln(A + 1)}{2a} - \frac{1}{2a} \int_0^{\frac{\pi}{2}} \ln(A^2 - x^2) dx \xleftarrow{\tan x = t} \frac{\pi \ln(A + 1)}{2a} - \frac{1}{2a} \int_0^\infty \frac{\ln\left(A^2 - \frac{1}{1 + t^2} \right)}{1 + t^2} dt$$

$$= \frac{\pi \ln(A + 1)}{2a} - \frac{1}{2a} \int_0^\infty \frac{1}{1 + t^2} \left(\ln A^2 + \ln\left(\frac{A^2 - 1}{A^2} + t^2 \right) - \ln(1 + t^2) \right) dt \xrightarrow{(1)}$$

$$= \frac{\pi}{2a} \left(\ln(A + 1) - \ln A - \ln\left(1 + \sqrt{\frac{A^2 - 1}{A^2}} \right) + \ln 2 \right) = \frac{\pi}{a} \ln\left(1 + \frac{1}{a} \right).$$

576 (1) $\displaystyle \int_0^\infty e^{-xy} dy = \left[-\frac{e^{-xy}}{x} \right]_0^\infty = \frac{1}{x}.$

(2) $\displaystyle \int_0^\infty (1 - \cos x) e^{-(a+y)x} dx \xrightarrow{\substack{f(x) = 1 - \cos x \\ g'(x) = e^{-(a+y)x}}} \frac{1}{a+y} \int_0^\infty \sin x\, e^{-(a+y)x} dx$

$$\xleftarrow{\substack{u(x) = \sin x \\ v'(x) = e^{-(a+y)x}}} \frac{1}{(a+y)^2} \int_0^\infty \cos x\, e^{-(a+y)x} dx \xrightarrow{\substack{t(x) = \cos x \\ s'(x) = e^{-(a+y)x}}}$$

$$= \frac{1}{(a+y)^3} \left[1 - \int_0^\infty \sin x\, e^{-(a+y)x} dx \right]$$

$$\Rightarrow \left(1 + \frac{1}{(a+y)^2} \right) \frac{1}{a+y} \int_0^\infty \sin x\, e^{-(a+y)x} dx = \frac{1}{(a+y)^3}$$

$$\Rightarrow \int_0^\infty (1 - \cos x) e^{-(a+y)x} dx = \frac{1}{a+y} \int_0^\infty \sin x\, e^{-(a+y)x} dx = \frac{1}{1 + (a+y)^2} \left(\frac{1}{a+y} \right).$$

$$\therefore \text{준 식} \xleftrightarrow{(1)} \int_0^\infty (1-\cos x)e^{-ax}\int_0^\infty e^{-xy}\,dy\,dx = \int_0^\infty\int_0^\infty (1-\cos x)e^{-(a+y)x}\,dx\,dy \xleftrightarrow{(2)}$$

$$= \int_0^\infty \frac{1}{(a+y)(1+(a+y)^2)}\,dy = \int_0^\infty \frac{1}{y+a} - \frac{y+a}{1+(y+a)^2}\,dy = \left[\ln\frac{y+a}{\sqrt{1+(y+a)^2}}\right]_0^\infty$$

$$= \ln\left(\frac{\sqrt{1+a^2}}{a}\right).$$

577 $\text{준 식} \xleftrightarrow{[\text{문제 } 576,(1)]} \int_0^\infty (1-e^{-x})e^{-ax}\int_0^\infty e^{-xy}\,dy\,dx$

$$= \int_0^\infty\int_0^\infty (1-e^{-x})e^{-x(a+y)}\,dx\,dy = \int_0^\infty\int_0^\infty e^{-x(a+y)} - e^{-x(1+a+y)}\,dx\,dy$$

$$= \int_0^\infty\left[\frac{e^{-x(1+a+y)}}{1+a+y} - \frac{e^{-x(a+y)}}{a+y}\right]_0^\infty dy = \int_0^\infty \frac{1}{y+a} - \frac{1}{y+a+1}\,dy = \ln\left(1+\frac{1}{a}\right).$$

578 (1) $\displaystyle\int_0^\infty \sqrt{y}\,e^{-uy}\,dy \xleftrightarrow{uy=t} \frac{1}{\sqrt{u^3}}\int_0^\infty t^{\frac{1}{2}}e^{-t}\,dt \xleftrightarrow{[\text{정리 }81]} \frac{\Gamma\left(\frac{3}{2}\right)}{\sqrt{u^3}}.$

(2) $\displaystyle\int_0^\infty e^{-uy}\sin u\,du \xleftrightarrow{\text{부분적분}} \frac{1}{1+y^2}$, $\displaystyle\int_0^\infty e^{-(x+1)u}\,du = \frac{1}{x+1}.$

(3) $\displaystyle\int_0^\infty x^{-\frac{1}{4}}e^{-ux}\,dx \xleftrightarrow{ux=t} \frac{1}{\sqrt[4]{u^3}}\int_0^\infty t^{-\frac{1}{4}}e^{-t}\,dt \xleftrightarrow{[\text{정리 }81]} \frac{\Gamma\left(\frac{3}{4}\right)}{\sqrt[4]{u^3}}.$

$$\therefore \text{준 식} \xleftrightarrow{x^{-2}=u} \frac{1}{2}\int_0^\infty u^{-\frac{3}{2}}\sin u\,du = \frac{1}{2\Gamma\left(\frac{3}{2}\right)}\int_0^\infty \frac{\Gamma\left(\frac{3}{2}\right)}{\sqrt{u^3}}\sin u\,du \xleftrightarrow[{[\text{정리 }81]}]{(1),[\text{정리 }143]}$$

$$= \frac{1}{\sqrt{\pi}}\int_0^\infty \sin u\int_0^\infty \sqrt{y}\,e^{-uy}\,dy\,du = \frac{1}{\sqrt{\pi}}\int_0^\infty \sqrt{y}\int_0^\infty e^{-uy}\sin u\,du\,dy \xleftrightarrow{(2)}$$

$$= \frac{1}{\sqrt{\pi}}\int_0^\infty \frac{\sqrt{y}}{1+y^2}\,dy \xleftrightarrow{y^2=x} \frac{1}{2\sqrt{\pi}}\int_0^\infty \frac{1}{\sqrt[4]{x}}\left(\frac{1}{1+x}\right)dx \xleftrightarrow{(2)}$$

$$= \frac{1}{2\sqrt{\pi}}\int_0^\infty\int_0^\infty x^{-\frac{1}{4}}e^{-(x+1)u}\,du\,dx = \frac{1}{2\sqrt{\pi}}\int_0^\infty e^{-u}\int_0^\infty x^{-\frac{1}{4}}e^{-ux}\,dx\,du \xleftrightarrow{(3)}$$

$$= \frac{\Gamma\left(\frac{3}{4}\right)}{2\sqrt{\pi}}\int_0^\infty u^{-\frac{3}{4}}e^{-u}\,du \xleftrightarrow{[\text{정리 }81]} \frac{1}{2\sqrt{\pi}}\Gamma\left(\frac{3}{4}\right)\Gamma\left(\frac{1}{4}\right) \xleftrightarrow{[\text{정리 }98]} \sqrt{\frac{\pi}{2}}.$$

579

$$\text{준 식} = \int_0^{\frac{\pi}{2}} \frac{x\{(3\pi\cos x + 4\sin x)\sin^2 x + 4\}}{\sqrt{1+\sin^3 x}}dx + \int_{\frac{\pi}{2}}^{\pi} \frac{x\{(3\pi\cos x + 4\sin x)\sin^2 x + 4\}}{\sqrt{1+\sin^3 x}}dx$$

$$\xleftrightarrow{x = \pi - t} \int_0^{\frac{\pi}{2}} \frac{x\{(3\pi\cos x + 4\sin x)\sin^2 x + 4\} + (\pi - x)\{(-3\pi\cos x + 4\sin x)\sin^2 x + 4\}}{\sqrt{1+\sin^3 x}}dx$$

$$= \int_0^{\frac{\pi}{2}} \frac{(2x-\pi)3\pi\cos x \sin^2 x}{\sqrt{1+\sin^3 x}} + 4\pi\sqrt{1+\sin^3 x}\, dx \xleftarrow{\text{[정리 24,(1)]}}$$

$$= \int_0^{\frac{\pi}{2}} 4\pi\sqrt{1+\cos^3 x} - \frac{6\pi x \sin x \cos^2 x}{\sqrt{1+\cos^3 x}} dx \ = \int_0^{\frac{\pi}{2}} \left(4\pi x\sqrt{1+\cos^3 x}\right)' dx = 2\pi^2.$$

580 (1) $\displaystyle\int_0^\infty \frac{\sqrt[4]{x}}{(x+1)^2}dx \xrightarrow{\text{[문제 573,(1)]}} \int_0^\infty \sqrt[4]{x}\int_0^\infty ye^{-(x+1)y}dydx$

$$= \int_0^\infty ye^{-y}\int_0^\infty x^{\frac{1}{4}}e^{-xy}dxdy \xleftarrow{xy = t} \int_0^\infty y^{-\frac{1}{4}}e^{-y}dy\int_0^\infty t^{\frac{1}{4}}e^{-t}dt \xleftarrow{\text{[정리 81]}} \Gamma\left(\frac{5}{4}\right)\Gamma\left(\frac{3}{4}\right)$$

$$= \frac{\Gamma\left(\frac{5}{4}\right)\Gamma\left(1-\frac{1}{4}\right)\Gamma\left(\frac{1}{4}\right)}{\Gamma\left(\frac{1}{4}\right)} \xleftarrow{\text{[정리 98]}} \frac{\frac{1}{4}\Gamma\left(\frac{1}{4}\right)\pi}{\Gamma\left(\frac{1}{4}\right)\sin\frac{\pi}{4}} = \frac{\sqrt{2}\,\pi}{4}.$$

(2) $\displaystyle\int_0^\infty \sqrt[4]{x}\left(\frac{1}{x+\frac{5}{2}} - \frac{1}{x+1}\right)dx = \int_0^\infty \sqrt[4]{x}\int_0^\infty e^{-(x+\frac{5}{2})y} - e^{-(x+1)y}dydx$

$$= \int_0^\infty \left(e^{-\frac{5}{2}y} - e^{-y}\right)\int_0^\infty x^{\frac{1}{4}}e^{-xy}dx\,dy \xrightarrow{(1)} \Gamma\left(\frac{5}{4}\right)\int_0^\infty \left(e^{-\frac{5}{2}y} - e^{-y}\right)y^{-\frac{5}{4}}dy \xrightarrow{\text{[정리 81]}}$$

$$= \Gamma\left(\frac{5}{4}\right)\Gamma\left(-\frac{1}{4}\right)\left(\sqrt[4]{\frac{2}{5}} - 1\right) \xleftarrow{\text{[정리 98]}} \sqrt{2}\left(1 - \sqrt[4]{\frac{2}{5}}\right)\pi.$$

$$\therefore \text{준식} \xleftarrow{\frac{3-x}{x} = u} \frac{9}{5}\int_0^\infty \frac{\sqrt[4]{u}}{\left(u+\frac{2}{5}\right)(u+1)^2}du = 5\int_0^\infty \sqrt[4]{u}\left(\frac{1}{u+\frac{5}{2}} - \frac{1}{u+1}\right)du$$

$$-3\int_0^\infty \frac{\sqrt[4]{u}}{(u+1)^2}du \xleftarrow{(1),(2)} \left(\frac{17}{2\sqrt{2}} - \sqrt[4]{10^3}\right)\pi.$$

581 $\displaystyle\text{준 식} = \int_0^1 \frac{(2x^3+3x^2-2)dx}{(x^4+5x^2+x+5)\sqrt{x^2+x+1}} = \int_0^1 \frac{(2x^3+3x^2-2)dx}{\left((x^2+2)^2+x^2+x+1\right)\sqrt{x^2+x+1}}$

$$= -2\int_0^1 \frac{(2-3x^2-2x^3)dx}{2(x^2+2)^2\left(1+\frac{x^2+x+1}{(x^2+2)^2}\right)\sqrt{x^2+x+1}}$$

$$=-2\int_0^1 \frac{1}{1+\dfrac{x^2+x+1}{\left(x^2+2\right)^2}}\left(\frac{\dfrac{2-3x^2-2x^3}{2\sqrt{x^2+x+1}}}{\left(x^2+2\right)^2}\right)dx$$

$$=-2\int_0^1 \frac{1}{1+\left(\dfrac{\sqrt{x^2+x+1}}{x^2+2}\right)^2}\times\frac{\left(\sqrt{x^2+x+1}\right)'\left(x^2+2\right)-\left(x^2+2\right)'\sqrt{x^2+x+1}}{\left(x^2+2\right)^2}\,dx$$

$$=-2\int_0^1 \frac{\left(\dfrac{\sqrt{x^2+x+1}}{x^2+2}\right)'dx}{1+\left(\dfrac{\sqrt{x^2+x+1}}{x^2+2}\right)^2}=-2\left[\tan^{-1}\left(\frac{\sqrt{x^2+x+1}}{x^2+2}\right)\right]_0^1=2\tan^{-1}\frac{1}{2}-\frac{\pi}{3}.$$

582 준 식 $=-\dfrac{1}{3}\displaystyle\int_0^1\dfrac{-3x^2}{\left(x^3+1\right)^2}x\,dx=-\dfrac{1}{3}\displaystyle\int_0^1\left(\dfrac{1}{x^3+1}\right)'x\,dx\xleftarrow{\text{부분적분}}$

$$=-\frac{1}{6}+\frac{1}{3}\int_0^1\frac{1}{x^3+1}dx=-\frac{1}{6}+\frac{1}{3}\int_0^1\frac{dx}{(x+1)(x^2-x+1)}$$

$$=-\frac{1}{6}+\frac{1}{9}\left(\int_0^1\frac{1}{x+1}-\frac{x-2}{x^2-x+1}dx\right)=\frac{\ln2}{9}-\frac{1}{6}+\frac{1}{6}\left(\int_0^1\frac{1}{x^2-x+1}-\left(\frac{1}{3}\right)\frac{2x-1}{x^2-x+1}dx\right)$$

$$=\frac{\ln2}{9}-\frac{1}{6}+\frac{1}{6}\int_0^1\frac{dx}{\left(x-\dfrac{1}{2}\right)^2+\dfrac{3}{4}}=\frac{\ln2}{9}-\frac{1}{6}+\frac{\pi}{9\sqrt{3}}.$$

583 준 식 $\xleftarrow{x^n=u}\dfrac{1}{n}\displaystyle\int_0^1 u^{\frac{1}{n}-1}(1-u)^{\frac{1}{m}}du\xleftarrow{[\text{정리 }82]}\dfrac{1}{n}B\left(\dfrac{1}{n},1+\dfrac{1}{m}\right)$

$$\xleftarrow[\text{[정리 81]}]{\text{[미분과증명,904]}}\frac{1}{nm}\frac{\Gamma\left(\dfrac{1}{n}\right)\Gamma\left(\dfrac{1}{m}\right)}{\Gamma\left(1+\dfrac{1}{n}+\dfrac{1}{m}\right)}.$$

584 준 식 $=\displaystyle\int_0^1\dfrac{\sqrt{x}}{(1+x)^2}dx+\displaystyle\int_1^\infty\dfrac{\sqrt{x}}{(1+x)^2}dx\xleftarrow{x=t^{-1}}\displaystyle\int_1^\infty\left(\sqrt{x}+\dfrac{1}{\sqrt{x}}\right)\dfrac{1}{(1+x)^2}dx$

$$=\int_1^\infty\frac{1}{\sqrt{x}(1+x)}dx\xleftarrow{\sqrt{x}=u}2\int_1^\infty\frac{1}{1+u^2}du=2\left[\tan^{-1}u\right]_1^\infty=\frac{\pi}{2}.$$

585 준 식 $=\displaystyle\int_0^1 x^n(1-x)^n dx\xleftarrow{[\text{정리}82]}B(n+1,n+1)\xleftarrow[\text{[정리81]}]{\text{[미분과증며,904]}}\dfrac{(n!)^2}{(2n+1)!}$

586 $I = \displaystyle\int_0^\infty \frac{dx}{(x^2+ax+1)(x^b+1)} \xleftrightarrow{x=u^{-1}} \int_0^\infty \frac{u^b}{(u^2+au+1)(u^b+1)}du \xrightarrow{\text{두 식을 더하면}}$

$\Rightarrow 2I = \displaystyle\int_0^\infty \frac{1}{x^2+ax+1}dx = \int_0^\infty \frac{dx}{\left(x+\dfrac{a}{2}\right)^2 + \dfrac{4-a^2}{4}} = \frac{2}{\sqrt{4-a^2}}\left[\tan^{-1}\frac{2}{\sqrt{4-a^2}}\left(x+\frac{a}{2}\right)\right]_0^\infty$

$= \dfrac{2}{\sqrt{4-a^2}}\left(\dfrac{\pi}{2} - \tan^{-1}\dfrac{a}{\sqrt{4-a^2}}\right) \Rightarrow \therefore I = \dfrac{1}{\sqrt{4-a^2}}\left(\dfrac{\pi}{2} - \tan^{-1}\dfrac{a}{\sqrt{4-a^2}}\right).$

587 준 식 $\xleftrightarrow{\frac{\pi}{2}x^{\sqrt 2}=u} \dfrac{1}{\sqrt 2}\left(\dfrac{2}{\pi}\right)^{\frac{1}{\sqrt 2}}\displaystyle\int_0^\infty u^{\frac{1}{\sqrt 2}-1}\sin u\,du \xleftarrow[a=\frac{1}{\sqrt 2}\left(\frac{2}{\pi}\right)^{\frac{1}{\sqrt 2}}]{p=1-\frac{1}{\sqrt 2}}$

$= a\displaystyle\int_0^\infty u^{-p}\sin u\,du \xleftarrow{[\text{문제 }549,(2)]} \dfrac{a}{\Gamma(p)}\int_0^\infty \sin u\int_0^\infty y^{p-1}e^{-uy}\,dy\,du$

$= \dfrac{a}{\Gamma(p)}\displaystyle\int_0^\infty y^{p-1}\int_0^\infty e^{-uy}\sin u\,du\,dy \xleftarrow{[\text{문제 }578,(2)]} \dfrac{a}{\Gamma(p)}\int_0^\infty \dfrac{y^{p-1}}{1+y^2}\,dy \xleftarrow{[\text{문제 }295]}$

$= \dfrac{a}{\Gamma(p)}\left(\dfrac{\pi}{2\sin\dfrac{p\pi}{2}}\right) = \dfrac{1}{\sqrt 2}\left(\dfrac{2}{\pi}\right)^{\frac{1}{\sqrt 2}}\dfrac{\pi}{\cos\dfrac{\pi}{2\sqrt 2}}\dfrac{1}{\Gamma\left(1-\dfrac{1}{\sqrt 2}\right)}.$

588 (1) $\displaystyle\int_0^1 \left(\ln\frac{1}{x}\right)^n dx \xleftrightarrow{\ln x^{-1}=t} \int_0^\infty t^n e^{-t}\,dt \xleftarrow{[\text{정리 }81]} \Gamma(n+1)=n!.$

$\therefore$ 준 식 $= (-1)^n\displaystyle\int_0^1 \left(\ln\frac{1}{x}\right)^n dx \xleftrightarrow{(1)} (-1)^n n!.$

589 (1) $\displaystyle\int x^n\ln(1-x)\,dx = \frac{x^{n+1}}{n+1}\ln(1-x) - \frac{1}{n+1}\int \frac{x^{n+1}}{x-1}\,dx$

$= \dfrac{x^{n+1}}{n+1}\ln(1-x) - \dfrac{1}{n+1}\displaystyle\int x^n+x^{n-1}+\cdots+1+\dfrac{1}{x-1}\,dx$

$= \left(\dfrac{x^{n+1}-1}{n+1}\right)\ln(1-x) - \dfrac{1}{n+1}\displaystyle\sum_{k=1}^{n+1}\dfrac{x^k}{k}+c \Rightarrow \int_0^1 x^n\ln(1-x)\,dx = -\dfrac{1}{n+1}\sum_{k=1}^{n+1}\dfrac{1}{k}.$

$\therefore$ 준 식 $\xleftrightarrow{t=xu} x^{n+1}\displaystyle\int_0^1 (1-u)^n\ln(xu)\,du \xleftrightarrow{1-u=t} x^{n+1}\int_0^1 t^n(\ln x+\ln(1-t))\,dt$

$= \dfrac{x^{n+1}}{n+1}\ln x + x^{n+1}\displaystyle\int_0^1 t^n\ln(1-t)\,dt \xleftrightarrow{(1)} \dfrac{x^{n+1}}{n+1}\left(\ln x - \sum_{k=1}^{n+1}\dfrac{1}{k}\right).$

590 준 식 $\xleftrightarrow{x=e^{-t}} \int_0^\infty t^{\frac{1}{2}} e^{-t} dt \xleftarrow{\text{[정리 81]}} \Gamma\left(\frac{3}{2}\right) = \frac{1}{2}\Gamma\left(\frac{1}{2}\right) \xrightarrow{\text{[정리 143]}} \frac{\sqrt{\pi}}{2}$.

591 준 식 $= \int_0^1 \frac{1}{\sqrt{x}} \sqrt{1-x^2}\, dx \xleftarrow{x^2=y} \frac{1}{2}\int_0^1 y^{-\frac{3}{4}} (1-y)^{\frac{1}{2}} dy \xrightarrow[\text{[미분과증명,904]}]{\text{[정리 82]}}$

$= \dfrac{\Gamma\left(\frac{1}{4}\right)\Gamma\left(\frac{3}{2}\right)}{2\Gamma\left(\frac{1}{4}+\frac{3}{2}\right)} \xrightarrow[\text{[정리 81]}]{\text{[정리 143]}} \dfrac{1}{6}\sqrt{\dfrac{2}{\pi}}\left(\Gamma\left(\frac{1}{4}\right)\right)^2$.

592 (1) $\displaystyle\int_{-1}^1 x^{1004} + \frac{x^{1004}}{x^{2010}+1} dx = \frac{2}{1005} + \int_{-1}^1 \frac{x^{1004}}{1+x^{2010}} dx \xleftarrow{x^{1005}=\tan\theta}$

$= \dfrac{2}{1005} + \dfrac{1}{1005}\displaystyle\int_{-\frac{\pi}{4}}^{\frac{\pi}{4}} \dfrac{\sec^2\theta\, d\theta}{1+\tan^2\theta} = \dfrac{2}{1005} + \dfrac{1}{1005}\displaystyle\int_{-\frac{\pi}{4}}^{\frac{\pi}{4}} \dfrac{d(\tan\theta)}{1+\tan^2\theta} = \dfrac{2}{1005}\left(1+\dfrac{\pi}{4}\right)$.

(2) $I = \displaystyle\int_{-1}^1 \dfrac{2x^{1004} + x^{2008}\sin(x^{2007}) + x^{3014}}{1+x^{2010}} dx \xleftarrow{\text{[정리 24,(1)]}}$

$= \displaystyle\int_{-1}^1 \dfrac{2x^{1004} - x^{2008}\sin(x^{2007}) + x^{3014}}{1+x^{2010}} dx \xrightarrow{\text{두 식을 더하면}} 2I = 2\int_{-1}^1 \dfrac{2x^{1004} + x^{3014}}{1+x^{2010}} dx$.

$\therefore I = \displaystyle\int_{-1}^1 \dfrac{x^{1004} + x^{1004}(1+x^{2010})}{1+x^{2010}} dx = \int_{-1}^1 x^{1004} + \dfrac{x^{1004}}{x^{2010}+1} dx \xleftrightarrow{(1)} \dfrac{2}{1005}\left(1+\dfrac{\pi}{4}\right)$.

593 (1) $\dfrac{1}{1+x} = \displaystyle\sum_{n=0}^\infty (-1)^n x^n \xrightarrow{\text{적분}} \ln(1+x) = \sum_{n=0}^\infty (-1)^n \dfrac{x^{n+1}}{n+1} = \sum_{n=1}^\infty (-1)^{n-1} \dfrac{x^n}{n}$

$\Rightarrow \ln(1+x^2) = \displaystyle\sum_{n=1}^\infty (-1)^{n-1} \dfrac{x^{2n}}{n} \Rightarrow \dfrac{\ln(1+x^2)}{x} = \sum_{n=1}^\infty (-1)^{n-1} \dfrac{x^{2n-1}}{n}$.

(2) $f(a) = \displaystyle\int_0^1 \dfrac{\ln(x^2 - 2x\cos a + 1)}{x} dx \xrightarrow{\text{양변을 } a \text{로 미분}} f'(a) = \int_0^1 \dfrac{2x\sin a}{x(x^2 - 2x\cos a + 1)} dx$

$= \dfrac{2}{\sin a}\displaystyle\int_0^1 \dfrac{dx}{1+\left(\frac{x-\cos a}{\sin a}\right)^2} = 2\left[\tan^{-1}\left(\dfrac{x-\cos a}{\sin a}\right)\right]_0^1$

$= 2\tan^{-1}\left(\dfrac{1-\cos a}{\sin a}\right) + 2\tan^{-1}\left(\dfrac{\cos a}{\sin a}\right)$

$= 2\tan^{-1}\left(\tan\dfrac{a}{2}\right) + 2\tan^{-1}(\cot a) = a + 2\tan^{-1}\left(\tan\left(\dfrac{\pi}{2}-a\right)\right) = \pi - a \xrightarrow{\text{양변을 적분}}$

$\Rightarrow f(a) = \pi a - \dfrac{a^2}{2} + c \xrightarrow{a=\frac{3\pi}{2}} \dfrac{3\pi^2}{2} - \dfrac{9\pi^2}{8} + c = \displaystyle\int_0^1 \dfrac{\ln(x^2+1)}{x} dx \xleftarrow{(1)}$

$$= \sum_{n=1}^{\infty} \frac{(-1)^{n-1}}{n} \int_0^1 x^{2n-1} dx = \frac{1}{2} \sum_{n=1}^{\infty} \frac{(-1)^{n-1}}{n^2} \xleftarrow{\text{[수열과 급수, 13]}} \frac{\pi^2}{24} \Rightarrow c = -\frac{\pi^2}{3}.$$

$$\therefore \text{준 식} = \pi a - \frac{a^2}{2} - \frac{\pi^2}{3}.$$

594 준 식 $= \displaystyle\int_0^{\frac{\pi}{2}} \sin^0 x \cos^{\frac{1}{2}} x\, dx \xleftarrow{\text{[미분과 증명, 904]}} \frac{1}{2} B\left(\frac{1}{2}, \frac{3}{4}\right) = \dfrac{\Gamma\left(\frac{1}{2}\right)\Gamma\left(\frac{3}{4}\right)}{2\Gamma\left(\frac{5}{4}\right)}$

$$\xleftarrow{\text{[정리 143]}} \dfrac{2\sqrt{2}\,\pi}{\Gamma\left(\frac{1}{4}\right)}.$$

595 준 식 $\xleftarrow{x = \sin^{\frac{2}{3}}\theta} \dfrac{2}{3} \displaystyle\int_0^{\frac{\pi}{2}} \sin^{-\frac{1}{3}}\theta \cos^0\theta\, d\theta \xleftarrow{\text{[미분과 증명, 904]}} \dfrac{1}{3} B\left(\frac{1}{3}, \frac{1}{2}\right)$

$$= \dfrac{\Gamma\left(\frac{1}{3}\right)\Gamma\left(\frac{1}{2}\right)}{3\Gamma\left(\frac{5}{6}\right)} = \dfrac{\sqrt{\pi}\,\Gamma\left(\frac{1}{3}\right)}{3\Gamma\left(\frac{5}{6}\right)}.$$

596 준 식 $\xleftarrow{\sqrt{1-x^2} = t} \displaystyle\int_1^0 \dfrac{-t}{\sqrt{1-t^2}} \tan^{-1} t\, dt = \int_1^0 \left(\sqrt{1-t^2}\right)' \tan^{-1} t\, dt$

$$= \left[\sqrt{1-t^2}\,\tan^{-1} t\right]_1^0 + \int_0^1 \dfrac{\sqrt{1-t^2}}{1+t^2}\, dt = \int_0^1 \dfrac{\sqrt{1-t^2}}{1+t^2}\, dt = \int_0^1 \dfrac{2 - (t^2+1)}{(1+t^2)\sqrt{1-t^2}}\, dt$$

$$= \int_0^1 \dfrac{2\, dt}{(1+t^2)\sqrt{1-t^2}} - \left[\sin^{-1} t\right]_0^1 = \sqrt{2} \int_0^1 \dfrac{1}{1 + \left(\dfrac{\sqrt{2}\,t}{\sqrt{1-t^2}}\right)^2} \left(\dfrac{\sqrt{2}}{\sqrt{(1-t^2)^3}}\right) dt - \dfrac{\pi}{2}$$

$$\xleftarrow{\frac{\sqrt{2}\,t}{\sqrt{1-t^2}} = u} \sqrt{2} \int_0^{\infty} \dfrac{du}{1+u^2} - \dfrac{\pi}{2} = \sqrt{2} \left[\tan^{-1} u\right]_0^{\infty} - \dfrac{\pi}{2} = \dfrac{\pi}{2}\left(\sqrt{2} - 1\right).$$

597 준 식 $\xleftarrow{\tan^{-1} x = y} \displaystyle\int_0^{\frac{\pi}{2}} y^2 \operatorname{cosec}^2 y\, dy = -\left[y^2 \cot y\right]_0^{\frac{\pi}{2}} + \int_0^{\frac{\pi}{2}} 2y \cot y\, dy$

$$= 2\int_0^{\frac{\pi}{2}} y(\ln \sin y)'\, dy = 2\left[y\ln(\sin y)\right]_0^{\frac{\pi}{2}} - 2\int_0^{\frac{\pi}{2}} \ln(\sin y)\, dy \xleftarrow{\text{[문제 13]}} \pi\ln 2.$$

598 (1) $f(a) = \displaystyle\int_0^\infty \frac{\ln(a^2+x^2)}{1+x^2}dx \xrightarrow{\text{양변을 } a \text{로 미분}} f'(a) = \int_0^\infty \frac{2a}{(1+x^2)(a^2+x^2)}dx$

$= \dfrac{2a}{a^2-1}\displaystyle\int_0^\infty \frac{1}{1+x^2} - \frac{1}{a^2+x^2}dx = \frac{2a}{a^2-1}\left[\tan^{-1}x - \frac{1}{a}\tan^{-1}\frac{x}{a}\right]_0^\infty = \frac{\pi a}{a^2-1}\left(1-\frac{1}{a}\right)$

$= \dfrac{\pi}{a+1} \xrightarrow{\text{양변 적분}} f(a) = \pi\ln(a+1)+c \xrightarrow{a=1} c+\pi\ln 2 = \displaystyle\int_0^\infty \frac{\ln(1+x^2)}{1+x^2}dx \xleftarrow{x=\tan y}$

$= -2\displaystyle\int_0^{\frac{\pi}{2}}\ln(\cos y)dy \xleftarrow{[\text{정리 } 24,(1)]} -2\int_0^{\frac{\pi}{2}}\ln(\sin y)dy \xleftarrow{[\text{문제 } 13]} \pi\ln 2 \Rightarrow c=0$

$\Rightarrow \displaystyle\int_0^\infty \frac{\ln(a^2+x^2)}{1+x^2}dx = \pi\ln(a+1).$

$\therefore \text{준 식} \xleftarrow{x=y^{-1}} \displaystyle\int_0^\infty \frac{y\tan^{-1}\left(\frac{1}{y}\right)}{a^2+y^2}dy \xleftarrow{[\text{정리 } 56,(6)]} \int_0^\infty \frac{\left(\frac{\pi}{2}-\tan^{-1}y\right)y}{a^2+y^2}dy$

$= \dfrac{1}{2}\displaystyle\int_0^\infty \left(\frac{\pi}{2}-\tan^{-1}y\right)(\ln(a^2+y^2))'\,dy = \frac{1}{2}\left[\left(\frac{\pi}{2}-\tan^{-1}y\right)\ln(a^2+y^2)\right]_0^\infty$

$+ \dfrac{1}{2}\displaystyle\int_0^\infty \frac{\ln(a^2+y^2)}{1+y^2}dy \xrightarrow{(1)} -\frac{\pi}{4}\ln a^2 + \frac{1}{2}\pi\ln(a+1) = \frac{\pi}{2}\ln\left(1+\frac{1}{a}\right).$

599 준 식 $= \displaystyle\int_0^1 \frac{(x+1)^2-2(x-2)}{(x+1)^2(x-2)}dx = \int_0^1 \frac{1}{x-2} - \frac{2}{(x+1)^2}dx = -1-\ln 2.$

600 준 식 $= \displaystyle\int_{-1}^1 \frac{1+\cos(2n\cos^{-1}x)}{2}dx \xleftarrow{\cos^{-1}x=u} -\int_{-\pi}^0 \frac{1+\cos(2u)}{2}\sin u\,du$

$= \left[\dfrac{\cos u}{2}\right]_{-\pi}^0 - \dfrac{1}{2}\displaystyle\int_{-\pi}^0 \sin u\cos(2v)du = 1 - \frac{1}{4}\int_{-\pi}^0 \sin(2n+1)u - \sin(2n-1)u\,du$

$= 1 - \dfrac{1}{4n^2-1}.$

601 (1) $(i)^{\frac{1}{a}-1} = \left(\cos\frac{\pi}{2}+i\sin\frac{\pi}{2}\right)^{\frac{1}{a}-1} \xleftarrow{[\text{정리 } 33]} e^{i\frac{\pi}{2}\left(\frac{1}{a}-1\right)} = e^{-\frac{\pi}{2}i}e^{\frac{\pi}{2a}i} = (-i)e^{\frac{\pi}{2a}i}.$

(2) $\displaystyle\int_0^\infty \cos x^a\,dx + i\int_0^\infty \sin x^a\,dx = \int_0^\infty e^{ix^a}dx \xleftarrow{x^a=u} \frac{1}{a}\int_0^\infty e^{iu}u^{\frac{1}{a}-1}du \xleftarrow{u=iz}$

$= \dfrac{i}{a}\displaystyle\int_0^\infty e^{-z}(iz)^{\frac{1}{a}-1}dz \xrightarrow{(1)} \frac{1}{a}e^{\frac{\pi}{2a}i}\int_0^\infty e^{-z}z^{\frac{1}{a}-1}dz \xrightarrow{[\text{정리 } 81]}$

$$\frac{1}{a}\left(\cos\frac{\pi}{2a}+i\sin\frac{\pi}{2a}\right)\Gamma\left(\frac{1}{a}\right)=\frac{1}{a}\Gamma\left(\frac{1}{a}\right)\cos\frac{\pi}{2a}+i\frac{1}{a}\Gamma\left(\frac{1}{a}\right)\sin\frac{\pi}{2a}.$$

$$\Rightarrow \therefore 준\ 식 = \frac{1}{a}\Gamma\left(\frac{1}{a}\right)\cos\frac{\pi}{2a}.$$

602 $S(x)=\displaystyle\sum_{k=1}^{n}k\cos(kx)$라고 하자.

(1) $\displaystyle\int_{0}^{\pi}2s(x)dx=2\int_{0}^{\pi}\cos x+2\cos 2x+\cdots+n\cos nx\,dx=0.$

(2) $S^{2}(x)=\displaystyle\sum_{k=1}^{n}k^{2}\cos^{2}kx+2\sum_{1\le i\le i\le k}ij\cos(ix)\cos(jx)=\sum_{k=1}^{n}k^{2}\left(\frac{1+\cos 2kx}{2}\right)$

$$+\sum_{1\le i\le j\le k}ij(\cos(i+j)x+\cos(i-j)x).$$

$$\therefore 준\ 식 = \int_{0}^{\pi}1+s^{2}(x)+2s(x)\,dx \xleftarrow{(1),(2)} \pi+\int_{0}^{\pi}S^{2}(x)dx=\pi+\sum_{k=1}^{n}k^{2}\left[\frac{x}{2}\right]_{0}^{\pi}$$

$$=\pi+\frac{\pi}{2}\sum_{k=1}^{n}k^{2}=\frac{\pi(2n^{3}+3n^{2}+n+12)}{12}.$$

603 (1) $\left(\dfrac{1}{a}\tan^{-1}\dfrac{1}{a}\right)^{2}=\left(\left[\dfrac{1}{a}\tan^{-1}\dfrac{x}{a}\right]_{0}^{1}\right)^{2}=\left(\displaystyle\int_{0}^{1}\dfrac{dx}{a^{2}+x^{2}}\right)^{2}=\int_{0}^{1}\dfrac{dx}{a^{2}+x^{2}}\int_{0}^{1}\dfrac{dy}{a^{2}+y^{2}}$

$$=\int_{0}^{1}\int_{0}^{1}\frac{1}{(a^{2}+x^{2})(a^{2}+y^{2})}dxdy=\int_{0}^{1}\int_{0}^{1}\frac{1}{(a^{2}+y^{2})(2a^{2}+x^{2}+y^{2})}dxdy$$

$$+\int_{0}^{1}\int_{0}^{1}\frac{1}{(a^{2}+x^{2})(2a^{2}+x^{2}+y^{2})}dxdy=2\int_{0}^{1}\int_{0}^{1}\frac{1}{(a^{2}+x^{2})(2a^{2}+x^{2}+y^{2})}dxdy$$

$$=2\int_{0}^{1}\int_{0}^{1}\frac{1}{(a^{2}+x^{2})}\cdot\frac{1}{\left(\sqrt{2a^{2}+x^{2}}\right)^{2}+y^{2}}dydx$$

$$=2\int_{0}^{1}\frac{1}{(a^{2}+x^{2})\sqrt{2a^{2}+x^{2}}}\left[\tan^{-1}\frac{y}{\sqrt{2a^{2}+x^{2}}}\right]_{0}^{1}dx=2\int_{0}^{1}\frac{\tan^{-1}\left(\dfrac{1}{\sqrt{2a^{2}+x^{2}}}\right)dx}{(a^{2}+x^{2})\sqrt{2a^{2}+x^{2}}}.$$

$$\therefore 준\ 식 \xleftarrow{[정리56,(6)]} 2a^{2}\int_{0}^{1}\frac{1}{(a^{2}+x^{2})\sqrt{2a^{2}+x^{2}}}\left(\frac{\pi}{2}-\tan^{-1}\frac{1}{\sqrt{2a^{2}+x^{2}}}\right)dx \xleftarrow{(1)}$$

$$=\pi a^{2}\int_{0}^{1}\frac{1}{(a^{2}+x^{2})\sqrt{2a^{2}+x^{2}}}dx-\left(\tan^{-1}\frac{1}{a}\right)^{2}=\pi\int_{0}^{1}\left(\tan^{-1}\frac{x}{\sqrt{2a^{2}+x^{2}}}\right)'dx-\left(\tan^{-1}\frac{1}{a}\right)^{2}$$

$$=\pi\left[\tan^{-1}\frac{x}{\sqrt{2a^{2}+x^{2}}}\right]_{0}^{1}-\left(\tan^{-1}\frac{1}{a}\right)^{2}=\pi\tan^{-1}\frac{1}{\sqrt{2a^{2}+1}}-\left(\tan^{-1}\frac{1}{a}\right)^{2}.$$

604 (1) $\displaystyle\int_{n^3}^{(n+1)^3} [\sqrt[3]{x}\,]\,dx = \int_{n^3}^{(n+1)^3} n\,dx = n(3n^2+3n+1) = 3n^3+3n^2+n.$

$\displaystyle\therefore \text{준 식} = \sum_{k=1}^{n-1}\int_{k^3}^{(k+1)^3}[\sqrt[3]{x}\,]\,dx \xrightarrow{(1)} \sum_{k=1}^{n-1} 3k^3+3k^2+k = \frac{3}{4}n^4 - \frac{n^3}{2} - \frac{n}{4}.$

605 (1) $\displaystyle I = \int_0^\pi \frac{x\sin x}{1+\cos^2 x}\,dx \xrightarrow{[\text{정리 } 24,(1)]} \int_0^\pi \frac{(\pi-x)\sin x}{1+\cos^2 x} = \pi\int_0^\pi \frac{\sin x\,dx}{1+\cos^2 x} - I$

$\displaystyle \Rightarrow 2I = \pi\int_0^\pi \frac{-d(\cos x)}{1+\cos^2 x} = -\pi\left[\tan^{-1}(\cos x)\right]_0^\pi = \frac{\pi^2}{2} \Rightarrow \int_0^\pi \frac{x\sin x}{1+\cos^2 x}\,dx = \frac{\pi^2}{4}.$

(2) $\displaystyle J = \int_0^{2\pi}\frac{x^2\sin x}{1+\cos^2 x}\,dx = \int_0^\pi \frac{x^2\sin x}{1+\cos^2 x}\,dx + \int_\pi^{2\pi}\frac{x^2\sin x}{1+\cos^2 x}\,dx \xleftarrow{x=2\pi-u}$

$\displaystyle = \int_0^\pi \frac{x^2\sin x}{1+\cos^2 x} - \frac{(2\pi-x)^2\sin x}{1+\cos^2 x}\,dx = 4\pi I - 4\pi^2\int_0^\pi \frac{\sin x\,dx}{1+\cos^2 x}$

$\displaystyle \xleftarrow{(1)} \pi^3 + 4\pi^2\int_0^\pi \frac{d(\cos x)}{1+\cos^2 x} = \pi^3 + 4\pi^2\left[\tan^{-1}(\cos x)\right]_0^\pi = -\pi^3.$

(3) $\displaystyle G = \int_0^{2\pi}\frac{x\sin x}{1+\cos^2 x}\,dx = \int_0^\pi \frac{x\sin x}{1+\cos^2 x}\,dx + \int_\pi^{2\pi}\frac{x\sin x}{1+\cos^2 x}\,dx \xleftarrow{x=2\pi-u}$

$\displaystyle = \int_0^\pi \frac{x\sin x}{1+\cos^2 x} - \frac{(2\pi-x)\sin x}{1+\cos^2 x}\,dx = 2I - 2\pi\int_0^\pi \frac{\sin x\,dx}{1+\cos^2 x} \xleftarrow{(1)} \frac{\pi^2}{2} + 2\pi\left[\tan^{-1}(\cos x)\right]_0^\pi$

$\displaystyle = -\frac{\pi^2}{2}.$

(4) $\displaystyle H = \int_0^{2\pi}\frac{\sin x}{1+\cos^2 x}\,dx = -\left[\tan^{-1}(\cos x)\right]_0^{2\pi} = 0.$

$\displaystyle \therefore \text{준 식} = \sum_{n=1}^{k}\int_{2(n-1)\pi}^{2n\pi}\frac{x^2\sin x}{1+\cos^2 x}\,dx \xleftarrow{x=u+2(n-1)\pi} \sum_{n=1}^{k}\int_0^{2\pi}\frac{\{u+2(n-1)\pi\}^2\sin u}{1+\cos^2 u}\,du$

$\displaystyle = \sum_{n=1}^{k}\int_0^{2\pi}\frac{x^2\sin x}{1+\cos^2 x} + 4(n-1)\pi\frac{x\sin x}{1+\cos^2 x} + 4(n-1)^2\pi^2\frac{\sin x}{1+\cos^2 x}\,dx \xleftarrow{(2),(3),(4)}$

$\displaystyle = -k\pi^3 - 2\pi^3\sum_{n=1}^{k}(n-1) = -k^2\pi^3.$

606 $\displaystyle \text{준 식} = \int_0^\infty \frac{1}{x^2+1} - \frac{1}{(x^2+1)^2}\,dx \xleftarrow{x=\tan\theta} \left[\tan^{-1}x\right]_0^\infty - \int_0^{\frac{\pi}{2}}\cos^2\theta\,d\theta$

$\displaystyle = \frac{\pi}{2} - \left[\frac{\theta}{2} + \frac{\sin 2\theta}{4}\right]_0^{\frac{\pi}{2}} = \frac{\pi}{4}.$

607 준 식 $\xleftrightarrow{\ x^2 = u + \frac{1}{2}\ } -\int_{-\frac{1}{2}}^{\frac{1}{2}} \dfrac{u\,du}{\sqrt{\left(\frac{1}{4}-u^2\right)\left(u^2+\frac{3}{4}\right)}} \xleftrightarrow{\ \text{기함수}\ } 0.$

608 준 식 $\xleftrightarrow{\ x = u + \frac{1}{2}\ } -\int_{-\frac{1}{2}}^{0} \dfrac{u\,du}{\sqrt{\left(\frac{1}{4}-u^2\right)\left(u^2+\frac{3}{4}\right)}} \xleftrightarrow{\ u=-t\ } \int_{0}^{\frac{1}{2}} \dfrac{t\,dt}{\sqrt{\left(\frac{1}{4}-t^2\right)\left(t^2+\frac{3}{4}\right)}}$

$\xleftrightarrow{\ t^2 = x\ } \dfrac{1}{2}\int_{0}^{\frac{1}{4}} \dfrac{1}{\sqrt{\left(\frac{1}{4}-x\right)\left(x+\frac{3}{4}\right)}}\,dx \xleftrightarrow{\ x-\frac{1}{4}=v\ } \dfrac{1}{2}\int_{-\frac{1}{4}}^{0} \dfrac{dv}{\sqrt{-v(v+1)}} \xleftrightarrow{\ -v=y\ }$

$= \dfrac{1}{2}\int_{0}^{\frac{1}{4}} \dfrac{1}{\sqrt{y(1-y)}}\,dy = \dfrac{1}{2}\int_{0}^{\frac{1}{4}} \dfrac{dy}{\sqrt{\frac{1}{4}-\left(y-\frac{1}{2}\right)^2}} = \dfrac{1}{4}\left[\sin^{-1}(2y-1)\right]_{0}^{\frac{1}{4}} = \dfrac{\pi}{12}.$

609 준 식 $= \left[\dfrac{x^4}{4}\tan^{-1}\left(\dfrac{1-x}{1+x}\right)\right]_{0}^{1} + \dfrac{1}{4}\int_{0}^{1}\dfrac{x^4}{1+x^2}\,dx = \dfrac{1}{4}\int_{0}^{1} x^2-1+\dfrac{1}{1+x^2}\,dx$

$= \dfrac{1}{4}\left[\dfrac{x^3}{3}-x+\tan^{-1}x\right]_{0}^{1} = \dfrac{\pi}{16}-\dfrac{1}{6}.$

610 (1) $\dfrac{2x}{\pi} \le y \le \sqrt{x}\,,\ 0 \le x \le \dfrac{\pi^2}{4} \xleftrightarrow{\ \text{아래그림}\ } y^2 \le x \le \dfrac{\pi y}{2}\,,\ 0 \le y \le \dfrac{\pi}{2}.$

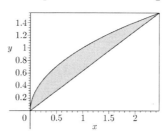

$\therefore$ 준 식 $\xleftrightarrow{(1)} \int_{0}^{\frac{\pi}{2}}\int_{y^2}^{\frac{\pi y}{2}} \cos\left(\dfrac{x}{y}\right)dx\,dy = \int_{0}^{\frac{\pi}{2}} y\left[\sin\left(\dfrac{x}{y}\right)\right]_{y^2}^{\frac{\pi y}{2}}\,dy = \int_{0}^{\frac{\pi}{2}} y(1-\sin y)\,dy$

$\xleftrightarrow{\ \text{부분적분}\ } \dfrac{\pi^2}{8}-1.$

611 준 식 $=-\dfrac{2^{2008}}{2009^2}\displaystyle\int_0^{\frac{\pi}{4}}\dfrac{\ln(\cot x)^{2009}}{(1+\cot^{2009}x)^2}\left(\dfrac{2009\cos^{2008}x}{-\sin^2 x}\right)dx \xleftrightarrow{\ \cot^{2009}x=u\ }$

$=\dfrac{2^{2008}}{2009^2}\displaystyle\int_1^{\infty}\dfrac{\ln u}{(1+u)^2}du=\dfrac{2^{2008}}{2009^2}\left\{-\left[\dfrac{\ln u}{1+u}\right]_1^{\infty}+\int_1^{\infty}\dfrac{1}{u(1+u)}du\right\}=\dfrac{2^{2008}}{2009^2}\ln 2.$

612 (1) $\dfrac{1}{1-x}=\displaystyle\sum_{n=0}^{\infty}x^n \xrightarrow{\ \text{적분}\ } -\ln|1-x|=\sum_{n=1}^{\infty}\dfrac{x^n}{n}.$

$\therefore$ 준식 $=-\displaystyle\int_0^1\dfrac{\ln(1-x(1-x))}{1-x}dx \xleftarrow{\ (1)\ }\sum_{n=1}^{\infty}\dfrac{1}{n}\int_0^1 x^n(1-x)^{n-1}dx \xrightarrow{\ [\text{정리 }82]\ }$

$=\displaystyle\sum_{n=1}^{\infty}\dfrac{1}{n}B(n+1,n) \xleftrightarrow{\ [\text{미분과 증명,}904]\ }\sum_{n=1}^{\infty}\dfrac{\Gamma(n+1)\Gamma(n)}{n\Gamma(2n+1)} \xleftarrow{\ [\text{정리 }81]\ }\sum_{n=1}^{\infty}\dfrac{((n-1)!)^2}{(2n)!}$

$\xleftrightarrow{\ [\text{수열과 급수,}776]\ }\dfrac{\pi^2}{18}.$

613 (1) $f(x)=2x^2e^{2x}-x^2e^{2x}-1=x^2e^{2x}-1,\ (x>1)\Rightarrow f'(x)=2xe^{2x}(x+1)>0$

$\Rightarrow f(x):$ 증가함수 $\Rightarrow x^2e^{2x}+1<2x^2e^{2x}.$

$\therefore$ 준 식 $\xleftrightarrow{\ x=-u\ }\displaystyle\int_0^{\infty}\dfrac{(1+u)e^{2u}}{u^2e^{2u}+1}du=\int_0^1\dfrac{(1+u)e^{2u}}{u^2e^{2u}+1}du+\int_1^{\infty}\dfrac{(1+u)e^{2u}}{u^2e^{2u}+1}du \xleftrightarrow{\ (1)\ }$

$>\displaystyle\int_0^1\dfrac{(1+x)e^{2x}}{x^2e^{2x}+1}dx+\int_1^{\infty}\dfrac{(1+x)e^{2x}}{2x^2e^{2x}}dx=\int_0^1\dfrac{(1+x)e^{2x}}{x^2e^{2x}+1}dx+\dfrac{1}{2}\int_1^{\infty}\dfrac{1}{x^2}+\dfrac{1}{x}dx=\infty.$

614 (1) $k\le ne^{-x}<k+1,(1\le k\le n-1)$라고 하자. $\ln k\le \ln n-x<\ln(k+1)$

$\Rightarrow\ln\dfrac{k}{n}\le -x<\ln\dfrac{k+1}{n}\Rightarrow\ln\dfrac{n}{k+1}<x\le\ln\dfrac{n}{k}\Rightarrow[ne^{-x}]=\begin{cases}n,\ (x=0)\\ k,\ \left(\ln\dfrac{n}{k+1}<x\le\ln\dfrac{n}{k}\right).\\ 0,\ (\ln n<x)\end{cases}$

$\left(\because ne^{-x}<1\Leftrightarrow\ln n<x\right).$

$\therefore$ 준식 $\xleftarrow{\ (1)\ }\displaystyle\sum_{k=1}^{n-1}\int_{\ln\frac{n}{k+1}}^{\ln\frac{n}{k}}k\,dx=\sum_{k=1}^{n-1}k\ln\left(\dfrac{k+1}{k}\right)=\ln\dfrac{n^{n-1}}{2\cdot 3\cdots(n-1)}=\ln\left(\dfrac{n^n}{n!}\right)=n\ln n-\ln(n!)$

615 준 식 $=\displaystyle\int_0^{\frac{\pi}{2}}\dfrac{dx}{b\sin^2 x+a(1-\sin^2 x)}=\int_0^{\frac{\pi}{2}}\dfrac{dx}{b\sin^2 x+a\cos^2 x}$

$=\displaystyle\int_0^{\frac{\pi}{2}}\dfrac{dx}{a\cos^2 x\left(\dfrac{b}{a}\tan^2 x+1\right)} \xleftarrow{\ u=\frac{b}{a}\tan^2 x+1\ }\dfrac{1}{2\sqrt{ab}}\int_1^{\infty}\dfrac{du}{u\sqrt{u-1}} \xrightarrow{\ \sqrt{u-1}=t\ }$

$=\dfrac{1}{\sqrt{ab}}\displaystyle\int_0^{\infty}\dfrac{dt}{1+t^2}=\dfrac{1}{\sqrt{ab}}\left[\tan^{-1}t\right]_0^{\infty}=\dfrac{\pi}{2\sqrt{ab}}.$

616 준 식 $= \displaystyle\int_0^\pi \ln(1+\cos x)\,dx = \int_0^\pi \ln\left(2\cos^2\frac{x}{2}\right)dx = \pi\ln2 + 2\int_0^\pi \ln\left(\cos\frac{x}{2}\right)dx$

$\xrightarrow{x=2u} \pi\ln2 + 4\displaystyle\int_0^{\frac{\pi}{2}} \ln(\cos u)\,du \xrightarrow{[정리\ 24,(1)]} \pi\ln2 + 4\int_0^{\frac{\pi}{2}} \ln(\sin u)\,du \xrightarrow{[문제13]} -\pi\ln2.$

617 $I = \displaystyle\int_{\frac{\pi}{6}}^{\frac{5\pi}{6}} \frac{x}{1+\sin x}\,dx \xleftarrow{x=\pi-y} \int_{\frac{\pi}{6}}^{\frac{5\pi}{6}} \frac{\pi-y}{1+\sin y}\,dy = \int_{\frac{\pi}{6}}^{\frac{5\pi}{6}} \frac{\pi-x}{1+\sin x}\,dx \xrightarrow{더하면}$

$\Rightarrow 2I = \pi\displaystyle\int_{\frac{\pi}{6}}^{\frac{5\pi}{6}} \frac{1}{1+\sin x}\,dx = \pi\int_{\frac{\pi}{6}}^{\frac{5\pi}{6}} \frac{dx}{1+\cos\left(\frac{\pi}{2}-x\right)} = \pi\int_{\frac{\pi}{6}}^{\frac{5\pi}{6}} \frac{dx}{2\cos^2\left(\frac{\pi}{4}-\frac{x}{2}\right)}$

$= \dfrac{\pi}{2}\displaystyle\int_{\frac{\pi}{6}}^{\frac{5\pi}{6}} \sec^2\left(\frac{\pi}{4}-\frac{x}{2}\right)dx = -\pi\left[\tan\left(\frac{\pi}{4}-\frac{x}{2}\right)\right]_{\frac{\pi}{6}}^{\frac{5\pi}{6}} = \dfrac{2\pi}{\sqrt{3}} \Rightarrow \therefore 준 식 = \dfrac{\pi}{\sqrt{3}}.$

618 준 식 $= \displaystyle\int_3^4 \frac{x}{\sqrt{\frac{1}{4}-\left(x-\frac{7}{2}\right)^2}}\,dx \xleftarrow{x-\frac{7}{2}=u} \int_{-\frac{1}{2}}^{\frac{1}{2}} \frac{u+\frac{7}{2}}{\sqrt{\frac{1}{4}-u^2}}\,du \xleftarrow{u=\frac{\sin t}{2}}$

$= \dfrac{1}{2}\displaystyle\int_{-\frac{\pi}{2}}^{\frac{\pi}{2}} \sin t + 7\,dt = \dfrac{7\pi}{2}.$

619 준 식 $= \displaystyle\int_1^e \frac{dx}{x\sqrt{\ln x + (\ln x)^2}} \xleftarrow{\ln x = t} \int_0^1 \frac{dt}{\sqrt{t+t^2}} = \int_0^1 \frac{dt}{\sqrt{\left(t+\frac{1}{2}\right)^2 - \frac{1}{4}}}$

$\xrightarrow{t+\frac{1}{2}=\frac{1}{2}\sec\theta} \displaystyle\int_0^{\sec^{-1}3} \sec\theta\,d\theta = \left[\ln(\sec\theta+\tan\theta)\right]_0^{\sec^{-1}3} = \ln(3+2\sqrt{2}).$

620 $I = \displaystyle\int_{\frac{1}{2}}^2 \frac{\tan^{-1}x}{x}\,dx \xrightarrow[\alpha=\tan^{-1}\frac{1}{2},\ \beta=\tan^{-1}2]{\tan^{-1}x=y,\ [정리\ 56,(6)]} \int_{\frac{\pi}{2}-\beta}^{\beta} \frac{y(1+\tan^2 y)}{\tan y}\,dy \xleftarrow{[정리\ 24,(1)]}$

$= \displaystyle\int_{\frac{\pi}{2}-\beta}^{\beta} \frac{\left(\frac{\pi}{2}-y\right)(1+\cot^2 y)}{\cot y}\,dy = \dfrac{\pi}{2}\int_{\frac{\pi}{2}-\beta}^{\beta} \frac{1+\tan^2 y}{\tan y}\,dy - \int_{\frac{\pi}{2}-\beta}^{\beta} \frac{y(1+\tan^2 y)}{\tan y}\,dy$

$= \dfrac{\pi}{2}\displaystyle\int_{\frac{\pi}{2}-\beta}^{\beta} \cot y - \tan y\,dy - I \Rightarrow 2I = \dfrac{\pi}{2}\left[\ln(\sin y)+\ln(\cos y)\right]_{\frac{\pi}{2}-\beta}^{\beta} = \dfrac{\pi}{2}\left[\ln\left(\frac{\sin 2y}{2}\right)\right]_{\frac{\pi}{2}-\beta}^{\beta}$

$= \dfrac{\pi}{2}\ln\left|\dfrac{\sin 2\beta}{\sin(\pi-2\beta)}\right| = 0 \Rightarrow \therefore I = 0.$

621 준 식 $= \displaystyle\int_0^\pi \frac{dx}{2-\cos 2x} = \int_0^{\frac{\pi}{2}} \frac{dx}{2-\cos 2x} + \int_{\frac{\pi}{2}}^\pi \frac{dx}{2-\cos 2x} \xleftrightarrow{x=\pi-u}$

$= \displaystyle\int_0^{\frac{\pi}{2}} \frac{2dx}{2-\cos 2x} \xleftrightarrow{x=\frac{\pi}{4}-t} \int_{-\frac{\pi}{4}}^{\frac{\pi}{4}} \frac{2dt}{2-\sin 2t} = \int_{-\frac{\pi}{4}}^{\frac{\pi}{4}} \frac{2dt}{2-\dfrac{2\tan t}{1+\tan^2 t}}$

$= \displaystyle\int_{-\frac{\pi}{4}}^{\frac{\pi}{4}} \frac{1+\tan^2 x}{1-\tan x+\tan^2 x}\, dx \xleftrightarrow{\tan x=u} \int_{-1}^1 \frac{du}{1-u+u^2} = \int_{-1}^1 \frac{du}{\left(u-\dfrac{1}{2}\right)^2 + \dfrac{3}{4}}$

$= \dfrac{2}{\sqrt 3}\left[\tan^{-1} \dfrac{2}{\sqrt 3}\left(u-\dfrac{1}{2}\right)\right]_{-1}^1 = \dfrac{\pi}{\sqrt 3}.$

622 (1) $f(x) = \sin x - 2\cos x = \sqrt 5\left(\dfrac{1}{\sqrt 5}\sin x - \dfrac{2}{\sqrt 5}\cos x\right) \xleftrightarrow{\sin\theta=\frac{2}{\sqrt 5}}$

$= \sqrt 5 \sin(x-\theta).$

$\therefore$ 준 식 $= \displaystyle\int_0^{\frac{\pi}{2}} \sqrt{\sin^2 x - 4\sin x\cos x + 4\cos^2 x}\; dx = \int_0^{\frac{\pi}{2}} \sqrt{(\sin x - 2\cos x)^2}\; dx$

$= \displaystyle\int_0^{\frac{\pi}{2}} |\sin x - 2\cos x|\, dx \xrightarrow{(1)} \int_0^\theta 2\cos x - \sin x\, dx + \int_\theta^{\frac{\pi}{2}} \sin x - 2\cos x\, dx$

$= 4\sin\theta + 2\cos\theta - 3 = 2\sqrt 5 - 3.$

623 준 식 $\xleftarrow{\substack{f(x)=\ln(1+x)\\ g'(x)=x^{-2}}} \left[-\dfrac{\ln(1+x)}{x}\right]_1^3 + \int_1^3 \dfrac{1}{x(x+1)}\, dx$

$= \dfrac{\ln 2}{3} + \displaystyle\int_1^3 \dfrac{1}{x} - \dfrac{1}{x+1}\, dx = \ln\left(\dfrac{3}{\sqrt[3]{4}}\right).$

624 (1) $\displaystyle\int_0^1 x^k \ln x\, dx = \left[\dfrac{x^{k+1}}{k+1}\ln x\right]_0^1 - \dfrac{1}{k+1}\int_0^1 x^k\, dx = -\dfrac{1}{(k+1)^2}.$

(2) $\displaystyle\int_0^1 \dfrac{\ln x \ln(1-x)}{x}\, dx \xleftarrow{\text{[정리 24, (1)]}} \int_0^1 \dfrac{\ln x \ln(1-x)}{1-x}\, dx.$

(3) $I = \displaystyle\int_0^{\frac{1}{2}} \dfrac{\ln x \ln(1-x)}{x(1-x)}\, dx \xleftarrow{x=1-u} \int_{\frac{1}{2}}^1 \dfrac{\ln u \ln(1-u)}{u(1-u)}\, du \xrightarrow{\text{두 식을 더하면}}$

$\Rightarrow 2I = \displaystyle\int_0^1 \dfrac{\ln x \ln(1-x)}{x(1-x)}\, dx \Rightarrow I = \dfrac{1}{2}\int_0^1 \ln x \ln(1-x)\left(\dfrac{1}{x} + \dfrac{1}{1-x}\right) dx \xleftrightarrow{(2)}$

$$\int_0^1 \frac{\ln x \ln(1-x)}{x} dx$$

$$\xleftrightarrow{\text{[문제 626,(1)]}} -\int_0^1 \left(1 + \frac{x}{2} + \frac{x^2}{3} + \cdots\right)\ln x\, dx = -\sum_{n=0}^{\infty} \frac{1}{n+1} \int_0^1 x^n \ln x\, dx \xleftrightarrow{(1)}$$

$$\sum_{n=0}^{\infty} \frac{1}{(n+1)^3} \xleftrightarrow{\text{[정리 158]}} 1.202.$$

625 (1) $\displaystyle \int_0^{\infty} x^m e^{-sx} \sin x\, dx \xleftrightarrow{\text{[정리 33]}} \frac{1}{2i} \int_0^{\infty} x^m e^{-sx}\left(e^{ix} - e^{-ix}\right) dx$

$$= \frac{1}{2i}\left(\int_0^{\infty} x^m e^{-(s-i)x} dx - \int_0^{\infty} x^m e^{-(s+i)x} dx\right) \xleftrightarrow{\text{부분적분}}$$

$$\frac{1}{2i}\left(\frac{m!}{(s-i)^{m+1}} - \frac{m!}{(s+i)^{m+1}}\right).$$

(2) $1 - i = \sqrt{2}\left(\dfrac{1}{\sqrt{2}} - i\dfrac{1}{\sqrt{2}}\right) = \sqrt{2}\left(\cos\left(\dfrac{-\pi}{4}\right) + i\sin\left(\dfrac{-\pi}{4}\right)\right) \xleftrightarrow{\text{[정리33]}} \sqrt{2}\, e^{-\frac{\pi}{4}i}.$

$$\therefore \text{준 식} \xleftrightarrow{(1)} \frac{m!}{2i}\left(\frac{1}{(1-i)^{m+1}} - \frac{1}{(1+i)^{m+1}}\right) \xleftrightarrow{(2)} \frac{m!}{2i\sqrt{2^{m+1}}}\left(e^{\frac{\pi}{4}(m+1)i} - e^{-\frac{\pi}{4}(m+1)i}\right)$$

$$\xleftrightarrow{\text{[정리 33]}} \frac{m!}{\sqrt{2^{m+1}}} \sin\frac{(m+1)\pi}{4}.$$

626 (1) $\dfrac{1}{1-x} = 1 + x + x^2 + \cdots \xleftrightarrow{\text{적분}} -\ln(1-x) = x + \dfrac{x^2}{2} + \dfrac{x^3}{3} + \cdots$

$$\therefore \text{준 식} = -\int_0^1 \frac{\ln(1-x)}{x} dx \xleftrightarrow{(1)} \int_0^1 1 + \frac{x}{2} + \frac{x^2}{3} + \cdots dx = 1 + \frac{1}{2^2} + \frac{1}{3^2} + \cdots$$

$$\xleftrightarrow{\text{[수열과 급수, 12]}} \frac{\pi^2}{6}.$$

627 (1) $\displaystyle \int_0^{\infty} x^{b-1} e^{-(m+s)x} dx \xleftrightarrow{(m+s)x=t,\ \text{[정리81]}} \frac{\Gamma(b)}{(m+s)^b}.$

$$\therefore \text{준 식} \xleftrightarrow{x^b = u} \frac{1}{b\Gamma(c)} \int_0^{\infty} u^{\frac{a-b+1}{b}}\left(\frac{\Gamma(c)}{(m+u)^c}\right) du \xleftrightarrow{(1)}$$

$$= \frac{1}{b\Gamma(c)} \int_0^{\infty} \int_0^{\infty} u^{\frac{a-b+1}{b}} x^{c-1} e^{-(m+u)x} dx\, du = \frac{1}{b\Gamma(c)} \int_0^{\infty} x^{c-1} e^{-mx} \int_0^{\infty} u^{\frac{a-b+1}{b}} e^{-xu} du\, dx$$

$$\xleftrightarrow{(1)} \frac{\Gamma\left(\frac{a+1}{b}\right)}{b\Gamma(c)} \int_0^{\infty} x^{c-\frac{a+1}{b}-1} e^{-mx} dx \xleftrightarrow{(1)} \frac{\Gamma\left(\frac{a+1}{b}\right)\Gamma\left(c - \frac{a+1}{b}\right)}{b\Gamma(c)m^{c-\frac{a+1}{b}}}.$$

628 준 식 $\xleftarrow{\ln x = -t}$ $\displaystyle\int_0^\infty t^{-b}e^{-(1-a)t}\,dt$ $\xleftarrow{(1-a)t=x,\ [정리\,81]}$ $\dfrac{\Gamma(1-b)}{(1-a)^{1-b}}$.

629 준 식 $= \displaystyle\int_0^\infty \dfrac{x^{a-1}}{(1+x)^{a-1}}(1+x)^{1-b-2}\,dx = \displaystyle\int_\infty^0 \left(\dfrac{1}{1+x}\right)^{b-1}\left(1-\dfrac{1}{1+x}\right)^{a-1}\left(-\dfrac{dx}{(1+x)^2}\right)$

$\xleftarrow{\frac{1}{1+x}=t}$ $\displaystyle\int_0^1 t^{b-1}(1-t)^{a-1}\,dt$ $\xleftarrow{[정리\,82]}$ $B(a,b)$ $\xleftarrow{[미분과\,증명,\,904]}$ $\dfrac{\Gamma(a)\Gamma(b)}{\Gamma(a+b)}$.

630 (1) $f(x)=\dfrac{x\ln x}{a+x}-\ln(a+x) \Rightarrow f'(x)=\dfrac{a\ln x}{(a+x)^2} \Rightarrow a\displaystyle\int_0^1 \dfrac{\ln x}{(a+x)^2}\,dx = f(1)-f(0)$

$= \ln a - \ln(a+1)$.

(2) $g(x)=\dfrac{x\ln x}{a+1-x}+\ln(a+1-x) \Rightarrow g'(x)=\dfrac{(a+1)\ln x}{(a+1-x)^2}$

$\Rightarrow (a+1)\displaystyle\int_0^1 \dfrac{\ln x}{(a+1-x)^2}\,dx = g(1)-g(0) = \ln a - \ln(a+1)$.

(3) $\displaystyle\int_0^1 \left(\dfrac{1}{(a+x)^2}-\dfrac{1}{(a+1-x)^2}\right)\ln x\,dx \xleftarrow{(1),(2)} \left(\dfrac{1}{a}-\dfrac{1}{a+1}\right)(\ln a - \ln(a+1)) \xrightarrow{\text{양변}\,a\text{로 적분}}$

$\Rightarrow \displaystyle\int_0^1 \left(\dfrac{1}{a+1-x}-\dfrac{1}{a+x}\right)\ln x\,dx = \dfrac{(\ln a - \ln(a+1))^2}{2}+c \xrightarrow{a\to\infty} c=0$.

$\therefore 준 식 = \dfrac{(\ln a - \ln(a+1))^2}{2} = \dfrac{1}{2}\ln^2\left(\dfrac{a}{a+1}\right)$.

631 $I = \displaystyle\int_a^b \dfrac{\ln x}{(x+a)(x+b)}\,dx \xleftarrow{x=\frac{ab}{t}} \displaystyle\int_a^b \dfrac{\ln(ab)-\ln t}{(t+a)(t+b)}\,dt = \displaystyle\int_a^b \dfrac{\ln ab - \ln x}{(x+a)(x+b)}\,dx$

$\Rightarrow 2I = \ln(ab)\displaystyle\int_a^b \dfrac{1}{(x+a)(x+b)}\,dx = \dfrac{\ln ab}{b-a}\displaystyle\int_a^b \dfrac{1}{x+a}-\dfrac{1}{x+b}\,dx = \dfrac{\ln ab}{b-a}\ln\dfrac{(a+b)^2}{4ab}$.

$\therefore 준 식 = \dfrac{\ln ab}{2(b-a)}\ln\dfrac{(a+b)^2}{4ab}$.

632 (1) $\displaystyle\int_{-\infty}^\infty \dfrac{2\cosh(\beta x)}{(2\cosh x)^\alpha}\,dx = \displaystyle\int_{-\infty}^\infty \dfrac{e^{\beta x}+e^{-\beta x}}{(e^x+e^{-x})^\alpha}\,dx \xleftarrow{e^x=t} \displaystyle\int_0^\infty \dfrac{t^\beta+t^{-\beta}}{(t+t^{-1})^\alpha}\dfrac{dt}{t}$

$\xleftarrow{t=\tan\theta} \displaystyle\int_0^{\frac{\pi}{2}} (\sin\theta\cos\theta)^{\alpha-1}(\tan^\beta\theta+\cot^\beta\theta)\,d\theta$

$= \displaystyle\int_0^{\frac{\pi}{2}} \sin^{\alpha+\beta-1}\theta\cos^{\alpha-\beta-1}\theta + \sin^{\alpha-\beta-1}\theta\cos^{\alpha+\beta-1}\theta\,d\theta \xleftarrow{\sin^2\theta=x}$

$$= \frac{1}{2} \int_0^1 x^{\frac{\alpha+\beta}{2}-1}(1-x)^{\frac{\alpha-\beta}{2}-1} + x^{\frac{\alpha-\beta}{2}-1}(1-x)^{\frac{\alpha+\beta}{2}-1} dx \xleftarrow{\text{[정리 82]}}$$

$$= \frac{1}{2}\left(B\left(\frac{\alpha-\beta}{2},\frac{\alpha+\beta}{2}\right) + B\left(\frac{\alpha+\beta}{2},\frac{\alpha-\beta}{2}\right)\right) = B\left(\frac{\alpha+\beta}{2},\frac{\alpha-\beta}{2}\right).$$

$$\therefore 준식 \xleftarrow{(1)} 2^{\alpha-1} B\left(\frac{\alpha+\beta}{2},\frac{\alpha-\beta}{2}\right) \xleftarrow{\text{[미분과 증명,904]}} \frac{\Gamma\left(\frac{\alpha+\beta}{2}\right)\Gamma\left(\frac{\alpha-\beta}{2}\right)}{2^{1-\alpha}\Gamma(\alpha)}.$$

633 준 식 $\xleftarrow{x=\sin t} \int_0^{\frac{\pi}{2}} t^3 \frac{\cos t}{\sin^2 t} dt = \left[\frac{-t^3}{2\sin^2 t}\right]_0^{\frac{\pi}{2}} + \frac{3}{2}\int_0^{\frac{\pi}{2}} \frac{t^2}{\sin^2 t} dt$

$= -\frac{\pi^3}{16} + \frac{3}{2}\left\{\left[-t^2\cot t\right]_0^{\frac{\pi}{2}} + 2\int_0^{\frac{\pi}{2}} t\cot t\, dt\right\} = -\frac{\pi^3}{16} + 3\left\{\left[t\ln(\sin t)\right]_0^{\frac{\pi}{2}} - \int_0^{\frac{\pi}{2}}\ln(\sin t)dt\right\}$

$\xleftarrow{\text{[문제 13]}} \frac{3\pi}{2}\ln 2 - \frac{\pi^3}{16}.$

634 준 식 $\xleftarrow{x=\frac{1-y}{1+y}} \frac{1}{2}\int_0^1 y^3 \tan^{-1}\left(\frac{1-y}{1+y}\right) dy = \frac{1}{8}\left[y^4 \tan^{-1}\frac{1-y}{1+y}\right]_0^1 + \frac{1}{8}\int_0^1 \frac{y^4\, dy}{1+y^2}$

$= \frac{1}{8}\int_0^1 y^2 - 1 + \frac{1}{1+y^2}\, dy = \frac{\pi}{32} - \frac{1}{12}.$

635 (1) $\int_0^1 \frac{1}{1+x^2} dx = \left[\tan^{-1}x\right]_0^1 = \frac{\pi}{4} \longrightarrow \left(\frac{\pi}{4}\right)^2 = \int_0^1\int_0^1 \frac{1}{(1+x^2)(1+y^2)} dxdy$

$= \int_0^1\int_0^1 \frac{1}{(1+x^2)(2+x^2+y^2)} + \frac{1}{(1+y^2)(2+x^2+y^2)} dxdy$

$= 2\int_0^1\int_0^1 \frac{dxdy}{(1+x^2)(2+x^2+y^2)} = 2\int_0^1 \frac{1}{(1+x^2)}\left[\frac{1}{\sqrt{2+x^2}}\tan^{-1}\frac{y}{\sqrt{2+x^2}}\right]_0^1 dx$

$= 2\int_0^1 \frac{\tan^{-1}\frac{1}{\sqrt{2+x^2}}}{(1+x^2)\sqrt{2+x^2}} dx \xleftarrow{\text{[정리 56,(6)]}}$

$= \pi\int_0^1 \frac{1}{(1+x^2)\sqrt{2+x^2}} dx - 2\int_0^1 \frac{\tan^{-1}\sqrt{2+x^2}}{(1+x^2)\sqrt{2+x^2}} dx$

$= \pi\left[\tan^{-1}\frac{x}{\sqrt{2+x^2}}\right]_0^1 - 2\int_0^1 \frac{\tan^{-1}\sqrt{2+x^2}}{(1+x^2)\sqrt{2+x^2}} dx$

$= \frac{\pi^2}{6} - 2\int_0^1 \frac{\tan^{-1}\sqrt{2+x^2}}{(1+x^2)\sqrt{2+x^2}} dx \Rightarrow \therefore 준식 = \frac{5\pi^2}{96}.$

636 (1) $x=\cos\theta$라고 하자. $\cos\theta=2\cos^2\dfrac{\theta}{2}-1\Rightarrow\cos\dfrac{\theta}{2}=\sqrt{\dfrac{1+x}{2}}$,

$\tan\theta=\dfrac{\sqrt{1-x^2}}{x}$, $\tan2\theta=\dfrac{2x\sqrt{1-x^2}}{2x^2-1}$, $\tan\dfrac{\theta}{2}=\sqrt{\dfrac{1-x}{1+x}}\Rightarrow\cos^{-1}x=2\tan^{-1}\sqrt{\dfrac{1-x}{1+x}}$.

(2) $\dfrac{d}{dt}\left(\tan^{-1}\dfrac{\cos x}{\sqrt{1-3\sin^2x}}t\right)=\left(\dfrac{\cos x}{\sqrt{1-3\sin^2x}}\right)\dfrac{1}{1+\left(\dfrac{1-\sin^2x}{1-3\sin^2x}\right)t^2}$.

(3) $\dfrac{\cos^2w}{3\cos^2w+(2+\cos^2w)t^2}=\dfrac{1}{3+(2\sec^2w+1)t^2}=\dfrac{1}{3+(3+2\tan^2w)t^2}$

$=\dfrac{1}{(3+3t^2)+2t^2\tan^2w}$.

(4) $\dfrac{d}{ds}\left(\sqrt{\dfrac{2t^2}{3t^2+3}}\tan^{-1}\sqrt{\dfrac{2t^2}{3t^2+3}}s\right)=\dfrac{2t^2}{(3t^2+3)+2t^2s^2}$.

$\therefore$ 준식 $\overset{(1)}{\longleftrightarrow}2\displaystyle\int_0^{\frac{\pi}{3}}\tan^{-1}\sqrt{\dfrac{3\cos x-1}{\cos x+1}}\,dx\overset{x=2y}{\longleftrightarrow}4\displaystyle\int_0^{\frac{\pi}{6}}\tan^{-1}\dfrac{\sqrt{1-3\sin^2y}}{\cos y}\,dy\overset{\text{[정리 56,(6)]}}{\longleftrightarrow}$

$=\dfrac{\pi^2}{3}-4\displaystyle\int_0^{\frac{\pi}{6}}\tan^{-1}\dfrac{\cos y}{\sqrt{1-3\sin^2y}}\,dy$

$\overset{(2)}{\longleftrightarrow}\dfrac{\pi^2}{3}-4\displaystyle\int_0^{\frac{\pi}{6}}\int_0^1\dfrac{\cos y}{\sqrt{1-3\sin^2y}}\dfrac{1}{1+\left(\dfrac{1-\sin^2y}{1-3\sin^2y}\right)t^2}\,dtdy\overset{\sqrt{3}\,\sin y=\sin w}{\longleftrightarrow}$

$=\dfrac{\pi^2}{3}-4\displaystyle\int_0^{\frac{\pi}{3}}\int_0^1\dfrac{\sqrt{3}\cos^2w}{3\cos^2w+(2+\cos^2w)t^2}\,dtdw\overset{(3)}{\longleftrightarrow}\dfrac{\pi^2}{3}-4\sqrt{3}\displaystyle\int_0^{\frac{\pi}{3}}\int_0^1\dfrac{dtdw}{(3+3t^2)+2t^2\tan^2w}$

$=\dfrac{\pi^2}{3}-4\sqrt{3}\displaystyle\int_0^1\int_0^{\frac{\pi}{3}}\dfrac{\sec^2w\,dw}{[(3+3t^2)+2t^2\tan^2w](1+\tan^2w)}\,dt\overset{\tan w=s}{\longleftrightarrow}$

$=\dfrac{\pi^2}{3}-4\sqrt{3}\displaystyle\int_0^1\int_0^{\sqrt{3}}\dfrac{dsdt}{[(3+3t^2)+2t^2s^2](1+s^2)}$

$=\dfrac{\pi^2}{3}-4\sqrt{3}\displaystyle\int_0^1\int_0^{\sqrt{3}}\dfrac{1}{t^2+3}\left(\dfrac{1}{1+s^2}-\dfrac{2t^2}{(3+3t^2)+2t^2s^2}\right)dsdt\overset{(4)}{\longleftrightarrow}$

$=\dfrac{\pi^2}{3}-4\sqrt{3}\displaystyle\int_0^1\dfrac{1}{t^2+3}\left[\tan^{-1}s-\sqrt{\dfrac{2t^2}{3t^2+3}}\tan^{-1}\sqrt{\dfrac{2t^2}{3t^2+3}}s\right]_0^{\sqrt{3}}dt$

$=\dfrac{\pi^2}{3}-4\sqrt{3}\displaystyle\int_0^1\dfrac{1}{t^2+3}\left(\dfrac{\pi}{3}-\sqrt{\dfrac{2t^2}{3t^2+3}}\tan^{-1}\sqrt{\dfrac{2t^2}{t^2+1}}\right)dt$

$=\dfrac{\pi^2}{9}+4\sqrt{2}\displaystyle\int_0^1\dfrac{t}{(t^2+3)\sqrt{t^2+1}}\tan^{-1}\left(\dfrac{t\sqrt{2}}{\sqrt{t^2+1}}\right)dt\overset{\text{부분적분}}{\longleftrightarrow}$

$$= \frac{\pi^2}{9} + \left[4\tan^{-1}\sqrt{\frac{t^2+1}{2}} \, \tan^{-1}\left(\frac{t\sqrt{2}}{\sqrt{t^2+1}} \right) \right]_0^1 - 4\sqrt{2} \int_0^1 \frac{\tan^{-1}\sqrt{\frac{t^2+1}{2}}}{(3t^2+1)\sqrt{t^2+1}} \, dt$$

$$= \frac{13\pi^2}{36} - 4\int_0^1 \frac{1}{3t^2+1} \int_0^1 \frac{1}{1+\left(\frac{t^2+1}{2}\right)u^2} \, du \, dt$$

$$= \frac{13\pi^2}{36} - 4\int_0^1 \int_0^1 \frac{1}{u^2+3} \left(\frac{1}{t^2+\frac{1}{3}} - \frac{1}{t^2+\frac{u^2+2}{u^2}} \right) dt \, du$$

$$= \frac{5\pi^2}{36} + 4\int_0^1 \frac{u}{(u^2+3)\sqrt{u^2+2}} \, \tan^{-1}\left(\frac{u}{\sqrt{u^2+2}} \right) du$$

$$= \frac{5\pi^2}{36} + 4\left[\tan^{-1}\sqrt{u^2+2} \, \tan^{-1}\frac{u}{\sqrt{u^2+2}} \right]_0^1 - 4\int_0^1 \frac{\tan^{-1}\sqrt{u^2+2}}{(u^2+1)\sqrt{u^2+2}} \, du \xleftarrow{\text{[문제 635]}} \frac{11\pi^2}{72}.$$

637 준 식 $\xleftarrow{(3x+2)^2=1+u^2}$ $\sqrt{3} \int_{\sqrt{3}}^{\sqrt{24}} \frac{1}{u^2+1+\sqrt{u^2+1}} \, du = \sqrt{3} \int_{\sqrt{3}}^{\sqrt{24}} \frac{\sqrt{u^2+1}-1}{u^2\sqrt{u^2+1}} \, du$

$$= \sqrt{3} \int_{\sqrt{3}}^{\sqrt{24}} \frac{1}{u^2} - \frac{\sqrt{u^2+1}}{u^2} + \frac{1}{\sqrt{u^2+1}} \, du = \sqrt{3} \left[\frac{\sqrt{u^2+1}}{u} - \frac{1}{u} \right]_{\sqrt{3}}^{\sqrt{24}} = \sqrt{2}-1.$$

638 준 식 $\xleftarrow{(3x+2)^2=1+u^2}$ $\frac{1}{9\sqrt{3}} \int_{\sqrt{3}}^{\sqrt{24}} u^2 + \frac{u^2}{\sqrt{u^2+1}} \, du$

$$= \frac{1}{9\sqrt{3}} \int_{\sqrt{3}}^{\sqrt{24}} u^2 + \sqrt{u^2+1} - \frac{1}{\sqrt{u^2+1}} \, du$$

$$= \frac{1}{9\sqrt{3}} \left[\frac{u^3}{3} + \frac{u\sqrt{u^2+1}}{2} - \frac{\ln(u+\sqrt{u^2+1})}{2} \right]_{\sqrt{3}}^{\sqrt{24}}$$

$$= \frac{7\sqrt{2}}{3} - \frac{2}{9} + \frac{\ln(10+5\sqrt{3}-6\sqrt{2}-4\sqrt{6})}{18\sqrt{3}}.$$

639 준 식 $= \int_0^1 \ln(\Gamma(x))dx + \int_1^{u+1} \ln(\Gamma(x))dx - \int_0^u \ln(\Gamma(x))dx \xleftarrow{\text{[문제 545]}}$

$\xleftarrow{x=t+1} \ln\sqrt{2\pi} + \int_0^u \ln(\Gamma(t+1))dt - \int_0^u \ln(\Gamma(x))dx = \ln\sqrt{2\pi} + \int_0^u \ln\left(\frac{\Gamma(x+1)}{\Gamma(x)} \right)dx$

$\xleftarrow{\text{[정리 81]}} \ln\sqrt{2\pi} + \int_0^u \ln x \, dx \xleftarrow{\text{부분적분}} u(\ln u - 1) + \ln\sqrt{2\pi}.$

640 (1) $I = \displaystyle\int_0^\infty x^{-\frac{3}{2}} e^{-x-\frac{1}{x}}\, dx \xrightarrow{\ x=u^2\ } 2\int_0^\infty u^{-2} e^{-u^2-\frac{1}{u^2}}\, du$.

(2) $J = \displaystyle\int_0^\infty x^{-\frac{1}{2}} e^{-x-\frac{1}{x}}\, dx \xrightarrow{\ x=u^2\ } 2\int_0^\infty e^{-u^2-\frac{1}{u^2}}\, du$.

(3) $I \xrightarrow{\ x=y^{-1}\ } \displaystyle\int_0^\infty y^{-\frac{1}{2}} e^{-y-\frac{1}{y}}\, dy = \int_0^\infty x^{-\frac{1}{2}} e^{-x-\frac{1}{x}}\, dx$.

$\therefore 2I \xrightarrow{(1),(2),(3)} 2\displaystyle\int_0^\infty (u^{-2}+1) e^{-u^2-\frac{1}{u^2}}\, du \xrightarrow{\ u-u^{-1}=v\ } 2\int_{-\infty}^\infty e^{-2-v^2}\, dv = 2e^{-2}\int_{-\infty}^\infty e^{-v^2}\, dv$

$= 4e^{-2}\displaystyle\int_0^\infty e^{-x^2}\, dx \xrightarrow{\ [\text{정리 }143]\ } 2e^{-2}\sqrt{\pi} \Rightarrow I = \dfrac{\sqrt{\pi}}{e^2}$.

641 $I = \displaystyle\int_0^{\frac{\pi}{2}} \dfrac{\cos x + 4}{3\sin x + 4\cos x + 25}\, dx$, $J = \displaystyle\int_0^{\frac{\pi}{2}} \dfrac{\sin x + 3}{3\sin x + 4\cos x + 25}\, dx$라고 하자.

$\Rightarrow 4I + 3J = \displaystyle\int_0^{\frac{\pi}{2}} 1\, dx = \dfrac{\pi}{2}$, $4J - 3I = -\displaystyle\int_0^{\frac{\pi}{2}} \dfrac{3\cos x - 4\sin x}{3\sin x + 4\cos x + 25}\, dx$

$= -\left[\ln(3\sin x + 4\cos x + 25)\right]_0^{\frac{\pi}{2}} = \ln\dfrac{29}{28} \xrightarrow{\ \text{연립하면}\ } \therefore I = \dfrac{1}{25}\left(2\pi + 3\ln\dfrac{28}{29}\right)$.

642 $f(x) = \tan^{-1}(3x) + \tan^{-1}\left(\dfrac{x}{3}\right)$라고 하자. $f\left(\dfrac{1}{x}\right) = \tan^{-1}\left(\dfrac{3}{x}\right) + \tan^{-1}\left(\dfrac{1}{3x}\right)$

$\Rightarrow f(x) + f\left(\dfrac{1}{x}\right) = \tan^{-1}(3x) + \tan^{-1}\left(\dfrac{1}{3x}\right) + \tan^{-1}\left(\dfrac{x}{3}\right) + \tan^{-1}\left(\dfrac{3}{x}\right) \xrightarrow{\ [\text{정리 }56,(6)]\ } \pi$.

$\therefore$ 준식 $\xrightarrow{\ [\text{정리 }24,(16)]\ } \dfrac{\pi^2}{4}$.

643 $I = \displaystyle\int_0^\infty \dfrac{x\ln x}{(x^2+1)^2}\, dx \xrightarrow{\ x=u^{-1}\ } -\int_0^\infty \dfrac{u\ln u}{(u^2+1)^2}\, du = -I \Rightarrow \therefore I = 0$.

644 (1) $I(a) = \displaystyle\int_0^\infty e^{-\left(x^2+\frac{a^2}{x^2}\right)}\, dx \xrightarrow{\ x=\frac{a}{t}\ } a\int_0^\infty \dfrac{e^{-\left(t^2+\frac{a^2}{t^2}\right)}}{t^2}\, dt = a\int_0^\infty \dfrac{e^{-\left(x^2+\frac{a^2}{x^2}\right)}}{x^2}\, dx$.

(2) $I'(a) = -2a\displaystyle\int_0^\infty \dfrac{e^{-\left(x^2+\frac{a^2}{x^2}\right)}}{x^2}\, dx \xrightarrow{(1)} -2I(a) \Rightarrow \ln I(a) = -2a + c$

$\xrightarrow[\ [\text{정리 }143]\ ]{\ a=0\ } c = \ln\left(\dfrac{\sqrt{\pi}}{2}\right) \Rightarrow 2a = \ln\left(\dfrac{\sqrt{\pi}}{2I(a)}\right) \Rightarrow \therefore I(a) = \dfrac{\sqrt{\pi}}{2}e^{-2a}$.

645 (1) $I(b) = \displaystyle\int_0^\infty e^{-a^2x^2}\cos(2bx)dx \Rightarrow I'(b) = -2\int_0^\infty e^{-a^2x^2}x\sin(2bx)dx$

$\xleftarrow{\begin{array}{c}f(x)=\sin(2bx)\\ g'(x)=xe^{-a^2x^2}\end{array}} -2\left\{\left[-\dfrac{\sin(2bx)}{2a^2e^{a^2x^2}}\right]_0^\infty + \dfrac{b}{a^2}I(b)\right\} = -\dfrac{2b}{a^2}I(b) \Rightarrow \dfrac{I'(b)}{I(b)} = -\dfrac{2b}{a^2}$

$\Rightarrow \ln I(b) = -\left(\dfrac{b}{a}\right)^2 + c \xrightarrow{\ b=0\ } c = \ln\left(\dfrac{\sqrt{\pi}}{2a}\right),\ (\because [\text{문제 }31]) \Rightarrow \therefore I(b) = \dfrac{\sqrt{\pi}}{2a}e^{-\left(\frac{b}{a}\right)^2}.$

646 (1) $\displaystyle\int_0^\infty 2ae^{-(x^2+1)a^2}da = \left[-\dfrac{1}{1+x^2}e^{-(x^2+1)a^2}\right]_0^\infty = \dfrac{1}{1+x^2}.$

$\therefore \text{준 식} \xleftarrow{[\text{정리 }33]} \displaystyle\int_{-\infty}^\infty \dfrac{\cos x + i\sin x}{1+x^2}dx = \int_{-\infty}^\infty \dfrac{\cos x}{1+x^2}dx + i\int_{-\infty}^\infty \dfrac{\sin x}{1+x^2}dx \xrightarrow{\begin{array}{c}\text{우함수}\\ \text{기함수}\end{array}}$

$= 2\displaystyle\int_0^\infty \dfrac{\cos x}{1+x^2}dx \xleftarrow{[\text{문제 }86]} \dfrac{\pi}{e}.$

(2) 준 식 $= 2\displaystyle\int_0^\infty \dfrac{\cos x}{1+x^2}dx \xrightarrow{(1)} 2\int_0^\infty \int_0^\infty 2ae^{-(x^2+1)a^2}\cos x\,dx\,da$

$= 2\displaystyle\int_0^\infty 2ae^{-a^2}\int_0^\infty e^{-a^2x^2}\cos x\,dx\,da \xleftarrow{[\text{문제 }645]} 2\sqrt{\pi}\int_0^\infty e^{-\left(a^2+\frac{1}{4a^2}\right)}da \xleftarrow{[\text{문제 }644]} \dfrac{\pi}{e}.$

647 (1) $\displaystyle\int_0^\infty \dfrac{\tan^{-1}x}{1+ax^2}dx = \int_0^1 \dfrac{\tan^{-1}x}{1+ax^2}dx + \int_1^\infty \dfrac{\tan^{-1}x}{1+ax^2}dx \xleftarrow{x=y^{-1}} \int_0^1 \dfrac{\tan^{-1}x}{1+ax^2}dx +$

$\displaystyle\int_0^1 \dfrac{\tan^{-1}\left(\dfrac{1}{y}\right)}{a+y^2}dy \xleftarrow{[\text{정리 }56,(6)]} \int_0^1 \dfrac{\tan^{-1}x}{1+ax^2}dx + \dfrac{\pi}{2}\int_0^1 \dfrac{dy}{a+y^2} - \int_0^1 \dfrac{\tan^{-1}y}{a+y^2}dy$

$= \dfrac{\pi}{2\sqrt{a}}\tan^{-1}\dfrac{1}{\sqrt{a}} + \displaystyle\int_0^1 \dfrac{\tan^{-1}x}{1+ax^2}dx - \int_0^1 \dfrac{\tan^{-1}x}{a+x^2}dx.$

(2) $\displaystyle\int_0^\infty \dfrac{\tan^{-1}x}{a+x^2}dx = \int_0^1 \dfrac{\tan^{-1}x}{a+x^2}dx + \int_1^\infty \dfrac{\tan^{-1}x}{a+x^2}dx \xleftarrow{x=y^{-1}} \int_0^1 \dfrac{\tan^{-1}x}{a+x^2}dx +$

$\displaystyle\int_0^1 \dfrac{\tan^{-1}\dfrac{1}{y}}{ay^2+1}dy \xleftarrow{[\text{정리 }56,(6)]} \int_0^1 \dfrac{\tan^{-1}x}{a+x^2}dx + \dfrac{\pi}{2}\int_0^1 \dfrac{1}{ay^2+1}dy - \int_0^1 \dfrac{\tan^{-1}y}{ay^2+1}dy$

$= \dfrac{\pi}{2\sqrt{a}}\tan^{-1}\sqrt{a} + \displaystyle\int_0^1 \dfrac{\tan^{-1}x}{a+x^2}dx - \int_0^1 \dfrac{\tan^{-1}x}{ax^2+1}dx.$

$\therefore \text{준 식} \xrightarrow{(1),(2)} \dfrac{\pi}{2\sqrt{a}}\left(\tan^{-1}\sqrt{a} + \tan^{-1}\dfrac{1}{\sqrt{a}}\right) \xleftarrow{[\text{정리 }56,(6)]} \dfrac{\pi^2}{4\sqrt{a}}.$

648 $I_n = \displaystyle\int_0^1 (x^2+1)^n \, dx \xleftarrow[g'(x)=1]{f(x)=(x^2+1)^n} \left[x(x^2+1)^n \right]_0^1 - 2n \int_0^1 x^2 (x^2+1)^{n-1} dx$

$= 2^n + 2n \displaystyle\int_0^1 (x^2+1)^{n-1} dx - 2n \int_0^1 (x^2+1)^n dx = 2^n + 2nI_{n-1} - 2nI_n$

$\Rightarrow I_n = \dfrac{2^n}{2n+1} + \dfrac{2n}{2n+1} I_{n-1}.$

649 (1) 조건식의 양변을 미분한다. $2f(x)f'(x) = 2g(x)g'(x) \Rightarrow \dfrac{g'(x)}{f(x)} = \dfrac{f'(x)}{g(x)}$

(2) $\displaystyle\int \dfrac{dx}{x^2-1} = \dfrac{1}{2} \ln \left| \dfrac{x-1}{x+1} \right| + c.$

$\therefore$ 준 식 $= \displaystyle\int_0^1 \left(\dfrac{g(x)}{f(x)} \right)' \dfrac{1}{g(x)} dx = \left[\dfrac{1}{f(x)} \right]_0^1 + \int_0^1 \dfrac{1}{f(x)} \left(\dfrac{g'(x)}{g(x)} \right) dx \xrightarrow[\text{조건식}]{(1)} \int_0^1 \dfrac{f'(x)}{g(x)^2} dx - \dfrac{1}{6}$

$\xrightarrow{\text{조건식}} \displaystyle\int_0^1 \dfrac{f'(x)}{f(x)^2-1} dx - \dfrac{1}{6} \xrightarrow{(2)} \dfrac{1}{2} \ln \left| \dfrac{f(x)-1}{f(x)+1} \right|_0^1 - \dfrac{1}{6} = \dfrac{1}{2} \ln \left(\dfrac{3}{4} \right) - \dfrac{1}{6}.$

650 준 식 $\xleftarrow[]{\cos^{-1}\left(\frac{2x-a}{a} \right) = \frac{\pi y}{b}} \dfrac{\pi^2 a}{2b^2} \displaystyle\int_0^b y \sin \left(\dfrac{\pi y}{b} \right) dy \xleftarrow{\text{부분적분}} \dfrac{a\pi}{2}.$

651 (1) $\sin^6 x - \cos^6 x = (\sin^2 x - \cos^2 x)(\sin^4 x + \cos^4 x + \sin^2 x \cos^2 x)$

$\qquad = -\cos(2x)\left(1 - \dfrac{1}{4} \sin^2(2x) \right).$

$\therefore$ 준 식 $\xleftrightarrow{(1)} -\dfrac{1}{2} \displaystyle\int_0^{\frac{\pi}{4}} 1 - \dfrac{1}{4} \sin^2(2x) \, d(\sin 2x) = -\dfrac{1}{2} \left[\sin 2x - \dfrac{1}{12} \sin^3 2x \right]_0^{\frac{\pi}{4}} = -\dfrac{11}{24}.$

652 $I_n = \displaystyle\int_0^1 (1-x^2)^n \, dx \xleftarrow{x=\sin\theta} \int_0^{\frac{\pi}{2}} \cos^{2n}\theta \cos\theta \, d\theta = \left[\sin\theta \cos^{2n}\theta \right]_0^{\frac{\pi}{2}} +$

$2n \displaystyle\int_0^{\frac{\pi}{2}} \sin^2\theta \cos^{2n-1}\theta d\theta = 2n \int_0^{\frac{\pi}{2}} \cos^{2n-1}\theta \, d\theta - 2n \int_0^{\frac{\pi}{2}} \cos^{2n+1}\theta \, d\theta = 2nI_{n-1} - 2nI_n$

$\Rightarrow \therefore I_n = \dfrac{2n}{2n+1} I_{n-1}.$

653 준 식 $= \displaystyle\int_0^1 x^6 - 4x^5 + 5x^4 - 4x^2 + 4 - \dfrac{4}{1+x^2} dx = \dfrac{22}{7} - \pi.$

654 (1) $\left(\dfrac{4}{3}\cos a\sin x+\left(-\dfrac{2}{3}\sin a\right)\cos x\right)=\sqrt{\dfrac{16}{9}\cos^2 a+\dfrac{4}{9}\sin^2 a}\,\sin(x+\alpha)$

$\le \dfrac{2}{3}\sqrt{4\cos^2 a+\sin^2 a}=\dfrac{2}{3}\sqrt{1+3\cos^2 a}\,.$

(2) $\displaystyle\int_0^\pi \sin(x-t)\sin(2t-a)\,dt=\dfrac{1}{2}\int_0^\pi \cos(x+a-3t)-\cos(x-a+t)\,dt$

$=\dfrac{1}{2}\left(\dfrac{2\sin(x+a)}{3}+2\sin(x-a)\right)=\dfrac{1}{3}\sin(x+a)+\sin(x-a)$

$=\dfrac{4}{3}\sin x\cos a-\dfrac{2}{3}\cos x\sin a\xleftarrow{(1)}\le \dfrac{2}{3}\sqrt{1+3\cos^2 a}=M(a)$

$\therefore$ 준 식 $=\displaystyle\int_0^{\frac{\pi}{2}}\dfrac{2}{3}\sqrt{1+3\cos^2 a}\,\sin(2a)\,da\xleftarrow{1+3\cos^2 a=t^2}\dfrac{4}{9}\int_1^2 t^2\,dt=\dfrac{28}{27}.$

655 준 식 $\xleftarrow{\text{[정리 24, (1)]}}\dfrac{\displaystyle\int_0^\pi e^{-(\pi-x)}\sin^n(\pi-x)\,dx}{\displaystyle\int_0^\pi e^x \sin^n x\,dx}=e^{-\pi}.$

656 (1) $\tan 15^\circ=\sqrt{\dfrac{\sin^2 15^\circ}{\cos^2 15^\circ}}=\sqrt{\dfrac{\dfrac{1-\cos 30^\circ}{2}}{\dfrac{1+\cos 30^\circ}{2}}}=\sqrt{\dfrac{1-\dfrac{\sqrt{3}}{2}}{1+\dfrac{\sqrt{3}}{2}}}=2-\sqrt{3}.$

$\therefore$ 준 식 $\xleftarrow[\ (1)\ ]{x=\tan\theta}\displaystyle\int_0^{15^\circ}\dfrac{\tan\theta(3-\tan^2\theta)}{1-3\tan^2\theta}\,d\theta=\int_0^{15^\circ}\tan 3\theta\,d\theta=\dfrac{\ln 2}{6}.$

657 (1) $\displaystyle\int_0^\infty x^a e^{-px}\,dx\xleftarrow{px=t}\dfrac{1}{p^{a+1}}\int_0^\infty t^a e^{-t}\,dt\xleftarrow{\text{[정리 81]}}\dfrac{\Gamma(a+1)}{p^{a+1}}.$

$\therefore$ 준 식 $\xleftarrow{x^2=y}\dfrac{1}{2}\displaystyle\int_0^\infty y^{n-\frac{1}{2}}e^{-py}\,dy\xleftarrow{(1)}\dfrac{\Gamma\left(n+\dfrac{1}{2}\right)}{2p^{n+\frac{1}{2}}}\xleftarrow{\text{[정리 174]}}\dfrac{2^{1-2n}\sqrt{\pi}\,\Gamma(2n)}{2p^{n+\frac{1}{2}}\Gamma(n)}$

$\xleftarrow{\text{[정리 81]}}\dfrac{2^{1-2n}\sqrt{\pi}\,(2n-1)!}{2(n-1)!\,p^{n+\frac{1}{2}}}=\dfrac{(2n-1)!\sqrt{\pi}\,(2n)}{2^{2n}(n-1)!\,p^{n+\frac{1}{2}}(2n)}=\dfrac{(2n)!\sqrt{\pi}}{2^{2n+1}n!\,p^{n+\frac{1}{2}}}.$

658 준 식 $=\dfrac{1}{\Gamma(n+2)}\displaystyle\int_0^\infty x^k\left(\dfrac{\Gamma(n+2)}{(1+x)^{n+2}}\right)dx\xleftarrow{\text{[문제 657, (1)]}}$

$=\dfrac{1}{\Gamma(n+2)}\displaystyle\int_0^\infty\int_0^\infty x^k y^{n+1}e^{-(1+x)y}\,dy\,dx\xleftarrow{\text{[정리 81]}}\dfrac{1}{(n+1)!}\int_0^\infty y^{n+1}e^{-y}\int_0^\infty x^k e^{-yx}\,dx\,dy$

$$\xleftarrow{\text{[문제 657,(1)]}} \frac{\Gamma(k+1)}{(n+1)!}\int_0^\infty y^{n+1}e^{-y}\frac{1}{y^{k+1}}dy = \frac{k!}{(n+1)!}\int_0^\infty y^{n-k}e^{-y}dy = \frac{k!(n-k)!}{(n+1)!}$$

$$= \frac{1}{(n+1)\,_nC_k}.$$

659 준 식 $\xleftarrow{\text{[정리 24,(7)]}} \displaystyle\int_0^{\frac{\pi}{2}}\frac{\sin^{2008}x}{\sin^{2008}x+\cos^{2008}x}\left(\frac{1}{2007^x+1}+\frac{1}{2007^{-x}+1}\right)dx$

$$= \int_0^{\frac{\pi}{2}}\frac{\sin^{2008}x}{\sin^{2008}x+\cos^{2008}x}dx \xleftarrow{\text{[문제 5]}} \frac{\pi}{4}.$$

660 준 식 $\xleftarrow[\text{우함수}]{x=\sqrt{n-1}\,y} 2\sqrt{n-1}\displaystyle\int_0^\infty (y^2+1)^{-\frac{n}{2}}dy \xleftarrow{y=\sqrt{x}} \int_0^\infty \frac{\sqrt{n-1}\,dx}{\sqrt{x}\,\sqrt{(1+x)^n}}$

$$= \frac{\sqrt{n-1}}{\Gamma\!\left(\dfrac{n}{2}\right)}\int_0^\infty x^{-\frac{1}{2}}\left(\frac{\Gamma\!\left(\dfrac{n}{2}\right)}{(1+x)^{\frac{n}{2}}}\right)dx$$

$$\xleftarrow{\text{[문제 657,(1)]}} \frac{\sqrt{n-1}}{\Gamma\!\left(\dfrac{n}{2}\right)}\int_0^\infty \frac{1}{\sqrt{x}}\int_0^\infty y^{\frac{n}{2}-1}e^{-(1+x)y}dydx$$

$$= \frac{\sqrt{n-1}}{\Gamma\!\left(\dfrac{n}{2}\right)}\int_0^\infty y^{\frac{n}{2}-1}e^{-y}\int_0^\infty x^{-\frac{1}{2}}e^{-yx}dxdy \xleftarrow[\text{[정리 143]}]{\text{[문제 657,(1)]}} \frac{\sqrt{\pi(n-1)}}{\Gamma\!\left(\dfrac{n}{2}\right)}\int_0^\infty y^{\frac{n-3}{2}}e^{-y}dy$$

$$\xleftarrow{\text{[정리 81]}} \frac{\sqrt{\pi(n-1)}\,\Gamma\!\left(\dfrac{n-1}{2}\right)}{\Gamma\!\left(\dfrac{n}{2}\right)}.$$

661 준 식 $\xleftarrow{x^2=y} \dfrac{1}{2}\displaystyle\int_0^\infty \frac{y^{14}}{(5y+49)^{17}}dy \xleftarrow{y=\frac{49}{5}t} \frac{1}{2\cdot 49^2\cdot 5^{15}}\int_0^\infty \frac{t^{14}}{(t+1)^{17}}dt$

$$\xrightarrow{\frac{t}{t+1}=s} \frac{1}{2\cdot 49^2\cdot 5^{15}}\int_0^1 s^{14}(1-s)ds = \frac{1}{480\cdot 49^2\cdot 5^{15}}.$$

662 $I=\displaystyle\int_0^{\frac{\pi}{2}}\sin^3(2x)\ln|\tan x|\,dx \xleftarrow{\text{[정리 24,(1)]}} \int_0^{\frac{\pi}{2}}\sin^3(2x)\ln|\cot x|\,dx \xrightarrow{\text{더하면}}$

$$\Rightarrow 2I=0 \Rightarrow \therefore I=0.$$

663 아래 그림에서 다음이 성립한다. $c^2 = h^2 + i^2 \Rightarrow \cos\theta(x) = \dfrac{x-i}{\sqrt{h^2 + (x-i)^2}}$.

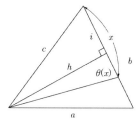

$$\therefore \text{준 식} = \int_0^b \frac{x-i}{\sqrt{h^2+(x-i)^2}}\,dx = \frac{1}{2}\int_0^b \left(h^2+(x-i)^2\right)^{-\frac{1}{2}} d\left(h^2+(x-i)^2\right)$$

$$= \sqrt{h^2+(b-i)^2} - \sqrt{h^2+i^2} = a-c.$$

664 준 식 $\xleftarrow{x=\sin\theta}$ $\displaystyle\int_0^{\frac{\pi}{2}} \frac{\cos^2\theta}{1+\sin^2\theta}\,d\theta = \int_0^{\frac{\pi}{2}} \frac{2}{1+\sin^2\theta} - 1\,d\theta$

$$= \int_0^{\frac{\pi}{2}} \frac{2\,d\theta}{\cos^2\theta + 2\sin^2\theta} - \frac{\pi}{2} = \int_0^{\frac{\pi}{2}} \frac{2\sec^2\theta\,d\theta}{1+2\tan^2\theta} - \frac{\pi}{2} = \sqrt{2}\left[\tan^{-1}\left(\sqrt{2}\tan\theta\right)\right]_0^{\frac{\pi}{2}} - \frac{\pi}{2}$$

$$= \frac{\pi}{2}\left(\sqrt{2}-1\right).$$

665 $I = \displaystyle\int_0^\pi e^{-ax}\sin^2 x\,dx$, $J = \displaystyle\int_0^\pi e^{-ax}\cos^2 x\,dx$ 라고 하자.

$I + J = \displaystyle\int_0^\pi e^{-ax}\,dx = \frac{1-e^{-a\pi}}{a}$, $J - I = \displaystyle\int_0^\pi e^{-ax}\cos(2x)\,dx \xleftarrow{\text{부분적분}} \dfrac{a\left(1-e^{-a\pi}\right)}{4+a^2}$.

$\xrightarrow{\text{연립하면}} I = \dfrac{1-e^{-a\pi}}{2}\left(\dfrac{1}{a} - \dfrac{a}{a^2+4}\right)$, $J = \dfrac{1-e^{-a\pi}}{2}\left(\dfrac{1}{a} + \dfrac{a}{a^2+4}\right)$.

666 [문제 665]와 일치한다.

667 (1) $\dfrac{1}{1-x} = \displaystyle\sum_{k=0}^\infty x^k \xrightarrow{\text{미분}} \dfrac{1}{(1-x)^2} = \sum_{k=1}^\infty kx^{k-1}$, $\dfrac{x}{(1-x)^2} = \displaystyle\sum_{k=1}^\infty kx^k$.

$\therefore$ 준 식 $= \displaystyle\sum_{k=1}^\infty \int_{b^{-k}}^{b^{1-k}} (k-1)\,dx = \sum_{k=1}^\infty (k-1)\left(\frac{1}{b^{k-1}} - \frac{1}{b^k}\right) \xleftarrow{(1)} \frac{1}{\left(1-b^{-1}\right)^2} - \frac{b^{-1}}{\left(1-b^{-1}\right)^2}$

$$= \frac{1}{b-1}.$$

668 준 식 $\xrightarrow{\tan x = t}$ $\displaystyle\int_0^{2-\sqrt{3}} \frac{t^2-3}{(3t^2-1)(t^2+1)}dt = \int_0^{2-\sqrt{3}} \frac{1}{t^2+1} - \frac{2}{3t^2-1}dt$

$= \left[\tan^{-1}t - \dfrac{1}{\sqrt{3}}\ln\left|\dfrac{\sqrt{3}\,t-1}{\sqrt{3}\,t+1}\right|\right]_0^{2-\sqrt{3}} = \dfrac{\pi}{12} - \dfrac{1}{\sqrt{3}}\ln\left|\dfrac{2\sqrt{3}-4}{2\sqrt{3}-2}\right|.$

$\therefore \dfrac{1}{\sqrt{3}} = \tan\dfrac{\pi}{6} = \tan 2\times\dfrac{\pi}{12} = \dfrac{2\tan\dfrac{\pi}{12}}{1-\tan^2\dfrac{\pi}{12}} \Rightarrow \tan^2\dfrac{\pi}{12} + 2\sqrt{3}\tan\dfrac{\pi}{12} - 1 = 0$

$\Rightarrow \tan\dfrac{\pi}{12} = 2-\sqrt{3}.$

669 준 식 $\xrightarrow{(\sin x + \cos x)^2 - 1 = 2\sin x\cos x}$ $\displaystyle\int_0^{\frac{\pi}{2}} \frac{1}{\sin x + \cos x + 1}dx$

$= \displaystyle\int_0^{\frac{\pi}{2}} \frac{dx}{2\cos\dfrac{x}{2}\left(\sin\dfrac{x}{2}+\cos\dfrac{x}{2}\right)} = \int_0^{\frac{\pi}{2}} \frac{\dfrac{1}{2}\sec^2\dfrac{x}{2}\,dx}{1+\tan\dfrac{x}{2}} = \left[\ln\left(1+\tan\dfrac{x}{2}\right)\right]_0^{\frac{\pi}{2}} = \ln 2.$

670 (1) $f(x) = x^2 - 3x + 3 = \left(x-\dfrac{3}{2}\right)^2 + \dfrac{3}{4} \Rightarrow f\left(\dfrac{3\pm\sqrt{5}}{2}\right) = 2,\ f(1) = f(2) = 1.$

$\therefore$ 준식 $\xleftrightarrow{(1)} \displaystyle\int_0^{\frac{3-\sqrt{5}}{2}} 2\,dx + \int_{\frac{3-\sqrt{5}}{2}}^1 1\,dx + \int_1^2 0\,dx + \int_2^{\frac{3+\sqrt{5}}{2}} 1\,dx + \int_{\frac{3+\sqrt{5}}{2}}^3 2\,dx = 5-\sqrt{5}.$

671 준 식 $\xrightarrow{x = \sqrt{y}}$ $\dfrac{1}{2}\displaystyle\int_0^{\infty} \frac{dy}{(y+1)(y^2+y+1)} = \dfrac{1}{2}\int_0^{\infty} \frac{1}{y+1} - \frac{y}{y^2+y+1}dy$

$= \dfrac{1}{2}\displaystyle\int_0^{\infty} \frac{1}{y+1} - \frac{1}{2}\left(\frac{2y+1}{y^2+y+1}\right) + \frac{1}{2}\left(\frac{1}{\left(y+\dfrac{1}{2}\right)^2+\dfrac{3}{4}}\right)dy = \dfrac{1}{2}\left[\ln\frac{y+1}{\sqrt{y^2+y+1}}\right]_0^{\infty} +$

$+ \dfrac{1}{2\sqrt{3}}\left[\tan^{-1}\dfrac{2}{\sqrt{3}}\left(y+\dfrac{1}{2}\right)\right]_0^{\infty} = \dfrac{\pi}{6\sqrt{3}}.$

672 $I = \displaystyle\int_{-1}^1 \frac{dx}{1+x+x^2+\sqrt{x^4+3x^2+1}} = \int_{-1}^1 \frac{1+x+x^2-\sqrt{x^4+3x^2+1}}{2x+2x^3}dx$

$\xleftarrow{[\text{정리 } 24,(1)]} -\displaystyle\int_{-1}^1 \frac{1-x+x^2-\sqrt{x^4+3x^2+1}}{2x+2x^3}dx \xrightarrow{\text{두식을 더하면}} 2I = \int_{-1}^1 \frac{dx}{1+x^2}$

$= 2\left[\tan^{-1}x\right]_0^1 = \dfrac{\pi}{2} \Rightarrow \therefore I = \dfrac{\pi}{4}.$

673 (1) $\cos x \xleftarrow{\text{[정리 33]}} \dfrac{e^{ix}+e^{-ix}}{2}$, $\cos\dfrac{\pi}{8}=\sqrt{\dfrac{1+\cos\dfrac{\pi}{4}}{2}}=\dfrac{\sqrt{2+\sqrt{2}}}{2}$.

$\therefore$ 준 식 $\xleftarrow{(1)} \dfrac{1}{2}\displaystyle\int_0^\infty e^{-x^2}\left(e^{ix^2}+e^{-ix^2}\right)dx=\dfrac{1}{2}\int_0^\infty e^{-(1-i)x^2}+e^{-(1+i)x^2}\,dx\xrightarrow{\text{[문제 31]}}$

$=\dfrac{\sqrt{\pi}}{4}\left(\dfrac{1}{\sqrt{1-i}}+\dfrac{1}{\sqrt{1+i}}\right)\xleftarrow{\text{[정리 33]}}\dfrac{\sqrt{\pi}}{4\sqrt[4]{2}}\left(e^{\frac{\pi}{8}i}+e^{-\frac{\pi}{8}i}\right)=\dfrac{\sqrt{\pi}}{2\sqrt[4]{2}}\cos\dfrac{\pi}{8}=\dfrac{\sqrt{\pi(1+\sqrt{2})}}{4}$.

674 (1) $\dfrac{1}{1-x}=\displaystyle\sum_{n=0}^\infty x^n\Rightarrow \dfrac{1}{1-e^{-2\pi x}}=\sum_{n=0}^\infty e^{-2n\pi x}\xleftarrow{n=k-1}\sum_{k=1}^\infty e^{-2(k-1)\pi x}$

$\Rightarrow \dfrac{e^{-(\pi-a)x}}{1-e^{-2\pi x}}=\displaystyle\sum_{k=1}^\infty e^{-((2k-1)\pi-a)x}=\sum_{n=1}^\infty e^{-((2n-1)\pi-a)x}$, $\dfrac{e^{-(\pi+a)x}}{1-e^{-2\pi x}}=\sum_{n=1}^\infty e^{-((2n-1)\pi+a)x}$.

(2) $0=\cos x\Rightarrow x=\dfrac{(2n-1)\pi}{2}$, $(n\in Z)\Rightarrow 1=\dfrac{2x}{(2n-1)\pi}\Rightarrow \cos x=\displaystyle\prod_{n=1}^\infty\left(1-\dfrac{4x^2}{(2n-1)^2\pi^2}\right)$

$\Rightarrow \ln\cos x=\displaystyle\sum_{n=1}^\infty\ln\left(1-\dfrac{4x^2}{(2n-1)^2\pi^2}\right)\xrightarrow{\text{미분}}-\tan x=2\sum_{n=1}^\infty\left(\dfrac{1}{(2n-1)\pi+2x}-\dfrac{1}{(2n-1)\pi-2x}\right)$

$\Rightarrow \dfrac{1}{2}\tan\dfrac{x}{2}=\displaystyle\sum_{n=1}^\infty\left(\dfrac{1}{(2n-1)\pi-x}-\dfrac{1}{(2n-1)\pi+x}\right)$.

$\therefore$ 준 식 $=\displaystyle\int_0^\infty\dfrac{e^{ax}-e^{-ax}}{e^{\pi x}-e^{-\pi x}}\,dx=\int_0^\infty\dfrac{e^{-(\pi-a)x}-e^{-(\pi+a)x}}{1-e^{-2\pi x}}\,dx\xleftarrow{(1)}$

$=\displaystyle\sum_{n=1}^\infty\int_0^\infty e^{-((2n-1)-a)x}-e^{-((2n-1)+a)x}\,dx=\sum_{n=1}^\infty\left(\dfrac{1}{(2n-1)\pi-a}-\dfrac{1}{(2n-1)\pi+a}\right)\xleftarrow{(2)}$

$=\dfrac{1}{2}\tan\dfrac{a}{2}$.

675 (1) $\dfrac{1}{1-x}=1+x+x^2+\cdots\xrightarrow{\text{적분}}-\ln(1-x)=\displaystyle\sum_{n=1}^\infty\dfrac{x^n}{n}$.

(2) $\displaystyle\int_0^1 x^n\ln x\,dx=\left[\dfrac{\ln x}{n+1}x^{n+1}\right]_0^1-\dfrac{1}{n+1}\int_0^1 x^n\,dx=-\dfrac{1}{(n+1)^2}$.

$\therefore$ 준 식 $=\dfrac{1}{4}\displaystyle\int_0^{\frac{\pi}{2}}\ln(\cos^2 x)\ln(\sin^2 x)\sin 2x\,dx=\dfrac{1}{4}\int_0^{\frac{\pi}{2}}\ln\left(\dfrac{1+\cos 2x}{2}\right)\ln\left(\dfrac{1-\cos 2x}{2}\right)\sin 2x\,dx$

$\xleftarrow{\cos 2x=y}\dfrac{1}{8}\displaystyle\int_{-1}^1\ln\left(\dfrac{1+y}{2}\right)\ln\left(\dfrac{1-y}{2}\right)dy\xrightarrow{\frac{1-y}{2}=x}\dfrac{1}{4}\int_0^1\ln x\ln(1-x)\,dx\xleftarrow{(1)}$

$=-\dfrac{1}{4}\displaystyle\sum_{n=1}^\infty\dfrac{1}{n}\int_0^1 x^n\ln x\,dx\xrightarrow{(2)}\dfrac{1}{4}\sum_{n=1}^\infty\dfrac{1}{n(n+1)^2}=\dfrac{1}{4}\sum_{n=1}^\infty\dfrac{1}{n}-\dfrac{1}{n+1}-\dfrac{1}{(n+1)^2}$

$\xleftarrow{\text{[수열과 급수, 12]}}\dfrac{1}{2}-\dfrac{\pi^2}{24}$.

676 준 식 $\xleftarrow{x=2\cos\theta}$ $4\displaystyle\int_0^{\frac{\pi}{2}}\cos\left(\frac{\theta}{2^n}\right)\sin\theta\,d\theta = 2\displaystyle\int_0^{\frac{\pi}{2}}\sin\left(\frac{1}{2^n}+1\right)\theta - \sin\left(\frac{1}{2^n}-1\right)\theta\,d\theta$

$$= 2\left(\frac{1+\sin\dfrac{\pi}{2^{2n+1}}}{1+2^{-2n}} + \frac{1-\sin\dfrac{\pi}{2^{2n+1}}}{1-2^{-2n}}\right).$$

677 준 식 $= \displaystyle\int_0^{\frac{\pi}{2}} e^x\left(\tan\frac{x}{2}+\frac{1}{2}\sec^2\frac{x}{2}\right)dx = \int_0^{\frac{\pi}{2}} (e^x)'\tan\frac{x}{2}+e^x\left(\tan\frac{x}{2}\right)'dx = \sqrt{e^\pi}\,.$

678 준 식 $= \displaystyle\int_1^e \frac{e^x+x^{-1}}{e^x+\ln x}dx = \left[\ln(e^x+\ln x)\right]_1^e = \ln(1+e^e)-1.$

679 (1) $\displaystyle\lim_{x\to 0}(1-\cos x)\ln(\sin x) = \lim_{x\to 0}\frac{\ln(\sin x)}{(1-\cos x)^{-1}} \xleftarrow{L'Hospital} \lim_{x\to 0}\frac{\cos x(1-\cos x)^2}{\sin^2 x}$

$\xleftarrow{l'Hospital} -\displaystyle\lim_{x\to 0}\frac{-(1-\cos x)^2+2\cos x(1-\cos x)}{2\cos x} = 0.$

$\therefore$ 준 식 $\xrightarrow[g'(x)=\sin x]{f(x)=\ln(\sin x)}$ $\left[-\cos x\ln(\sin x)\right]_0^{\frac{\pi}{2}} + \displaystyle\int_0^{\frac{\pi}{2}}\frac{\cos^2 x}{\sin x}dx$

$= \left[-\cos x\ln(\sin x)\right]_0^{\frac{\pi}{2}} + \displaystyle\int_0^{\frac{\pi}{2}}\csc x - \sin x\,dx$

$= \left[-\cos x\ln(\sin x)\right]_0^{\frac{\pi}{2}} - 1 + \displaystyle\int_0^{\frac{\pi}{2}}\frac{\sin^2\frac{x}{2}+\cos^2\frac{x}{2}}{2\sin\frac{x}{2}\cos\frac{x}{2}}dx = -1 + \left[\ln\tan\frac{x}{2} - \cos x\ln(\sin x)\right]_0^{\frac{\pi}{2}}$

$= -1 + \left[\ln\left(\frac{\sin x}{1+\cos x}\right) - \cos x\ln(\sin x)\right]_0^{\frac{\pi}{2}} \xleftarrow{(1)} \ln 2 - 1.$

680 (1) $\displaystyle\int_0^\infty e^{-yx}\sin(ax)\,dx \xleftarrow{\text{부분적분}} \frac{a}{a^2+y^2}.$

(2) $\cos(i\theta) \xleftarrow{[\text{정리 } 33]} \dfrac{e^\theta+e^{-\theta}}{2},\ \sin(i\theta)=\dfrac{e^{-\theta}-e^\theta}{2i} \Rightarrow \tan(i\theta)=\dfrac{1}{i}\left(\dfrac{e^{-\theta}-e^\theta}{e^\theta+e^{-\theta}}\right).$

$\therefore$ 준식 $= \displaystyle\int_0^\infty \frac{e^{-2\pi x}\sin(ax)}{1-e^{-2\pi x}}dx \xleftarrow{[\text{문제 } 674,(1)]} \sum_{n=0}^\infty \int_0^\infty e^{-(2n+2)\pi x}\sin(ax)\,dx \xleftarrow{(1)}$

$= \displaystyle\sum_{n=0}^\infty \frac{a}{a^2+(2n+2)^2\pi^2} = \sum_{n=1}^\infty \frac{a}{a^2+4n^2\pi^2} = \frac{1}{4\pi^2}\sum_{n=1}^\infty \frac{a}{\left(\dfrac{a}{2\pi}\right)^2+n^2} \xleftarrow{a=2\pi z} \frac{1}{2\pi}\sum_{n=1}^\infty \frac{z}{z^2+n^2}$

$\xleftarrow{[\text{수열과 급수}, 589]} \frac{1}{2\pi}\left(\frac{\pi}{2}\coth(z\pi)-\frac{1}{2z}\right) = \frac{1}{4}\coth\frac{a}{2} - \frac{1}{2a} = \frac{e^a+1}{4(e^a-1)} - \frac{1}{2a}.$

681 $I = \int_0^1 \left(\sqrt[a]{1-x^a} - x \right)^2 dx \xrightarrow[\alpha = a^{-1}, y = x^a]{} \alpha \int_0^1 \left((1-y)^\alpha - y^\alpha \right)^2 y^{\alpha-1} dy \xrightarrow{[정리\ 24,(1)]}$

$= \alpha \int_0^1 \left(y^\alpha - (1-y)^\alpha \right)^2 (1-y)^{\alpha-1} dy \xrightarrow{두\ 식을\ 더하면}$

$\Rightarrow 2I = \alpha \int_0^1 \left(y^\alpha - (1-y)^\alpha \right)^2 \left[y^{\alpha-1} + (1-y)^{\alpha-1} \right] dy \xrightarrow[(1-y)^\alpha - y^\alpha = z]{} \int_{-1}^1 z^2 dz = \frac{2}{3}.$

$\therefore 준\ 식 = \frac{1}{3}.$

682 $준\ 식 \xleftarrow[{[정리\ 46]}]{x = r\cos\theta,\ y = r\sin\theta} \int_0^{\frac{\pi}{2}} \int_0^\infty r e^{-\frac{r^2}{2}} \sin\left(\frac{r^2}{2} \sin 2\theta \right) dr d\theta \xleftarrow{r^2 = 2y}$

$= \int_0^{\frac{\pi}{2}} \int_0^\infty e^{-y} \sin(y\sin 2\theta) dy d\theta \xleftarrow{[문제\ 680,(1)]} \int_0^{\frac{\pi}{2}} \frac{\sin 2\theta}{1 + \sin^2(2\theta)} d\theta \xleftarrow{2\theta = x}$

$= \frac{1}{2} \int_0^\pi \frac{\sin x}{1+\sin^2 x} dx = \frac{1}{2} \left(\int_0^{\frac{\pi}{2}} \frac{\sin x\, dx}{1+\sin^2 x} + \int_{\frac{\pi}{2}}^\pi \frac{\sin y\, dy}{1+\sin^2 y} \right) \xleftarrow{y = \pi - x} \int_0^{\frac{\pi}{2}} \frac{\sin x\, dx}{1+\sin^2 x}$

$= -\int_0^{\frac{\pi}{2}} \frac{d(\cos x)}{2 - \cos^2 x} = \left[\frac{1}{2\sqrt{2}} \ln \left| \frac{\cos x - \sqrt{2}}{\cos x + \sqrt{2}} \right| \right]_0^{\frac{\pi}{2}} = \frac{1}{\sqrt{2}} \ln(1+\sqrt{2}).$

683 $I = \int_4^{10} \frac{[x^2]}{[x^2 - 28x + 196] + [x^2]} dx = \int_4^{10} \frac{[x^2]}{[(x-14)^2] + [x^2]} dx \xrightarrow{[정리\ 24,(1)]}$

$= \int_4^{10} \frac{[(x-14)^2]}{[x^2] + [(x-14)^2]} dx \xrightarrow{두\ 식을\ 더하면} 2I = \int_4^{10} 1 dx = 6. \quad \therefore I = 3.$

684 $준\ 식 \xleftarrow{x = \sin\theta} \int_0^{\frac{\pi}{2}} \sin^{2n}\theta\, d\theta \xleftarrow{[정리\ 83,81]} \left(\frac{2n-1}{2n} \right) \left(\frac{2n-3}{2n-2} \right) \cdots \left(\frac{1}{2} \right) \frac{\pi}{2}$

$= \frac{\pi}{2^{n+1}} \prod_{k=1}^n (2k-1).$

685 $준\ 식 \xleftarrow{x = \frac{\pi}{2} - y} -\int_{-\frac{\pi}{2}}^{\frac{\pi}{2}} \sin y \sin 3y \sin 5y\, dy \xleftarrow{기함수} 0.$

686 $준\ 식 = \int_0^{\frac{\pi}{2}} \sin^{-1}(\sin x) dx + \int_{\frac{\pi}{2}}^\pi \sin^{-1}(\sin y) dy \xrightarrow{y = \pi - x} \int_0^{\frac{\pi}{2}} \sin^{-1}(\sin x) dx$

$+ \int_0^{\frac{\pi}{2}} \sin^{-1}(\sin(\pi - x)) dx = \int_0^{\frac{\pi}{2}} x dx + \int_0^{\frac{\pi}{2}} \pi - x dx = \frac{\pi^2}{2}.$

687 (1) $\displaystyle\int_0^\infty \frac{1-\cos x}{x^2}dx = \int_0^\infty (1-\cos x)\int_0^\infty te^{-tx}dtdx$

$\displaystyle = \int_0^\infty t\int_0^\infty (1-\cos x)e^{-tx}dxdt \xleftarrow{\text{부분적분}} \int_0^\infty t\left(\frac{1}{t}-\frac{t}{1+t^2}\right)dt = \int_0^\infty \frac{1}{1+t^2}dt = \frac{\pi}{2}.$

(2) $\displaystyle I(\alpha)=\int_0^\infty \frac{1-\cos x}{x^2+\alpha^2}dx \Rightarrow I'(\alpha) = -2\alpha\int_0^\infty \frac{1-\cos x}{(x^2+\alpha^2)^2}dx \xleftarrow{\begin{array}{l}f(x)=\dfrac{1-\cos x}{x}\\[4pt] g'(x)=\dfrac{-2x}{\left(x^2+\alpha^2\right)^2}\end{array}}$

$\displaystyle = \alpha\left[\frac{1-\cos x}{x(x^2+\alpha^2)}\right]_0^\infty + \alpha\int_0^\infty \left(\frac{1-\cos x}{x^2}-\frac{\sin x}{x}\right)\frac{1}{x^2+\alpha^2}dx$

$\displaystyle = \frac{1}{\alpha}\int_0^\infty \frac{1-\cos x}{x^2}-\frac{1-\cos x}{x^2+\alpha^2}dx - \alpha\int_0^\infty \frac{\sin x}{x(x^2+\alpha^2)}dx$

$\displaystyle \xleftarrow[x=\alpha t]{(1)} \frac{\pi}{2\alpha}-\frac{I(\alpha)}{\alpha}-\frac{1}{\alpha}\int_0^\infty \frac{\sin(\alpha t)}{t(t^2+1)}dt.$

(3) $\displaystyle I(\alpha)=\frac{1}{\alpha}\int_0^\infty (1-\cos x)\frac{\alpha}{x^2+\alpha^2}dx \xleftarrow{[\text{문제 }680,(1)]}$

$\displaystyle = \frac{1}{\alpha}\int_0^\infty (1-\cos x)\int_0^\infty e^{-xt}\sin(\alpha t)dtdx = \frac{1}{\alpha}\int_0^\infty \sin(\alpha t)\int_0^\infty (1-\cos x)e^{-tx}dxdt$

$\displaystyle \xleftarrow{\text{부분적분}} \frac{1}{\alpha}\int_0^\infty \left(\frac{1}{t}-\frac{t}{t^2+1}\right)\sin(\alpha t)dt = \frac{1}{\alpha}\int_0^\infty \frac{\sin(\alpha t)}{t(t^2+1)}dt \xleftarrow{(2)} \frac{\pi}{2\alpha}-\frac{I(\alpha)}{\alpha}-I'(\alpha)$

$\displaystyle \Rightarrow I'(\alpha)+\left(1+\frac{1}{\alpha}\right)I(\alpha)=\frac{\pi}{2\alpha}, \ I(0)\xleftarrow{(1)}\frac{\pi}{2} \xrightarrow{[\text{정리 }70]} I(\alpha)=\frac{1}{\alpha e^\alpha}\left(\frac{\pi}{2}e^\alpha+c\right)\xrightarrow{\alpha=0}$

$\displaystyle c=-\frac{\pi}{2}\Rightarrow I(\alpha)=\frac{\pi}{2\alpha e^\alpha}\left(e^\alpha-1\right).$

$\displaystyle \therefore \text{준 식} \xleftarrow{a=\alpha^2} \int_{-\infty}^\infty \frac{\cos x-1}{x^2\left(x^2+\alpha^2\right)}dx = \frac{1}{\alpha^2}\int_{-\infty}^\infty \frac{1-\cos x}{x^2+\alpha^2}-\frac{1-\cos x}{x^2}dx$

$\displaystyle = \frac{2}{\alpha^2}\int_0^\infty \frac{1-\cos x}{x^2+\alpha^2}-\frac{1-\cos x}{x^2}dx \xleftarrow{(1),(3)} \frac{2}{\alpha^2}\left(\frac{\pi}{2\alpha e^\alpha}\left(e^\alpha-1\right)-\frac{\pi}{2}\right) = \frac{\pi}{\alpha^2}\left(\frac{1}{\alpha}-\frac{1}{\alpha e^\alpha}-1\right)$

$\displaystyle = \frac{\pi}{a}\left(\frac{1}{\sqrt{a}}-\frac{1}{\sqrt{a}\,e^{\sqrt{a}}}-1\right).$

688 $\displaystyle I(t)=2\int_0^{\sin^2 t}\sin^{-1}\sqrt{x}\,dx + 2\int_0^{\cos^2 t}\cos^{-1}\sqrt{x}\,dx \xrightarrow{\text{양변을 }t\text{로 미분}}$

$\displaystyle \Rightarrow I'(t)=4\sin^{-1}(\sin t)\sin t\cos t - 2\cos^{-1}(\cos t)\sin t\cos t = 0 \Rightarrow I(t)=c \xrightarrow{t=\frac{\pi}{4}}$

$\displaystyle c=2\int_0^{\frac{1}{2}}\sin^{-1}\sqrt{x}+\cos^{-1}\sqrt{x}\,dx \xrightarrow{[\text{정리 }56,(5)]} 2\int_0^{\frac{1}{2}}\frac{\pi}{2}dx = \frac{\pi}{2}. \ \therefore \text{준 식} = \frac{\pi}{2}.$

689 준 식 $= \dfrac{1}{2}\displaystyle\int_0^\infty \sin^3 x\left(\dfrac{2}{x^3}\right)dx = \dfrac{1}{2}\displaystyle\int_0^\infty \sin^3 x\displaystyle\int_0^\infty t^2 e^{-xt}\,dt\,dx$

$= \dfrac{1}{2}\displaystyle\int_0^\infty t^2\displaystyle\int_0^\infty e^{-tx}\sin^3 x\,dx\,dt = \dfrac{1}{8}\displaystyle\int_0^\infty t^2\displaystyle\int_0^\infty (3\sin x - \sin 3x)e^{-tx}\,dx\,dt \overset{\text{부분적분}}{\xleftarrow{\hspace{1cm}}}$

$= \dfrac{3}{8}\displaystyle\int_0^\infty t^2\left(\dfrac{1}{t^2+1}-\dfrac{1}{t^2+9}\right)dt = \dfrac{3}{8}\displaystyle\int_0^\infty \dfrac{1}{t^2+9}-\dfrac{1}{t^2+1}\,dt = \dfrac{3}{8}\left[\dfrac{1}{3}\tan^{-1}\dfrac{t}{3}-\tan^{-1}t\right]_0^\infty = -\dfrac{\pi}{8}$

690 준 식 $=\displaystyle\int_0^\pi \dfrac{-x^2\sin^2 x - 2x\sin x - 1 + x^2 + x\sin x - \cos x}{(1+x\sin x)^2}\,dx$

$=-\displaystyle\int_0^\pi 1 + \dfrac{(\cos x - x\sin x)-x^2}{(1+x\sin x)}\,dx = -\displaystyle\int_0^\pi 1 + \left(\dfrac{x\cos x}{1+x\sin x}\right)'\,dx = -\left[x+\dfrac{x\cos x}{1+x\sin x}\right]_0^\pi = 0.$

691 (1) $\displaystyle\int_{-\sqrt{1-y^2}}^{\sqrt{1-y^2}} x\cos^3 x\,dx \overset{\text{기함수}}{\xleftarrow{\hspace{1cm}}} 0,\ \displaystyle\int_{-\sqrt{1-x^2}}^{\sqrt{1-x^2}} y^4\sin y\,dy \overset{\text{기함수}}{\xleftarrow{\hspace{1cm}}} 0.$

$\therefore$ 준 식 $\overset{(1)}{\xleftarrow{\hspace{0.5cm}}} \displaystyle\iint_L 1\,dx\,dy \overset{x=r\cos\theta,\,y=r\sin\theta}{\underset{[\text{정리 }46]}{\xleftarrow{\hspace{1.5cm}}}} \displaystyle\int_0^1\int_0^{2\pi} r\,d\theta\,dr = \pi.$

692 (1) $\displaystyle\lim_{n\to\infty}\sum_{k=1}^n \dfrac{1}{2^k}\tan\left(\dfrac{x}{2^k}\right) \overset{[\text{정리 }21,(4)]}{\xleftarrow{\hspace{1cm}}} \displaystyle\lim_{n\to\infty}\sum_{k=1}^n \dfrac{1}{2^k\tan\left(\dfrac{x}{2^k}\right)} - \dfrac{1}{2^{k-1}\tan\left(\dfrac{x}{2^{k-1}}\right)}$

$= \displaystyle\lim_{n\to\infty}\dfrac{1}{2^n\tan\left(\dfrac{x}{2^n}\right)} - \dfrac{1}{\tan x} = \dfrac{1}{x} - \cot x.$

$\therefore$ 준 식 $\overset{(1)}{\xleftarrow{\hspace{0.5cm}}} \displaystyle\int_{\frac{\pi}{6}}^{\frac{\pi}{3}} \dfrac{1}{x} - \cot x\,dx = [\ln x - \ln\sin x]_{\frac{\pi}{6}}^{\frac{\pi}{3}} = \ln 2 - \dfrac{\ln 3}{2}.$

693 준 식 $\overset{x=\sqrt[n]{y}}{\xleftarrow{\hspace{1cm}}} \dfrac{1}{n}\displaystyle\int_0^\infty y^{\frac{1}{n}-1}\left(\dfrac{1}{1+y}\right)dy = \dfrac{1}{n}\displaystyle\int_0^\infty y^{\frac{1}{n}-1}\displaystyle\int_0^\infty e^{-(y+1)x}\,dx\,dy$

$= \dfrac{1}{n}\displaystyle\int_0^\infty e^{-x}\displaystyle\int_0^\infty y^{\frac{1}{n}-1}e^{-xy}\,dy\,dx \overset{[\text{문제 }657,(1)]}{\xleftarrow{\hspace{1.5cm}}} \dfrac{\Gamma\left(\dfrac{1}{n}\right)}{n}\displaystyle\int_0^\infty x^{-\frac{1}{n}}e^{-x}\,dx \overset{[\text{정리 }81]}{\xleftarrow{\hspace{1cm}}}$

$= \dfrac{1}{n}\Gamma\left(\dfrac{1}{n}\right)\Gamma\left(1-\dfrac{1}{n}\right) \overset{[\text{정리 }98]}{\xleftarrow{\hspace{1cm}}} \dfrac{\pi}{n\sin\left(\dfrac{\pi}{n}\right)}.$

694 (1) $e^{-ix^n} \xleftarrow{\text{[정리 33]}} \cos x^n - i\sin x^n \Rightarrow Re\left(e^{-ix^n}\right) = \cos x^n.$

(2) $(i)^{-\frac{1}{n}} = \left(\cos\frac{\pi}{2} + i\sin\frac{\pi}{2}\right)^{-\frac{1}{n}} = e^{-i\left(\frac{\pi}{2n}\right)} = \cos\left(\frac{\pi}{2n}\right) - i\sin\left(\frac{\pi}{2n}\right) \Rightarrow Re\left(i^{-\frac{1}{n}}\right) = \cos\frac{\pi}{2n}.$

$\therefore$ 준식 $\xleftarrow{(1)} Re\int_0^\infty e^{-ix^n}dx \xleftarrow{ix^n=u} Re\left(\frac{1}{n\sqrt[n]{i}}\int_0^\infty u^{\frac{1}{n}-1}e^{-u}du\right) \xleftarrow{\text{[정리 81]}} Re\left(\frac{\Gamma\left(\frac{1}{n}\right)}{n\sqrt[n]{i}}\right)$

$\xleftarrow{(2)} \dfrac{\Gamma\left(\dfrac{1}{n}\right)\cos\dfrac{\pi}{2n}}{n}.$

695 (1) $\displaystyle\int_0^1 \ln(\sin\pi x)dx = \int_0^{\frac{1}{2}}\ln(\sin\pi x)dx + \int_{\frac{1}{2}}^1 \ln(\sin\pi t)dt \xleftarrow{t=1-x}$

$= \displaystyle\int_0^{\frac{1}{2}}\ln(\sin\pi x)dx + \int_0^{\frac{1}{2}}\ln(\sin\pi x)dx$

$\xleftarrow{\text{[정리 24,(1)]}} \displaystyle\int_0^{\frac{1}{2}}\ln(\cos\pi x)dx + \int_0^{\frac{1}{2}}\ln(\sin\pi x)dx$

$= \displaystyle\int_0^{\frac{1}{2}}\ln\left(\frac{1}{2}\sin 2\pi x\right)dx \xleftarrow{2x=t} \frac{1}{2}\ln\left(\frac{1}{2}\right) + \frac{1}{2}\int_0^1 \ln(\sin\pi t)dt$

$\Rightarrow \displaystyle\int_0^1 \ln(\sin\pi x)dx = \ln\left(\frac{1}{2}\right).$

(2) $0 \le x \le 1, 0 \le y \le 1 \xrightarrow[\substack{u=x+y,\, v=x-y}]{\text{아래 그림}} \begin{array}{l} A: -u \le v \le u, 0 \le u \le 1 \\ B: u-2 \le v \le 2-u, 1 \le u \le 2 \end{array}$

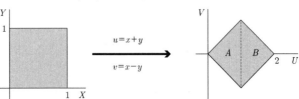

$\therefore$ 준식 $\xleftarrow[(2)]{\text{[정리 46,68]}} \dfrac{1}{2}\displaystyle\int_0^1\int_{-u}^u \ln\Gamma(u)dvdu + \frac{1}{2}\int_1^2\int_{u-2}^{2-u}\ln\Gamma(u)dvdu$

$= \displaystyle\int_0^1 u\ln\Gamma(u)du + \int_1^2 (2-u)\ln\Gamma(u)du \xleftarrow{u=y+1} \int_0^1 x\ln\Gamma(x)dx + \int_0^1 (1-y)\ln\Gamma(y+1)dy$

$\xleftarrow{\text{[정리 81]}} \displaystyle\int_0^1 x\ln\Gamma(x) + (1-x)\ln(x\Gamma(x))dx = \int_0^1 \ln\Gamma(x) + (1-x)\ln x\, dx \xleftarrow[\text{부분적분}]{\text{[문제 545]}}$

$= \dfrac{1}{2}\ln(2\pi) - \dfrac{3}{4}.$

696 (1) $f(x)=\displaystyle\int_{-x}^{x}\frac{t^4}{1+2^t}dt\xrightarrow{\text{미분}}f'(x)=\frac{x^4}{1+2^x}+\frac{x^4}{1+2^{-x}}=x^4\Rightarrow f(x)=\frac{x^5}{5}+c$

$\xrightarrow{x=0}c=f(0)=0\Rightarrow\therefore\text{준 식}=\dfrac{a^5}{5}.$

697 $\text{준 식}\xleftarrow{\tan x=y}\displaystyle\int_0^1\sqrt{\frac{y}{1+y^2}}\,dy\xrightarrow{\frac{y}{1+y^2}=x}\int_0^{\frac{1}{2}}\frac{1-\sqrt{1-4x^2}}{2\sqrt{x^3(1-4x^2)}}dx\xrightarrow{2x=t}$

$=\dfrac{1}{\sqrt2}\displaystyle\int_0^1\sqrt{t}\,\frac{1-\sqrt{1-t^2}}{t^2\sqrt{1-t^2}}dt\xleftarrow{t=\sqrt{s}}\dfrac{1}{2\sqrt2}\int_0^1 s^{-\frac{5}{4}}\frac{1-\sqrt{1-s}}{\sqrt{1-s}}ds=\dfrac{1}{2\sqrt2}\int_0^1 x^{-\frac{5}{4}}(1-x)^{-\frac{1}{2}}dx$

$-\dfrac{1}{2\sqrt2}\displaystyle\int_0^1 x^{-\frac{5}{4}}dx\xleftarrow{\text{[정리 82]}}\dfrac{1}{2\sqrt2}B\left(-\frac{1}{4},\frac{1}{2}\right)+\sqrt2\xleftarrow[\text{[정리 81,98]}]{\text{[미분과 증명,904]}}\sqrt2-\dfrac{\Gamma\left(\frac{3}{4}\right)^2}{\sqrt\pi}.$

698 (1) $x\le y\le\sqrt{\dfrac{\pi}{2}},\ 0\le x\le\sqrt{\dfrac{\pi}{2}}\xrightarrow{\text{아래그림}}0\le x\le y,\ 0\le y\le\sqrt{\dfrac{\pi}{2}}.$

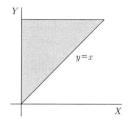

$\therefore\text{준 식}\xleftarrow{(1)}\displaystyle\int_0^{\sqrt{\frac{\pi}{2}}}\int_0^y\cos(y^2)\,dxdy=\int_0^{\sqrt{\frac{\pi}{2}}}y\cos(y^2)du=\dfrac{1}{2}\left[\sin(y^2)\right]_0^{\sqrt{\frac{\pi}{2}}}=\dfrac{1}{2}.$

699 (1) $B(m,n)=\displaystyle\int_0^1 x^{m-1}(1-x)^{n-1}dx\xleftarrow{x=\frac{y}{1+y}}\int_0^\infty y^{m-1}(1+y)^{-(m+n)}dy.$

(2) $\displaystyle\int_{-\infty}^\infty\frac{e^{ax}\left(e^{bx}+e^{-bx}\right)}{\left(e^{2x}+1\right)^a}dx\xleftarrow{e^{2x}=y}\dfrac{1}{2}\int_0^\infty\frac{\sqrt{y^{a+b-2}}+\sqrt{y^{a-b-2}}}{(y+1)^a}dy$

$=\dfrac{1}{2}\displaystyle\int_0^\infty y^{\frac{a+b}{2}-1}(1+y)^{-a}+y^{\frac{a-b}{2}-1}(1+y)^{-a}dy\xleftarrow{(1)}B\left(\dfrac{a+b}{2},\dfrac{a-b}{2}\right).$

$\therefore\text{준 식}=2^{\alpha-1}\displaystyle\int_{-\infty}^\infty\frac{e^{\alpha x}\left(e^{\beta x}+e^{-\beta x}\right)}{\left(e^{2x}+1\right)^\alpha}dx\xleftarrow{(2)}2^{\alpha-1}B\left(\dfrac{\alpha+\beta}{2},\dfrac{\alpha-\beta}{2}\right)\xleftarrow{\text{[미분과 증명,904]}}$

$=2^{\alpha-1}\dfrac{\Gamma\left(\dfrac{\alpha+\beta}{2}\right)\Gamma\left(\dfrac{\alpha-\beta}{2}\right)}{\Gamma(\alpha)}.$

700 (1) $\cosh(inx) = \dfrac{e^{inx} + e^{-inx}}{2} \xleftarrow{\text{[정리 33]}} \cos(nx),$

$\sin\left(\dfrac{\pi}{2} + \dfrac{in\pi}{2}\right) = \cos\left(\dfrac{in\pi}{2}\right) = \cosh\left(\dfrac{n\pi}{2}\right).$

$\therefore \text{준식} \xleftarrow{(1)} \displaystyle\int_0^\infty \dfrac{\cosh(inx)}{(\cosh x)^5}\,dx \xleftarrow{\text{[문제 699]}} 2^3\,\dfrac{\Gamma\left(\dfrac{5+in}{2}\right)\Gamma\left(\dfrac{5-in}{2}\right)}{\Gamma(5)} \xleftarrow{\text{[정리 81]}}$

$= \dfrac{1}{3}\left(\dfrac{9 - i^2 n^2}{4}\right)\left(\dfrac{1 - i^2 n^2}{4}\right)\Gamma\left(\dfrac{1+in}{2}\right)\Gamma\left(\dfrac{1-in}{2}\right) \xleftarrow{\text{[정리 98]}} \dfrac{1}{48}(9 + n^2)(1 + n^2)\dfrac{\pi}{\cosh\left(\dfrac{n\pi}{2}\right)}.$

701 준 식 $\xleftarrow{x = 2 - 4y} 4\sqrt[3]{16}\displaystyle\int_0^1 y^{\frac{1}{3}}(1-y)^{\frac{1}{3}}\,dy \xleftarrow{\text{[정리 82]}} 4\sqrt[3]{16}\,\dfrac{\Gamma\left(\dfrac{4}{3}\right)^2}{\Gamma\left(\dfrac{8}{3}\right)}.$

702 준 식 $= \displaystyle\int_0^{\frac{\pi}{4}} \dfrac{dx}{(1 + \sin 2x)^2} \xleftarrow{x = \frac{\pi}{4} - u} \int_0^{\frac{\pi}{4}} \dfrac{du}{(1 + \cos 2u)^2} = \dfrac{1}{4}\int_0^{\frac{\pi}{4}} \sec^4 u\,du$

$= \dfrac{1}{4}\displaystyle\int_0^{\frac{\pi}{4}} \dfrac{1 + \tan^2 u}{\cos^2 u}\,du = \dfrac{1}{4}\int_0^{\frac{\pi}{4}} 1 + \tan^2 u\,d(\tan u) = \dfrac{1}{4}\left[\tan u + \dfrac{\tan^3 u}{3}\right]_0^{\frac{\pi}{4}} = \dfrac{1}{3}.$

703 $I = \displaystyle\int_{-1}^1 \dfrac{dx}{1 + x^3 + \sqrt{1 + x^6}} \xleftarrow{\text{[정리 24, (1)]}} \int_{-1}^1 \dfrac{dx}{1 - x^3 + \sqrt{1 + x^6}} \xrightarrow{\text{더하면}}$

$\Rightarrow 2I = 2\displaystyle\int_{-1}^1 \dfrac{1 + \sqrt{1 + x^6}}{\left(1 + \sqrt{1 + x^6}\right)^2 - x^6}\,dx = \int_{-1}^1 1\,dx = 2 \Rightarrow \therefore \text{준식} = 1.$

704 $I(\alpha, \beta) = \displaystyle\int_\alpha^\beta \dfrac{(x^2 - \alpha\beta)\ln\left(\dfrac{x}{\alpha}\right)\ln\left(\dfrac{x}{\beta}\right)}{(x^2 + \alpha^2)(x^2 + \beta^2)}\,dx \xleftarrow{x = t^{-1}} \dfrac{1}{\alpha\beta}\int_{\frac{1}{\beta}}^{\frac{1}{\alpha}} \dfrac{\left(t^2 - \dfrac{1}{\alpha\beta}\right)\ln(\alpha t)\ln(\beta t)}{\left(t^2 + \dfrac{1}{\alpha^2}\right)\left(t^2 + \dfrac{1}{\beta^2}\right)}\,dt$

$= \dfrac{1}{\alpha\beta}I\left(\dfrac{1}{\alpha}, \dfrac{1}{\beta}\right), \quad I(\alpha, \beta) \xleftarrow{x = \frac{t}{c}} c\displaystyle\int_{c\alpha}^{c\beta} \dfrac{(t^2 - c^2\alpha\beta)\ln\left(\dfrac{t}{c\alpha}\right)\ln\left(\dfrac{t}{c\beta}\right)}{(t^2 + c^2\alpha^2)(t^2 + c^2\beta^2)}\,dt = c\,I(c\alpha, c\beta) \xrightarrow{c = \frac{1}{\alpha\beta}}$

$\Rightarrow I(\alpha, \beta) = \dfrac{1}{\alpha\beta}I\left(\dfrac{1}{\beta}, \dfrac{1}{\alpha}\right) = \dfrac{1}{\alpha\beta}\displaystyle\int_{\frac{1}{\beta}}^{\frac{1}{\alpha}} \dfrac{\left(x^2 - \dfrac{1}{\alpha\beta}\right)\ln(\alpha x)\ln(\beta x)}{\left(x^2 + \dfrac{1}{\alpha^2}\right)\left(x^2 + \dfrac{1}{\beta^2}\right)}\,dx$

$= -\dfrac{1}{\alpha\beta}\displaystyle\int_{\frac{1}{\alpha}}^{\frac{1}{\beta}} \dfrac{\left(x^2 - \dfrac{1}{\alpha\beta}\right)\ln(\alpha x)\ln(\beta x)}{\left(x^2 + \dfrac{1}{\alpha^2}\right)\left(x^2 + \dfrac{1}{\beta^2}\right)}\,dx = -\dfrac{1}{\alpha\beta}I\left(\dfrac{1}{\alpha}, \dfrac{1}{\beta}\right) \xleftarrow{\text{윗쪽}} -I(\alpha, \beta) \Rightarrow \therefore I(\alpha, \beta) = 0$

705 준 식 $= \int_1^{\sqrt{3}} x(x^2)^{x^2} + x(x^2)^{x^2} \ln(x^2)\,dx = \frac{1}{2}\int_1^{\sqrt{3}} (x^2)^{x^2} + (x^2)^{x^2}\ln(x^2)\,d(x^2)$

$\xleftarrow{x^2=t} \frac{1}{2}\int_1^3 t^t(1+\ln t)dt = \frac{1}{2}\int_1^3 (t^t)'\,dt = \frac{1}{2}\Big[t^t\Big]_1^3 = 13.$

706 $I = \int_0^\pi \frac{1}{1+(\sin x)^{\cos x}}\,dx \xleftarrow{[\text{정리 }24,(1)]} \int_0^\pi \frac{(\sin x)^{\cos x}}{1+(\sin x)^{\cos x}}\,dx \xrightarrow{\text{두 식을 더하면}}$

$\Rightarrow 2I = \int_0^\pi 1\,dx = \pi \Rightarrow \therefore 준 식 = \frac{\pi}{2}.$

707 $I = \int_{-1}^1 \tan^{-1}(e^x)\,dx \xleftarrow{[\text{정리 }24,(1)]} \int_{-1}^1 \tan^{-1}\!\left(\frac{1}{e^x}\right)dx \xrightarrow{\text{두 식을 더하면}}$

$\Rightarrow 2I = \int_{-1}^1 \tan^{-1}(e^x) + \tan^{-1}\!\left(\frac{1}{e^x}\right)dx \xleftarrow{[\text{정리 }56,(6)]} \int_{-1}^1 \frac{\pi}{2}\,dx = \pi \Rightarrow \therefore 준 식 = \frac{\pi}{2}.$

708 $I = \int_0^{2\pi} \frac{1}{1+e^{\sin x}}\,dx \xleftarrow{[\text{정리 }24,(1)]} \int_0^{2\pi} \frac{e^{\sin x}}{1+e^{\sin x}}\,dx \xrightarrow{\text{두 식을 더하면}} 2I = \int_0^{2\pi} 1\,dx$

$\Rightarrow \therefore 준 식 = \pi.$

709 (1) $\int_0^\infty \frac{\sin x}{x}\,dx = \int_0^\infty \sin x \int_0^\infty e^{-ux}du\,dx = \int_0^\infty \int_0^\infty e^{-ux}\sin x\,dx\,du \xleftarrow{[\text{정리 }33]}$

$= \int_0^\infty \int_0^\infty e^{-ux}Im(e^{ix})dx\,du = Im\!\left(\int_0^\infty \int_0^\infty e^{-(u-i)x}dx\,du\right) = Im\!\left(\int_0^\infty \frac{1}{u-i}\,du\right)$

$= Im\!\left(\int_0^\infty \frac{u}{u^2+1} + i\frac{1}{u^2+1}\,du\right) = \int_0^\infty \frac{1}{u^2+1}\,du = \big[\tan^{-1}u\big]_0^\infty = \frac{\pi}{2}.$

(2) $\int_0^\infty \cos\frac{1}{x}\,dx = \left[x\cos\frac{1}{x}\right]_0^\infty - \int_0^\infty \frac{1}{x}\sin\frac{1}{x}\,dx \xleftarrow{x^{-1}=t} -\int_0^\infty \frac{\sin t}{t}\,dt \xrightarrow{(1)} -\frac{\pi}{2}.$

$\therefore 준 식 = \lim_{n\to\infty}\int_0^n 1 - x\sin\frac{1}{x}\,dx = \lim_{n\to\infty} n - \left[\frac{x^2}{2}\sin\frac{1}{x}\right]_0^n - \frac{1}{2}\int_0^n \cos\frac{1}{x}\,dx$

$= \lim_{n\to\infty}\left(n - \frac{n^2}{2}\sin\frac{1}{n}\right) - \frac{1}{2}\int_0^\infty \cos\frac{1}{x}\,dx \xleftarrow{(2)} \frac{\pi}{4}.$

710 (1) $i^{-\frac{1}{a}} = \left(\cos\frac{\pi}{2} + i\sin\frac{\pi}{2}\right)^{-\frac{1}{a}} = e^{-i\left(\frac{\pi}{2a}\right)} = \cos\left(\frac{\pi}{2a}\right) - i\sin\left(\frac{\pi}{2a}\right).$

$\therefore 준 식 = -Im\!\left(\int_0^\infty e^{-ix^a}dx\right) \xleftarrow{ix^a=u^a} -Im\!\left(i^{-\frac{1}{a}}\right)\int_0^\infty e^{-u^a}du \xleftarrow{u^a=t}$

$$=-\frac{1}{a}Im\left(i^{-\frac{1}{a}}\right)\int_0^\infty e^{-t}t^{\frac{1}{a}-1}\,dt\xrightarrow{\text{[정리 81]}}-\frac{1}{a}\Gamma\left(\frac{1}{a}\right)Im\left(i^{-\frac{1}{a}}\right)\xleftarrow{(1)}\frac{1}{a}\Gamma\left(\frac{1}{a}\right)\sin\frac{\pi}{2a}$$

$$=\Gamma\left(1+\frac{1}{a}\right)\sin\frac{\pi}{2a}.$$

711 (1) $\displaystyle\int_1^2 x^{-\frac{3}{2}}e^x\,dx=\left[-2x^{-\frac{1}{2}}e^x\right]_1^2+2\int_1^2 x^{-\frac{1}{2}}e^x\,dx=2e-\frac{2e^2}{\sqrt2}+2\int_1^2\frac{e^x}{\sqrt x}\,dx$$

$$\therefore\text{준 식}\xleftarrow{\ln x=y}\int_1^2 4\sqrt y\,e^y+y^{-\frac{3}{2}}e^y\,dy\xleftarrow{(1)}2e-\frac{2e^2}{\sqrt2}+\int_1^2 4\sqrt x\,e^x+\frac{2e^x}{\sqrt x}\,dx$$

$$=2e-\frac{2e^2}{\sqrt2}+\int_1^2 4\sqrt x\,(e^x)'+(4\sqrt x)'\,e^x\,dx=3\sqrt2\,e^2-2e.$$

712 준 식 $\displaystyle=\int_{\frac{\pi}{4}}^{\frac{\pi}{3}}(\ln(\ln\sin x))'-(\ln(\ln\cos x))'\,dx=\ln\left(\ln\frac{\sqrt3}{2}\right)-\ln\left(\ln\frac{1}{2}\right).$

713 (1) $\displaystyle\int_0^1\frac{xe^x}{1+x}\,dx=\int_0^1 e^x-\frac{e^x}{1+x}\,dx\xrightarrow{\text{조건식}}e-1-E.$

(2) $\displaystyle\int_0^1\frac{x^2e^x}{1+x}\,dx=\int_0^1\frac{((1+x)^2-2x-1)e^x}{1+x}\,dx=\int_0^1(1+x)e^x\,dx-\int_0^1 2\frac{xe^x}{1+x}+\frac{e^x}{1+x}\,dx$

$$\xrightarrow[\text{조건식}]{\text{부분적분, (1)}}E-e+2.$$

(3) $\displaystyle\int_0^1\frac{e^{\frac{1-x}{1+x}}}{1+x}\,dx\xleftarrow{\frac{1-x}{1+x}=t}\int_0^1\frac{e^t}{1+t}\,dt\xleftarrow{\text{조건식}}E.$

(4) $\displaystyle\int_1^{\sqrt2}\frac{e^{x^2}}{x}\,dx\xleftarrow{x^2=y+1}\frac{1}{2}\int_0^1\frac{e^{y+1}}{y+1}\,dy=\frac{e}{2}\int_0^1\frac{e^x}{1+x}\,dx=\frac{eE}{2}.$

714 (1) $\displaystyle\frac{d}{dx}(a^x)=a^x\ln a\Rightarrow\frac{d^{2n}}{dx^{2n}}(a^x)=a^x(\ln a)^{2n}\xrightarrow{x=m}a^m(\ln a)^{2n}=\frac{d^{2n}}{dm^{2n}}(a^m)\xrightarrow{a=x}$

$$\Rightarrow x^m(\ln x)^{2n}=\frac{d^{2n}}{dm^{2n}}(x^m)\xrightarrow{m=-2n}x^{-2n}(\ln x)^{2n}=\frac{d^{2n}}{d(-2n)^{2n}}(x^{-2n})$$

$$=\frac{d^{2n}}{dn^{2n}}(x^{-2n})\times\frac{dn^{2n}}{d(-2n)^{2n}}=\frac{d^{2n}}{dn^{2n}}(x^{-2n})\cdot\left(-\frac{1}{2}\right)^{2n}.$$

(2) $\displaystyle\frac{d^{2n}}{dx^{2n}}\left(\frac{1}{1-2x}\right)=(-2)^{2n}\frac{(2n)!}{(1-2x)^{2n+1}}.$

$$\therefore \text{준식} = \int_0^1 x^{-2n}(\ln x)^{2n}\,dx \xleftarrow{(1)} \left(-\frac{1}{2}\right)^{2n}\int_0^1 \frac{d^{2n}}{dn^{2n}}(x^{-2n})\,dx = \frac{1}{2^{2n}}\frac{d^{2n}}{dn^{2n}}\int_0^1 x^{-2n}\,dx$$

$$= \frac{1}{2^{2n}}\frac{d^{2n}}{dn^{2n}}\left(\frac{1}{1-2n}\right)\xleftarrow{(2)}\frac{1}{2^{2n}}\cdot\frac{2^{2n}(2n)!}{(1-2n)^{2n+1}} = \frac{(2n)!}{(1-2n)^{2n+1}}.$$

715 (1) $\displaystyle\int_0^\infty e^{-(t+1)x}\,dx = \frac{1}{t+1} \xrightarrow{\text{양변을 } t\text{로 미분}} \int_0^\infty xe^{-(t+1)x}\,dx = \frac{1}{(t+1)^2}.$

$$\therefore \text{준 식} = \int_0^3 \frac{x}{5-x}\sqrt[4]{\frac{3-x}{x}}\,dx \xrightarrow{\frac{3-x}{x}=t} 9\int_0^\infty \frac{\sqrt[4]{t}}{(5t+2)(t+1)^2}\,dt$$

$$= 25\int_0^\infty \frac{\sqrt[4]{t}}{5t+2}\,dt - 5\int_0^\infty \frac{\sqrt[4]{t}}{t+1}\,dt - 3\int_0^\infty \frac{\sqrt[4]{t}}{(t+1)^2}\,dt = 25\int_0^\infty \sqrt[4]{t}\int_0^\infty e^{-(5t+2)x}\,dx\,dt$$

$$-5\int_0^\infty \sqrt[4]{t}\int_0^\infty e^{-(t+1)x}\,dx\,dt - 3\int_0^\infty \sqrt[4]{t}\int_0^\infty xe^{-(t+1)x}\,dx\,dt$$

$$= 25\int_0^\infty e^{-2x}\int_0^\infty t^{\frac{1}{4}}e^{-5xt}\,dt\,dx - 5\int_0^\infty e^{-x}\int_0^\infty t^{\frac{1}{4}}e^{-xt}\,dt\,dx - 3\int_0^\infty xe^{-x}\int_0^\infty t^{\frac{1}{4}}e^{-xt}\,dt\,dx$$

$$\xleftarrow{\text{[문제 657,(1)]}} \Gamma\left(\frac{5}{4}\right)\left\{\frac{5}{\sqrt[4]{5}}\int_0^\infty x^{-\frac{5}{4}}e^{-2x}\,dx - 5\int_0^\infty x^{-\frac{5}{4}}e^{-x}\,dx - 3\int_0^\infty x^{-\frac{1}{4}}e^{-x}\,dx\right\}$$

$$\xleftarrow{\text{[정리 81]}} = 5\Gamma\left(\frac{5}{4}\right)\Gamma\left(1-\frac{5}{4}\right)\left(\sqrt[4]{\frac{2}{5}}-1\right) - 3\Gamma\left(1+\frac{1}{4}\right)\Gamma\left(1-\frac{1}{4}\right)$$

$$\xleftarrow{\text{[정리 98,81]}} \pi\left(\frac{17\sqrt{2}}{4}-\sqrt[4]{10^3}\right).$$

716 $\text{준 식} \xleftarrow{\cos t = y} \int_{\cos x}^1 y\sin(2\pi y)\,dy = \left[\frac{-y}{2\pi}\cos(2\pi y)\right]_{\cos x}^1 + \frac{1}{2\pi}\int_{\cos x}^1 \cos(2\pi y)\,dy$

$$= \frac{1}{2\pi}(\cos x\cos(2\pi\cos x)-1) - \frac{\sin(2\pi\cos x)}{4\pi^2}.$$

717 $\text{준 식} = \displaystyle\int_1^e \frac{(1+e^x)\ln x - xe^x\ln x}{(1+e^x)^2}\,dx = \int_1^e \frac{(\ln x+1)(1+e^x)-xe^x\ln x}{(1+e^x)^2} - \frac{1}{1+e^x}\,dx$

$$= \int_1^e \frac{(x\ln x)'(1+e^x)-(x\ln x)(1+e^x)'}{(1+e^x)^2} + \frac{-e^{-x}}{1+e^{-x}}\,dx = \left[\frac{x\ln x}{1+e^x}+\ln(1+e^{-x})\right]_1^e$$

$$= \frac{e}{1+e^e}+\ln\left(\frac{1+e^{-e}}{1+e^{-1}}\right).$$

718 $I = \displaystyle\int_{\frac{1}{a}}^{a} \frac{\ln x}{x} \ln(x^2+1)dx \xleftrightarrow{x=t^{-1}} \int_{\frac{1}{a}}^{a} \frac{1}{t}\ln\left(\frac{1}{t}\right)\ln\left(\frac{1}{t^2}+1\right)dt$

$= \displaystyle\int_{\frac{1}{a}}^{a} \frac{1}{t}\{2(\ln t)^2 - \ln t\ln(1+t^2)\}dt = 2\int_{\frac{1}{a}}^{a} \frac{(\ln t)^2}{t}dt - I \Rightarrow \therefore I = \int_{\frac{1}{a}}^{a} \frac{1}{x}(\ln x)^2 dx$

$= \displaystyle\int_{\frac{1}{a}}^{a} (\ln x)^2 d(\ln x) = \left[\frac{(\ln x)^3}{3}\right]_{a^{-1}}^{a} = \frac{2}{3}(\ln a)^3.$

719 준 식 $= \displaystyle\int_{0}^{\frac{\pi}{2}} \sin^{\frac{1}{3}}x \cos^{-\frac{1}{3}}x\, dx \xleftarrow{[정리 83, 증명]} \frac{1}{2}B\left(\frac{2}{3},\frac{1}{3}\right) \xleftarrow{[미분과증명, 904]}$

$= \dfrac{\Gamma\left(\dfrac{2}{3}\right)\Gamma\left(\dfrac{1}{3}\right)}{2} \xleftarrow{[정리 98]} \dfrac{\pi}{\sqrt{3}}.$

720 준 식 $\xleftarrow{\tan\frac{x}{2}=t} 2\displaystyle\int_{0}^{1} 1 + \frac{2t}{1+t^2}dt = 2\left[t + \ln(1+t^2)\right]_{0}^{1} = 2(1+\ln 2).$

721 준 식 $= \dfrac{1}{a}\displaystyle\int_{0}^{1} \frac{2-(2ax+2)}{(1+ax)^3}dx = \frac{2}{a}\int_{0}^{1} \frac{dx}{(1+ax)^3} - \frac{2}{a}\int_{0}^{1} \frac{dx}{(1+ax)^2} \xleftrightarrow{1+ax=t}$

$= \dfrac{2}{a^2}\left[\dfrac{1}{1+ax}\right]_{0}^{1} + \dfrac{2}{a^2}\displaystyle\int_{1}^{1+a} t^{-3}dt = \dfrac{-1}{(1+a)^2}.$

722 [문제 721]에서 양변을 a로 미분한다.

$\Rightarrow \displaystyle\int_{0}^{1} \frac{(-1)^2 3!\, x^2}{(1+ax)^4}dx = \frac{(-1)^2 2!}{(1+a)^3} \xrightarrow{\text{양변을}\, a\text{로 미분}} \int_{0}^{1} \frac{(-1)^3 4!\, x^3}{(1+ax)^5}dx = \frac{(-1)^3 3!}{(1+a)^4}.$

계속적으로 미분하면 다음처럼 일반식을 만들 수 있다.

$\therefore \displaystyle\int_{0}^{1} \frac{(-1)^{n-1}n!\, x^{n-1}}{(1+ax)^{n+1}}dx = \frac{(-1)^{n-1}(n-1)!}{(1+a)^n}.$

723 준 식 $\xleftarrow{\sin x = y} \displaystyle\int_{0}^{1} y^a(1-y^2)^{-\frac{1}{2}(a+1)}dy \xleftarrow{y^2=t} \frac{1}{2}\int_{0}^{1} t^{\frac{a}{2}-\frac{1}{2}}(1-t)^{-\frac{a}{2}}dt$

$\xrightarrow{[정리 82]} \dfrac{1}{2}B\left(\dfrac{a}{2}+\dfrac{1}{2},\dfrac{1}{2}-\dfrac{a}{2}\right) \xrightarrow{[미분과증명, 904]} \dfrac{1}{2}\Gamma\left(\dfrac{a}{2}+\dfrac{1}{2}\right)\Gamma\left(\dfrac{1}{2}-\dfrac{a}{2}\right) \xrightarrow{[정리 98]}$

$= \dfrac{\pi}{2\cos\dfrac{\pi a}{2}}.$

724 준 식 $= \dfrac{1}{\sqrt{2}}\displaystyle\int_0^{\pi}\dfrac{1}{\sqrt{1+\sin^2\frac{x}{2}}}dx \xleftarrow{\ \sin\frac{x}{2}=y\ } \sqrt{2}\displaystyle\int_0^1\dfrac{1}{\sqrt{1-y^4}}dy \xleftarrow{\ y^4=t\ }$

$= \dfrac{\sqrt{2}}{4}\displaystyle\int_0^1 t^{-\frac{3}{4}}(1-t)^{-\frac{1}{2}}dt \xleftarrow{\ [\text{정리 }82]\ } \dfrac{\sqrt{2}}{4}B\left(\dfrac{1}{4},\dfrac{1}{2}\right) \xleftarrow[\ [\text{정리 }143]\ ]{\ [\text{미분과 증명, }904]\ } \dfrac{\Gamma\left(\frac{1}{4}\right)^2}{4\sqrt{\pi}}.$

725 (1) $B(a,b)=\displaystyle\int_0^1 x^{b-1}(1-x)^{a-1}dx \xleftarrow{\ x=\frac{y}{1+y}\ } \displaystyle\int_0^{\infty}\dfrac{y^{b-1}}{(1+y)^{a+b}}dy$

$= \displaystyle\int_0^{\infty}\dfrac{x^{b-1}}{(1+x)^{a+b}}dx.$

(2) $\Gamma(b)-B(a,b)=\dfrac{\Gamma(b)\Gamma(a+b)-\Gamma(a)\Gamma(b)}{\Gamma(a+b)}=\dfrac{b\,\Gamma(b)}{\Gamma(a+b)}\cdot\dfrac{\Gamma(a+b)-\Gamma(a)}{b}$

$= \dfrac{\Gamma(b+1)}{\Gamma(a+b)}\cdot\dfrac{\Gamma(a+b)-\Gamma(a)}{b}.$

$\Rightarrow \displaystyle\lim_{b\to 0}\Gamma(b)-B(a,b)=\left(\lim_{b\to 0}\dfrac{\Gamma(b+1)}{\Gamma(a+b)}\right)\left(\lim_{b\to 0}\dfrac{\Gamma(a+b)-\Gamma(a)}{b}\right)=\dfrac{\Gamma'(a)}{\Gamma(a)}.$

$\therefore \dfrac{\Gamma'(a)}{\Gamma(a)}=\displaystyle\lim_{b\to 0}\Gamma(b)-B(a,b)\xrightarrow[\ [\text{정리 }81]\ ]{(1)}\lim_{b\to 0}\int_0^{\infty}x^{b-1}e^{-x}-\dfrac{x^{b-1}}{(1+x)^{a+b}}dx$

$= \displaystyle\int_0^{\infty}\left(\dfrac{1}{e^x}-\dfrac{1}{(x+1)^a}\right)\dfrac{1}{x}dx.\quad \therefore \dfrac{\Gamma'(a)}{\Gamma(a)}.$

726 준 식 $\xrightarrow{\ 1+x+e^x=y\ } \displaystyle\int_2^{2+e}\dfrac{(y'+y\ln y)}{y}dy=\int_2^{2+e}(\ln y)'+\ln y\,dy \xleftarrow{\ \text{부분적분}\ }$

$= [\ln y+y\ln y-y]_2^{2+e}=(e+3)\ln 2-3\ln 2-e.$

727 준 식 $\xleftarrow[\ [\text{정리 }46,68]\ ]{\ u=x^2+y^2,\ v=\frac{y}{x}\ } \dfrac{1}{2}\displaystyle\int_1^2\int_1^2 u\cos(u^2)dudv=\dfrac{1}{4}\int_1^2\left[\sin(u^2)\right]_1^2 dv$

$= \dfrac{\sin 4-\sin 1}{4}.$

728 (1) $f'(x)=4\sin x\cos x(3\sin^2 x-\cos^2 x)\Rightarrow \begin{array}{l} f'(x)\le 0,\ \left(0\le x\le\dfrac{\pi}{6}\right) \\[2mm] f'(x)\ge 0,\ \left(\dfrac{\pi}{6}\le x\le\dfrac{\pi}{2}\right)\end{array}.$

$$\therefore \text{준식} \xleftrightarrow{(1)} \int_0^{\frac{\pi}{6}} -f'(x)dx + \int_{\frac{\pi}{6}}^{\frac{\pi}{2}} f'(x)dx = \int_0^{\frac{\pi}{6}} 4\sin x\cos^3 x - 12\sin^3 x\cos x\,dx$$

$$+ \int_{\frac{\pi}{6}}^{\frac{\pi}{2}} 12\sin^3 x\cos x - 4\sin x\cos^3 x\,dx = -\left[\cos^4 x + 3\sin^4 x\right]_0^{\frac{\pi}{6}} + \left[3\sin^4 x + \cos^4 x\right]_{\frac{\pi}{6}}^{\frac{\pi}{2}} = \frac{5}{2}.$$

729 $I = \displaystyle\int_0^{2\pi} \frac{x\sin^{2n}x}{\sin^{2n}x + \cos^{2n}x}dx \xleftrightarrow{[\text{정리 } 24,(1)]} 2\pi\int_0^{2\pi} \frac{\sin^{2n}x}{\sin^{2n}x + \cos^{2n}x}dx - I$

$\Rightarrow I = \pi\displaystyle\int_0^{2\pi} \frac{\sin^{2n}x}{\sin^{2n}x + \cos^{2n}x}dx = 2\pi\int_0^{\pi} \frac{\sin^{2n}x}{\sin^{2n}x + \cos^{2n}x}dx = 2\pi\int_0^{\frac{\pi}{2}} \frac{\sin^{2n}x}{\sin^{2n}x + \cos^{2n}x}dx +$

$2\pi\displaystyle\int_{\frac{\pi}{2}}^{\pi} \frac{\sin^{2n}x}{\sin^{2n}x + \cos^{2n}x}dx \xleftarrow{x = \frac{\pi}{2} + t} 2\pi\int_0^{\frac{\pi}{2}} \frac{\sin^{2n}x}{\sin^{2n}x + \cos^{2n}x}dx + 2\pi\int_0^{\frac{\pi}{2}} \frac{\cos^{2n}t}{\sin^{2n}t + \cos^{2n}t}dt$

$= 2\pi\displaystyle\int_0^{\frac{\pi}{2}} 1\,dx = \pi^2.$

730 $I(b) = \displaystyle\int_{-\frac{\pi}{2}}^{\frac{\pi}{2}} \frac{\ln(1 + b\sin x)}{\sin x}dx \xrightarrow{\text{양변을 }b\text{로 미분}} I'(b) = \int_{-\frac{\pi}{2}}^{\frac{\pi}{2}} \frac{1}{1 + b\sin x}dx$

$\xleftarrow{\tan\frac{x}{2} = t} 2\displaystyle\int_{-1}^1 \frac{1}{t^2 + 2bt + 1}dt = \frac{2}{\sqrt{1 - b^2}}\left[\tan^{-1}\left(\frac{t + b}{\sqrt{1 - b^2}}\right)\right]_{-1}^1$

$= \dfrac{2}{\sqrt{1 - b^2}}\left(\tan^{-1}\sqrt{\dfrac{1 + b}{1 - b}} + \tan^{-1}\sqrt{\dfrac{1 - b}{1 + b}}\right) \xleftarrow{[\text{정리 } 56,(6)]} \dfrac{\pi}{\sqrt{1 - b^2}} \xrightarrow{\text{양변을 적분}}$

$\Rightarrow I(b) = \pi\sin^{-1}b + c \xrightarrow{b = 0} c = I(0) = 0 \Rightarrow \therefore \text{준식} = \pi\sin^{-1}b.$

731 (1) $\displaystyle\int_0^1 (1 - x^{50})^{101}dx = \left[x(1 - x^{50})^{101}\right]_0^1 + 5050\int_0^1 x^{50}(1 - x^{50})^{100}dx$

$= 5050\displaystyle\int_0^1 (1 - x^{50})^{100}dx - 5050\int_0^1 (1 - x^{50})^{101}dx$

$\Rightarrow 5051\displaystyle\int_0^1 (1 - x^{50})^{101}dx = 5050\int_0^1 (1 - x^{50})^{100}dx \Rightarrow \therefore \text{준식} = 5051.$

732 $I(a) = \displaystyle\int_0^{\frac{\pi}{2}} \cos(a\tan x)dx \xleftrightarrow{\tan x = t} \int_0^{\infty} \frac{\cos(at)}{1 + t^2}dt \xleftarrow{[\text{문제 } 86]} \frac{\pi}{2}e^{-a}.$

733 준 식 $\xleftarrow{\frac{1}{x^n+1}=y}$ $\dfrac{1}{n}\displaystyle\int_0^1 y^{n-\frac{1}{n}-1}(1-y)^{\frac{1}{n}-1}dy$ $\xrightarrow{[정리 82]}$ $\dfrac{1}{n}B\!\left(n-\dfrac{1}{n},\dfrac{1}{n}\right)$

$\xleftarrow{[미분과 증명,904]}$ $\dfrac{\Gamma\!\left(n-\dfrac{1}{n}\right)\dfrac{1}{n}\Gamma\!\left(\dfrac{1}{n}\right)}{\Gamma(n)}=\dfrac{\Gamma\!\left(n-\dfrac{1}{n}\right)\Gamma\!\left(1+\dfrac{1}{n}\right)}{\Gamma(n)}.$

734 준 식 $=\displaystyle\int_{-\infty}^0 (n+n^2)^x\,dx=\left[\dfrac{(n+n^2)^x}{\ln(n+n^2)}\right]_{-\infty}^0=\dfrac{1}{\ln(n^2+n)}.$

735 (1) $y(s)=\dfrac{1}{2}\displaystyle\int_0^\infty \dfrac{e^{\frac{i}{x}-s^2x}}{\sqrt{x}}dx\Rightarrow y'(s)=-s\int_0^\infty \sqrt{x}\,e^{\frac{i}{x}-s^2x}\,dx,$

$y''(s)=-\displaystyle\int_0^\infty \sqrt{x}\,e^{\frac{i}{x}-s^2x}\,dx+2s^2\int_0^\infty x^{\frac{3}{2}}e^{\frac{i}{x}}e^{-s^2x}\,dx=\dfrac{y'(s)}{s}+\left[-2x^{\frac{3}{2}}e^{\frac{i}{x}-s^2x}\right]_0^\infty+$

$2\displaystyle\int_0^\infty\left(\dfrac{3}{2}\sqrt{x}\,e^{\frac{i}{x}}-\dfrac{ie^{\frac{i}{x}}}{\sqrt{x}}\right)e^{-s^2x}\,dx=-\dfrac{2}{s}y'(s)-4iy(s)\xrightarrow{z(s)=sy(s)}$

$\Rightarrow z''(s)+4iz(s)=0\xrightarrow{\frac{d}{ds}=D}(D^2+4i)z(s)=0\Rightarrow D=\pm\sqrt{2(-2i)}$

$=\pm\sqrt{2(1+i^2-2i)}=\pm\sqrt{2}(1-i),\ \Rightarrow z(s)=Ae^{\sqrt{2}(1-i)s}+Be^{-\sqrt{2}(1-i)s}.$

(2) $z(s)=sy(s)=\dfrac{s}{2}\displaystyle\int_0^\infty\dfrac{e^{\frac{i}{x}-s^2x}}{\sqrt{x}}dx\xleftarrow{s^2x=u^{-1}}\dfrac{1}{2}\int_0^\infty u^{-\frac{3}{2}}e^{-\frac{1}{u}}e^{is^2u}\,du$

$\xrightarrow{s=0}z(0)=\dfrac{1}{2}\displaystyle\int_0^\infty u^{-\frac{3}{2}}e^{-\frac{1}{2}}\,du\xleftarrow{[정리 81,143]}\dfrac{\sqrt{\pi}}{2},\ z'(s)=s\int_0^\infty iu^{-\frac{1}{2}}e^{-\frac{1}{u}}e^{-is^2u}\,du$

$\xrightarrow{s=0}z'(0)=0.$ 한편 (1)에서 양변을 s로 미분한다.

$z'(s)=A\sqrt{2}(1-i)e^{\sqrt{2}(1-i)s}-B\sqrt{2}(1-i)e^{-\sqrt{2}(1-i)s}\xrightarrow{s=0}z'(0)=\sqrt{2}(1-i)(A-B),$

$\Rightarrow A-B=0\Rightarrow A=B\Rightarrow z(s)=A\big(e^{\sqrt{2}(1-i)s}+e^{-\sqrt{2}(1-i)s}\big)\xrightarrow{s=0}\dfrac{\sqrt{\pi}}{2}=2A.$

$\therefore z(s)=\dfrac{\sqrt{\pi}}{4}\big(e^{\sqrt{2}(1-i)s}+e^{-\sqrt{2}(1-i)s}\big).$

$\therefore$ 준 식 $\xleftarrow{[정리 33]}Im\!\left(\displaystyle\int_0^\infty e^{-x^2}e^{\frac{i}{x^2}}dx\right)\xleftarrow{x^2=t}Im\!\left(\dfrac{1}{2}\int_0^\infty\dfrac{e^{\frac{i}{t}-t}}{\sqrt{t}}dt\right)\xrightarrow{(1)}Im(y(1))\xleftarrow{(2)}$

$=Im(z(1))=Im\!\left(\dfrac{\sqrt{\pi}}{4}\big(e^{\sqrt{2}(1-i)}+e^{-\sqrt{2}(1-i)}\big)\right)\xrightarrow{[정리 33]}\dfrac{\sqrt{\pi}}{4}\sin\sqrt{2}\,\big(e^{-\sqrt{2}}-e^{\sqrt{2}}\big).$

736 (1) $I_n = \int_0^{\frac{\pi}{4}} \tan^n x\, dx$ 라고 하자. $I_{n+2} + I_n = \int_0^{\frac{\pi}{4}} \tan^n x\, d(\tan x) = \dfrac{1}{n+1}$.

$I_2 = \int_0^{\frac{\pi}{4}} \tan^2 x\, dx = \int_0^{\frac{\pi}{4}} \sec^2 x - 1\, dx = 1 - \dfrac{\pi}{4}$.

$\therefore$ 준식 $\xleftarrow{x=\tan\theta} \int_0^{\frac{\pi}{4}} (\tan\theta + \tan^2\theta)^4\, d\theta \xleftarrow{(1)} I_4 + 4I_5 + 6I_6 + 4I_7 + I_8 = I_4 + I_6 + I_6 + I_8$

$+ 4(I_5 + I_7) + 4I_6 \xleftarrow{(1)} \dfrac{104}{21} - \pi$.

737 (1) $f(x) = \dfrac{2}{\sqrt{\pi}} \int_0^x e^{-t^2}\, dt \xleftarrow{t=xu} \dfrac{2}{\sqrt{\pi}} \int_0^1 e^{-x^2 u^2} x\, du$.

$\therefore$ 준 식 $\xleftarrow{x=u^2} \int_0^\infty f(u)^2 2u e^{-u^2}\, du = \left[-e^{-u^2} f(u)^2\right]_0^\infty + \dfrac{4}{\sqrt{\pi}} \int_0^\infty f(u) e^{-2u^2}\, du$

$= \dfrac{4}{\sqrt{\pi}} \int_0^\infty f(u) e^{-2u^2}\, du = \dfrac{4}{\sqrt{\pi}} \int_0^\infty f(x) e^{-2x^2}\, dx \xleftarrow{(1)} \dfrac{8}{\pi} \int_0^\infty e^{-2x^2} \int_0^1 e^{-x^2 u^2} x\, du\, dx$

$= \dfrac{8}{\pi} \int_0^1 \int_0^\infty x e^{-(2+u^2)x^2}\, dx\, du = -\dfrac{4}{\pi} \int_0^1 \left[\dfrac{1}{2+u^2} e^{-(2+u^2)x^2}\right]_0^\infty du = \dfrac{4}{\pi} \int_0^1 \dfrac{1}{2+u^2}\, du$

$= \dfrac{4}{\pi\sqrt{2}} \left[\tan^{-1}\!\left(\dfrac{u}{\sqrt{2}}\right)\right]_0^1 = \dfrac{2\sqrt{2}}{\pi} \tan^{-1} \dfrac{1}{\sqrt{2}}$.

738 (1) $\phi = \dfrac{1+\sqrt{5}}{2}$: $x^2 - x - 1 = 0$의 근이다. $\Rightarrow \phi^2 = \phi + 1,\ \phi^2 - 1 = \phi$.

$\therefore$ 준식 $\xleftarrow{x=\sinh u} \int_0^\infty \dfrac{\cosh u}{(\sinh u + \sqrt{1+\sinh^2 u})^\phi}\, du = \dfrac{1}{2} \int_0^\infty \dfrac{e^u + e^{-u}}{(\sinh u + \cosh u)^\phi}\, du$

$= \dfrac{1}{2} \int_0^\infty \dfrac{e^u + e^{-u}}{e^{u\phi}}\, du = \dfrac{1}{2} \int_0^\infty e^{(1-\phi)u} + e^{-(1+\phi)u}\, du = -\dfrac{1}{2}\left(\dfrac{2\phi}{1-\phi^2}\right) \xleftarrow{(1)} 1$.

739 준 식 $= \int_0^\infty \dfrac{(x^2)^{14} x\, dx}{(5x^2 + 49)^{17}} \xrightarrow{x^2 = y} \dfrac{1}{2} \int_0^\infty \dfrac{y^{14}\, dy}{(5y + 49)^{17}} \xleftarrow{5y = 49z}$

$= \dfrac{1}{2 \cdot 49^2 \cdot 5^{15}} \int_0^\infty \dfrac{z^{14}}{(z+1)^{17}}\, dz \xrightarrow{\frac{z}{z+1} = v} \dfrac{1}{2 \cdot 49^2 \cdot 5^{15}} \int_0^1 v^{14}(1-v)\, dv$

$= \dfrac{1}{480 \cdot 49^2 \cdot 5^{15}}$.

740

(1) $\displaystyle\int_0^1 \frac{dx}{a^2+x^2} = \frac{1}{a}\tan^{-1}\frac{1}{a} \xrightarrow{\frac{1}{a}=\frac{u}{\sqrt{2+u^2}}} \int_0^1 \frac{u^2\,dx}{2+(1+x^2)u^2} = \frac{u}{\sqrt{2+u^2}}\tan^{-1}\frac{u}{\sqrt{2+u^2}}$

(2) $\displaystyle\int_0^1 \frac{4u^2\,du}{\sqrt{2-u^2}\,(2+(1+x^2)u^2)} \xleftarrow{\frac{2}{1+x^2}=a} \int_0^1 \frac{4}{1+x^2}\left(\frac{u^2}{a+u^2}\right)\frac{du}{\sqrt{2-u^2}}$

$\displaystyle = \frac{4}{1+x^2}\int_0^1 \frac{u^2\,du}{(u^2+a)\sqrt{2-u^2}} = \frac{4}{1+x^2}\int_0^1 \frac{du}{\sqrt{2-u^2}} - \frac{4a}{1+x^2}\int_0^1 \frac{du}{(u^2+a)\sqrt{2-u^2}}$

$\displaystyle = \frac{4}{1+x^2}\left[\sin^{-1}\frac{u}{\sqrt{2}}\right]_0^1 - \frac{4a}{1+x^2}\sqrt{\frac{a}{a+2}}\left[\tan^{-1}\left(\sqrt{\frac{a+2}{a}}\ \frac{u}{\sqrt{2-u^2}}\right)\right]_0^1$

$\displaystyle = \frac{\pi}{(1+x^2)} - \frac{4a}{1+x^2}\sqrt{\frac{a}{a+2}}\tan^{-1}\sqrt{\frac{a+2}{a}} \xleftarrow{a=\frac{2}{1+x^2}} \frac{\pi}{1+x^2} - \frac{4\tan^{-1}\sqrt{2+x^2}}{(1+x^2)\sqrt{2+x^2}}.$

$\displaystyle \therefore \text{준식} = \int_0^{\frac{\pi}{3}}\cos^{-1}\left(\frac{\sin^2\frac{x}{2}}{\cos x}\right)dx \xrightarrow[u^2=\sec x-1]{\frac{\sin^2\frac{x}{2}}{\cos x}=\frac{u^2}{2}} \int_0^1 \frac{2\cos^{-1}\left(\frac{u^2}{2}\right)}{(1+u^2)\sqrt{u^2+2}}\,du \xleftarrow{\text{부분적분}}$

$\displaystyle = \left[2\cos^{-1}\left(\frac{u^2}{2}\right)\tan^{-1}\frac{u}{\sqrt{u^2+2}}\right]_0^1 + 2\int_0^1 \frac{u}{\sqrt{1-\frac{u^4}{2}}}\tan^{-1}\frac{u}{\sqrt{u^2+2}}\,du$

$\displaystyle = \frac{\pi^2}{9} + 4\int_0^1 \frac{1}{\sqrt{2-u^2}}\cdot\frac{u}{\sqrt{2+u^2}}\tan^{-1}\frac{u}{\sqrt{u^2+2}}\,du \xleftarrow{(1)}$

$\displaystyle = \frac{\pi^2}{9} + 4\int_0^1 \frac{1}{\sqrt{2-u^2}}\int_0^1 \frac{u^2}{2+(1+x^2)u^2}\,dx\,du = \frac{\pi^2}{9} + \int_0^1\int_0^1 \frac{4u^2}{\sqrt{2-u^2}\,(2+(1+x^2)u^2)}\,du\,dx$

$\displaystyle \xleftarrow{(2)} \frac{\pi^2}{9} + \pi\int_0^1 \frac{dx}{1+x^2} - \int_0^1 \frac{4\tan^{-1}\sqrt{2+x^2}}{(1+x^2)\sqrt{2+x^2}}\,dx \xleftarrow{\text{[문제 635]}} \frac{\pi^2}{9} - \frac{20\pi^2}{96} + \pi\left[\tan^{-1}x\right]_0^1 = \frac{11\pi^2}{72}$

741 (1) $\displaystyle I = \int_0^1 \frac{\ln(1+x)}{1+x^2}\,dx = \int_0^1 \ln(1+x)(\tan^{-1}x)'\,dx \xleftarrow{y=\tan^{-1}x}$

$\displaystyle = \int_0^{\frac{\pi}{4}}\ln(1+\tan y)\,dy \xleftarrow{\text{[정리 24, (1)]}} \int_0^{\frac{\pi}{4}}\ln\left(1+\tan\left(\frac{\pi}{4}-x\right)\right)dx = \int_0^{\frac{\pi}{4}}\ln\left(\frac{2}{1+\tan x}\right)dx$

$\displaystyle = \frac{\pi}{4}\ln 2 - I \Rightarrow \therefore I = \frac{\pi}{8}\ln 2.$

(2) $\displaystyle \frac{1}{1+x} = 1-x+x^2-\cdots \Rightarrow \frac{1}{1+x^2} = 1-x^2+x^4-\cdots \xrightarrow{\text{양변을 적분}}$

$\displaystyle \tan^{-1}x = x - \frac{x^3}{3} + \frac{x^5}{5} - \cdots \Rightarrow \frac{\tan^{-1}x}{x} = 1 - \frac{x^2}{3} + \frac{x^4}{5} - \cdots.$

(3) $\quad J=\displaystyle\int_0^1 \frac{\ln x}{1+x^2}dx \xleftrightarrow{\text{부분적분}} \left[\ln x\tan^{-1}x\right]_0^1 - \int_0^1 \frac{\tan^{-1}x}{x}dx \xleftrightarrow{(2)} 1-\frac{1}{3^2}+\frac{1}{5^2}-\cdots.$

$\therefore \text{준식} \xleftrightarrow{x=t^{-1}} \displaystyle\int_0^1 \frac{\ln(1+t)-\ln t-\ln 2}{1+t^2}dt \xleftrightarrow{(1),(3)} -\frac{\pi}{8}\ln 2 + \sum_{n=0}^{\infty}\frac{(-1)^n}{(2n+1)^2}.$

---

742 $\quad I=\displaystyle\int_0^{\frac{\pi^2}{4}} \frac{1}{1+\sin\sqrt{x}+\cos\sqrt{x}}dx \xleftarrow{x=t^2} \int_0^{\frac{\pi}{2}} \frac{2t}{1+\sin t+\cos t}dt \xrightarrow{[\text{정리 }24,(1)]}$

$=\displaystyle\int_0^{\frac{\pi}{2}} \frac{\pi-2x}{1+\sin x+\cos x}dx = \pi\int_0^{\frac{\pi}{2}} \frac{1}{1+\sin x+\cos x}dx - I.$

$\therefore I=\dfrac{\pi}{2}\displaystyle\int_0^{\frac{\pi}{2}} \frac{1}{1+\sin x+\cos x}dx \xleftarrow{\tan\frac{x}{2}=u} \frac{\pi}{2}\int_0^1 \frac{1}{1+u}du = \frac{\pi}{2}\ln 2.$

---

743 $\quad$ 준 식 $=\displaystyle\int_{\frac{3\pi}{4}}^{\pi} (\sec^2 x - 1 - \tan x)e^{-x}dx = -\int_{\frac{3\pi}{4}}^{\pi} e^{-x}((\tan x + 1)-\sec^2 x)dx$

$=-\displaystyle\int_{\frac{3\pi}{4}}^{\pi} e^{-x}((\tan x+1)-(\tan x+1)')dx = \int_{\frac{3\pi}{4}}^{\pi} (e^{-x})'(\tan x+1)+(e^{-x})(\tan x+1)'\,dx$

$=\left[e^{-x}(\tan x+1)\right]_{\frac{3\pi}{4}}^{\pi} = e^{-\pi}.$

---

744 $\quad$ 준 식 $=\displaystyle\int_0^{\frac{\pi}{6}} \frac{\sin x+\cos x}{(\sin x-\cos x)^2}\ln(2+\sin 2x)dx \xrightarrow[\sin 2x=1-t^2]{\sin x-\cos x=t}$

$=\displaystyle\int_{-1}^{\frac{1-\sqrt{3}}{2}} \frac{\ln(3-t^2)}{t^2}dt \xrightarrow[g'(t)=t^{-2}]{f(t)=\ln(3-t^2)} \left[\frac{-\ln(3-t^2)}{t}\right]_{-1}^{\frac{1-\sqrt{3}}{2}} - \int_{-1}^{\frac{1-\sqrt{3}}{2}} \frac{2}{3-t^2}dt$

$=\dfrac{2}{\sqrt{3}-1}\ln\left(1+\dfrac{\sqrt{3}}{4}\right) - \dfrac{1}{\sqrt{3}}\ln\left(\dfrac{2+\sqrt{3}}{5-\sqrt{3}}\right).$

---

745 $\quad$ 준 식 $=\displaystyle\int_0^{\frac{\pi}{2}} \ln(1+\sqrt[3]{\sin x})\,d(\sin x) \xleftarrow[du=\frac{d(\sin x)}{3\sqrt[3]{\sin^2 x}}]{1+\sqrt[3]{\sin x}=u} 3\int_1^2 (u-1)^2\ln u\,du$

$\xrightarrow{\text{부분적분}} 2\ln 2 - \dfrac{5}{6}.$

---

746 (1) $(\cos x + \cos 2x + \cdots + \cos nx)\sin\dfrac{x}{2}$

$=\dfrac{1}{2}\left[\sin\dfrac{3x}{2} - \sin\dfrac{x}{2} + \sin\dfrac{5x}{2} - \sin\dfrac{3x}{2} + \cdots + \sin\dfrac{(2n+1)x}{2} - \sin\dfrac{(2n-1)x}{2}\right]$

$$= \frac{1}{2}\left(\sin\frac{(2n+1)x}{2} - \sin\frac{x}{2}\right) \Rightarrow \therefore \cos x + \cos 2x + \cdots + \cos nx = \frac{\sin\left(n+\frac{1}{2}\right)x - \sin\frac{x}{2}}{2\sin\frac{x}{2}}.$$

$$\therefore 준 식 = \int_0^\pi \frac{1-\cos nx}{2\sin^2\frac{x}{2}}dx = -\int_0^\pi (1-\cos nx)\left(\cot\frac{x}{2}\right)'dx = \left[(\cos nx - 1)\cot\frac{x}{2}\right]_0^\pi +$$

$$+n\int_0^\pi \frac{\sin nx \cos\frac{x}{2}}{\sin\frac{x}{2}}dx = \frac{n}{2}\int_0^\pi \frac{\sin\left(n+\frac{1}{2}\right)x + \sin\left(n-\frac{1}{2}\right)x}{\sin\frac{x}{2}}dx$$

$$= n\int_0^\pi \frac{\sin\left(n+\frac{1}{2}\right)x - \sin\frac{x}{2} + \sin\left(n-\frac{1}{2}\right)x - \sin\frac{x}{2}}{2\sin\frac{x}{2}} + 1\,dx \overset{(1)}{\longleftrightarrow}$$

$$= n\int_0^\pi 2(\cos x + \cdots + \cos(n-1)x) + \cos nx + 1\,dx = n\pi.$$

747 $I = \displaystyle\int_{\frac{1}{3}}^{\frac{1}{2}} \frac{\tan^{-1}(3x) - \cot^{-1}(3x)}{x}dx \xleftarrow{x=\frac{1}{6u}} \int_{\frac{1}{3}}^{\frac{1}{2}} \frac{\tan^{-1}\frac{1}{3u} - \cot^{-1}\frac{1}{2u}}{u}du$

$$= \int_{\frac{1}{3}}^{\frac{1}{2}} \frac{\cot^{-1}(3u) - \tan^{-1}(2u)}{u}du = -I \Rightarrow \therefore I = 0.$$

748 (1) $F(1) = \displaystyle\int xe^{-x}dx = -e^{-x}(x+1),\ F(2) = \int x^2 e^{-x}dx = -e^{-x}(x^2 + 2x + 2).$

(2) $\displaystyle\int \frac{F(1)}{F(2)}dx \overset{(1)}{\longleftrightarrow} \int \frac{x+1}{x^2 + 2x + 2}dx = \frac{1}{2}\int \frac{(2x+2)dx}{x^2 + 2x + 2} = \ln\sqrt{x^2 + 2x + 2}.$

$$\therefore 준 식 \overset{(2)}{\longleftrightarrow} \int_{-1}^{\sqrt{3}-1} \sqrt{(x+1)^2 + 1}\,dx = \left[\frac{(x+1)\sqrt{x^2+2x+2}}{2} + \frac{\ln\left|(x+1)+\sqrt{x^2+2x+2}\right|}{2}\right]_{-1}^{\sqrt{3}-1}$$

$$= \sqrt{3} + \frac{\ln(2+\sqrt{3})}{2}.$$

749 준 식 $\xleftarrow{x^3=y} \dfrac{1}{3}\displaystyle\int_0^1 y^{n-1}(1-y)^{-\frac{1}{3}}dy \xleftarrow{[정리 82]} \dfrac{1}{3}B\left(n, \frac{2}{3}\right) = \dfrac{\Gamma(n)\Gamma\left(\frac{2}{3}\right)}{3\Gamma\left(n+\frac{2}{3}\right)}.$

750 준 식 $= \int_{-1}^{1} \dfrac{x^{332}(2+x^{666})}{1+x^{666}}dx + 4\int_{-1}^{1}\dfrac{x^{1664}\sin(x^{691})}{1+x^{666}}dx \xleftrightarrow{\text{기함수,우함수}}$

$= 2\int_{0}^{1}\dfrac{x^{332}(2+x^{666})}{1+x^{666}}dx \xleftrightarrow{x^{333}=t} \dfrac{2}{333}\int_{0}^{1}1+\dfrac{1}{1+t^2}dt = \dfrac{2}{333}\left(\dfrac{\pi}{4}+1\right).$

751 $I_n = \int_{0}^{1}\ln(1+\sqrt[n]{x})\,dx \xleftrightarrow{x=t^n} n\int_{0}^{1}t^{n-1}\ln(1+t)\,dt \Rightarrow \dfrac{I_n}{n} = \int_{0}^{1}x^{n-1}\ln(1+x)dx$

$\xleftrightarrow[g'(x)=\ln(1+x)]{f(x)=x^{n-1}} \left[x^{n-1}\big((1+x)\ln(1+x)-x\big)\right]_{0}^{1} - (n-1)\int_{0}^{1}x^{n-2}\big[(1+x)\ln(1+x)-x\big]dx$

$= (2\ln2-1) - (n-1)\left(\int_{0}^{1}x^{n-2}\ln(1+x)dx + \int_{0}^{1}x^{n-1}\ln(1+x)dx - \dfrac{1}{n}\right)$

$= (2\ln2-1) - (n-1)\left(\dfrac{I_{n-1}}{n-1}+\dfrac{I_n}{n}-\dfrac{1}{n}\right) \Rightarrow \therefore I_n = 2\ln2 - I_{n-1} - \dfrac{1}{n}.$

752 (1) $\dfrac{1}{1-x} = \sum_{n=0}^{\infty}x^n \xleftrightarrow{\text{적분}} -\ln(1-x) = \sum_{n=1}^{\infty}\dfrac{x^n}{n}.$

$\therefore 준식 \xleftrightarrow{(1)} \int_{0}^{\infty}\sum_{n=1}^{\infty}\dfrac{-e^{-anx}}{n}dx = \sum_{n=1}^{\infty}\int_{0}^{\infty}-\dfrac{e^{-anx}}{n}dx = \sum_{n=1}^{\infty}\left[\dfrac{e^{-anx}}{an^2}\right]_{0}^{\infty} = -\dfrac{1}{a}\sum_{n=1}^{\infty}\dfrac{1}{n^2}$

$\xleftrightarrow{\text{[수열과급수, 12]}} -\dfrac{\pi^2}{6a}.$

753 (1) $1-2xi = \sqrt{1+4x^2}\left(\dfrac{1}{\sqrt{1+4x^2}} - \dfrac{2x}{\sqrt{1+4x^2}}i\right) \xleftrightarrow[\tan\theta=-2x]{\sin\theta=\frac{-2x}{\sqrt{1+4x^2}}}$

$= \sqrt{1+4x^2}\,(\cos\theta + i\sin\theta) \xleftrightarrow{\text{[정리 33]}} \sqrt{1+4x^2}\,e^{i\theta} \Rightarrow \ln(1-2xi) = \ln\sqrt{1+4x^2} + i\theta$

$= \ln\sqrt{1+4x^2} + i\tan^{-1}(-2x).$

$\therefore 준식 \xleftrightarrow{(1)} \dfrac{1}{2}\int_{-\infty}^{\infty}\dfrac{\ln(1+4x^2)}{1+x^2}dx - i\int_{-\infty}^{\infty}\dfrac{\tan^{-1}(2x)}{1+x^2}dx \xleftrightarrow{\text{우함수, 기함수}}$

$= \int_{0}^{\infty}\dfrac{\ln(1+4x^2)}{1+x^2}dx = \int_{0}^{\infty}\dfrac{1}{1+x^2}\int_{0}^{x}\dfrac{8y}{1+4y^2}dy\,dx \xleftrightarrow{y=xt} \int_{0}^{\infty}\dfrac{1}{1+x^2}\int_{0}^{1}\dfrac{8x^2t}{1+4x^2t^2}dt\,dx$

$= \int_{0}^{1}\int_{0}^{\infty}\dfrac{8x^2t}{(1+x^2)(1+4x^2t^2)}dx\,dt = 8\int_{0}^{1}\dfrac{t}{4t^2-1}\int_{0}^{\infty}\dfrac{1}{1+x^2}-\dfrac{1}{1+4x^2t^2}dx\,dt$

$= 8\int_{0}^{1}\dfrac{t}{4t^2-1}\left[\tan^{-1}x - \dfrac{1}{2t}\tan^{-1}(2xt)\right]_{0}^{\infty}dt = 8\int_{0}^{1}\dfrac{t}{4t^2-1}\left(\dfrac{\pi}{2}-\dfrac{\pi}{4t}\right)dt = 2\pi\int_{0}^{1}\dfrac{dt}{2t+1}$

$= \pi\ln3.$

754 (1) $\displaystyle\int_0^\infty \frac{x^2}{(x^2+a^2)(x^2+b^2)}dx = \frac{1}{b^2-a^2}\int_0^\infty \frac{x^2}{x^2+a^2} - \frac{x^2}{x^2+b^2}dx$

$\displaystyle = \frac{1}{b^2-a^2}\int_0^\infty \frac{b^2}{x^2+b^2} - \frac{a^2}{x^2+a^2}dx = \frac{1}{b^2-a^2}\left(\frac{\pi b}{2} - \frac{\pi a}{2}\right) = \frac{\pi}{2(a+b)}$.

(2) $\displaystyle\int_0^\infty \frac{\ln(1+x^2)}{x^2+m^2}dx = \int_0^\infty \frac{1}{x^2+m^2}\int_0^x \frac{2y}{1+y^2}dydx = \int_0^\infty \int_0^x \frac{2y}{(x^2+m^2)(1+y^2)}dydx$

$\displaystyle\xleftrightarrow[]{y=xt} 2\int_0^\infty\int_0^1 \frac{tx^2}{(x^2+m^2)(1+x^2t^2)}dtdx = 2\int_0^1 \frac{1}{t}\int_0^\infty \frac{x^2}{(x^2+m^2)\left(x^2+\frac{1}{t^2}\right)}dxdt \xleftrightarrow{(1)}$

$\displaystyle = \int_0^1 \frac{\pi}{mt+1}dt = \frac{\pi}{m}\left[\ln(mt+1)\right]_0^1 = \frac{\pi\ln(m+1)}{m}$.

(3) $\displaystyle \ln(1+yi) = \ln\sqrt{1+y^2}\left(\frac{1}{\sqrt{1+y^2}} + \frac{y}{\sqrt{1+y^2}}i\right)\xleftrightarrow[{[정리 33]}]{\tan\theta=y}\ln\sqrt{1+y^2}\,e^{i\theta}$

$\displaystyle = \ln\sqrt{1+y^2} + i\theta = \ln\sqrt{1+y^2} + i\tan^{-1}y$.

$\displaystyle \therefore 준 식 \xleftrightarrow{ax=-y} a\int_{-\infty}^\infty \frac{\ln(1+yi)}{y^2+a^2m}dy \xleftrightarrow{(3)} a\int_{-\infty}^\infty \frac{\ln\sqrt{1+y^2}}{y^2+a^2m} + i\frac{\tan^{-1}y}{y^2+a^2m}dy\xleftrightarrow[]{우함수, 기함수}$

$\displaystyle = a\int_0^\infty \frac{\ln(1+y^2)}{y^2+a^2m}dy \xleftrightarrow{(2)} \frac{\pi}{\sqrt{m}}\ln(a\sqrt{m}+1)$.

755 (1) $\displaystyle I(a) = \int_0^\infty \frac{\ln x}{x^2+a^2}dx \xleftrightarrow{x=a\tan t} \frac{1}{a}\int_0^{\frac{\pi}{2}}\ln(a\tan t)dt$

$\displaystyle = \frac{\pi\ln a}{2a} + \frac{1}{a}\int_0^{\frac{\pi}{2}}\ln(\tan t)dt\xleftrightarrow{[문제123]}\frac{\pi\ln a}{2a}\xrightarrow[]{양변을 a로 미분}$

$\displaystyle \Rightarrow I'(a) = -2a\int_0^\infty \frac{\ln x}{(x^2+a^2)^2}dx = \frac{\pi(1-\ln a)}{2a^2} \Rightarrow \int_0^\infty \frac{\ln x}{(x^2+a^2)^2}dx = \frac{\pi(\ln a-1)}{4a^3}$.

$\displaystyle \therefore 준 식 \xleftrightarrow{a=e^2} \frac{\pi}{4e^6}$.

756 $\displaystyle 준 식 = \int_{\frac{\pi}{4}}^{\frac{\pi}{3}} \frac{x^2\sec^2x}{(x-\tan x)(1+x\tan x)}dx = \int_{\frac{\pi}{4}}^{\frac{\pi}{3}} \frac{\tan x+x\sec^2x}{1+x\tan x} - \frac{1-\sec^2x}{x-\tan x}dx$

$\displaystyle = \left[\ln(1+x\tan x) - \ln(x-\tan x)\right]_{\frac{\pi}{4}}^{\frac{\pi}{3}} = \left[\ln\frac{1+x\tan x}{x-\tan x}\right]_{\frac{\pi}{4}}^{\frac{\pi}{3}} = \ln\frac{(3+\pi\sqrt{3})(4-\pi)}{(3\sqrt{3}-\pi)(4+\pi)}$.

757 준 식 $\xleftarrow{\quad\text{[정리 46]}\quad}$ $\dfrac{2}{\sqrt{3}}\displaystyle\int_{-\infty}^{\infty}\int_{-\infty}^{\infty}\dfrac{1}{\left(u^2+v^2+1\right)^s}\,dudv$

$\qquad\qquad x=u-\dfrac{v}{\sqrt{3}}\,,\,y=u+\dfrac{v}{\sqrt{3}}$

$\xleftarrow[\ u=r\cos\theta,\,v=r\sin\theta\ ]{\quad\text{[정리 46]}\quad}\dfrac{2}{\sqrt{3}}\displaystyle\int_0^\infty\int_0^{2\pi}\dfrac{r}{\left(r^2+1\right)^s}\,d\theta dr=\dfrac{2\pi}{\sqrt{3}}\int_0^\infty\dfrac{2r}{\left(r^2+1\right)^s}\,dr$

$=\dfrac{2\pi}{\sqrt{3}}\left[\dfrac{\left(r^2+1\right)^{1-s}}{1-s}\right]_0^\infty=\dfrac{2\pi}{(s-1)\sqrt{3}}\,.$

758 (1) $\displaystyle\int_0^\infty\dfrac{x^{a-1}}{1+x^m}\,dx=\int_0^\infty\int_0^\infty x^{a-1}e^{-(1+x^m)t}\,dtdx=\int_0^\infty e^{-t}\int_0^\infty x^{a-1}e^{-tx^m}\,dxdt$

$\xleftarrow{\quad x=\sqrt[m]{\dfrac{u}{t}}\quad}\dfrac{1}{m}\displaystyle\int_0^\infty u^{\frac{a}{m}-1}e^{-u}\,du\int_0^\infty t^{-\frac{a}{m}}e^{-t}\,dt\xleftarrow{\quad\text{[정리 81]}\quad}\dfrac{1}{m}\Gamma\left(\dfrac{a}{m}\right)\Gamma\left(1-\dfrac{a}{m}\right)\xleftarrow{\quad\text{[정리 98]}\quad}$

$=\dfrac{\pi}{m\sin\left(\dfrac{a\pi}{m}\right)}\xrightarrow{\quad\text{양변을 }a\text{로 미분}\quad}\displaystyle\int_0^\infty\dfrac{x^{a-1}\ln x}{1+x^m}\,dx=-\left(\dfrac{\pi}{m}\right)^2\operatorname{cosec}\dfrac{\pi a}{m}\cot\dfrac{\pi a}{m}\,.$

$\therefore$준 식 $\xleftarrow{\quad a=\dfrac{3}{2}\,,\,m=2\quad}\dfrac{\pi^2}{2\sqrt{2}}\,.$

759 (1) $\dfrac{y}{2}+1\le x\le 1,\,-2\le y\le 0\xrightarrow{\quad\text{아래그림}\quad}-2\le y\le 2x-2,\,0\le x\le 1.$

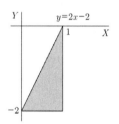

$\therefore$준 식 $\xleftrightarrow{\ (1)\ }\displaystyle\int_0^1\int_{-2}^{2x-2}e^{-x^2}\,dydx=\int_0^1 2xe^{-x^2}\,dx=\left[-e^{-x^2}\right]_0^1=1-\dfrac{1}{e}\,.$

760 준 식 $=\displaystyle\int_0^\infty x\sin^2x\int_0^\infty\dfrac{\sin^2y}{(x+y)^m}\,dy\,dx\xleftarrow{\quad\text{[정리 81]}\quad}$

$=\dfrac{1}{\Gamma(m)}\displaystyle\int_0^\infty x\sin^2x\int_0^\infty\sin^2y\int_0^\infty z^{m-1}e^{-(x+y)z}\,dzdydx$

$$= \frac{1}{\Gamma(m)} \int_0^\infty x\sin^2 x \int_0^\infty z^{m-1} e^{-xz} \int_0^\infty \sin^2 y \, e^{-yz} \, dy \, dz \, dx \xleftarrow{\text{부분적분}}$$

$$= \frac{2}{\Gamma(m)} \int_0^\infty x\sin^2 x \int_0^\infty z^{m-1} e^{-xz} \left(\frac{1}{4z+z^3} \right) dz \, dx$$

$$= \frac{2}{\Gamma(m)} \int_0^\infty \frac{z^{m-1}}{4z+z^3} \int_0^\infty x\sin^2 x \, e^{-zx} \, dx \, dz \xleftarrow{\text{부분적분}} \frac{4}{\Gamma(m)} \int_0^\infty \frac{z^{m-4}(4+3z^2)}{(4+z^2)^3} \, dz \xleftarrow{z^2=x}$$

$$= \frac{2}{\Gamma(m)} \int_0^\infty \frac{\sqrt{x^{m-5}}(4+3x)}{(4+x)^3} \, dx = \frac{2}{\Gamma(m)} \left(\int_0^\infty \frac{\sqrt{x^{m-5}}}{(4+x)^2} \, dx + 2 \int_0^\infty \frac{\sqrt{x^{m-3}}}{(4+x)^3} \, dx \right)$$

$$= \frac{2}{\Gamma(m)} \int_0^\infty x^{\frac{m-9}{2}} \left(\frac{x}{4+x} \right)^2 dx + \frac{4}{\Gamma(m)} \int_0^\infty x^{\frac{m-9}{2}} \left(\frac{x}{4+x} \right)^3 dx \xleftarrow{\frac{x}{4+x}=y}$$

$$= \frac{2^{m-6}}{\Gamma(m)} \int_0^1 y^{\frac{m-5}{2}} (1-y)^{\frac{5-m}{2}} \, dy + \frac{2^{m-5}}{\Gamma(m)} \int_0^1 y^{\frac{m-3}{2}} (1-y)^{\frac{5-m}{2}} \, dy \xleftarrow{\text{[정리 82]}}$$

$$= \frac{2^{m-6}}{\Gamma(m)} B\left(\frac{m-3}{2}, \frac{7-m}{2} \right) + \frac{2^{m-5}}{\Gamma(m)} B\left(\frac{m-1}{2}, \frac{7-m}{2} \right).$$

761 준 식 $\xleftarrow[x=\rho\cos\theta\sin\phi,\, y=\rho\sin\theta\sin\phi,\, z=\rho\cos\phi]{\text{[정리 46]}} \int_0^\infty \int_0^{\frac{\pi}{2}} \int_0^{\frac{\pi}{2}} \frac{\rho^2 \sin\phi}{(\rho^2+1)^2} \, d\theta \, d\phi \, d\rho$

$$= \int_0^\infty \frac{\rho^2}{(\rho^2+1)^2} \, d\rho \int_0^{\frac{\pi}{2}} \sin\phi \, d\phi \int_0^{\frac{\pi}{2}} 1 \, d\theta = \frac{\pi^2}{8}.$$

762 준 식 $\xleftarrow{\text{[정리 24, (7)]}} \int_0^{\frac{\pi}{2}} \frac{x+\cos x}{4\cos^2 x + 3\sin^2 x} \, dx + \int_0^{\frac{\pi}{2}} \frac{\cos x - x}{4\cos^2 x + 3\sin^2 x} \, dx$

$$= 2 \int_0^{\frac{\pi}{2}} \frac{\cos x}{4-\sin^2 x} \, dx = 2 \int_0^{\frac{\pi}{2}} \frac{d(\sin x)}{4-\sin^2 x} = \frac{1}{2} \left[\ln \left| \frac{\sin x + 2}{\sin x - 2} \right| \right]_0^{\frac{\pi}{2}} = \frac{\ln 3}{2}.$$

763 준 식 $= \int_0^{\frac{\pi}{4}} \frac{\sec^2 x \, dx}{2\sqrt{\tan x}} = \frac{1}{2} \int_0^{\frac{\pi}{4}} \frac{1}{\sqrt{\tan x}} \, d(\tan x) = \left[\sqrt{\tan x} \right]_0^{\frac{\pi}{4}} = 1.$

764 준 식 $\xleftarrow{x=\sin^2 u} 4 \int_0^{\frac{\pi}{2}} \ln(\sin u) \, du \xleftarrow{\text{[문제 13]}} -\pi\ln 2.$

765 준 식 $= \int_0^1 \frac{(1-x)^{2n-1}}{(1+x)^{2n+1}} \, dx + \int_1^\infty \frac{(1-x)^{2n-1}}{(1+x)^{2n+1}} \, dx \xleftarrow{x=y^{-1}} \int_0^1 \frac{(1-x)^{2n-1}}{(1+x)^{2n+1}} \, dx +$

$$+ \int_0^1 \frac{(x-1)^{2n-1}}{(1+x)^{2n+1}} \, dx = 0.$$

766 (1) $\cos 2x + \cos\left(2x - \dfrac{4\pi}{3}\right) + \cos\left(2x - \dfrac{2\pi}{3}\right) = 0.$

(2) $\dfrac{1}{2}\displaystyle\int_{-\pi}^{\pi}\cos(2x+2\sin 3x)dx = I_1$, $\dfrac{1}{2}\displaystyle\int_{-\pi}^{\pi}\cos(2x-2\sin 3x)dx = I_2.$

(3) $I = $ 준식 $\overset{\text{우함수}}{\longleftrightarrow} \dfrac{1}{2}\displaystyle\int_{-\pi}^{\pi}\cos(2x+2\sin 3x)dx \overset{x=t-\pi}{\longleftrightarrow} \dfrac{1}{2}\displaystyle\int_{0}^{2\pi}\cos(2t-2\sin 3t)dt$

$\overset{[\text{정리 }24,(15)]}{\underset{a=-\pi,\,T=2\pi}{\longleftarrow}} \dfrac{1}{2}\displaystyle\int_{-\pi}^{\pi}\cos(2t-2\sin 3t)dt = \dfrac{1}{2}\displaystyle\int_{-\pi}^{\pi}\cos(2x-2\sin 3x)dx.$

$\Rightarrow 2I \overset{(2)}{\longleftrightarrow} I_1 + I_2 = \dfrac{1}{2}\displaystyle\int_{-\pi}^{\pi}\cos(2x+2\sin 3x)+\cos(2x-2\sin 3x)dx$

$= \displaystyle\int_{-\pi}^{\pi}\cos 2x\cos(2\sin 3x)dx \overset{[\text{정리 }24,(15)]}{\underset{a=-\pi,\,T=2\pi}{\longleftrightarrow}} \displaystyle\int_{0}^{2\pi}\cos 2x\cos(2\sin 3x)dx \overset{[\text{정리 }24,(15)]}{\underset{a=-\frac{\pi}{3},\,T=2\pi}{\longleftarrow}}$

$= \displaystyle\int_{-\frac{\pi}{3}}^{\frac{5\pi}{3}}\cos 2x\cos(2\sin 3x)dx \overset{[\text{정리 }24,(1)]}{\longleftrightarrow} \displaystyle\int_{-\frac{\pi}{3}}^{\frac{5\pi}{3}}\cos 2\left(\dfrac{4\pi}{3}-x\right)\cos\left(2\sin 3\left(\dfrac{4\pi}{3}-x\right)\right)dx$

$= \displaystyle\int_{-\frac{\pi}{3}}^{\frac{5\pi}{3}}\cos\left(2x-\dfrac{8\pi}{3}\right)\cos(2\sin 3x)dx = \displaystyle\int_{-\frac{\pi}{3}}^{\frac{5\pi}{3}}\cos\left(2x-\dfrac{2\pi}{3}\right)\cos(2\sin 3x)dx \overset{[\text{정리 }24,(15)]}{\underset{a=-\frac{\pi}{3},\,T=2\pi}{\longleftrightarrow}}$

$= \displaystyle\int_{0}^{2\pi}\cos\left(2x-\dfrac{2\pi}{3}\right)\cos(2\sin 3x)dx \overset{[\text{정리 }24,(15)]}{\underset{a=\frac{\pi}{3},\,T=2\pi}{\longleftrightarrow}} \displaystyle\int_{\frac{\pi}{3}}^{\frac{7\pi}{3}}\cos\left(2x-\dfrac{2\pi}{3}\right)\cos(2\sin 3x)dx$

$= \displaystyle\int_{\frac{\pi}{3}}^{\frac{7\pi}{3}}\cos\left(2x-\dfrac{8\pi}{3}\right)\cos(2\sin 3x)dx \overset{x=u+\frac{2\pi}{3}}{\longleftrightarrow} \displaystyle\int_{-\frac{\pi}{3}}^{\frac{5\pi}{3}}\cos\left(2u-\dfrac{4\pi}{3}\right)\cos(2\sin 3u)du$

$= \displaystyle\int_{-\frac{\pi}{3}}^{\frac{5\pi}{3}}\cos\left(2x-\dfrac{4\pi}{3}\right)\cos(2\sin 3x)dx.$

$\therefore 6I = \displaystyle\int_{-\frac{\pi}{3}}^{\frac{5\pi}{3}}\left[\cos 2x + \cos\left(2x-\dfrac{4\pi}{3}\right) + \cos\left(2x-\dfrac{2\pi}{3}\right)\right]\cos(2\sin 3x)dx \overset{(1)}{\longleftrightarrow} 0.$

767 (1) $\displaystyle\int_{0}^{1}\ln\sqrt{x}\,dx = \dfrac{1}{2}\displaystyle\int_{0}^{1}\ln x\,dx = \dfrac{1}{2}\left[x\ln x - x\right]_{0}^{1} = -\dfrac{1}{2}.$

(2) $\cos\alpha = \sqrt{1-x}$ 라고 하자. $\sin\alpha = \sqrt{x} \Rightarrow \cos^{-1}\sqrt{1-x} = \sin^{-1}\sqrt{x}.$

(3) $\displaystyle\int_{0}^{1}\cos^{-1}\sqrt{x}\,dx \overset{[\text{정리 }24,(1)]}{\longleftrightarrow} \displaystyle\int_{0}^{1}\cos^{-1}\sqrt{1-x}\,dx \overset{(2)}{\longleftrightarrow} \displaystyle\int_{0}^{1}\sin^{-1}\sqrt{x}\,dx \overset{[\text{정리 }56,(5)]}{\longleftrightarrow}$

$= \displaystyle\int_{0}^{1}\dfrac{\pi}{2} - \cos^{-1}\sqrt{x}\,dx = \dfrac{\pi}{2} - \displaystyle\int_{0}^{1}\cos^{-1}\sqrt{x}\,dx \Rightarrow \displaystyle\int_{0}^{1}\cos^{-1}\sqrt{x}\,dx = \dfrac{\pi}{4}.$

$\therefore$ 준식 $\overset{(1),(3)}{\longleftrightarrow} \dfrac{\pi}{4} + \dfrac{1}{2}.$

768 $\displaystyle\int_0^1 x^n(2-x)^n\,dx = I$ 라고 하자.

(1) $\displaystyle\int_0^1 (2x)^n(2-2x)^n\,dx \xleftarrow{2x=y} \frac{1}{2}\int_0^2 y^n(2-y)^n\,dy = \frac{I}{2}+\frac{1}{2}\int_1^2 y^n(2-y)^n\,dy \xleftarrow{y=x+1}$

$\displaystyle = \frac{I}{2}+\frac{1}{2}\int_0^1 (1+x)^n(1-x)^n\,dx \xleftarrow{[정리 24,(1)]} \frac{I}{2}+\frac{1}{2}\int_0^1 (2-x)^n x^n\,dx = I.$

$\displaystyle \therefore 준\ 식 \xleftarrow{(1)} \int_0^1 (2x)^n(2-2x)^n\,dx = 2^{2n}\int_0^1 x^n(1-x)^n\,dx \xrightarrow{[정리 82]} 2^{2n}B(n+1,n+1)$

$\displaystyle \xleftarrow{[미분과 증명,904]} 2^{2n}\frac{\Gamma(n+1)\Gamma(n+1)}{\Gamma(2n+2)} \xleftarrow{[정리 81]} \frac{2^{2n}(n!)^2}{(2n+1)!}.$

---

769 (1) $\displaystyle\int_0^\infty y^3 e^{-xy}\,dy = \int_0^\infty \left(-\frac{y^3}{x}\right)(e^{-xy})'\,dy = \left[\frac{-y^3}{xe^{xy}}\right]_0^\infty + 3\int_0^\infty \frac{y^2}{x}e^{-xy}\,dy$

$\displaystyle = 3\int_0^\infty \left(-\frac{y^2}{x^2}\right)(e^{-xy})'\,dy = 3\left[\frac{-y^2}{x^2 e^{xy}}\right]_0^\infty + 6\int_0^\infty \frac{y}{x^2}e^{-xy}\,dy = 6\int_0^\infty \left(-\frac{y}{x^3}\right)(e^{-xy})'\,dy$

$\displaystyle = 6\left[\frac{-y}{x^3 e^{xy}}\right]_0^\infty + 6\int_0^\infty \frac{1}{x^3}e^{-xy}\,dy = -\frac{6}{x^4}\int_0^\infty (e^{-xy})'\,dy = \frac{6}{x^4} \ \Rightarrow \ \frac{1}{x^4} = \frac{1}{6}\int_0^\infty y^3 e^{-xy}\,dy.$

(2) $\displaystyle\int_0^\infty e^{-xy}\cos x\,dx \xleftarrow{부분적분} \frac{y}{1+y^2},\ \int_0^\infty e^{-xy}\sin x\,dx = \frac{1}{1+y^2}$ 이다.

$\displaystyle B = \int_0^\infty x\cos x\,e^{-xy}\,dx,\ A = \int_0^\infty x\sin x\,e^{-xy}\,dx$ 라고 하자.

(3) $\displaystyle A = \int_0^\infty x\sin x\,e^{-xy}\,dx = \left[-\frac{x\sin x}{ye^{xy}}\right]_0^\infty + \frac{1}{y}\int_0^\infty (\sin x + x\cos x)e^{-xy}\,dx$

$\displaystyle = \frac{1}{y}\int_0^\infty \sin x\,e^{-xy}\,dx + \frac{1}{y}\int_0^\infty x\cos x\,e^{-xy}\,dx \xleftarrow{(2)} \frac{1}{y(1+y^2)} + \frac{1}{y}\int_0^\infty x\cos x\,e^{-xy}\,dx$

$\displaystyle = \frac{1}{y(1+y^2)} + \frac{1}{y}B.$

(4) $\displaystyle B = \int_0^\infty x\cos x\,e^{-xy}\,dx = \left[-\frac{x\cos x}{ye^{xy}}\right]_0^\infty + \frac{1}{y}\int_0^\infty (\cos x - x\sin x)e^{-xy}\,dx \xleftarrow{(2)}$

$\displaystyle = \frac{1}{1+y^2} - \frac{1}{y}\int_0^\infty x\sin x\,e^{-xy}\,dx = \frac{1}{1+y^2} - \frac{1}{y}A.$

$\displaystyle \xrightarrow{(3),(4)} A = \frac{2y}{(y^2+1)^2},\ B = \frac{y^2-1}{(y^2+1)^2}.$

$\displaystyle \therefore 준\ 식 \xleftarrow{(1)} \frac{1}{6}\int_0^\infty (2-2\cos x - x\sin x)\int_0^\infty y^3 e^{-xy}\,dy\,dx$

$\displaystyle = \frac{1}{6}\int_0^\infty y^3\int_0^\infty (2-2\cos x - x\sin x)e^{-xy}\,dx\,dy \xleftarrow{(2),(4)} \frac{1}{6}\int_0^\infty y^3\left(\frac{2}{y} - \frac{2y}{1+y^2} - \frac{2y}{(1+y^2)^2}\right)dy$

$$= \frac{1}{6} \int_0^\infty y^3 \left(\frac{2}{y(y^2+1)} - \frac{2y}{(y^2+1)^2} \right) dy = \frac{1}{6} \int_0^\infty \frac{2y^2}{(y^2+1)^2} dy = \frac{1}{6} \int_0^\infty \frac{2}{1+y^2} - \frac{2}{(1+y^2)^2} dy$$

$$= \frac{\pi}{6} - \frac{1}{3} \int_0^\infty \frac{1}{(1+y^2)^2} dy \xleftarrow{y=\tan x} \frac{\pi}{6} - \frac{1}{3} \int_0^{\frac{\pi}{2}} \cos^2 x \, dx = \frac{\pi}{12}.$$

770 준 식 $\xleftarrow{x=e^u} a \int_{\ln 2}^\infty u^{-a} \, du = a \left[\frac{u^{1-a}}{1-a} \right]_{\ln 2}^\infty = \left(\frac{a}{a-1} \right) (\ln 2)^{1-a}.$

771 준 식 $= \int_0^\infty e^{-x} \ln x - x e^{-x} \ln x + e^{-x} - e^{-x} \, dx = \int_0^\infty \left(x e^{-x} \ln x + e^{-x} \right)' dx$

$$= \left[x e^{-x} \ln x + e^{-x} \right]_0^\infty = -1.$$

772 (1) $\displaystyle\int_0^\infty \frac{\sin^2 x}{x^2} dx = \left[-\frac{\sin^2 x}{x} \right]_0^\infty + \int_0^\infty \frac{\sin 2x}{x} dx = \int_0^\infty \frac{\sin 2x}{2x} d(2x) \xrightarrow{\text{[문제 19]}}$

$$= \frac{\pi}{2}.$$

(2) $\displaystyle\int_0^\infty \frac{\sin^2 x}{1+x^2} dx = \frac{1}{2} \int_0^\infty \frac{1-\cos 2x}{1+x^2} dx = \frac{1}{2} \int_0^\infty \frac{dx}{1+x^2} - \frac{1}{2} \int_0^\infty \frac{\cos 2x}{1+x^2} dx$

$$= \frac{\pi}{4} - \frac{1}{2} \int_0^\infty \frac{\cos 2x}{1+x^2} dx \xrightarrow{(3)} \frac{\pi}{4} - \frac{\pi}{4} e^{-2}.$$

(3) $I(a) = \displaystyle\int_0^\infty \frac{\sin(ax)}{x(1+x^2)} dx \xrightarrow{\text{양변을 } a \text{로 미분}} I'(a) = \int_0^\infty \frac{\cos(ax)}{1+x^2} dx \xrightarrow{a \text{로 미분}}$

$$\Rightarrow I''(a) = -\int_0^\infty \frac{x \sin(ax)}{1+x^2} dx.$$

$$\Rightarrow I(a) = \int_0^\infty \frac{\sin(ax)}{x} dx - \int_0^\infty \frac{x \sin(ax)}{1+x^2} dx \xrightarrow{\text{[문제 19]}} \frac{\pi}{2} - \int_0^\infty \frac{x \sin(ax)}{1+x^2} dx$$

$$= \frac{\pi}{2} + I''(a).$$

$$\Rightarrow I''(a) - I(a) = -\frac{\pi}{2}, \; I(0) = 0, \; I'(0) = \frac{\pi}{2} \xrightarrow{(4)} I(a) = \frac{\pi}{2}(1 - e^{-a}), \; I'(a) = \frac{\pi}{2} e^{-a}.$$

(4) $y'' - y = -\dfrac{\pi}{2}, \, y(0) = 0, \, y'(0) = \dfrac{\pi}{2} \Rightarrow y'' - y = 0 \Rightarrow \left(\dfrac{d}{dx} - 1 \right) \left(\dfrac{d}{dx} + 1 \right) y = 0$

$$\Rightarrow \frac{dy}{dx} = y, \, \frac{dy}{dx} = -y \Rightarrow y = e^x, \, y = e^{-x} \Rightarrow y = c_1 e^x + c_2 e^{-x} + \frac{\pi}{2}, \; y' = c_1 e^x - c_2 e^{-x}$$

$$\Rightarrow 0 = y(0) = c_1 + c_2 + \frac{\pi}{2}, \, \frac{\pi}{2} = y'(0) = c_1 - c_2 \Rightarrow c_1 = 0, \, c_2 = -\frac{\pi}{2} \Rightarrow y = \frac{\pi}{2}(1 - e^{-x}).$$

$$\therefore \text{준 식} = \int_0^\infty \frac{\sin^2 x}{x^2} dx - \int_0^\infty \frac{\sin^2 x}{1+x^2} dx \xrightarrow{(1),(2)} \frac{\pi}{4}(1 + e^{-2}).$$

773 (1) $y^{(4)} - 2y'' + y = \pi \Rightarrow y^{(4)} - 2y'' + y = 0 \Rightarrow \left(\dfrac{d}{dx} - 1\right)^2 \left(\dfrac{d}{dx} + 1\right)^2 y = 0$

$\Rightarrow y = c_1 e^x + c_2 x e^x + c_3 e^{-x} + c_4 x e^{-x} + \pi.$

(2) $\displaystyle \int_{-\infty}^{\infty} \cos(ax)dx = 2\lim_{n \to \infty} \sum_{k=1}^{n} \int_{(k-1)\pi}^{k\pi} \cos(ax)dx \xrightarrow{a=3} 0.$

(3) $I(a) = \displaystyle\int_{-\infty}^{\infty} \dfrac{\sin(ax)}{x(x^2+1)^2}dx = \int_{-\infty}^{\infty} \dfrac{\sin(ax)}{x}dx - \int_{-\infty}^{\infty} \dfrac{x^3\sin(ax) + 2x\sin(ax)}{(x^2+1)^2}dx$

$\xrightarrow{\text{우함수, [문제19]}} \pi - \displaystyle\int_{-\infty}^{\infty} \dfrac{x^3\sin(ax) + 2x\sin(ax)}{(x^2+1)^2}dx \xrightarrow{\text{양변을 } a\text{로 미분}}$

$\Rightarrow I'(a) = -\displaystyle\int_{-\infty}^{\infty} \dfrac{x^4\cos(ax)}{(x^2+1)^2} + \dfrac{2x^2\cos(ax)}{(x^2+1)^2}dx = -\int_{-\infty}^{\infty} \cos(ax) - \dfrac{\cos(ax)}{(x^2+1)^2}dx \xleftarrow{(2)}$

$= \displaystyle\int_{-\infty}^{\infty} \dfrac{\cos(ax)}{(x^2+1)^2}dx \Rightarrow I''(a) = -\int_{-\infty}^{\infty} \dfrac{x\sin(ax)}{(x^2+1)^2}dx, \ I^{(3)}(a) = -\int_{-\infty}^{\infty} \dfrac{x^2\cos(ax)}{(x^2+1)^2}dx,$

$I^{(4)}(a) = \displaystyle\int_{-\infty}^{\infty} \dfrac{x^3\sin(ax)}{(x^2+1)^2}dx \Rightarrow I(a) = \pi - I^{(4)}(a) + 2I''(a)$

$\Rightarrow I^{(4)}(a) - 2I''(a) + I(a) = \pi,$

$I(0) = 0, \ I'(0) = \displaystyle\int_{-\infty}^{\infty} \dfrac{1}{(x^2+1)^2}dx \xleftarrow{\text{우함수, } x = \tan y} 2\int_{0}^{\frac{\pi}{2}} \cos^2 y\, dy = \dfrac{\pi}{2}, \ I''(0) = 0,$

$I^{(3)}(0) = -\displaystyle\int_{-\infty}^{\infty} \dfrac{x^2}{(x^2+1)^2}dx \xleftarrow{\text{우함수, } x = \tan y} -2\int_{0}^{\frac{\pi}{2}} \sin^2 y\, dy = -\dfrac{\pi}{2} \xrightarrow{(1)}$

$c_1 = 0, \ c_2 = 0, \ c_3 = -\pi, \ c_4 = -\dfrac{\pi}{2} \Rightarrow I(a) = \pi - \pi e^{-a} - \dfrac{\pi}{2}ae^{-a}.$

$\Rightarrow I'(a) = \dfrac{\pi}{2}e^{-a}(1+a), \ I''(a) = -\dfrac{\pi}{2}ae^{-a}, \ I^{(3)}(a) = \dfrac{\pi}{2}e^{-a}(a-1), \ I^{(4)}(a) = \pi e^{-a}\left(1 - \dfrac{a}{2}\right).$

$\therefore \text{준 식} \xleftarrow{(3)} -I^{(3)}(3) = -\dfrac{\pi}{e^3}.$

774 $\text{준 식} \xleftarrow{[\text{문제 } 773]} I(3) = \pi - \dfrac{5\pi}{2e^3}.$

775 $\text{준 식} \xleftarrow{[\text{문제 } 773]} -I''(3) = \dfrac{3\pi}{2e^3}.$

776 $\text{준 식} \xleftarrow{[\text{문제 } 773]} I^{(4)}(3) = -\dfrac{\pi}{2e^3}.$

777 $I = \displaystyle\int_0^{\frac{\pi}{2}} \cos^2(\cos x) + \sin^2(\sin x)\, dx \xleftarrow{\text{[정리 24,(1)]}} \int_0^{\frac{\pi}{2}} \cos^2(\sin x) + \sin^2(\cos x)\, dx$

$\xrightarrow{\text{두 식을 더하면}} 2I = \displaystyle\int_0^{\frac{\pi}{2}} 2\, dx = \pi \Rightarrow \therefore I = \dfrac{\pi}{2}.$

778 $F(a,b) = \displaystyle\int_0^{\frac{\pi}{2}} \ln(a\sin^2 x + b\cos^2 x)\, dx \xrightarrow{\text{편미분}} F_b = \int_0^{\frac{\pi}{2}} \dfrac{\cos^2 x}{a\sin^2 x + b\cos^2 x}\, dx$

$= \displaystyle\int_0^{\frac{\pi}{2}} \dfrac{1}{a\tan^2 x + b}\, dx \xleftarrow{\tan x = t} \int_0^{\infty} \dfrac{1}{(at^2+b)(t^2+1)}\, dt = \dfrac{1}{b-a}\int_0^{\infty} \dfrac{1}{1+t^2} - \dfrac{a}{at^2+b}\, dt$

$= \dfrac{1}{b-a}\left[\tan^{-1} t - \sqrt{\dfrac{a}{b}}\, \tan^{-1} \sqrt{\dfrac{a}{b}}\, t \right]_0^{\infty} = \dfrac{\pi}{2(b-a)}\left(1 - \sqrt{\dfrac{a}{b}} \right) = \pi \dfrac{\dfrac{1}{2\sqrt{b}}}{\sqrt{a}+\sqrt{b}} \xrightarrow{\text{b로 적분}}$

$\Rightarrow F(a,b) = \pi \displaystyle\int \dfrac{\dfrac{1}{2\sqrt{b}}}{\sqrt{a}+\sqrt{b}}\, db = \pi\ln(\sqrt{a}+\sqrt{b}) + c \Rightarrow 0 = F(1,1) = \pi\ln 2 + c$

$\therefore F(a,b) = \pi\ln(\sqrt{a}+\sqrt{b}) - \pi\ln 2 = \pi\ln\left(\dfrac{\sqrt{a}+\sqrt{b}}{2} \right).$

779 (1) $\dfrac{1}{1+x} = 1 - x + x^2 - \cdots \xrightarrow{\text{미분}} -\dfrac{1}{(1+x)^2} = -1 + 2x - 3x^2 + \cdots$

$\Rightarrow \dfrac{x}{(1+x)^2} = x - 2x^2 + 3x^3 - \cdots = \displaystyle\sum_{n=1}^{\infty}(-1)^{n+1} n x^n \Rightarrow \dfrac{e^{-x}}{(1+e^{-x})^2} = \sum_{n=1}^{\infty}(-1)^{n+1} n e^{-nx}.$

$\therefore$ 준 식 $= 2\displaystyle\int_0^{\infty} \dfrac{x^k}{2+e^x+e^{-x}}\, dx = 2\int_0^{\infty} \dfrac{x^k e^{-x}}{(e^{-x})^2 + 2e^{-x} + 1}\, dx$

$= 2\displaystyle\int_0^{\infty} x^k\left(\dfrac{e^{-x}}{(1+e^{-x})^2} \right) dx \xleftarrow{(1)} 2\sum_{n=1}^{\infty}(-1)^{n+1} n \int_0^{\infty} x^k e^{-nx}\, dx \xleftarrow{\text{[정리 81]}}$

$= 2\displaystyle\sum_{n=1}^{\infty}(-1)^{n+1} \dfrac{\Gamma(n+1)}{n^k} = 2\Gamma(n+1)\sum_{n=1}^{\infty} \dfrac{(-1)^{n+1}}{n^k} \xleftarrow{\text{[정리 81, 증명]}}$

$= 2(n!)\left(1 + \dfrac{1}{2^k} + \dfrac{1}{3^k} + \cdots - 2\left(\dfrac{1}{2^k} + \dfrac{1}{4^k} + \cdots \right) \right) \xleftarrow{\text{[정리 115]}} 2(n!)\left(\zeta(k) - \dfrac{1}{2^{k-1}}\zeta(k) \right).$

780 (1) $\displaystyle\int -\dfrac{1}{a^2}\ln\left(1 + \dfrac{a}{b} \right) da = \dfrac{1}{a}\ln\left(1 + \dfrac{a}{b} \right) - \int \dfrac{1}{a(a+b)}\, da$

$= \dfrac{1}{a}\ln\left(1 + \dfrac{a}{b} \right) - \dfrac{1}{b}\ln\dfrac{a}{a+b} = \dfrac{1}{a}\ln\left(\dfrac{a+b}{b} \right) + \dfrac{1}{b}\ln\left(\dfrac{a+b}{a} \right).$

(2) $F(a,b) = \int_0^\infty \cot^{-1}(ax)\cot^{-1}(bx)\,dx \xrightarrow{\text{편미분}} F_a = -\int_0^\infty \frac{x\cot^{-1}(bx)}{1+(ax)^2}\,dx,$

$$F_{ab} = \int_0^\infty \frac{x^2}{(1+(ax)^2)(1+(bx)^2)}\,dx = \frac{1}{a^2-b^2}\int_0^\infty \frac{1}{(bx)^2+1} - \frac{1}{(ax)^2+1}\,dx$$

$$= \frac{1}{a^2-b^2}\left[\frac{\tan^{-1}(bx)}{b} - \frac{\tan^{-1}(ax)}{a}\right]_0^\infty = \frac{\pi}{2ab(a+b)} \xrightarrow{\text{양변을 } b\text{로 적분}}$$

$$\Rightarrow F_a = \int \frac{\pi}{2ab(a+b)}\,db = \frac{\pi}{2a^2}\int \frac{1}{b} - \frac{1}{a+b}\,db = \frac{\pi}{2a^2}\ln\left(\frac{b}{a+b}\right) \xrightarrow{\text{양변을 } a\text{로 적분}}$$

$$\Rightarrow \therefore F = \int \frac{\pi}{2a^2}\ln\left(\frac{b}{a+b}\right)da = \frac{\pi}{2}\int -\frac{1}{a^2}\ln\left(1+\frac{a}{b}\right)da \xrightarrow{(1)} \frac{\pi}{2}\left(\frac{1}{a}\ln\frac{a+b}{a} + \frac{1}{b}\ln\frac{a+b}{b}\right).$$

781 $I = \int_0^\pi \sin x \sin 2x \sin 3x\,dx \xleftarrow{[\text{정리 24},(1)]} \int_0^\pi \sin(\pi-x)\sin(2\pi-2x)\sin(3\pi-3x)\,dx$

$= -\int_0^\pi \sin x \sin 2x \sin 3x\,dx = -I \Rightarrow \therefore I = 0.$

782 (1) $f(x) = \tan^{-1}\dfrac{1+\sin x}{1+\cos x} = f(x+2\pi).$

(2) $I = \int_0^{2\pi} \tan^{-1}\dfrac{1+\cos x}{1+\sin x}\,dx \xleftarrow{x = \frac{\pi}{2}-t} \int_{-\frac{3\pi}{2}}^{\frac{\pi}{2}} \tan^{-1}\dfrac{1+\sin t}{1+\cos t}\,dt \xrightarrow{(1),\,[\text{정리 24},(15)]}$

$= \int_0^{2\pi}\tan^{-1}\dfrac{1+\sin t}{1+\cos t}\,dt = \int_0^{2\pi}\tan^{-1}\dfrac{1+\sin x}{1+\cos x}\,dx \xrightarrow{\text{두 식을 더하면}}$

$\therefore 2I = \int_0^{2\pi}\tan^{-1}\dfrac{1+\cos x}{1+\sin x} + \tan^{-1}\dfrac{1+\sin x}{1+\cos x}\,dx \xleftarrow{[\text{정리 56},(6)]} \int_0^{2\pi}\dfrac{\pi}{2}\,dx = \pi^2 \Rightarrow I = \dfrac{\pi^2}{2}.$

783 (1) 조건식에서 다음 식을 만들 수 있다.

$$f(x) - f\left(\frac{x}{2}\right) - \left[f\left(\frac{x}{2}\right) - f\left(\frac{x}{2^2}\right)\right] = x^2 \xrightarrow{x \sim \frac{x}{2}} f\left(\frac{x}{2}\right) - f\left(\frac{x}{2^2}\right) - \left[f\left(\frac{x}{2^2}\right) - f\left(\frac{x}{2^3}\right)\right] = \left(\frac{x}{2}\right)^2$$

$$\xrightarrow{x \sim \frac{x}{2}} f\left(\frac{x}{2^2}\right) - f\left(\frac{x}{2^3}\right) - \left[f\left(\frac{x}{2^3}\right) - f\left(\frac{x}{2^4}\right)\right] = \left(\frac{x}{2^2}\right)^2 \xrightarrow{\text{계속 반복}} \cdots$$

$$\Rightarrow f\left(\frac{x}{2^{n-1}}\right) - f\left(\frac{x}{2^n}\right) - \left[f\left(\frac{x}{2^n}\right) - f\left(\frac{x}{2^{n+1}}\right)\right] = \left(\frac{x}{2^{n-1}}\right)^2 \xrightarrow{\text{모든 식을 더하면}}$$

$$\Rightarrow f(x) - f\left(\frac{x}{2^n}\right) - \left[f\left(\frac{x}{2}\right) - f\left(\frac{x}{2^{n+1}}\right)\right] = \frac{4x^2}{3}\left(1 - \frac{1}{4^n}\right) \xrightarrow{n\to\infty} f(x) - f\left(\frac{x}{2}\right) = \frac{4x^2}{3}.$$

(2) (1)식에서 x를 $\dfrac{x}{2}$로 반복적으로 대입하면 다음 식이 만들어진다.

$$f(x)-f\left(\frac{x}{2}\right)=\frac{4}{3}x^2,\; f\left(\frac{x}{2}\right)-f\left(\frac{x}{2^2}\right)=\frac{4}{3}\left(\frac{x}{2}\right)^2,\;...,\;f\left(\frac{x}{2^{n-1}}\right)-f\left(\frac{x}{2^n}\right)=\frac{4}{3}\left(\frac{x}{2^{n-1}}\right)^2$$

$$\xrightarrow{\text{더하면}}\Rightarrow f(x)-f\left(\frac{x}{2^n}\right)=\frac{16x^2}{9}\left(1-\frac{1}{4^n}\right)\xrightarrow{n\to\infty}f(x)=\frac{16}{9}x^2.$$

$$\therefore \text{준 식}=\int_0^1 \frac{16}{9}x^2 dx=\frac{16}{27}.$$

784 준 식 $=\displaystyle\int_{\frac{\pi}{6}}^{\frac{\pi}{2}} x\cot x\, \mathrm{cosec}\,x\,dx=\left[-x\,\mathrm{cosec}\,x\right]_{\frac{\pi}{6}}^{\frac{\pi}{2}}+\int_{\frac{\pi}{6}}^{\frac{\pi}{2}}\mathrm{cosec}\,x\,dx$

$=-\dfrac{\pi}{6}-\left[\ln(\mathrm{cosec}\,x+\cot x)\right]_{\frac{\pi}{6}}^{\frac{\pi}{2}}=\ln(2+\sqrt{3})-\dfrac{\pi}{6}.$

785 준 식 $\xleftarrow{x=\cot\theta} 2\displaystyle\int_{\frac{\pi}{6}}^{\frac{\pi}{2}}\theta\,\mathrm{cosec}^2\theta\,d\theta=2\left[-\theta\cot\theta\right]_{\frac{\pi}{6}}^{\frac{\pi}{2}}+2\int_{\frac{\pi}{6}}^{\frac{\pi}{2}}\cot\theta\,d\theta$

$=\dfrac{\pi}{\sqrt{3}}+2\left[\ln\sin\theta\right]_{\frac{\pi}{6}}^{\frac{\pi}{2}}=2\ln 2+\dfrac{\pi}{\sqrt{3}}.$

786 $I=\displaystyle\int_0^a \frac{a\,dx}{\left(x+\sqrt{a^2-x^2}\right)^2}\xleftarrow{x=a\sin t}\int_0^{\frac{\pi}{2}}\frac{\cos t}{(\sin t+\cos t)^2}dt\xleftarrow{[\text{정리 }24,(1)]}$

$=\displaystyle\int_0^{\frac{\pi}{2}}\frac{\sin t}{(\sin t+\cos t)^2}dt\xrightarrow{\text{두 식을 더하면}}2I=\int_0^{\frac{\pi}{2}}\frac{1}{\sin x+\cos x}dx\xleftarrow{\tan\frac{x}{2}=y}2\int_0^1\frac{dy}{1+2y-y^2}$

$=2\displaystyle\int_0^1\frac{dy}{2-(y-1)^2}=\frac{1}{\sqrt{2}}\left[\ln\frac{(x-1)+\sqrt{2}}{(x-1)-\sqrt{2}}\right]_0^1=\sqrt{2}\ln(\sqrt{2}+1).$

787 준 식 $=\displaystyle\int_{-\frac{\pi}{4}}^{\frac{\pi}{4}}\sec^2 x\,dx+\int_{-\frac{\pi}{4}}^{\frac{\pi}{4}}x^3\sec^2 x\,dx\xleftarrow{\text{우함수, 기함수}}2\int_0^{\frac{\pi}{4}}\sec^2 x\,dx$

$=2\left[\tan x\right]_0^{\frac{\pi}{4}}=2.$

788 (1) $0 \leq y \leq 1, \sqrt{y} \leq x \leq 1 \xrightarrow{\text{아래 그림}} 0 \leq y \leq x^2, 0 \leq x \leq 1.$

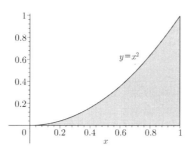

$$\therefore \text{준 식} \xleftarrow{(1)} \int_0^1 \int_0^{x^2} \sin(x^3) dy\, dx = \int_0^1 x^2 \sin(x^3) dx = -\frac{1}{3} \left[\cos x^3 \right]_0^1 = \frac{1}{3}(1 - \cos 1).$$

789 (1) $\displaystyle \int_0^1 2010 x^{2009} e^{2010x}\, dx = \left[x^{2009} e^{2010x} \right]_0^1 - \int_0^1 2009 x^{2008} e^{2010x} dx$

$$\Rightarrow \int_0^1 2010 x^{2009} e^{2010x} + 2009 x^{2008} e^{2010x}\, dx = e^{2010}.$$

$$\therefore \text{준 식} = \int_0^1 \left(e^{x^2 + 2010x} \right)' + \left(2010 x^{2009} e^{2010x} + 2009 x^{2008} e^{2010x} \right) dx \xleftarrow{(1)} e^{2010} + \left[e^{x^2 + 2010x} \right]_0^1$$

$$= e^{2010} + e^{2011} - 1.$$

790 (1) $f'(x) \xleftarrow{\text{조건식}} -\dfrac{2}{\sqrt{\pi}} e^{-x^2}.$

$$\therefore \text{준 식} = \left[x f(x) \right]_0^\infty - \int_0^\infty x f'(x) dx \xleftarrow{(1)} \frac{2}{\sqrt{\pi}} \int_0^\infty x e^{-x^2} dx = \left[-\frac{1}{\sqrt{\pi}} e^{-x^2} \right]_0^\infty = \frac{1}{\sqrt{\pi}}.$$

791 (1) $f'(x) \xleftarrow{\text{조건식}} -\dfrac{2}{\sqrt{\pi}} e^{-x^2} \Rightarrow f''(x) = \dfrac{4x}{\sqrt{\pi}} e^{-x^2} = -2x f'(x)$

$$\Rightarrow \int 2x f'(x) dx = -f'(x).$$

$$\therefore \text{준 식} = \left[x f(x)^2 \right]_0^\infty - \int_0^\infty 2x f'(x) f(x) dx = -\int_0^\infty f(x) \left[2x f'(x) \right] dx \xleftarrow{(1)} \left[f(x) f'(x) \right]_0^\infty$$

$$-\int_0^\infty f'(x)^2\, dx \xleftarrow{(1)} -f(0) f'(0) - \frac{4}{\pi} \int_0^\infty e^{-2x^2} dx \xleftarrow{2x^2 = u^2} \frac{2f(0)}{\sqrt{\pi}} - \frac{2\sqrt{2}}{\pi} \int_0^\infty e^{-u^2} du$$

$$\xleftarrow[\text{조건식}]{[\text{정리 143}]} \frac{2 - \sqrt{2}}{\sqrt{\pi}}.$$

792 (1) $\displaystyle\int_0^\infty e^{-y^2u}\sin u\,du \xleftarrow{\text{부분적분}} \dfrac{1}{1+y^4}$.

(2) $f(x)=\dfrac{2}{\sqrt{\pi}}\displaystyle\int_x^\infty e^{-t^2}dt \xleftarrow{t=xy} \dfrac{2}{\sqrt{\pi}}\int_1^\infty xe^{-x^2y^2}dy$.

$\therefore$ 준식 $\xleftarrow{(2)} \dfrac{2}{\sqrt{\pi}}\displaystyle\int_0^\infty\int_1^\infty xe^{-x^2y^2}\sin(x^2)\,dydx = \dfrac{2}{\sqrt{\pi}}\int_1^\infty\int_0^\infty xe^{-x^2y^2}\sin(x^2)\,dxdy$

$\xleftarrow{x^2=u} \dfrac{1}{\sqrt{\pi}}\displaystyle\int_1^\infty\int_0^\infty e^{-y^2u}\sin u\,dudy \xleftarrow{(1)} \dfrac{1}{\sqrt{\pi}}\int_1^\infty\dfrac{1}{1+y^4}dy = \dfrac{1}{\sqrt{\pi}}\int_1^\infty\dfrac{1}{1+x^4}dx$

$= \dfrac{1}{2\sqrt{\pi}}\displaystyle\int_1^\infty\dfrac{1+x^2}{1+x^4}+\dfrac{1-x^2}{1+x^4}dx = \dfrac{1}{2\sqrt{\pi}}\int_1^\infty\dfrac{\left(1+\dfrac{1}{x^2}\right)dx}{x^2+\dfrac{1}{x^2}} - \dfrac{1}{2\sqrt{\pi}}\int_1^\infty\dfrac{\left(1-\dfrac{1}{x^2}\right)dx}{x^2+\dfrac{1}{x^2}}$

$= \dfrac{1}{2\sqrt{\pi}}\displaystyle\int_1^\infty\dfrac{d\left(x-\dfrac{1}{x}\right)}{\left(x-\dfrac{1}{x}\right)^2+2} - \dfrac{1}{2\sqrt{\pi}}\int_1^\infty\dfrac{d\left(x+\dfrac{1}{x}\right)}{\left(x+\dfrac{1}{x}\right)^2-2}$

$= \dfrac{1}{2\sqrt{\pi}}\left[\dfrac{1}{\sqrt{2}}\tan^{-1}\dfrac{1}{\sqrt{2}}\left(x-\dfrac{1}{x}\right) - \dfrac{1}{2\sqrt{2}}\ln\dfrac{x+\dfrac{1}{x}-\sqrt{2}}{x+\dfrac{1}{x}+\sqrt{2}}\right]_1^\infty = \dfrac{1}{4\sqrt{2\pi}}\left(\pi+\ln\dfrac{2-\sqrt{2}}{2+\sqrt{2}}\right)$.

793 준 식 $= \dfrac{1}{a-b}\left(\displaystyle\int_{-\infty}^\infty\dfrac{\sin(x+a)\sin(x+b)}{x+b}dx - \int_{-\infty}^\infty\dfrac{\sin(x+a)\sin(x+b)}{x+a}dx\right)$

$\xleftarrow[x+a=v]{x+b=u} \dfrac{1}{a-b}\left(\displaystyle\int_{-\infty}^\infty\dfrac{\sin u\sin(u+a-b)}{u}du - \int_{-\infty}^\infty\dfrac{\sin v\sin(v+b-a)}{v}dv\right)$

$= \dfrac{1}{a-b}\displaystyle\int_{-\infty}^\infty\dfrac{\sin x(\sin(x+a-b)-\sin(x+b-a))}{x}dx = \dfrac{\sin(a-b)}{a-b}\int_{-\infty}^\infty\dfrac{2\sin x\cos x}{x}dx$

$= \dfrac{\sin(a-b)}{a-b}\displaystyle\int_{-\infty}^\infty\dfrac{\sin 2x}{2x}d(2x) \xleftarrow{\text{우함수}} \dfrac{2\sin(a-b)}{a-b}\int_0^\infty\dfrac{\sin 2x}{2x}d(2x)$

$\xleftarrow{\text{[문제 19]}} \dfrac{\pi\sin(a-b)}{a-b}$.

794 (1) $f(x)=\displaystyle\int_1^x\dfrac{\sin(xt)}{t}dt \xleftarrow{xt=w} \int_x^{x^2}\dfrac{\sin w}{w}dw \xrightarrow{\text{양변을 미분}}$

$f'(x)=\dfrac{2\sin x^2 - \sin x}{x}$.

$\therefore$ 준 식 $= \left[\dfrac{x^2}{2}f(x)\right]_0^1 - \dfrac{1}{2}\displaystyle\int_0^1 x^2 f'(x)dx \xleftarrow{(1)} -\dfrac{1}{2}\int_0^1 2x\sin x^2 - x\sin x\,dx$

$= \left[\dfrac{1}{2}\cos x^2\right]_0^1 + \dfrac{1}{2}[-x\cos x+\sin x]_0^1 = \dfrac{\sin 1-1}{2}$.

795 준 식 $= \int_0^{\frac{\pi}{2}} \sin^{\frac{1}{2}} x\, dx \int_0^{\frac{\pi}{2}} \sin^{-\frac{1}{2}} y\, dy \xleftarrow{\text{[정리 83]}} \frac{\pi}{4} \left(\dfrac{\Gamma\left(\frac{1}{4}\right)}{\Gamma\left(\frac{5}{4}\right)} \right) \xleftarrow{\text{[정리 81]}} \pi.$

796 (1) $f(x) = x^2 - 3x + 1 \Rightarrow f'(x) = 2x - 3 > 0, (\because x > 3) \Rightarrow f(x) :$ 증가함수.

$\Rightarrow x \le x^2 - 2x + 1 \Rightarrow x \le (x-1)^2 \Rightarrow [x] \le x \le (x-1)^2 < [x]^2$

$\Rightarrow \ln[x] \le \ln x < \ln[x]^2 = 2\ln[x] \Rightarrow 1 \le \dfrac{\ln x}{\ln[x]} < 2 \Rightarrow 1 \le \ln_{[x]} x < 2.$

$\therefore$ 준 식 $\xleftarrow{(1)} \displaystyle\int_3^{2001} 1\, dx = 1998.$

797 (1) $f(t) = \displaystyle\int_0^{2\pi} |\sin x - t|\, dx \xrightarrow{\text{아래그림}} \int_0^{\theta} t - \sin x\, dx + \int_{\theta}^{\pi - \theta} \sin x - t\, dx$

$+ \displaystyle\int_{\pi - \theta}^{2\pi} t - \sin x\, dx = 4(t\theta + \cos\theta) \xleftarrow{\sin\theta = t} 4\left(t \sin^{-1} t + \sqrt{1 - t^2}\right).$

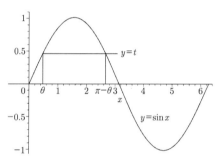

$\therefore$ 준 식 $\xleftarrow{(1)} 4 \displaystyle\int_0^1 t \sin^{-1} t\, dt + 4 \int_0^1 \sqrt{1 - t^2}\, dt \xleftarrow[t = \sin\theta]{\sin^{-1} t = u} 2 \int_0^{\frac{\pi}{2}} u \sin 2u\, du + 4 \int_0^{\frac{\pi}{2}} \cos^2 \theta\, d\theta$

$\xleftarrow{\text{부분적분}} \dfrac{3\pi}{2}.$

798 $I = \displaystyle\int_0^{\frac{\pi}{2}} \frac{\sin^{2012} x + \cos^2 x}{1 + \sin^{2012} x + \cos^{2012} x}\, dx \xleftarrow{\text{[정리 24, (1)]}} \int_0^{\frac{\pi}{2}} \frac{\cos^{2012} x + \sin^2 x}{1 + \sin^{2012} x + \cos^{2012} x}\, dx$

$\xrightarrow{\text{두 식을 더하면}} 2I = \displaystyle\int_0^{\frac{\pi}{2}} 1\, dx = \frac{\pi}{2} \Rightarrow \therefore I = \frac{\pi}{4}.$

799 (1) $\pi\displaystyle\int_0^\pi f(x)^2\,dx \xleftarrow{\text{조건식}} \left(\displaystyle\int_0^\pi(\sin x+\cos x)f(x)dx\right)^2 \xleftarrow{\text{[정리 47]}} \leq$

$\left(\displaystyle\int_0^\pi(\sin x+\cos x)^2dx\right)\left(\displaystyle\int_0^\pi f(x)^2dx\right)=\pi\displaystyle\int_0^\pi f(x)^2\,dx \xrightarrow{\text{[정리 47]}} f(x)=t\,(\sin x+\cos x).$

$f(0)=t \xleftarrow{\text{조건식}} 1 \Rightarrow f(x)=\sin x+\cos x.$

$\therefore \displaystyle\int_0^\pi f(x)^3dx=\int_0^\pi(\sin x+\cos x)^3\,dx=\dfrac{10}{3}.$

800 (1) $f(x)=|\sin x|$라고 하자. $f(x)=f(x+\pi)$이다.

$\therefore$ 준식 $=\displaystyle\int_0^\pi|\sin 2011x|\,dx-\int_0^\pi|\sin 2012x|\,dx \xleftarrow[\ 2012x=t\ ]{\ 2011x=u\ } \dfrac{1}{2011}\int_0^{2011\pi}|\sin u|\,du$

$-\dfrac{1}{2012}\displaystyle\int_0^{2012\pi}|\sin t|\,dt=\dfrac{1}{2011}\left(\int_0^\pi f(x)dx+\int_\pi^{2\pi}f(x)dx+\cdots+\int_{2010\pi}^{2011\pi}f(x)dx\right)$

$-\dfrac{1}{2012}\left(\displaystyle\int_0^\pi f(x)dx+\int_\pi^{2\pi}f(x)dx+\cdots+\int_{2011\pi}^{2012\pi}f(x)dx\right)\xrightarrow{\text{[정리 24,(15)]}}$

$=\dfrac{2011}{2011}\displaystyle\int_0^\pi f(x)dx-\dfrac{2012}{2012}\int_0^\pi f(x)dx=0.$

801 (1) $\sin\dfrac{x}{2}=\sqrt{\dfrac{1-\cos x}{2}}\Rightarrow\sin\left(\dfrac{\frac{\pi}{2}-x}{2}\right)=\sqrt{\dfrac{1-\cos\left(\frac{\pi}{2}-x\right)}{2}}=\sqrt{\dfrac{1-\sin x}{2}}$

$\Rightarrow\sqrt{1-\sin x}=\sqrt{2}\,\sin\left(\dfrac{\pi}{4}-\dfrac{x}{2}\right).$

$\therefore$ 준 식 $=\displaystyle\int_0^{\frac{\pi}{6}}\dfrac{\sqrt{1-\sin^2 x}}{\cos x\sqrt{1-\sin x}}\,dx=\int_0^{\frac{\pi}{6}}\dfrac{1}{\sqrt{1-\sin x}}\,dx\xleftrightarrow{(1)}\dfrac{1}{\sqrt{2}}\int_0^{\frac{\pi}{6}}\mathrm{cosec}\left(\dfrac{\pi}{4}-\dfrac{x}{2}\right)dx$

$=-\sqrt{2}\displaystyle\int_0^{\frac{\pi}{6}}\mathrm{cosec}\left(\dfrac{\pi}{4}-\dfrac{x}{2}\right)d\left(\dfrac{\pi}{4}-\dfrac{x}{2}\right)=\sqrt{2}\left[\ln\left(\mathrm{cosec}\left(\dfrac{\pi}{4}-\dfrac{x}{2}\right)+\cot\left(\dfrac{\pi}{4}-\dfrac{x}{2}\right)\right)\right]_0^{\frac{\pi}{6}}$

$=\sqrt{2}\ln(2\sqrt{2}+\sqrt{6}-\sqrt{3}-2).$

802 준 식 $=\displaystyle\int_0^{\frac{\pi}{2}}\dfrac{2\sqrt{\sin x}-x\left(\dfrac{\cos x}{\sqrt{\sin x}}\right)}{\left(\sqrt{\sin x}\right)^2}\,dx=\int_0^{\frac{\pi}{2}}\dfrac{(2x)'\sqrt{\sin x}-(2x)(\sqrt{\sin x})'}{\left(\sqrt{\sin x}\right)^2}\,dx$

$=\left[\dfrac{2x}{\sqrt{\sin x}}\right]_0^{\frac{\pi}{2}}=\pi.$

803 $f(x) = \dfrac{\sin^{2n}x}{\sin^{2n}x + \cos^{2n}x}$ 라고 하자. $\Rightarrow f(\pi - x) = f(x)$,

$f\left(\dfrac{\pi}{2} + x\right) + f\left(\dfrac{\pi}{2} - x\right) = 1$이 성립한다. $\therefore$ 준 식 $\xleftarrow{[정리\ 24,(17)]} \dfrac{\pi^2}{4}$.

804 (1) $\displaystyle\int_{\frac{a}{2}}^{a} f\left(\dfrac{3a}{2} - x\right)dx \overset{t = a - x}{=} \int_{\frac{a}{2}}^{0} f\left(\dfrac{a}{2} + t\right)(-dt) = \int_{0}^{\frac{a}{2}} f\left(\dfrac{a}{2} + x\right)dx.$

$I = \displaystyle\int_{0}^{a} xf(x)dx \xleftarrow{[정리\ 24,(1)]} \int_{0}^{a}(a - x)f(a - x)dx \xleftarrow{조건식} a\int_{0}^{a} f(x)dx - I.$

$\Rightarrow I = \dfrac{a}{2}\displaystyle\int_{0}^{a} f(x)dx = \dfrac{a}{2}\left(\int_{0}^{\frac{a}{2}} f(x)dx + \int_{\frac{a}{2}}^{a} f(x)dx\right) = \dfrac{a}{2}\left(\int_{0}^{\frac{a}{2}} f(x)dx + \int_{\frac{a}{2}}^{a} f\left(\dfrac{3a}{2} - x\right)dx\right)$

$\xleftarrow{(1)} \dfrac{a}{2}\left(\displaystyle\int_{0}^{\frac{a}{2}} f\left(\dfrac{a}{2} - x\right) + f\left(\dfrac{a}{2} + x\right)dx\right) = \dfrac{a^2}{4}.$

805 준 식 $\xleftarrow{\substack{f(x) = \ln\left(\frac{1+x}{1-x}\right) \\ g'(x) = \frac{x^3}{\sqrt{1-x^2}}}} \left[\left(\dfrac{1}{3}\sqrt{(1-x^2)^3} - \sqrt{1-x^2}\right)\ln\dfrac{1+x}{1-x}\right]_{-1}^{1} +$

$2\displaystyle\int_{-1}^{1} \dfrac{1}{\sqrt{1-x^2}} - \dfrac{\sqrt{1-x^2}}{3}dx \xleftarrow{x = \sin\theta} 2\int_{-\frac{\pi}{2}}^{\frac{\pi}{2}} 1 - \dfrac{1}{3}\cos^2\theta\,d\theta = \dfrac{5\pi}{3}.$

806 $\alpha = \cot^{-1}\sqrt{\dfrac{1-x}{1+x}} \Rightarrow \cot\alpha = \sqrt{\dfrac{1-x}{1+x}} \Rightarrow 1 + \cot^2\alpha = \dfrac{2}{1+x} = \dfrac{1}{\sin^2\alpha}.$

$\cos 2\alpha = 1 - 2\sin^2\alpha = 1 - 2\left(\dfrac{1+x}{2}\right) = -x. \therefore$ 준 식 $= \displaystyle\int_{0}^{1} -x\,dx = -\dfrac{1}{2}.$

807 (1) 조건식 $\times e^{-x} \Rightarrow f''(x)e^{-x} - f'(x)e^{-x} \le 0 \Rightarrow (f'(x)e^{-x})' \le 0$

　　$\Rightarrow f'(x)e^{-x}$: 감소함수.

(2) $0 \le x \xrightarrow{(1)} f'(x)e^{-x} \le f'(0)e^{-0} \xleftarrow{조건식} 0 \Rightarrow f'(x) \le 0 = f'(0) \Rightarrow f'(x)$: 감소함수

그러므로 조건식의 비감소함수에 일치하기 위해 $f'(x) = 0$이다.

$f(x) = c \Rightarrow 5 = f(0) = c \Rightarrow f(x) = 5. \therefore$ 준 식 $= \displaystyle\int_{0.5}^{11.5} 5dx = 55.$

808 (1) $y = f(x),\ x = f^{-1}(y) \Rightarrow \dfrac{dy}{dx} = f'(x) \Rightarrow dy = f'(x)dx.$

$\therefore \displaystyle\int_{0}^{1} f^{-1}(y)dy \xleftarrow{(1)} \int_{0}^{1} xf'(x)dx = [xf(x)]_{0}^{1} - \int_{0}^{1} f(x)dx = 1 - \dfrac{1}{3} = \dfrac{2}{3}.$

809 $I=\displaystyle\int_{-1}^{1}\left(x^{8}+x^{4}+1\right)\cos^{-1}(x)\,dx \xleftrightarrow{\text{[정리 24,(1)]}} \int_{-1}^{1}\left(x^{8}+x^{4}+1\right)\cos^{-1}(-x)\,dx$

$\xleftrightarrow{\text{[정리 56,(15)]}} \displaystyle\int_{-1}^{1}\left(x^{8}+x^{4}+1\right)(\pi-\cos^{-1}x)\,dx=\pi\int_{-1}^{1}x^{8}+x^{4}+1\,dx-I.$

$\therefore I=\dfrac{\pi}{2}\displaystyle\int_{-1}^{1}x^{8}+x^{4}+1\,dx=\dfrac{14\pi}{45}.$

810 (1) $\dfrac{1}{1+x}=1-x+x^{2}-\cdots\Rightarrow\ln(1+x)=x-\dfrac{x^{2}}{2}+\dfrac{x^{3}}{3}-\cdots.$

$\therefore$ 준 식 $\xleftrightarrow[g'(x)=(1+x)^{-2}]{f(x)=(\ln x)^{2}}\left[(\ln x)^{2}\dfrac{x}{1+x}\right]_{0}^{1}-2\int_{0}^{1}\dfrac{\ln x}{1+x}\,dx\xleftrightarrow[v'(x)=(1+x)^{-1}]{u(x)=\ln x}$

$=-2\left\{\left[\ln x\ln(1+x)\right]_{0}^{1}-\int_{0}^{1}\dfrac{\ln(1+x)}{x}\,dx\right\}=2\int_{0}^{1}\dfrac{\ln(1+x)}{x}\,dx\xleftrightarrow{(1)}$

$=2\displaystyle\int_{0}^{1}1-\dfrac{x}{2}+\dfrac{x^{2}}{3}-\dfrac{x^{3}}{4}+\cdots\,dx=2\left(1-\dfrac{1}{2^{2}}+\dfrac{1}{3^{2}}-\dfrac{1}{4^{2}}+\cdots\right)$

$=2\left[1+\dfrac{1}{2^{2}}+\dfrac{1}{3^{2}}+\cdots-2\left(\dfrac{1}{2^{2}}+\dfrac{1}{4^{2}}+\cdots\right)\right]\xleftrightarrow{\text{[정리 66]}}\dfrac{\pi^{2}}{6}.$

811 (1) $\{t\}+\{-t\}=\begin{cases}0,\,(t\in Z)\\1,\,(t\notin Z)\end{cases}.$

$\therefore$ 준식 $=\displaystyle\int_{-3}^{0}x^{8}\{x^{11}\}\,dx+\int_{0}^{3}x^{8}\{x^{11}\}\,dx\xleftrightarrow{x=-y}\int_{0}^{3}y^{8}\{-y^{11}\}\,dy+\int_{0}^{3}x^{8}\{x^{11}\}\,dx$

$=\displaystyle\int_{0}^{3}x^{8}(\{x^{11}\}+\{-x^{11}\})\,dx\xleftrightarrow[(1)]{x^{11}\notin Z}\int_{0}^{3}x^{8}\,dx=3^{7}.$

$\therefore$ 준식 $=\displaystyle\int_{-3}^{3}x^{8}(x^{11}-[x^{11}])\,dx=\int_{-3}^{3}x^{19}\,dx-\int_{-3}^{3}x^{8}[x^{11}]\,dx\xleftrightarrow{\text{기함수}}-\int_{-3}^{3}x^{8}[x^{11}]\,dx$

$\xleftrightarrow{x^{11}\in Z}-\left(\displaystyle\int_{-3}^{-2}x^{8}[x^{11}]\,dx+\int_{-2}^{-1}x^{8}[x^{11}]\,dx+\cdots+\int_{2}^{3}x^{8}[x^{11}]\,dx\right)$

$=-\left(\displaystyle\int_{-3}^{-2}-3x^{8}\,dx+\int_{-2}^{-1}-2x^{8}\,dx+\cdots+\int_{2}^{3}2x^{8}\,dx\right)=3^{7}.$

812 준 식 $\xleftrightarrow{\text{[정리 24,(7)]}}\displaystyle\int_{0}^{1}\dfrac{x^{12}+31}{2011^{x}+1}+\dfrac{x^{12}+31}{2011^{-x}+1}\,dx=\int_{0}^{1}x^{12}+31\,dx=\dfrac{404}{13}.$

813 준 식 $\xleftarrow{x=e^{-u}}$ $\displaystyle\int_0^\infty |\sin u|e^{-u}\,du = \sum_{n=0}^\infty \int_{\pi n}^{\pi(n+1)} |\sin u|e^{-u}\,du \xleftarrow{u=t+\pi n}$

$\displaystyle = \sum_{n=0}^\infty e^{-\pi n}\int_0^\pi |\sin t|e^{-t}\,dt = \sum_{n=0}^\infty e^{-\pi n}\int_0^\pi e^{-x}\sin x\,dx \xleftarrow{\text{부분적분}} \sum_{n=0}^\infty e^{-\pi n}\left(\frac{1+e^{-\pi}}{2}\right)$

$\displaystyle = \left(\frac{1+e^{-\pi}}{2}\right)\left(\frac{1}{1-e^{-\pi}}\right) = \frac{1}{2}\left(\frac{e^{\frac{\pi}{2}}+e^{-\frac{\pi}{2}}}{e^{\frac{\pi}{2}}-e^{-\frac{\pi}{2}}}\right) = \frac{1}{2}\coth\frac{\pi}{2}.$

814 (1) $f_n(x) = \dfrac{\cos nx - \cos na}{\cos x - \cos a}$, $s_n = \displaystyle\int_0^\pi f_n(x)\,dx$ 라고 하자.

(2) $\cos(n+1)x - \cos(n+1)a + \cos(n-1)x - \cos(n-1)a$

$= \cos(n+1)x + \cos(n-1)x - (\cos(n+1)a + \cos(n-1)a) = 2\cos nx\cos x - 2\cos na\cos a$

$= 2\cos nx\cos x - 2\cos nx\cos a + 2\cos nx\cos a - 2\cos na\cos a = 2\cos nx(\cos x - \cos a)$

$+ 2\cos a(\cos nx - \cos na) \Rightarrow \dfrac{\cos(n+1)x - \cos(n+1)a}{\cos x - \cos a} + \dfrac{\cos(n-1)x - \cos(n-1)a}{\cos x - \cos a}$

$= 2\cos nx + 2\cos a\left(\dfrac{\cos nx - \cos na}{\cos x - \cos a}\right) \xrightarrow{(1)} f_{n+1}(x) + f_{n-1}(x) = 2\cos nx + 2\cos a\,f_n(x)$

$\Rightarrow f_{n+1}(x) - 2\cos a\,f_n(x) + f_{n-1}(x) = 2\cos nx \xrightarrow[\text{(1)}]{\text{양변에 정적분}}$

$\Rightarrow s_{n+1} - 2\cos a\,s_n + s_{n-1} = 2\displaystyle\int_0^\pi \cos nx\,dx = 0 \xrightarrow{[\text{정리 }35]} x^2 - (2\cos a)x + 1 = 0$

$\Rightarrow x = \cos a \pm \sqrt{\cos^2 a - 1} = \cos a \pm i(\sin a) \xleftarrow{[\text{정리 }33]} e^{\pm ia} \Rightarrow s_n = c_1 e^{i(na)} + c_2 e^{-i(na)}$

$= c_1\cos na + i\,c_1\sin na + c_2\cos na - i\,c_2\sin na = d_1\cos na + d_2\sin na,$

$s_0 = 0, s_1 = \displaystyle\int_0^\pi 1\,dx = \pi$

$\Rightarrow d_1 + 0\,d_2 = 0,\ d_1\cos a + d_2\sin a = \pi \Rightarrow d_1 = 0,\ d_2 = \dfrac{\pi}{\sin a}.$

$\therefore s_n = \dfrac{\pi\sin na}{\sin a}.$

815 준 식 $\xleftarrow{\sin^{-1}(2x)=t}$ $\dfrac{1}{2}\displaystyle\int_0^{\frac{\pi}{3}} t\sin t\,dt = \dfrac{1}{2}\left[\sin t - t\cos t\right]_0^{\frac{\pi}{3}} = \dfrac{3\sqrt{3}-\pi}{12}.$

816 준 식 $= \displaystyle\int_1^{\sqrt{3}} x^{2x^2+1} + x^{2x^2+1}\ln x^2\,dx = \int_1^{\sqrt{3}} x^{2x^2+1}(1+\ln x^2)\,dx$

$= \displaystyle\int_1^{\sqrt{3}} e^{\ln\left(x^{2x^2+1}\right)}(1+\ln x^2)\,dx = \int_1^{\sqrt{3}} x\,e^{2x^2\ln x}(1+\ln x^2)\,dx = \frac{1}{2}\int_1^{\sqrt{3}} e^{2x^2\ln x}\,d(2x^2\ln x)$

$= \dfrac{1}{2}\left[e^{2x^2\ln x}\right]_1^{\sqrt{3}} = 13.$

817

$$\therefore \text{준 식} \xleftarrow[g'(x)=1]{f(x)=\left(\cot^{-1}\sqrt{x-1}\right)^2} \left[x\left(\cot^{-1}\sqrt{x-1}\right)^2\right]_1^2 + 2\int_1^2 \cot^{-1}\sqrt{x-1}\,\left(\sqrt{x-1}\right)'dx$$

$$\xleftarrow{\sqrt{x-1}=t} -\frac{\pi^2}{8} + 2\int_0^1 \cot^{-1}t\,dt = -\frac{\pi^2}{8} + 2\left([t\cot^{-1}t]_0^1 + \int_0^1 \frac{t}{1+t^2}dt\right) = \frac{\pi}{2}\left(1-\frac{\pi}{4}\right) + \ln 2$$

818 (1) $\dfrac{y^2-x^2}{(x^2+y^2)^2} = \dfrac{1}{x^2+y^2} - \dfrac{2x^2}{(x^2+y^2)^2} = \dfrac{x'}{x^2+y^2} + x\left(\dfrac{1}{x^2+y^2}\right)' = \dfrac{d}{dx}\left(\dfrac{x}{x^2+y^2}\right).$

$$\therefore \text{준 식} \xleftarrow{(1)} \int_0^1 \left[\frac{x}{x^2+y^2}\right]_0^1 dy = \int_0^1 \frac{1}{1+y^2}\,dy = [\tan^{-1}y]_0^1 = \frac{\pi}{4}.$$

819 (1) $f(x) = \displaystyle\int_{-x}^x \frac{(t+1)e^t}{2+(t+1)(e^t-1)}\,dt$ 라고 하자.

$$\Rightarrow f'(x) = \frac{(x+1)e^x}{2+(x+1)(e^x-1)} + \frac{(-x+1)e^{-x}}{2+(-x+1)(e^{-x}-1)} = 1$$

$$\Rightarrow f(x) = x+c,\ c = f(0) = 0$$

$$\Rightarrow f(x) = x \text{이다.}$$

$$\therefore \text{준 식} \xleftarrow{2x-3=t} \frac{1}{2}\int_{-1}^1 \frac{(t+1)e^t}{2+(t+1)(e^t-1)}\,dt \xleftarrow{(1)} \frac{1}{2}f(1) = \frac{1}{2}.$$

820 준 식 $= \displaystyle\int_0^\infty \frac{xe^{-x}}{1-e^{-x}}\,dx = \int_0^\infty x\left(e^{-x}+e^{-2x}+\cdots\right)dx \xleftarrow{\text{각각 부분적분}}$

$$= 1 + \frac{1}{2^2} + \frac{1}{3^2} + \cdots \xleftarrow{[\text{정리 66}]} \frac{\pi^2}{6}.$$

821 준 식 $= \displaystyle\int_0^{\frac{\pi}{2}} \frac{\cos 2x}{1+\frac{1}{2}(1-\cos 2x)}\,dx = \int_0^{\frac{\pi}{2}} \frac{2\cos 2x}{3-\cos 2x}\,dx = \int_0^{\pi} \frac{\cos u}{3-\cos u}\,du$

$$= \int_0^\pi \frac{3}{3-\cos u} - 1\,du = 3\int_0^\pi \frac{1}{3-\cos x}\,dx - \pi \xleftarrow{\tan\frac{x}{2}=t} 3\int_0^\infty \frac{1}{1+(\sqrt{2}\,t)^2}\,dt - \pi$$

$$= \frac{3}{\sqrt{2}}\left[\tan^{-1}(\sqrt{2}\,t)\right]_0^\infty - \pi = \left(\frac{3\sqrt{2}-4}{4}\right)\pi.$$

822 $I = \int_0^\infty \dfrac{\tan^{-1}x + \ln x}{(1+x)^2}\,dx \xleftrightarrow{x=u^{-1}} \int_0^\infty \dfrac{\ln\dfrac{1}{u} + \tan^{-1}\dfrac{1}{u}}{(1+u)^2}\,du = \int_0^\infty \dfrac{\tan^{-1}\dfrac{1}{x} - \ln x}{(1+x)^2}\,dx$

$\xrightarrow{\text{두 식을 더하면}} 2I = \int_0^\infty \dfrac{\tan^{-1}x + \tan^{-1}\dfrac{1}{x}}{(1+x)^2}\,dx \xleftrightarrow{[\text{정리 } 56,(6)]} \dfrac{\pi}{2}\int_0^\infty \dfrac{1}{(1+x)^2}\,dx$

$\therefore I = \dfrac{\pi}{4}\left[-\dfrac{1}{1+x}\right]_0^\infty = \dfrac{\pi}{4}.$

---

823 (1) $\left[\log_2 x\right] = -n$ 라고 하자. $\Rightarrow -n \le \log_2 x < 1-n \Rightarrow 2^{-n} \le x < 2^{1-n}.$

(2) $\dfrac{1}{1-x} = 1 + x + x^2 + \cdots \xrightarrow{\text{적분}} -\ln(1-x) = \sum_{n=1}^\infty \dfrac{x^n}{n}.$

$\therefore$ 준 식 $= \sum_{n=1}^\infty \int_{2^{-n}}^{2^{1-n}} \dfrac{1}{1 - \left[\log_2 x\right]}\,dx \xleftrightarrow{(1)} \sum_{n=1}^\infty \int_{2^{-n}}^{2^{1-n}} \dfrac{1}{1+n}\,dx = \sum_{n=1}^\infty \dfrac{1}{1+n}\left(2^{1-n} - 2^{-n}\right)$

$= 2\sum_{n=1}^\infty \dfrac{\left(\dfrac{1}{2}\right)^{n+1}}{n+1} \xleftrightarrow{(2)} 2\ln 2 - 1.$

---

824 준 식 $= \int_0^{\ln 2}\left[e^x\right]dx + \int_{\ln 2}^{\ln 3}\left[e^x\right]dx + \cdots + \int_{\ln 7}^2 \left[e^x\right]dx = \int_0^{\ln 2} 1\,dx + \int_{\ln 2}^{\ln 3} 2\,dx$

$+ \cdots + \int_{\ln 7}^2 7\,dx = 14 - \ln(7!).$

---

825 (1) $I_n = \int_0^\infty x^n e^{-x}(\cos x + i\sin x)\,dx \xleftrightarrow{[\text{정리}33]} \int_0^\infty x^n e^{(i-1)x}\,dx \xleftrightarrow{\text{부분적분}}$

$= \left[\dfrac{x^n e^{(i-1)x}}{i-1}\right]_0^\infty - \dfrac{n}{i-1}\int_0^\infty x^{n-1}e^{(i-1)x}\,dx = -\dfrac{n}{i-1}I_{n-1},$

$I_0 = \int_0^\infty e^{(i-1)x}\,dx = -\dfrac{1}{i-1}.$

$\Rightarrow I_n = n!\left(\dfrac{-1}{i-1}\right)^{n+1} = n!\left(\dfrac{i+1}{2}\right)^{n+1} = \dfrac{n!}{2^{n+1}}\left(\sqrt{2}\left(\cos\dfrac{\pi}{4} + i\sin\dfrac{\pi}{4}\right)\right)^{n+1} = \dfrac{n!}{\sqrt{2^{n+1}}}e^{i\pi\left(\frac{n+1}{4}\right)}$

$= \dfrac{n!}{2\sqrt{2^n}}\left(\cos\dfrac{n\pi}{4} - \sin\dfrac{n\pi}{4}\right) + i\dfrac{n!}{2\sqrt{2^n}}\left(\cos\dfrac{n\pi}{4} + \sin\dfrac{n\pi}{4}\right).$

$\therefore$ 준 식 $\xleftrightarrow{(1)} Re(I_n) + Im(I_n) = \dfrac{n!}{\sqrt{2^n}}\cos\dfrac{n\pi}{4}.$

826 준 식 $\xleftrightarrow{x=a\cos^2\theta+b\sin^2\theta}$ $\displaystyle\int_0^{\frac{\pi}{2}}\frac{(b-a)\sin2\theta}{\frac{1}{2}(b-a)\sin2\theta}\,d\theta=\pi.$

827 준 식 $=\displaystyle\int_0^{\sqrt{2}}\frac{x^4-4+5}{(x^2+2)(x^2+5)}dx=\int_0^{\sqrt{2}}\frac{x^2-2}{x^2+5}+\frac{5}{(x^2+2)(x^2+5)}dx$

$=\displaystyle\int_0^{\sqrt{2}}1-\frac{7}{x^2+5}+\frac{5}{3}\left(\frac{1}{x^2+2}-\frac{1}{x^2+5}\right)dx=\frac{24+5\pi}{12\sqrt{2}}-\frac{26}{3\sqrt{5}}\tan^{-1}\sqrt{\frac{2}{5}}.$

828 (1) $I(x)=\displaystyle\int_a^x\frac{t}{1+t^2}dt+\int_a^{\frac{1}{x}}\frac{1}{t(t^2+1)}dt=\int_a^x\frac{t}{1+t^2}dt+\int_a^{\frac{1}{x}}\frac{1}{t}-\frac{t}{1+t^2}dt$

$=\displaystyle\int_{\frac{1}{x}}^x\frac{t}{1+t^2}dt+\int_a^{\frac{1}{x}}\frac{1}{t}dt=\left[\frac{1}{2}\ln(1+t^2)\right]_{\frac{1}{x}}^x+[\ln t]_a^{\frac{1}{x}}=-\ln a.$

$\therefore$ 준 식 $\xleftarrow{\ (1)\ }_{a=e^{-1}}I(\tan x)=1.$

829 $I=\displaystyle\int_0^{\pi}x\sin(\sin^2x)\cos(\cos^2x)dx\xleftrightarrow{[정리\ 24,(1)]}\pi\int_0^{\pi}\sin(\sin^2x)\cos(\cos^2x)dx-I.$

$I=\dfrac{\pi}{2}\displaystyle\int_0^{\pi}\sin(\sin^2x)\cos(\cos^2x)dx=\frac{\pi}{2}\left(\int_0^{\frac{\pi}{2}}\sin(\sin^2x)\cos(\cos^2x)dx+\int_{\frac{\pi}{2}}^{\pi}\sin(\sin^2x)\cos(\cos^2x)dx\right)$

$\xleftrightarrow{x=\frac{\pi}{2}+u}\dfrac{\pi}{2}\displaystyle\int_0^{\frac{\pi}{2}}\sin(\sin^2x)\cos(\cos^2x)dx+\frac{\pi}{2}\int_0^{\frac{\pi}{2}}\sin(\cos^2u)\cos(\sin^2u)du$

$=\dfrac{\pi}{2}\displaystyle\int_0^{\frac{\pi}{2}}\sin(\sin^2x)\cos(\cos^2x)+\sin(\cos^2x)\cos(\sin^2x)dx=\frac{\pi}{2}\int_0^{\frac{\pi}{2}}\sin(\sin^2x+\cos^2x)dx$

$=\dfrac{\pi}{2}\displaystyle\int_0^{\frac{\pi}{2}}\sin1\,dx=\frac{\pi^2}{4}\sin1.$

830 (1) $a=\dfrac{1-\sqrt{5}}{2},b=\dfrac{1+\sqrt{5}}{2}$ 라고 하자. $a,b:x^2-x-1=0$의 근.

$\Rightarrow a(a-1)=1,\ b(b-1)=1.$

(2) $\displaystyle\int_a^b(x^2-1)e^{2x}\,dx=\int_a^b(x-1)e^x\,(xe^x)'\,dx=\left[x(x-1)e^{2x}\right]_a^b-\int_a^bx^2e^{2x}\,dx\xrightarrow{\ (1)\ }$

$=e^{2b}-e^{2a}-\displaystyle\int_a^bx^2e^{2x}\,dx\ \Rightarrow\ \therefore\int_a^b(2x^2-1)e^{2x}\,dx=e^{2b}-e^{2a}\xleftrightarrow{(1)}e^{1+\sqrt{5}}-e^{1-\sqrt{5}}.$

831 $I = \displaystyle\int_0^{\frac{3\pi}{2}} \frac{\sin^8 x + \cos^2 x}{1 + \sin^8 x + \cos^8 x}\,dx \xleftarrow{\text{[정리 24,(1)]}} \displaystyle\int_0^{\frac{3\pi}{2}} \frac{\cos^8 x + \sin^2 x}{1 + \sin^8 x + \cos^8 x}\,dx \xrightarrow{\text{더하면}}$

$\therefore 2I = \displaystyle\int_0^{\frac{3\pi}{2}} 1\,dx = \frac{3\pi}{2} \Rightarrow I = \frac{3\pi}{4}.$

832 준 식 $= \displaystyle\sum_{k=1}^{n-1} \int_{\frac{k}{n}}^{\frac{k+1}{n}} \cos(\pi\{nx\})\,dx = \sum_{k=1}^{n-1} \int_{\frac{k}{n}}^{\frac{k+1}{n}} \cos(\pi nx - \pi[nx])\,dx$

$= \displaystyle\sum_{k=1}^{n-1} \int_{\frac{k}{n}}^{\frac{k+1}{n}} \cos(\pi nx - \pi k)\,dx = \sum_{k=1}^{n-1} \int_{\frac{k}{n}}^{\frac{k+1}{n}} \cos(\pi nx)\cos(\pi k)\,dx$

$= \displaystyle\sum_{k=1}^{n-1} \int_{\frac{k}{n}}^{\frac{k+1}{n}} (-1)^k \cos(\pi nx)\,dx = \sum_{k=1}^{n-1} (-1)^k \left[\frac{\sin(\pi nx)}{\pi n} \right]_{\frac{k}{n}}^{\frac{k+1}{n}} = 0.$

833 $I = \displaystyle\int_0^{\infty} \tan^{-1}\left(\frac{1}{x^2}\right)dx = \left[x\tan^{-1}\left(\frac{1}{x^2}\right) \right]_0^{\infty} + 2\int_0^{\infty} \frac{x^2}{1+x^4}\,dx = 2\int_0^{\infty} \frac{x^2}{1+x^4}\,dx.$

$\Rightarrow \dfrac{I}{2} = \displaystyle\int_0^1 \frac{x^2}{1+x^4}\,dx + \int_1^{\infty} \frac{x^2}{1+x^4}\,dx \xleftarrow{x=t^{-1}} \int_0^1 \frac{x^2}{1+x^4}\,dx + \int_0^1 \frac{1}{1+t^4}\,dt = \int_0^1 \frac{1+x^2}{1+x^4}\,dx$

$\therefore I = 2\displaystyle\int_0^1 \frac{1+x^2}{1+x^4}\,dx = 2\int_0^1 \frac{1+\frac{1}{x^2}}{x^2+\frac{1}{x^2}}\,dx = 2\int_0^1 \frac{d\left(x-\frac{1}{x}\right)}{\left(x-\frac{1}{x}\right)^2 + 2}$

$= \sqrt{2}\left[\tan^{-1}\frac{1}{\sqrt{2}}\left(x-\frac{1}{x}\right) \right]_0^1 = \dfrac{\pi}{\sqrt{2}}.$

834 (1) $f(y) = y^2 - my + 1 \Rightarrow f(1) < 0 \Rightarrow 2 < m.$

(2) $\dfrac{x^2+16}{2} \geq \sqrt{16x^2} = 4|x| \Rightarrow 0 \leq \dfrac{4|x|}{x^2+16} \leq \dfrac{1}{2} \xrightarrow{(1)} \left[\left(\dfrac{4|x|}{x^2+16} \right)^m \right] = 0.$

$\therefore$ 준 식 $\xleftarrow{(2)} \displaystyle\int_0^{10} 0\,dx = 0.$

835 $I = \displaystyle\int_{-1}^1 x\ln(1+2^x+3^x+6^x)\,dx \xleftarrow{\text{[정리 24,(1)]}} -\int_{-1}^1 x\ln(1+2^{-x}+3^{-x}+6^{-x})\,dx$

$= -\displaystyle\int_{-1}^1 x\ln\left(\frac{1+2^x+3^x+6^x}{6^x} \right)dx = -I + \int_{-1}^1 x\ln(6^x)\,dx \Rightarrow 2I = \int_{-1}^1 x^2\ln 6\,dx = \frac{2}{3}\ln 6$

$\therefore I = \dfrac{\ln 6}{3}.$

836 준 식 $= \int_{\frac{1}{2}}^{2} (xe^x + e^x)\sqrt[x]{e} - \frac{1}{x}e^{x+\frac{1}{x}}dx = \int_{\frac{1}{2}}^{2} (xe^x)'\sqrt[x]{e}\,dx - \int_{\frac{1}{2}}^{2}\frac{1}{x}e^{x+\frac{1}{x}}dx$

$= \left[xe^x e^{\frac{1}{x}}\right]_{\frac{1}{2}}^{2} + \int_{\frac{1}{2}}^{2}\frac{1}{x}e^{x+\frac{1}{x}}dx - \int_{\frac{1}{2}}^{2}\frac{1}{x}e^{x+\frac{1}{x}}dx = \frac{3}{2}e^{\frac{5}{2}}.$

---

837 준 식 $\xleftarrow{\ln x = y} \int_{-\infty}^{\pi} |\cos y|\, e^y dy = \int_{\frac{\pi}{2}}^{\pi} |\cos x|\, e^x dx + \sum_{n=0}^{\infty}\int_{-n\pi-\frac{\pi}{2}}^{-n\pi+\frac{\pi}{2}} |\cos x|\, e^x dx$

$= \left|\int_{\frac{\pi}{2}}^{\pi}\cos x\, e^x dx\right| + \sum_{n=0}^{\infty}\left|\int_{-n\pi-\frac{\pi}{2}}^{-n\pi+\frac{\pi}{2}}\cos x\, e^x dx\right| \xleftarrow{\text{부분적분}} \left|\left[\frac{\sin x + \cos x}{2}e^x\right]_{\frac{\pi}{2}}^{\pi}\right| +$

$+ \sum_{n=0}^{\infty}\left|\left[\frac{\sin x + \cos x}{2}e^x\right]_{-n\pi-\frac{\pi}{2}}^{-n\pi+\frac{\pi}{2}}\right| = \frac{e^\pi}{2} + \sum_{n=0}^{\infty} e^{\frac{\pi}{2}-n\pi} = \frac{e^\pi}{2} + \frac{1}{1-e^{-\pi}}e^{\frac{\pi}{2}}.$

---

838 준 식 $= \int_{0}^{\infty}\sin(tx)\frac{e^{-x}}{1-e^{-x}}dx = \sum_{n=1}^{\infty}\int_{0}^{\infty}\sin(tx)e^{-nx}dx \xleftarrow{\text{부분적분}}$

$= \sum_{n=1}^{\infty}\frac{t}{n^2+t^2} \xleftarrow{\text{[수열과 급수, 589]}} \frac{\pi t \coth(\pi t) - 1}{2t}.$

---

839 (1) $\frac{1}{n+1} < x \le \frac{1}{n} \Rightarrow n \le \frac{1}{x} < n+1 \Rightarrow \left\{\frac{1}{x}\right\} = \frac{1}{x} - n.$

$\therefore$ 준 식 $= \sum_{n=1}^{\infty}\int_{\frac{1}{n+1}}^{\frac{1}{n}}\left\{\frac{1}{x}\right\}^2 dx \xleftarrow{(1)} \sum_{n=1}^{\infty}\int_{\frac{1}{n+1}}^{\frac{1}{n}}\left(\frac{1}{x}-n\right)^2 dx = \sum_{n=1}^{\infty}\left(\frac{2n+1}{n+1} - 2n\ln\frac{n+1}{n}\right).$

---

840 (1) 아래 그림에서 $c = t\theta$ 이 된다.

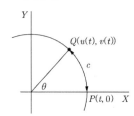

$\Rightarrow u(t) = t\cos\theta = t\cos\left(\frac{c}{t}\right),\ v(t) = t\sin\theta = t\sin\left(\frac{c}{t}\right) \Rightarrow \sqrt{u'(t)^2 + v'(t)^2} = \sqrt{1+\left(\frac{c}{t}\right)^2}.$

(2) $\displaystyle\int\sqrt{1+\left(\dfrac{c}{x}\right)^2}\,dx=\int\dfrac{\sqrt{x^2+c^2}}{x}\,dx\xleftarrow{\,x=c\tan\theta\,}\int\dfrac{c\sec\theta}{c\tan\theta}\,c\sec^2\theta\,d\theta=c\int\dfrac{d\theta}{\cos^2\theta\sin\theta}$

$\xleftarrow{\,\cos\theta=w\,}c\int\dfrac{dw}{w^2(w^2-1)}=c\int\dfrac{1}{2}\left(\dfrac{1}{w-1}-\dfrac{1}{w+1}\right)-\dfrac{1}{w^2}\,dw=\dfrac{c}{2}\ln\left(\dfrac{w-1}{w+1}\right)+\dfrac{c}{w}$

$=\dfrac{c}{2}\ln\left(\dfrac{\sqrt{c^2+x^4}-c}{\sqrt{c^2+x^4}+c}\right)+\sqrt{x^4+c^2}\,.$

$\therefore$ 준식 $\xleftarrow{(1),(2)}\dfrac{c}{2}\left(\ln\dfrac{\sqrt{1+c^2}-c}{\sqrt{1+c^2}+c}-\ln\dfrac{\sqrt{c^2+a^4}-c}{\sqrt{c^2+a^4}+c}\right)+\sqrt{c^2+1}-\sqrt{c^2+a^4}\,.$

841 (1) $h(x)=f(x)^2+g(x)^2$ 라고 하자.

$h(x+y)\xleftarrow{\text{조건식}}(f(x)f(y)-g(x)g(y))^2+(f(x)g(y)+g(x)f(y))^2$

$=f(x)^2f(y)^2+g(x)^2g(y)^2+f(x)^2g(y)^2+g(x)^2f(y)^2=\left(f(x)^2+g(x)^2\right)\left(f(y)^2+g(y)^2\right)$

$=h(x)h(y),\ h(0)=h(0)h(0)\Rightarrow h(0)=0,1.$

(i) $h(0)=0$ 인 경우: $f(0)=g(0)=0$이다. 한편 조건식에 $y=0$을 대입하면

$\quad f(x)=0$이므로 $f'(0)=1$에 모순이다.

(ii) $h(0)=1$ 인 경우: 조건식에 $x=y=0$을 대입하고 (1)에 대입하면

$\quad f(0)=f(0)^2-g(0)^2,\ g(0)=2f(0)g(0),\ 1=f(0)^2+g(0)^2\Rightarrow f(0)=1,\ g(0)=0$이다.

(2) $\dfrac{f(x+y)-f(x)}{y}\xleftarrow[(1)]{\text{조건식}}\left(\dfrac{f(y)-f(0)}{y}\right)f(x)-\left(\dfrac{g(y)-g(0)}{y}\right)g(x)\xrightarrow{\,y\to0\,}$

$\Rightarrow f'(x)=f'(0)f(x)-g'(0)g(x)\xrightarrow{\text{조건식}}f'(x)=f(x)-2g(x).$

(3) $\dfrac{g(x+y)-g(x)}{y}\xleftarrow[(1)]{\text{조건식}}\left(\dfrac{g(y)-g(0)}{y}\right)f(x)+\left(\dfrac{f(y)-f(0)}{y}\right)g(x)\xrightarrow{\,y\to0\,}$

$\Rightarrow g'(x)=g'(0)f(x)+f'(0)g(x)\xrightarrow{\text{조건식}}g'(x)=2f(x)+g(x).$

(4) $h'(x)=2f(x)f'(x)+2g(x)g'(x)\xleftarrow{(2),(3)}2f(x)^2+2g(x)^2=2h(x),\ h(0)=1$

$\Rightarrow\dfrac{h'(x)}{h(x)}=2\xrightarrow[h(0)=1]{\text{양변을 적분하면}}h(x)=e^{2x}.$

$\therefore$ 준식 $\xleftarrow{(4)}\displaystyle\int_0^1 e^{2x}\,dx=\dfrac{e^2-1}{2}\,.$

842 (1) $\displaystyle\int_0^\infty ye^{-xy}\,dy=\left[-\dfrac{y}{x}e^{-xy}\right]_0^\infty+\dfrac{1}{x}\int_0^\infty e^{-xy}\,dy=\dfrac{1}{x^2}\,.$

(2) $\displaystyle\int_0^\infty e^{-xy}\cos(n+1)x\,dx\xleftarrow{\text{부분적분}}\dfrac{y}{(n+1)^2+y^2}\,.$

$$\therefore \text{준식} \xleftrightarrow{(1)} \frac{1}{2}\int_0^\infty \cos(n-1)x - \cos(n+1)x \int_0^\infty ye^{-xy}\,dy\,dx$$

$$= \frac{1}{2}\int_0^\infty y\int_0^\infty e^{-xy}\cos(n-1)x - e^{-xy}\cos(n+1)x\,dx\,dy \xleftrightarrow{(2)}$$

$$= \frac{1}{2}\int_0^\infty \frac{y^2}{(n-1)^2+y^2} - \frac{y^2}{(n+1)^2+y^2}\,dy = \frac{\pi}{2}.$$

843 $I = \displaystyle\int_0^\pi \frac{8x^3\cos^4 x\sin^2 x}{\pi^2-3\pi x+3x^2}\,dx \xleftarrow{[\text{정리 }24,(1)]} \int_0^\pi \frac{8(\pi-x)^3\cos^4 x\sin^2 x}{\pi^2-3\pi x+3x^2}\,dx$

$\Rightarrow 2I = \displaystyle\int_0^\pi \frac{8(\pi^3-3\pi^2 x+3\pi x^2)\cos^4 x\sin^2 x}{\pi^2-3\pi x+3x^2}\,dx = 8\pi\int_0^\pi \cos^4 x\sin^2 x\,dx$

$= 8\pi\displaystyle\int_0^\pi (\cos x\sin x)^2\left(\frac{1+\cos 2x}{2}\right)dx = \pi\int_0^\pi \sin^2(2x)(1+\cos 2x)dx = \frac{\pi}{2}\int_0^\pi 1-\cos 4x\,dx +$

$+ \dfrac{\pi}{2}\displaystyle\int_0^\pi \sin^2(2x)\,d(\sin 2x) = \frac{\pi^2}{2} \Rightarrow \therefore I = \frac{\pi^2}{4}.$

844 $I_n = \displaystyle\int_0^1 x^n\cos(\pi x)\,dx = \left[\frac{x^{n+1}}{n+1}\cos(\pi x)\right]_0^1 + \frac{\pi}{n+1}\int_0^1 x^{n+1}\sin(\pi x)\,dx$

$= -\dfrac{1}{n+1} + \dfrac{\pi}{n+1}\left\{\left[\dfrac{x^{n+2}}{n+2}\sin(\pi x)\right]_0^1 - \dfrac{\pi}{n+2}\displaystyle\int_0^1 x^{n+2}\cos(\pi x)dx\right\}$

$= -\dfrac{1}{n+1} - \dfrac{\pi^2}{(n+1)(n+2)}I_{n+2}, \quad (n\ge 0).$

845 준 식 $= \dfrac{1}{2}\displaystyle\int_0^{\frac{\pi}{4}}\sec^2 x\ln\left(\frac{1+\sin x}{1-\sin x}\right)dx = \dfrac{1}{2}\left[\tan x\ln\left(\frac{1+\sin x}{1-\sin x}\right)\right]_0^{\frac{\pi}{4}} -$

$- \dfrac{1}{2}\displaystyle\int_0^{\frac{\pi}{4}}\tan x\left(\frac{\cos x}{1+\sin x} - \frac{\cos x}{1-\sin x}\right)dx = \frac{\ln(3+\sqrt{2})}{2} - \int_0^{\frac{\pi}{4}}\frac{\sin x}{\cos^2 x}\,dx$

$= \dfrac{\ln(3+\sqrt{2})}{2} + 1 - \sqrt{2}.$

846 준 식 $\xleftrightarrow{x=f(t)} \displaystyle\int_{2\pi}^{-2\pi}|f^{-1}(f(t))||f'(t)|dt = \int_{-2\pi}^{2\pi}|t|(1-\cos t)dt$

$= 2\displaystyle\int_0^{2\pi}t(1-\cos t)dt = 4\pi^2.$

847 (1) $\displaystyle\int_c^d f^{-1}(x)dx \xLeftrightarrow{x=f(t)} \int_a^b tf'(t)dt = \int_a^b xf'(x)dx.$

$\therefore$ 준 식 $\xLeftrightarrow{(1)} \displaystyle\int_a^b f(x)+xf'(x)\,dx = \int_a^b (xf(x))'\,dx = bf(b)-af(a) = bd-ac.$

848 (1) $\sin^{-1}\left(\dfrac{x}{\sqrt{a^2+x^2}}\right) = \theta = \tan^{-1}\left(\dfrac{x}{a}\right).$

$\therefore$ 준 식 $\xLeftrightarrow{(1)} \displaystyle\int_0^a \tan^{-1}\left(\dfrac{x}{a}\right)dx = \left[x\tan^{-1}\left(\dfrac{x}{a}\right)\right]_0^a - \dfrac{a}{2}\int_0^a \dfrac{2x}{a^2+x^2}dx = \dfrac{a}{4}\pi - \dfrac{a}{2}\ln 2.$

849 준 식 $= \dfrac{1}{4}\displaystyle\int_0^{\frac{\pi}{4}} \dfrac{\sin^2(2x)}{(\sin x+\cos x)(1-\sin x\cos x)}dx$

$= \dfrac{1}{4}\displaystyle\int_0^{\frac{\pi}{4}} \dfrac{\sin^2(2x)\,dx}{\sqrt{1+\sin 2x}\left(1-\dfrac{\sin 2x}{2}\right)} \xLeftarrow{2x=y} \dfrac{1}{8}\int_0^{\frac{\pi}{2}} \dfrac{\sin^2 y}{\sqrt{1+\sin y}\left(1-\dfrac{\sin y}{2}\right)}dy \xLeftarrow{\sin y=x}$

$= \dfrac{1}{8}\displaystyle\int_0^1 \dfrac{x^2}{\sqrt{1-x}\,(1+x)\left(1-\dfrac{x}{2}\right)}dx \xRightarrow{\sqrt{1-x}=y} \dfrac{1}{2}\int_0^1 \dfrac{(1-y^2)^2}{(2-y^2)(1+y^2)}dy$

$= \dfrac{1}{2}\displaystyle\int_0^1 \left(\dfrac{4}{3}\right)\dfrac{1}{1+y^2} - 1 + \left(\dfrac{1}{3}\right)\dfrac{1}{2-y^2}\,dy = \dfrac{\pi-3}{6} - \dfrac{\sqrt{2}\ln(\sqrt{2}-1)}{12}.$

850 (1) $y\le x\le\infty, \, 0\le y\le\infty \xrightarrow{\text{아래 그림}} 0\le v\le u, \, 0\le u\le\infty.$

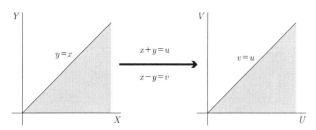

(2) $\displaystyle\int_0^\infty \dfrac{x}{\sinh x}dx = 2\int_0^\infty \dfrac{x}{e^x-e^{-x}}dx = 2\int_0^\infty \dfrac{xe^{-x}}{1-e^{-2x}}dx = 2\int_0^\infty xe^{-x}\left(\sum_{n=0}^\infty e^{-2nx}\right)dx$

$= 2\displaystyle\sum_{n=0}^\infty \int_0^\infty xe^{-(2n+1)x}dx \xLeftarrow{\text{부분적분}} 2\sum_{n=0}^\infty \dfrac{1}{(2n+1)^2} \xrightarrow{\text{[수열과 급수, 9]}} \dfrac{\pi^2}{4}.$

(3) $\displaystyle\int_0^1 \dfrac{\ln x}{x^2(x^2-1)}dx = -\int_0^1 \dfrac{\ln x}{x^2}\left(\sum_{n=0}^\infty x^{2n}\right)dx = -\sum_{n=0}^\infty \int_0^1 x^{2(n-1)}\ln x\,dx \xrightarrow{\text{부분적분}}$

$$= \sum_{n=0}^{\infty} \frac{1}{(2n-1)^2} \xleftarrow{[수열과 급수, 9]} 1 + \frac{\pi^2}{8}.$$

$$\therefore 준식 \xleftarrow[(1)]{[정리 46]} \frac{1}{2} \int_0^{\infty} \int_0^u \frac{v^2 \ln\left(\dfrac{u}{v}\right)}{\left(\dfrac{u^2-v^2}{4}\right)\sinh u}\, dv\, du = 2 \int_0^{\infty} \frac{1}{\sinh u} \int_0^u \frac{v^2 \ln\left(\dfrac{u}{v}\right)}{u^2-v^2}\, dv\, du \xleftarrow{u=vt}$$

$$= 2 \int_0^{\infty} \frac{1}{\sinh u} \int_0^1 \frac{u\ln t}{t^2(t^2-1)}\, dt\, du = 2 \int_0^{\infty} \frac{u}{\sinh u}\, du \int_0^1 \frac{\ln t}{t^2(t^2-1)}\, dt \xleftarrow{(2),(3)} \frac{\pi^2}{2}\left(1+\frac{\pi^2}{8}\right).$$

851 (1) $\displaystyle I(y) = \int_0^{2\pi} \frac{dx}{y+a\cos x} = \int_0^{2\pi} \frac{dx}{y\left(\sin^2\dfrac{x}{2}+\cos^2\dfrac{x}{2}\right)+a\left(\cos^2\dfrac{x}{2}-\sin^2\dfrac{x}{2}\right)}$

$$= \int_0^{2\pi} \frac{\sec^2\dfrac{x}{2}\, dx}{(y+a)+(y-a)\tan^2\dfrac{x}{2}} = \frac{2}{y-a}\int_0^{2\pi} \frac{d\left(\tan\dfrac{x}{2}\right)}{\dfrac{y+a}{y-a}+\tan^2\dfrac{x}{2}} = \frac{4}{y-a}\int_0^{\pi} \frac{d\left(\tan\dfrac{x}{2}\right)}{\dfrac{y+a}{y-a}+\tan^2\dfrac{x}{2}}$$

$$= \frac{4}{\sqrt{y^2-a^2}}\left[\tan^{-1}\left(\sqrt{\frac{y-a}{y+a}}\,\tan\frac{x}{2}\right)\right]_0^{\pi} = \frac{2\pi}{\sqrt{y^2-a^2}} \xrightarrow{\text{양변을 } y로 미분}$$

$$\Rightarrow I'(y) = -\int_0^{2\pi} \frac{dx}{(y+a\cos x)^2} = -\frac{2y\pi}{\sqrt{(y^2-a^2)^3}} \Rightarrow \therefore 준식 = \frac{2\pi}{\sqrt{(1-a^2)^3}}.$$

852 $\displaystyle I = \int_a^b \frac{f(x)}{f(x)-f'(x)}\, dx,\ J = \int_a^b \frac{f'(x)}{f(x)-f'(x)}\, dx \Rightarrow I-J = b-a.$

$$I+J = \int_a^b \frac{f(x)+f'(x)}{f(x)-f'(x)}\, dx \xleftarrow{\text{조건식}} \int_a^b \frac{f'(x)-f''(x)}{f(x)-f'(x)}\, dx = \left[\ln(f(x)-f'(x))\right]_a^b \xleftarrow{\text{조건식}} 0$$

$$\Rightarrow \therefore I = \frac{b-a}{2}.$$

853 $\displaystyle I = \int_{-\frac{\pi}{2}}^{\frac{\pi}{2}} \frac{\cos x(\cos x - \sin x)}{1+|\sin(2x)|}\, dx \xleftarrow{[정리 24,(1)]} \int_{-\frac{\pi}{2}}^{\frac{\pi}{2}} \frac{\cos x(\cos x+\sin x)}{1+|\sin(2x)|}\, dx \xrightarrow{\text{더하면}}$

$$\Rightarrow 2I = \int_{-\frac{\pi}{2}}^{\frac{\pi}{2}} \frac{2\cos^2 x}{1+|\sin(2x)|}\, dx \xrightarrow{\text{우함수}} \therefore I = \int_0^{\frac{\pi}{2}} \frac{2\cos^2 x}{1+|\sin(2x)|}\, dx = \int_0^{\frac{\pi}{2}} \frac{1+\cos 2x}{1+\sin 2x}\, dx$$

$$= \int_0^{\frac{\pi}{2}} \frac{dx}{(\sin x+\cos x)^2} + \frac{1}{2}\int_0^{\frac{\pi}{2}} \frac{2\cos 2x}{1+\sin 2x}\, dx = \frac{1}{2}\int_0^{\frac{\pi}{2}} \sec^2\left(x-\frac{\pi}{4}\right)dx + \frac{1}{2}\left[\ln(1+\sin 2x)\right]_0^{\frac{\pi}{2}}$$

$$= \frac{1}{2}\left[\tan\left(x-\frac{\pi}{4}\right)\right]_0^{\frac{\pi}{2}} = 1.$$

854 준 식 $= \displaystyle\int_0^{\frac{\pi}{6}} \ln\left(1 + \frac{\sin x}{\sqrt{3}\cos x}\right) dx = \int_0^{\frac{\pi}{6}} \ln\left(\dfrac{\cos\left(x - \frac{\pi}{6}\right)}{\frac{\sqrt{3}}{2}\cos x}\right) dx$

$= \displaystyle\int_0^{\frac{\pi}{6}} \ln\left(\cos\left(x - \frac{\pi}{6}\right)\right) - \ln\left(\frac{\sqrt{3}}{2}\cos x\right) dx \xleftrightarrow{\;x - \frac{\pi}{6} = t\;} \int_{-\frac{\pi}{6}}^{0} \ln(\cos t) dt - \frac{\pi}{6}\ln\frac{\sqrt{3}}{2} - \int_0^{\frac{\pi}{6}} \ln(\cos x) dx$

$\xleftrightarrow{\;t = -y\;} \displaystyle\int_0^{\frac{\pi}{6}} \ln(\cos y) dy - \int_0^{\frac{\pi}{6}} \ln(\cos x) dx - \frac{\pi}{6}\ln\frac{\sqrt{3}}{2} = -\frac{\pi}{6}\ln\frac{\sqrt{3}}{2} = \frac{\pi}{6}\ln\frac{2\sqrt{3}}{3}.$

855 준 식 $= \displaystyle\int_1^{\infty} \frac{3^x 2^x}{4^x\left(\left(\frac{9}{4}\right)^x - 1\right)} dx = \int_1^{\infty} \frac{\left(\frac{3}{2}\right)^x}{\left(\frac{3}{2}\right)^{2x} - 1} dx \xleftrightarrow{\;\left(\frac{3}{2}\right)^x = t\;}$

$= \dfrac{1}{\ln\frac{3}{2}} \displaystyle\int_{\frac{3}{2}}^{\infty} \frac{1}{t^2 - 1} dt = \frac{1}{2\ln\frac{3}{2}}\left[\ln\left|\frac{1-t}{1+t}\right|\right]_{\frac{3}{2}}^{\infty} = \frac{\ln 5}{2(\ln 3 - \ln 2)}.$

856 $I = \displaystyle\int_a^b \frac{\sqrt[a]{e^x} - \sqrt[x]{e^b}}{\sqrt{x}\,\sqrt{ab + x^2}} dx \xleftrightarrow{\;x = \frac{ab}{t}\;} -\int_a^b \frac{\sqrt[a]{e^t} - \sqrt[t]{e^b}}{\sqrt{t}\,\sqrt{ab + t^2}} dt = -I \Rightarrow \therefore I = 0.$

857 준 식 $\xleftrightarrow{\;x^{-1} = u\;} \displaystyle\int_1^{\infty} \frac{[u]}{u^2} du = \sum_{n=1}^{\infty} \int_n^{n+1} \frac{n}{u^2} du = \sum_{n=1}^{\infty} n\left(\frac{1}{n} - \frac{1}{n+1}\right)$

$= \displaystyle\sum_{n=1}^{\infty}\left(1 - \frac{n}{n+1}\right) = \sum_{n=1}^{\infty} \frac{1}{n+1} = \infty.$

858 준 식 $= \displaystyle\int_0^1 \left(\frac{x}{a+bx}\right)^{m-1}\left(\frac{1-x}{a+bx}\right)^{n-1} \frac{dx}{(a+bx)^2} \xleftrightarrow{\;\frac{x}{a+bx} = \frac{t}{a+b}\;}$

$= \dfrac{1}{a^n(a+b)^m} \displaystyle\int_0^1 t^{m-1}(1-t)^{n-1} dt \xleftrightarrow{\;[정리82]\;} \frac{B(m,n)}{a^n(a+b)^m}.$

859 준 식 $\xleftrightarrow{\;x = u^{-1}\;} \displaystyle\int_1^{\infty} \frac{[u]\{u\}}{u^3} du = \sum_{n=1}^{\infty} \int_n^{n+1} \frac{[u]\{u\}}{u^3} du$

$= \displaystyle\sum_{n=1}^{\infty} \int_n^{n+1} \frac{[u](u - [u])}{u^3} du = \sum_{n=1}^{\infty} \int_n^{n+1} \frac{\nu - n^2}{u^3} du = \sum_{n=1}^{\infty} \frac{1}{n+1} - \frac{2n+1}{2(n+1)^2}$

$= \dfrac{1}{2} \displaystyle\sum_{n=1}^{\infty} \frac{1}{(n+1)^2} \xleftarrow{\;[정리 66]\;} \frac{\pi^2}{12} - \frac{1}{2}.$

860 (1) $\dfrac{1-\cos x}{\sin x}=\dfrac{2\sin^2\dfrac{x}{2}}{2\sin\dfrac{x}{2}\cos\dfrac{x}{2}}=\tan\dfrac{x}{2}\Rightarrow\tan^{-1}\!\left(\dfrac{1-\cos x}{\sin x}\right)=\dfrac{x}{2}$.

(2) $I(\theta)=\displaystyle\int_0^1\dfrac{\ln(1-2x\cos\theta+x^2)}{x}dx\Rightarrow I'(\theta)=2\sin\theta\int_0^1\dfrac{dx}{1-2x\cos\theta+x^2}$

$=2\sin\theta\displaystyle\int_0^1\dfrac{dx}{(x-\cos\theta)^2+\sin^2\theta}=2\left[\tan^{-1}\!\left(\dfrac{x-\cos\theta}{\sin\theta}\right)\right]_0^1=2\left(\tan^{-1}\!\left(\dfrac{1-\cos\theta}{\sin\theta}\right)+\tan^{-1}(\cot\theta)\right)$

$\xLeftrightarrow{(1)}\theta+2\tan^{-1}\!\left(\tan\!\left(\dfrac{\pi}{2}-\theta\right)\right)=\pi-\theta\Rightarrow I(\theta)=\pi\theta-\dfrac{\theta^2}{2}+c$.

(3) $\dfrac{1}{1+x}=1-x+x^2-\cdots\Rightarrow\dfrac{1}{1+x^2}=1-x^2+x^4-\cdots\Rightarrow\dfrac{x}{1+x^2}=x-x^3+x^5-\cdots$

$\xrightarrow{\text{양변을 적분}}\dfrac{1}{2}\ln(1+x^2)=\dfrac{x^2}{2}-\dfrac{x^4}{4}+\dfrac{x^6}{6}-\cdots$.

(4) $I\!\left(\dfrac{\pi}{2}\right)\xLeftrightarrow{(2)}\displaystyle\int_0^1\dfrac{\ln(1+x^2)}{x}dx\xLeftrightarrow{(3)}2\int_0^1\dfrac{x}{2}-\dfrac{x^3}{4}+\dfrac{x^5}{6}-\dfrac{x^7}{8}+\cdots dx=2\left(\dfrac{1}{2^2}-\dfrac{1}{4^2}+\dfrac{1}{6^2}-\cdots\right)$

$=\dfrac{1}{2}\left(1-\dfrac{1}{2^2}+\dfrac{1}{3^2}-\dfrac{1}{4^2}+\cdots\right)\xLeftrightarrow{\text{[수열과 급수, 13]}}\dfrac{\pi^2}{24}\xrightarrow{(2)}c=-\dfrac{\pi^2}{3}$.

$\therefore$ 준 식 $\xLeftrightarrow{(2),(4)}\pi\theta-\dfrac{\theta^2}{2}-\dfrac{\pi^2}{3}$.

861 (1) $-\infty\le x,y\le\infty\xrightarrow[y=r\sin\theta]{x=r\cos\theta}0\le r\le\infty,0\le\theta\le2\pi$.

$\therefore$ 준 식 $\xLeftrightarrow[(1)]{\text{[정리46]}}\displaystyle\int_0^{2\pi}\int_0^\infty re^{-r^2}\cos(r^2)drd\theta\xleftrightarrow{r^2=u}\dfrac{1}{2}\int_0^{2\pi}\int_0^\infty e^{-u}\cos u\,dud\theta\xrightarrow{\text{부분적분}}\dfrac{\pi}{2}$.

862 (1) $\left(\dfrac{a^x}{\ln a}\right)'=a^x$.

$\therefore$ 준 식 $=\displaystyle\int_0^1\dfrac{x^k}{\ln x}-\dfrac{x^0}{\ln x}dx=\int_0^1\left[\dfrac{x^t}{\ln x}\right]_0^k dx\xLeftrightarrow{(1)}$

$=\displaystyle\int_0^1\int_0^k x^t dtdx=\int_0^k\int_0^1 x^t dxdt=\int_0^k\dfrac{1}{t+1}dt=\ln(k+1)$.

863 (1) $I=\displaystyle\int_{\sqrt{\frac{b}{a}}}^{\sqrt{\frac{a}{b}}}\dfrac{x^2\ln x}{x^6+1}dx\xleftarrow{x=u^{-1}}-\int_{\sqrt{\frac{b}{a}}}^{\sqrt{\frac{a}{b}}}\dfrac{u^2\ln u}{u^6+1}du\Rightarrow I=0$.

(2) $\displaystyle\int\dfrac{x^2}{x^6+1}dx=\int\dfrac{x^2}{(x^2+1)(x^4-x^2+1)}dx=\dfrac{1}{3}\int\dfrac{x^2+1}{x^4-x^2+1}-\dfrac{1}{x^2+1}dx$

$$= \frac{1}{3} \int \frac{\left(1+\frac{1}{x^2}\right)dx}{x^2-1+\frac{1}{x^2}} - \frac{1}{3}\tan^{-1}x = \frac{1}{3}\int \frac{d\left(x-\frac{1}{x}\right)}{\left(x-\frac{1}{x}\right)^2+1} - \frac{1}{3}\tan^{-1}x$$

$$= \frac{1}{3}\tan^{-1}\left(x-\frac{1}{x}\right) - \frac{1}{3}\tan^{-1}x.$$

$$\therefore 준식 = \frac{1}{ab\sqrt{ab}}\int_a^b \frac{\left(\frac{x}{\sqrt{ab}}\right)^2\left(\ln\frac{x}{\sqrt{ab}}+\ln\sqrt{ab}\right)}{\left(\frac{x}{\sqrt{ab}}\right)^6+1}d\left(\frac{x}{\sqrt{ab}}\right)\xleftarrow{t=\frac{x}{\sqrt{ab}}}$$

$$= \frac{1}{\sqrt{(ab)^3}}\int_{\sqrt{\frac{b}{a}}}^{\sqrt{\frac{a}{b}}} \frac{t^2(\ln t+\ln\sqrt{ab})}{t^6+1}dt \xleftarrow{(1),(2)} \frac{\ln\sqrt{ab}}{3\sqrt{(ab)^3}}\left[\tan^{-1}\left(t-\frac{1}{t}\right)-\tan^{-1}t\right]_{\sqrt{\frac{b}{a}}}^{\sqrt{\frac{a}{b}}}$$

$$= \frac{\ln(ab)}{3\sqrt{(ab)^3}}\left(\tan^{-1}\left(\sqrt{\frac{a}{b}}-\sqrt{\frac{b}{a}}\right)+\tan^{-1}\sqrt{\frac{b}{a}}\right).$$

864 $I=\displaystyle\int_0^\pi \frac{x\,dx}{1+e\sin x} \xleftarrow{[정리 24,(1)]} \pi\int_0^\pi \frac{dx}{1+e\sin x}-I \Rightarrow \therefore I = \frac{\pi}{2}\int_0^\pi \frac{1}{1+e\sin x}dx$

$\xleftarrow{x=2t} \pi\int_0^{\frac{\pi}{2}} \frac{dt}{1+\frac{2e\tan t}{1+\tan^2 t}} = \pi\int_0^{\frac{\pi}{2}} \frac{1+\tan^2 t}{1+\tan^2 t+2e\tan t}dt = \pi\int_0^{\frac{\pi}{2}} \frac{1+\tan^2 t}{(\tan t+e)^2+1-e^2}dt$

$\xleftarrow{\tan t+e=y} \pi\int_e^\infty \frac{dy}{y^2+1-e^2} = -\frac{\pi}{2\sqrt{e^2-1}}\left[\ln\left|\frac{y+\sqrt{e^2-1}}{y-\sqrt{e^2-1}}\right|\right]_e^\infty$

$$= \frac{\pi}{2\sqrt{e^2-1}}\ln\left(\frac{e+\sqrt{e^2-1}}{e-\sqrt{e^2-1}}\right).$$

865 준 식 $= \displaystyle\int_0^{\frac{1}{2}} f(x)dx + \int_{\frac{1}{2}}^1 f(x)dx \xleftarrow{x=t+\frac{1}{2}} \int_0^{\frac{1}{2}} f(x)dx + \int_0^{\frac{1}{2}} f\left(t+\frac{1}{2}\right)dt$

$$= \int_0^{\frac{1}{2}} f(x)+f\left(\frac{1}{2}+x\right)dx \xleftarrow{조건식} \int_0^{\frac{1}{2}} 1\,dx = \frac{1}{2}.$$

866 준 식 $\xleftarrow{x=1-u} \displaystyle\int_{-\infty}^\infty \frac{\cos(1-u)}{1+u^2}du = \int_{-\infty}^\infty \frac{\cos 1\cos u+\sin 1\sin u}{1+u^2}du \xrightarrow{\substack{우함수 \\ 기함수}}$

$$= 2\cos 1\int_0^\infty \frac{\cos x}{1+x^2}dx \xrightarrow{[문제86]} \frac{\pi}{e}\cos 1.$$

867 준 식 $\xleftrightarrow{1-x^2=t}$ $\dfrac{1}{2}\displaystyle\int_0^1 (1-t)^2\sqrt{t^7}\,dt = \dfrac{1}{2}\int_0^1 t^{\frac{7}{2}} - 2t^{\frac{9}{2}} + t^{\frac{11}{2}}\,dt = \dfrac{8}{1287}$.

868 (1) $x^2 - 2x\cos\alpha + 1 = (x-\cos\alpha)^2 + \sin^2\alpha$, $\dfrac{1-\cos\alpha}{\sin\alpha} = \tan\dfrac{\alpha}{2}$,

$-\dfrac{1+\cos\alpha}{\sin\alpha} = -\dfrac{2\cos^2\dfrac{\alpha}{2}}{2\sin\dfrac{\alpha}{2}\cos\dfrac{\alpha}{2}} = -\cot\dfrac{\alpha}{2}$.

$\therefore$ 준 식 $\xleftarrow{(1)}\displaystyle\int_{-1}^1 \dfrac{dx}{(x-\cos\alpha)^2+\sin^2\alpha} \xleftrightarrow{x-\cos\alpha=t} \int_{-(1+\cos\alpha)}^{1-\cos\alpha} \dfrac{dt}{t^2+\sin^2\alpha}$

$= \dfrac{1}{\sin\alpha}\left[\tan^{-1}\left(\dfrac{t}{\sin\alpha}\right)\right]_{-(1+\cos\alpha)}^{1-\cos\alpha} \xleftarrow{(1)} \dfrac{\pi}{2\sin\alpha}$.

869 $I = \displaystyle\int_{-1}^1 \dfrac{x^{12}+31}{1+2011^x}\,dx \xleftarrow{[\text{정리 }24,(1)]} \int_{-1}^1 \dfrac{(x^{12}+31)2011^x}{1+2011^x}\,dx \xrightarrow{\text{두식을더하면}}$

$\Rightarrow 2I = \displaystyle\int_{-1}^1 x^{12}+31\,dx \Rightarrow \therefore I = \dfrac{404}{13}$.

870 준 식 $= \displaystyle\int_0^{2\pi} \dfrac{dx}{1-2(\sin x\cos x)^2} = \int_0^{2\pi} \dfrac{2dx}{2-\sin^2(2x)} \xleftarrow{2x=u} \int_0^{4\pi} \dfrac{du}{2-\sin^2 u}$

$= 2\displaystyle\int_0^{2\pi} \dfrac{du}{2-\sin^2 u} = 2\int_0^{2\pi} \dfrac{du}{1+\cos^2 u} = 8\int_0^{\frac{\pi}{2}} \dfrac{du}{1+\cos^2 u} = 8\int_0^{\frac{\pi}{2}} \dfrac{\sec^2 u\,du}{1+\sec^2 u}$

$= 8\displaystyle\int_0^{\frac{\pi}{2}} \dfrac{d(\tan u)}{2+\tan^2 u} = \dfrac{8}{\sqrt{2}}\left[\tan^{-1}\left(\dfrac{1}{\sqrt{2}}\tan u\right)\right]_0^{\frac{\pi}{2}} = 2\sqrt{2}\,\pi$.

871 (1) $\dfrac{1}{2}\ln(1+x^2) = \displaystyle\sum_{n=1}^\infty (-1)^{n-1}\dfrac{x^{2n}}{2n}$. $\displaystyle\int_0^\infty e^{-sx}\dfrac{x^n}{n!}\,dx \xleftarrow{\text{부분적분}} \dfrac{1}{s^{n+1}}$.

(2) $\dfrac{\sin\pi x}{\pi x} \xleftarrow{[\text{수열과 급수, }778]} \displaystyle\prod_{n=1}^\infty\left(1-\dfrac{x^2}{n^2}\right) \xrightarrow{x=i} \therefore \prod_{n=1}^\infty\left(1+\dfrac{1}{n^2}\right) = \dfrac{\sin\pi i}{\pi i} \xrightarrow{[\text{정리 }33]}$

$= \dfrac{1}{\pi i}\left(\dfrac{e^{i(\pi i)} - e^{i(-\pi i)}}{2i}\right) = \dfrac{e^\pi - e^{-\pi}}{2\pi} = \dfrac{\sinh\pi}{\pi}$.

(3) $\cos x \xleftarrow{[\text{정리 }28]} 1 - \dfrac{x^2}{2!} + \dfrac{x^4}{4!} - \cdots \Rightarrow \dfrac{1-\cos x}{x} = \displaystyle\sum_{n=1}^\infty \dfrac{(-1)^{n-1}x^{2n-1}}{(2n)!}$.

$\therefore$ 준 식 $\xleftarrow{(3)} \displaystyle\int_0^\infty \dfrac{e^{-x}}{1-e^{-x}}\sum_{n=1}^\infty \dfrac{(-1)^{n-1}x^{2n-1}}{(2n)!}\,dx = \int_0^\infty\left(\sum_{k=0}^\infty e^{-(1+k)x}\right)\left(\sum_{n=1}^\infty \dfrac{(-1)^{n-1}x^{2n-1}}{(2n)!}\right)dx$

$$= \sum_{k=0}^{\infty} \sum_{n=1}^{\infty} \frac{(-1)^{n-1}}{2n} \int_0^{\infty} \frac{e^{-(1+k)x}x^{2n-1}}{(2n-1)!}dx \xleftarrow{(1)} \sum_{k=0}^{\infty} \sum_{n=1}^{\infty} \frac{(-1)^{n-1}}{2n}\left(\frac{1}{(k+1)^{2n}}\right) \xleftarrow{(1)}$$

$$= \sum_{k=0}^{\infty} \frac{1}{2} \ln\left(1 + \frac{1}{(k+1)^2}\right) = \frac{1}{2} \ln\left(\prod_{k=0}^{\infty}\left(1 + \frac{1}{(k+1)^2}\right)\right) = \frac{1}{2} \ln\left(\prod_{n=1}^{\infty}\left(1 + \frac{1}{n^2}\right)\right) \xleftarrow{(2)} \frac{1}{2} \ln\left(\frac{\sinh\pi}{\pi}\right).$$

872 (1) $x \leq y \leq \pi,\ 0 \leq x \leq \pi \xrightarrow{\text{아래 그림}} 0 \leq x \leq y,\ 0 \leq y \leq \pi.$

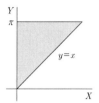

$\therefore$ 준 식 $\xleftarrow{(1)} \displaystyle\int_0^{\pi}\int_0^{y} \frac{\sin y}{y}\,dx\,dy = \int_0^{\pi} \sin y\,dy = 2.$

873 $I = \displaystyle\int_0^{\frac{\pi}{2}} \frac{1}{1+\cos^2 x}dx = \int_0^{\frac{\pi}{2}} \frac{\sec^2 x\,dx}{1+\sec^2 x} = \int_0^{\frac{\pi}{2}} \frac{d(\tan x)}{2+\tan^2 x} = \frac{1}{\sqrt{2}}\left[\tan^{-1}\left(\frac{\tan x}{\sqrt{2}}\right)\right]_0^{\frac{\pi}{2}}$

$= \dfrac{\pi}{2\sqrt{2}}.$

$J = \displaystyle\int_0^{\frac{\pi}{2}} \frac{\cos x}{1+\cos^2 x}dx = -\int_0^{\frac{\pi}{2}} \frac{d(\sin x)}{\sin^2 x - 2} = \frac{1}{2\sqrt{2}}\left[\ln\frac{\sqrt{2}+\sin x}{\sqrt{2}-\sin x}\right]_0^{\frac{\pi}{2}} = \frac{1}{2\sqrt{2}}\ln\frac{\sqrt{2}+1}{\sqrt{2}-1}$

$= \dfrac{1}{\sqrt{2}}\ln(1+\sqrt{2}).$

$\therefore$ 준 식 $= I + J = \dfrac{\pi}{2\sqrt{2}} + \dfrac{1}{\sqrt{2}}\ln(1+\sqrt{2}).$

874 $I = \displaystyle\int_{\sqrt{2}}^{2} \frac{(x^2+2)}{(x^4-3x^2+4)}\ln\left(\frac{x^2+x-2}{x}\right)dx = \int_{\sqrt{2}}^{2} \frac{1+\dfrac{2}{x^2}}{x^2-3x+\dfrac{4}{x^2}}\ln\left(x+1-\frac{2}{x}\right)dx$

$= \displaystyle\int_{\sqrt{2}}^{2} \frac{1+\dfrac{2}{x^2}}{\left(x-\dfrac{2}{x}\right)^2+1}\ln\left(x+1-\frac{2}{x}\right)dx \xleftarrow{\ x+1-\frac{2}{x}=t\ } \int_{1}^{2} \frac{\ln t}{(t-1)^2+1}dt \xrightarrow{\ t-1=\tan u\ }$

$= \displaystyle\int_0^{\frac{\pi}{4}} \ln(1+\tan u)\,du \xleftarrow{\text{[정리 24,(1)]}} \int_0^{\frac{\pi}{4}} \ln\left(\frac{2}{1+\tan u}\right)du = \frac{\pi}{4}\ln 2 - I.$

$\Rightarrow \therefore I = \dfrac{\pi}{8}\ln 2.$

875 $I = \displaystyle\int_0^{\frac{\pi}{2}} \frac{\cos x + \cos^2 x}{1 + \sin x + \cos x} dx \xleftarrow{\text{[정리 24,(1)]}} \int_0^{\frac{\pi}{2}} \frac{\sin x + \sin^2 x}{1 + \sin x + \cos x} dx \xrightarrow{\text{두 식을 더하면}}$

$\Rightarrow 2I = \displaystyle\int_0^{\frac{\pi}{2}} 1\, dx = \frac{\pi}{2} \Rightarrow \therefore I = \frac{\pi}{4}.$

876 $I = \displaystyle\int_0^{\pi} e^{\sin x} \cos^2(\sin x) \cos x\, dx \xleftarrow{\text{[정리 24,(1)]}} -\int_0^{\pi} e^{\sin x} \cos^2(\sin x) \cos x\, dx$

$\Rightarrow 2I = 0 \Rightarrow \therefore I = 0.$

877 (1) $_{2n+1}C_{n+k} = \dfrac{(2n+1)!}{(n+k)!(n+1-k)!} = {}_{2n+1}C_{n+1-k}, \quad {}_nC_k = {}_{n-1}C_{k-1} + {}_{n-1}C_k.$

(2) $\displaystyle\sum_{j=0}^{2n+1} {}_{2n+1}C_j (-1)^j e^{ix(2n+1-2j)} = \sum_{j=0}^{n} {}_{2n+1}C_j (-1)^j e^{ix(2n+1-2j)} + {}_{2n+1}C_{n+1} (-1)^{n+1} e^{-ix}$

$\qquad + {}_{2n+1}C_{n+2} (-1)^{n+2} e^{-3ix} + \cdots + {}_{2n+1}C_{2n+1}(-1)^{2n+1} e^{-ix(2n+1)} \xleftarrow{(1)}$

$= {}_{2n+1}C_0 (-1)^0 e^{ix(2n+1)} + {}_{2n+1}C_1 (-1)^1 e^{ix(2n-1)} + {}_{2n+1}C_2 (-1)^2 e^{ix(2n-3)} + \cdots + {}_{2n+1}C_n (-1)^n e^{ix}$

$\quad - \left[{}_{2n+1}C_n (-1)^n e^{-ix} + {}_{2n+1}C_{n-1}(-1)^{n-1} e^{-3ix} + \cdots + {}_{2n+1}C_0 (-1)^0 e^{-i(2n+1)x} \right]$

$= \displaystyle\sum_{k=0}^{n} {}_{2n+1}C_{n-k}(-1)^{n-k} e^{i(2k+1)x} - \sum_{k=0}^{n} {}_{2n+1}C_{n-k}(-1)^{n-k} e^{-i(2k+1)x}$

$= \displaystyle\sum_{k=0}^{n} {}_{2n+1}C_{n-k}(-1)^{n-k} \left[e^{i(2k+1)x} - e^{-i(2k+1)x} \right].$

$\therefore 준식 \xleftarrow{\text{[정리 33]}} \displaystyle\int_0^{\infty} \frac{1}{x}\left(\frac{e^{ix} - e^{-ix}}{2i} \right)^{2n+1} dx = \int_0^{\infty} \frac{1}{(2i)^{2n+1} x} (e^{ix} - e^{-ix})^{2n+1} dx$

$= \displaystyle\int_0^{\infty} \frac{1}{2^{2n+1}(-1)^n i x} \sum_{j=0}^{2n+1} {}_{2n+1}C_j e^{ix(2n+1-j)}(-1)^j e^{-i(xj)} dx$

$= \displaystyle\int_0^{\infty} \frac{1}{2^{2n}(-1)^n x} \left(\frac{1}{2i} \right) \sum_{j=0}^{2n+1} {}_{2n+1}C_j (-1)^j e^{ix(2n+1-2j)} dx \xleftarrow{(2)}$

$= \displaystyle\int_0^{\infty} \frac{1}{2^{2n}(-1)^n x} \sum_{k=0}^{n} {}_{2n+1}C_{n-k}(-1)^{n-k} \left(\frac{e^{i(2k+1)x} - e^{-i(2k+1)x}}{2i} \right) dx \xleftarrow{\text{[정리 33]}}$

$= \dfrac{1}{2^{2n}} \displaystyle\sum_{k=0}^{n} {}_{2n+1}C_{n-k}(-1)^{-k} \int_0^{\infty} \frac{\sin(2k+1)x}{x} dx \xleftarrow{(2k+1)x=u, \text{[문제 19]}}$

$= \dfrac{1}{2^{2n}} \displaystyle\sum_{k=0}^{n} {}_{2n+1}C_{n-k}(-1)^k \frac{\pi}{2} = \frac{\pi}{2^{2n+1}} \sum_{k=0}^{n} (-1)^k {}_{2n+1}C_{n-k} \xleftarrow{(1)} \frac{\pi}{2^{2n+1}} {}_{2n}C_n.$

878 (1) $f(x) = \cos x - e^{-x} \xrightarrow{\text{[정리 187]}} F(s) = \mathcal{L}(\cos x - e^{-x}) = \dfrac{s}{s^2+1} - \dfrac{1}{s+1}$.

(2) $g(x) = \dfrac{\cos x - e^{-x}}{x} = \dfrac{f(x)}{x} \xrightarrow{\text{[정리 187,(5)]}} G(s) = \mathcal{L}\left(\dfrac{f(x)}{x}\right) = \displaystyle\int_s^\infty F(u)du$.

$\therefore$ 준 식 $\xleftrightarrow{(2)} G(0) = \displaystyle\int_0^\infty \dfrac{u}{u^2+1} - \dfrac{1}{u+1}\,du = \left[\ln\dfrac{\sqrt{u^2+1}}{u+1}\right]_0^\infty = 0$.

879 (1) $\displaystyle\int_0^\infty \sin(xu)e^{-\pi u}\,du \xleftarrow{\text{부분적분}} \dfrac{x}{x^2+\pi^2}$.

$\therefore$ 준 식 $= 2\displaystyle\int_0^1 \dfrac{\ln x\,dx}{(1-x^2)(\pi^2+\ln^2 x)} \xleftarrow{x=e^{-y}} -2\int_0^\infty \dfrac{e^{-y}}{1-e^{-2y}}\left(\dfrac{y}{y^2+\pi^2}\right)dy \xleftarrow{(1)}$

$= -2\displaystyle\int_0^\infty \left(\sum_{n=0}^\infty e^{-(2n+1)y}\right)\int_0^\infty \sin(yu)e^{-\pi u}\,du\,dy = -2\int_0^\infty e^{-\pi u}\sum_{n=0}^\infty \int_0^\infty \sin(yu)e^{-(2n+1)y}\,dy\,du$

$\xleftarrow{(1)} -2\displaystyle\int_0^\infty e^{-\pi u}\sum_{n=0}^\infty \dfrac{u}{(2n+1)^2+u^2}\,du \xleftarrow{\text{조건식}} -\dfrac{\pi}{2}\int_0^\infty e^{-\pi u}\tanh\left(\dfrac{\pi u}{2}\right)du$

$= -\dfrac{\pi}{2}\displaystyle\int_0^\infty e^{-\pi u}\left(\dfrac{e^{\frac{\pi u}{2}}-e^{-\frac{\pi u}{2}}}{e^{\frac{\pi u}{2}}+e^{-\frac{\pi u}{2}}}\right)du \xleftarrow{e^{-\pi u}=t} -\dfrac{1}{2}\int_0^1 \dfrac{\sqrt{t}-\sqrt{t^{-1}}}{\sqrt{t}+\sqrt{t^{-1}}}\,dt = -\dfrac{1}{2}\int_0^1 1 - \dfrac{2}{t+1}\,dt$

$= \ln 2 - \dfrac{1}{2}$.

880 준 식 $= \displaystyle\int_0^{11\pi} \dfrac{\sec^2 x}{1+8\tan x+4\sec^2 x}\,dx = \dfrac{1}{2}\int_0^{11\pi} \dfrac{d(2+2\tan x)}{4(1+\tan x)^2+1}$

$= \dfrac{1}{2}\displaystyle\int_0^{\frac{\pi}{2}} \dfrac{d(2+2\tan x)}{1+4(1+\tan x)^2} + \dfrac{1}{2}\int_{\frac{\pi}{2}}^{\frac{3\pi}{2}} \dfrac{d(2+2\tan x)}{1+4(1+\tan x)^2} + \cdots + \dfrac{1}{2}\int_{\frac{21\pi}{2}}^{11\pi} \dfrac{d(2+2\tan x)}{1+4(1+\tan x)^2}$

$= \dfrac{11\pi}{2}$

881 (1) $f_n(x) = f_1(f_{n-1}(x)) \xleftarrow{\text{조건식}} 2f_{n-1}(x)(1-f_{n-1}(x)) = 2f_{n-1}(x) - 2f_{n-1}^2(x)$

$\Rightarrow \dfrac{1}{2} - f_n(x) = \dfrac{1}{2} - 2f_{n-1}(x) + 2f_{n-1}^2(x) = 2\left(\dfrac{1}{2}-f_{n-1}(x)\right)^2 = 2^3\left(\dfrac{1}{2}-f_{n-2}(x)\right)^{2^2} = \ldots$

$= 2^{2^{n-1}-1}\left(\dfrac{1}{2}-f_1(x)\right)^{2^{n-1}} \xleftarrow{\text{조건식}} 2^{2^{n-1}-1}\left(\dfrac{1}{2}-2x+2x^2\right)^{2^{n-1}} = 2^{2^{n-1}-1}\left[2^{2^{n-1}}\left(\dfrac{1}{2}-x\right)^{2^n}\right]$

$= 2^{2^n-1}\left(\dfrac{1}{2}-x\right)^{2^n} \Rightarrow \therefore f_n(x) = \dfrac{1}{2} - 2^{2^n-1}\left(\dfrac{1}{2}-x\right)^{2^n}$.

$\therefore$ 준 식 $\xleftrightarrow{(1)} \displaystyle\int_0^1 \dfrac{1}{2} - 2^{2^n-1}\left(\dfrac{1}{2}-x\right)^{2^n}\,dx \xleftarrow{\frac{1}{2}-x=t} \dfrac{1}{2} - 2^{2^n-1}\int_{-\frac{1}{2}}^{\frac{1}{2}} t^{2^n}\,dt = \dfrac{2^{n-1}}{2^n+1}$.

882 준 식 $\xleftarrow{x^{2n+1}=t}$ $\dfrac{1}{2n+1}\displaystyle\int_0^1 \dfrac{t}{t^3+1}dt = \dfrac{1}{3(2n+1)}\displaystyle\int_0^1 \dfrac{t+1}{t^2-t+1}-\dfrac{1}{t+1}dt$

$= \dfrac{1}{6(2n+1)}\left[\ln(t^2-t+1)\right]_0^1 - \dfrac{1}{3(2n+1)}\left[\ln(t+1)\right]_0^1 + \dfrac{1}{2(2n+1)}\displaystyle\int_0^1 \dfrac{dt}{t^2-t+1}$

$= \dfrac{1}{6(2n+1)}\ln\left(\dfrac{1}{4}\right) + \dfrac{1}{2(2n+1)}\displaystyle\int_0^1 \dfrac{dt}{\left(t-\dfrac{1}{2}\right)^2+\dfrac{3}{4}} = \dfrac{\pi}{3\sqrt{3}(2n+1)} - \dfrac{1}{3(2n+1)}\ln 2.$

883 (1) $\theta = \dfrac{2\pi}{5} \Rightarrow 3\theta = 2\pi - 2\theta \Rightarrow \cos 3\theta = \cos 2\theta \Rightarrow 4\cos^3\theta - 3\cos\theta = 2\cos^2\theta - 1$

$\Rightarrow \cos\theta = \dfrac{-1+\sqrt{5}}{4} \Rightarrow \sin\theta = \sqrt{\dfrac{5+\sqrt{5}}{8}}$.

$\therefore$ 준식 $= \dfrac{-1}{2}\displaystyle\int_0^1 \dfrac{x^{-\frac{2}{5}}(1-x)^{-\frac{3}{5}}dx}{\left(1-\dfrac{x}{2}\right)} = \dfrac{-1}{2}\displaystyle\int_0^1 x^{-\frac{2}{5}}(1-x)^{-\frac{3}{5}}\sum_{n=0}^\infty \left(\dfrac{x}{2}\right)^n dx$

$= -\dfrac{1}{2}\displaystyle\sum_{n=0}^\infty \dfrac{1}{2^n}\int_0^1 x^{n-\frac{2}{5}}(1-x)^{-\frac{3}{5}}dx \xleftarrow{\text{[정리 82]}} -\dfrac{1}{2}\displaystyle\sum_{n=0}^\infty \dfrac{1}{2^n}B\left(n+\dfrac{3}{5},\dfrac{2}{5}\right) \xleftarrow{\text{[미분과 증명,904]}}$

$= -\dfrac{1}{2}\displaystyle\sum_{n=0}^\infty \dfrac{1}{2^n}\left(\dfrac{\Gamma\left(n+\dfrac{3}{5}\right)\Gamma\left(\dfrac{2}{5}\right)}{\Gamma(n+1)}\right) = -\dfrac{1}{2}\displaystyle\sum_{n=0}^\infty \dfrac{\Gamma\left(\dfrac{2}{5}\right)}{n!2^n}\Gamma\left(n+\dfrac{3}{5}\right) \xleftarrow{\text{[정리 81]}}$

$= -\dfrac{\Gamma\left(\dfrac{2}{5}\right)}{2}\displaystyle\sum_{n=0}^\infty \dfrac{1}{n!2^n}\int_0^\infty x^{n-\frac{2}{5}}e^{-x}dx = -\dfrac{\Gamma\left(\dfrac{2}{5}\right)}{2}\displaystyle\int_0^\infty x^{-\frac{2}{5}}e^{-x}\sum_{n=0}^\infty \dfrac{x^n}{2^n n!}dx \xleftarrow{\text{[정리 28]}}$

$= -\dfrac{\Gamma\left(\dfrac{2}{5}\right)}{2}\displaystyle\int_0^\infty x^{-\frac{2}{5}}e^{-\frac{x}{2}}dx \xleftarrow{x=2t,\ \text{[정리 81]}} -2^{-\frac{2}{5}}\Gamma\left(\dfrac{2}{5}\right)\Gamma\left(\dfrac{3}{5}\right) \xleftarrow{\text{[정리 98]}} -2^{-\frac{2}{5}}\dfrac{\pi}{\sin\dfrac{2\pi}{5}}$

$\xleftarrow{(1)} -\dfrac{2^{\frac{11}{10}}\pi}{\sqrt{5+\sqrt{5}}}$.

884 (1) $\displaystyle\int_0^\infty e^{-t(\ln xy)}dt = \dfrac{1}{\ln(xy)}$, $\displaystyle\int_0^1 x^{a-t}dx = \dfrac{1}{a-t+1}$,

(2) $\displaystyle\int_0^\infty \dfrac{1}{(t-(a+1))(t-(b+1))}dt$

$= \dfrac{1}{a-b}\displaystyle\int_0^\infty \dfrac{1}{t-(a+1)} - \dfrac{1}{t-(b+1)}dt = \dfrac{1}{a-b}\ln\left(\dfrac{b+1}{a+1}\right).$

$\therefore$ 준식 $\xleftarrow{(1)} \displaystyle\int_0^1\int_0^1\int_0^\infty x^a y^b e^{-t(\ln xy)}dt\,dx\,dy = \displaystyle\int_0^\infty\int_0^1\int_0^1 x^{a-t}y^{b-t}dx\,dy\,dt$

$= \displaystyle\int_0^\infty \left(\int_0^1 x^{a-t}dx\right)\left(\int_0^1 y^{b-t}dy\right)dt \xleftarrow{(1)} \int_0^\infty \dfrac{1}{(a-t+1)(b-t+1)}dt \xleftarrow{(2)} \dfrac{1}{a-b}\ln\left(\dfrac{b+1}{a+1}\right).$

885 준 식 $\xleftarrow{x=2y}2\int_0^\pi\dfrac{dy}{a-b\cos2y}=2\int_0^\pi\dfrac{dy}{(a+b)\sin^2y+(a-b)\cos^2y}$

$=2\int_0^\pi\dfrac{\sec^2y\,dy}{(a-b)+(a+b)\tan^2y}=2\int_0^{\frac{\pi}{2}}\dfrac{\sec^2y\,dy}{(a-b)+(a+b)\tan^2y}+2\int_{\frac{\pi}{2}}^\pi\dfrac{\sec^2y\,dy}{(a-b)+(a+b)\tan^2y}$

$\xleftarrow{y=\pi-x}2\int_0^{\frac{\pi}{2}}\dfrac{\sec^2y\,dy}{(a-b)+(a+b)\tan^2y}+2\int_0^{\frac{\pi}{2}}\dfrac{\sec^2x\,dx}{(a-b)+(a+b)\tan^2x}$

$=4\int_0^{\frac{\pi}{2}}\dfrac{d(\tan x)}{(a-b)+(a+b)\tan^2x}=\dfrac{4}{\sqrt{a^2-b^2}}\left[\tan^{-1}\left(\sqrt{\dfrac{a+b}{a-b}}\,\tan x\right)\right]_0^{\frac{\pi}{2}}=\dfrac{2\pi}{\sqrt{a^2-b^2}}.$

886 $I=\int_0^\infty\dfrac{\sqrt[3]{x}}{1+x^2}dx\xleftarrow{x=t^3}3\int_0^\infty\dfrac{t^3}{1+t^6}dt\xleftarrow{t=y^{-1}}3\int_0^\infty\dfrac{y}{1+y^6}dy\xrightarrow{\text{두 식을 더하면}}$

$\Rightarrow2I=3\int_0^\infty\dfrac{x^3+x}{1+x^6}dx=3\int_0^\infty\dfrac{x}{x^4-x^2+1}dx\xleftarrow{x^2=v}\dfrac{3}{2}\int_0^\infty\dfrac{dv}{\left(v-\dfrac{1}{2}\right)^2+\dfrac{3}{4}}$

$=\sqrt{3}\left[\tan^{-1}\dfrac{2}{\sqrt{3}}\left(v-\dfrac{1}{2}\right)\right]_0^\infty=\dfrac{5\sqrt{3}}{6}\pi\Rightarrow\therefore I=\dfrac{5\sqrt{3}}{12}\pi.$

887 $I=\int_0^\infty\dfrac{\tan^{-1}(x^2)}{1+x^2}dx\xleftarrow{x=u^{-1}}\int_0^\infty\dfrac{\tan^{-1}\left(\dfrac{1}{u^2}\right)}{1+u^2}du\xrightarrow{\text{두 식을 더하면}}$

$\Rightarrow2I=\int_0^\infty\dfrac{\tan^{-1}(x^2)+\tan^{-1}\left(\dfrac{1}{x^2}\right)}{1+x^2}dx\xleftarrow{[\text{정리}56,(6)]}\dfrac{\pi}{2}\int_0^\infty\dfrac{dx}{1+x^2}=\dfrac{\pi^2}{4}\Rightarrow\therefore I=\dfrac{\pi^2}{8}.$

888 (1) $y=f(x)=e^{-x^n}\Rightarrow f^{-1}(x)=\sqrt[n]{\ln\left(\dfrac{1}{x}\right)}$

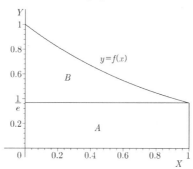

$\therefore\dfrac{1}{e}=A=(A+B)-B\xleftarrow{(1)}\int_0^1e^{-x^n}dx-\int_{\frac{1}{e}}^1\sqrt[n]{\ln\left(\dfrac{1}{y}\right)}dy=\int_0^1e^{-x^n}dx+\int_1^{\frac{1}{e}}\sqrt[n]{\ln\dfrac{1}{x}}\,dx.$

889 (1) $\cot x \xrightarrow{\text{[수열과 급수, 614]}} \displaystyle\sum_{n=-\infty}^{\infty} \frac{1}{x+n\pi} \Rightarrow \cot(\pi x) = \sum_{n=-\infty}^{\infty} \frac{1}{\pi x+n\pi}$

$\Rightarrow \pi \cot(\pi x) = \displaystyle\sum_{n=-\infty}^{\infty} \frac{1}{n+x}$.

(2) $\dfrac{e^{ax}-e^{-ax}}{e^{\pi x}-e^{-\pi x}} = \left(e^{-(\pi-a)x}-e^{-(\pi+a)x}\right)\dfrac{1}{1-e^{-2\pi x}} = \left(e^{-(\pi-a)x}-e^{-(\pi+a)x}\right)\displaystyle\sum_{n=0}^{\infty} e^{-2\pi nx}$

$= \displaystyle\sum_{n=0}^{\infty} e^{-(\pi-a+2\pi n)x} - e^{-(\pi+a+2\pi n)x}$.

$\therefore$ 준 식 $\xleftarrow{(2)} \displaystyle\int_0^\infty \sum_{n=0}^{\infty} e^{-(\pi-a+2\pi n)x} - e^{-(\pi+a+2\pi n)x}\, dx = -\sum_{n=-\infty}^{\infty} \frac{1}{(2n+1)\pi+a}$

$= -\dfrac{1}{2\pi}\displaystyle\sum_{n=-\infty}^{\infty} \frac{1}{n+\left(\dfrac{a+\pi}{2\pi}\right)} \xleftarrow{(1)} -\dfrac{1}{2}\cot\left(\dfrac{a+\pi}{2}\right) = \dfrac{1}{2}\tan\dfrac{a}{2}$.

890 $I = \displaystyle\int_0^x \frac{dt}{1+t^2} + \int_0^{\frac{1}{x}} \frac{dt}{1+t^2} \xleftarrow{t=y^{-1}} \int_{\frac{1}{x}}^\infty \frac{dy}{1+y^2} + \int_x^\infty \frac{dy}{1+y^2} \xrightarrow{\text{두 식을 더하면}}$

$\Rightarrow 2I = 2\displaystyle\int_0^\infty \frac{dx}{1+x^2} = 2\left[\tan^{-1}x\right]_0^\infty = \pi \Rightarrow \therefore I = \dfrac{\pi}{2}$.

891 준 식 $= \displaystyle\int_0^\pi \left[e^{\cos^2 x} + x(-2\sin x\cos x)e^{\cos^2 x}\right] + \left[e^{\sin^2 x} + x(2\sin x\cos x)e^{\sin^2 x}\right] dx$

$= \displaystyle\int_0^\pi \left(xe^{\cos^2 x}\right)' + \left(xe^{\sin^2 x}\right)' dx = \left[xe^{\cos^2 x} + xe^{\sin^2 x}\right]_0^\pi = \pi(e+1)$.

892 준 식 $\xleftarrow{f(\theta)=\dfrac{1+\sin\theta}{\cos\theta}} \displaystyle\int_0^{\frac{\pi}{4}} \frac{\sin\theta+2\ln f(\theta)}{2\cos^2\theta\,\sqrt{\ln f(\theta)}}\, d\theta \xrightarrow{\ln f(\theta)=g(\theta)}$

$= \displaystyle\int_0^{\frac{\pi}{4}} \frac{\sin\theta+2g(\theta)}{2\cos^2\theta\,\sqrt{g(\theta)}}\, d\theta = \int_0^{\frac{\pi}{4}} \frac{\tan\theta}{2\sqrt{g(\theta)}}\sec\theta + \sqrt{g(\theta)}\,\sec^2\theta\, d\theta = \int_0^{\frac{\pi}{4}} \left(\tan\theta\,\sqrt{g(\theta)}\right)' d\theta$

$= \left[\tan\theta\,\sqrt{g(\theta)}\right]_0^{\frac{\pi}{4}} = \sqrt{\ln(1+\sqrt{2})}$.

893 (1) $1 \le y \le \cos x, 0 \le x \le \dfrac{\pi}{2} \xrightarrow{\text{아래 그림}} \cos^{-1}y \le x \le \dfrac{\pi}{2}, 0 \le y \le 1$.

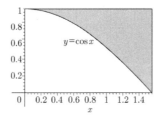

(2) $\cos^{-1}y = \theta \Rightarrow \sin\theta = \sqrt{1-y^2} \Rightarrow \sin(\cos^{-1}y) = \sqrt{1-y^2}$.

$\therefore$ 준 식 $= \displaystyle\int_0^{\frac{\pi}{2}} \int_1^{\cos x} \frac{1}{\tan x}\left(\frac{1}{y}\right)dydx \xleftrightarrow{(1)} \int_0^1 \int_{\cos^{-1}y}^{\frac{\pi}{2}} \frac{\cot x}{y}dxdy$

$= \displaystyle\int_0^1 \frac{1}{y}\left[\ln(\sin x)\right]_{\cos^{-1}y}^{\frac{\pi}{2}}dy = -\int_0^1 \frac{\ln\sin(\cos^{-1}y)}{y}dy \xleftrightarrow{(2)} -\int_0^1 \frac{\ln\sqrt{1-y^2}}{y}dy \xleftrightarrow{1-y^2=t}$

$= \displaystyle -\frac{1}{4}\int_0^1 \frac{\ln t}{1-t}dt \xleftrightarrow{[\text{문제 }363]} \frac{\pi^2}{24}$.

894 (1) $\displaystyle\int_0^\pi e^{-2x}\sin x\,dx = \left[\frac{-1}{2}e^{-2x}\sin x\right]_0^\pi + \frac{1}{2}\int_0^\pi e^{-2x}\cos x\,dx = \frac{1}{2}\int_0^\pi e^{-2x}\cos x\,dx$

$= \displaystyle -\frac{1}{4}\left[e^{-2x}\cos x\right]_0^\pi - \frac{1}{4}\int_0^\pi e^{-2x}\sin x\,dx = \frac{1}{4}\left(1+e^{-2\pi}\right) - \frac{1}{4}\int_0^\pi e^{-2x}\sin x\,dx$

$\Rightarrow \displaystyle\int_0^\pi e^{-2x}\sin x\,dx = \frac{1}{5}\left(1+e^{-2\pi}\right)$.

$\therefore$ 준 식 $= \displaystyle\sum_{n=0}^\infty \int_{n\pi}^{(n+1)\pi} e^{-2x}(-1)^n \sin x\,dx \xleftrightarrow{x=t+n\pi} \sum_{n=0}^\infty \int_0^\pi e^{-2(t+n\pi)}\sin t\,dt$

$= \displaystyle\int_0^\pi e^{-2t}\sin t\left(\sum_{n=0}^\infty e^{-2n\pi}\right)dt = \int_0^\pi \frac{e^{-2t}\sin t}{1-e^{-2\pi}}dt = \frac{1}{1-e^{-2\pi}}\int_0^\pi e^{-2x}\sin x\,dx \xleftrightarrow{(1)} \frac{e^{2\pi}+1}{5\left(e^{2\pi}-1\right)}$.

895 $J = \displaystyle\int_0^{\frac{\pi}{4}} \frac{\sin x\,dx}{p\sin x + q\cos x}$, $I = \displaystyle\int_0^{\frac{\pi}{4}} \frac{\cos x\,dx}{p\sin x + q\cos x}$ 라고 하자.

$\Rightarrow pI - qJ = \displaystyle\int_0^{\frac{\pi}{4}} \frac{(p\sin x + q\cos x)'}{p\sin x + q\cos x}dx = \left[\ln(p\sin x + q\cos x)\right]_0^{\frac{\pi}{4}} = \ln\frac{p+q}{q\sqrt{2}}$.

$\Rightarrow qI + pJ = \displaystyle\int_0^{\frac{\pi}{4}} 1\,dx = \frac{\pi}{4} \xrightarrow{\text{연립하면}} I = \frac{1}{p^2+q^2}\left(\frac{\pi q}{4} + p\ln\frac{p+q}{q\sqrt{2}}\right)$,

$J = \displaystyle\frac{1}{p^2+q^2}\left(\frac{\pi p}{4} - q\ln\frac{p+q}{q\sqrt{2}}\right)$.

896 [895]에 풀이 있음.

897 (1) $0 \le r \le \sec\theta = \dfrac{1}{\cos\theta}$, $0 \le \theta \le \dfrac{\pi}{4}$ $\dfrac{x=r\cos\theta}{y=r\sin\theta}$ $0 \le y \le x, 0 \le x \le 1$.

$$\therefore 준식 \xleftarrow[\text{[정리 46]}]{(1)} \int_0^1 \int_0^x y\sqrt{1-x^2+y^2}\,dydx \xleftarrow{\sqrt{1-x^2+y^2}=t} \int_0^1 \int_{\sqrt{1-x^2}}^1 t^2\,dtdx$$

$$= \int_0^1 \frac{1}{3} - \frac{(1-x^2)\sqrt{1-x^2}}{3}\,dx = \frac{1}{3} - \frac{1}{3}\int_0^1 \sqrt{(1-x^2)^3}\,dx$$

$$\xleftarrow{x=\sin u} \frac{1}{3} - \frac{1}{3}\int_0^{\frac{\pi}{2}} \cos^4 u\,du = \frac{1}{3} - \frac{\pi}{16}.$$

898 (1) $\displaystyle\int_0^\pi \frac{dx}{1+a\cos x} \xleftarrow{\tan\frac{x}{2}=t} \frac{2}{1-a}\int_0^\infty \frac{dt}{t^2 + \frac{1+a}{1-a}} = \frac{2}{\sqrt{1-a^2}}\left[\tan^{-1}\sqrt{\frac{1-a}{1+a}}\,t\right]_0^\infty$

$$= \frac{\pi}{\sqrt{1-a^2}}.$$

(2) $F(a) = \displaystyle\int_0^\pi \ln|1+a\cos x|\,dx \Rightarrow F'(a) = \frac{1}{a}\int_0^\pi 1 - \frac{1}{1+a\cos x}\,dx \xleftarrow{(1)} \frac{\pi}{a}\left(1 - \frac{1}{\sqrt{1-a^2}}\right)$

$$\Rightarrow F(a) = \pi\int \frac{1}{a} - \frac{1}{a\sqrt{1-a^2}}\,da = \pi\left(\ln a - \ln\frac{a}{1+\sqrt{1-a^2}}\right) + c = \pi\ln(1+\sqrt{1-a^2}) + c$$

$$\xrightarrow{a=0} 0 = F(0) = c + \pi\ln 2 \Rightarrow c = -\pi\ln 2 \Rightarrow F(a) = \pi\ln\frac{1+\sqrt{1-a^2}}{2}.$$

$$\therefore 준식 = \pi\ln\left(\frac{1+\sqrt{1-a^2}}{2}\right).$$

899 $I = \displaystyle\int_0^t xe^x\cos(x-t)dx$ 라고 하자.

(1) $\displaystyle\int_0^t e^x\sin(x-t)dx \xleftarrow{부분적분} \frac{1}{2}(\sin t + \cos t - e^t).$

(2) $\displaystyle\int_0^t e^x\cos(x-t)dx \xleftarrow{부분적분} \frac{1}{2}(\sin t - \cos t + e^t).$

(3) $\displaystyle\int_0^t xe^x\sin(x-t)dx = \left[e^x(x-1)\sin(x-t)\right]_0^t - \int_0^t e^x(x-1)\cos(x-t)dx$

$$= -\sin t - \int_0^t xe^x\cos(x-t)dx + \int_0^t e^x\cos(x-t)dx \xleftarrow{(2)} \frac{1}{2}(e^t - \cos t - \sin t) - I.$$

$$\therefore I = \left[e^x(x-1)\cos x\right]_0^t + \int_0^t e^x(x-1)\sin(x-t)dx = e^t(t-1) + \cos t + \int_0^t xe^x\sin(x-t)dx$$

$$- \int_0^t e^x\sin(x-t)dx \xrightarrow{(1),(3)} 2I = e^t(t-1) + \cos t + \frac{1}{2}(e^t - \cos t - \sin t) - \frac{1}{2}(\sin t + \cos t - e^t)$$

$$= e^t t - \sin t \Rightarrow \therefore I = \frac{1}{2}(e^t t - \sin t).$$

900 준 식 $\xrightarrow{\ln x = t} \int_1^{2009} 1 + \dfrac{1-t}{t(t-\ln t)} dt \xrightarrow{t - \ln t = u} 2008 - \int_1^{2009 - \ln 2009} \dfrac{1}{u} du$

$= 2008 - \ln(2009 - \ln 2009).$

901 (1) $t = f\left(\dfrac{1}{x^2}\right)$라고 하자. $\xrightarrow{\text{조건식}} \dfrac{1}{x^2} = t e^t \Rightarrow x = \dfrac{1}{\sqrt{t e^t}}.$

$\therefore$준식$= \dfrac{1}{2} \int_0^\infty \left(\dfrac{t+1}{\sqrt{t}}\right) e^{-\frac{t}{2}} dt \xrightarrow{\frac{t}{2} = u} \sqrt{2} \int_0^\infty u^{\frac{1}{2}} e^{-u} du + \dfrac{1}{\sqrt{2}} \int_0^\infty u^{-\frac{1}{2}} e^{-u} du \xrightarrow{[\text{정리 }81]}$

$= \sqrt{2}\, \Gamma\left(\dfrac{3}{2}\right) + \dfrac{1}{\sqrt{2}}\, \Gamma\left(\dfrac{1}{2}\right) \xrightarrow{[\text{정리 }143]} \sqrt{2\pi}.$

902 준 식 $= \int_{-1}^0 \dfrac{dx}{1 + \sqrt[x]{e}} + \int_0^1 \dfrac{dx}{1 + \sqrt[x]{e}} \xleftarrow{x = -u} \int_0^1 \dfrac{\sqrt[u]{e}}{1 + \sqrt[u]{e}} du + \int_0^1 \dfrac{dx}{1 + \sqrt[x]{e}}$

$= \int_0^1 1\, dx = 1.$

903 $I = \int_0^\pi \dfrac{x|\sin x \cos x|}{1 + \sin^4 x} dx \xleftarrow{[\text{정리 }24,(1)]} \pi \int_0^\pi \dfrac{|\sin x \cos x|}{1 + \sin^4 x} dx - I$

$\Rightarrow \therefore I = \dfrac{\pi}{2} \int_0^\pi \dfrac{|\sin x \cos x|}{1 + \sin^4 x} dx = \pi \int_0^{\frac{\pi}{2}} \dfrac{\sin x \cos x}{1 + \sin^4 x} dx \xleftarrow{\sin x = t} \pi \int_0^1 \dfrac{t\, dt}{1 + t^4} \xrightarrow{t^2 = u}$

$= \dfrac{\pi}{2} \int_0^1 \dfrac{du}{1 + u^2} = \dfrac{\pi}{2} \left[\tan^{-1} u\right]_0^1 = \dfrac{\pi^2}{8}.$

904 (1) $\int_0^1 \dfrac{\ln(1 - x + x^2)}{1 - x} dx \xleftarrow{[\text{정리 }24,(1)]} \int_0^1 \dfrac{\ln(1 - x + x^2)}{x} dx.$

(2) $\dfrac{1}{1+x} = 1 - x + x^2 - \cdots \xrightarrow{\text{적분}} \ln(1+x) = \sum_{n=1}^\infty \dfrac{(-1)^{n-1} x^n}{n}, \; \dfrac{\ln(1+x)}{x} = \sum_{n=1}^\infty \dfrac{(-x)^{n-1}}{n}$

$\ln(1 + x^3) = \sum_{n=1}^\infty \dfrac{(-1)^{n-1} x^{3n}}{n}, \; \dfrac{\ln(1+x^3)}{x} = \sum_{n=1}^\infty \dfrac{(-1)^{n-1} x^{3n-1}}{n}.$

$\therefore$준식$= \int_0^1 \dfrac{\ln(1 - x + x^2)}{x - 1} - \dfrac{\ln(1 - x + x^2)}{x} dx = -\int_0^1 \dfrac{\ln(1 - x + x^2)}{1 - x} + \dfrac{\ln\frac{(1+x^3)}{1+x}}{x} dx$

$\xleftarrow{(1)} -\int_0^1 \dfrac{\ln(1 - x + x^2)}{x} dx + \int_0^1 \dfrac{\ln(1+x)}{x} dx - \int_0^1 \dfrac{\ln(1+x^3)}{x} dx$

$= 2\left(\int_0^1 \dfrac{\ln(1+x)}{x} dx - \int_0^1 \dfrac{\ln(1+x^3)}{x} dx\right) \xleftarrow{(2)} 2 \sum_{n=1}^\infty \dfrac{(-1)^{n-1}}{n} \left(\int_0^1 x^{n-1} - x^{3n-1} dx\right)$

$= \dfrac{4}{3} \sum_{n=1}^\infty \dfrac{(-1)^{n-1}}{n^2} = \dfrac{4}{3} \left(1 + \dfrac{1}{2^2} + \dfrac{1}{3^2} + \cdots - 2\left(\dfrac{1}{2^2} + \dfrac{1}{4^2} + \dfrac{1}{6^2} + \cdots\right)\right) \xleftarrow{[\text{수열과 급수},12]} \dfrac{\pi^2}{9}.$

905 (1) $I(a) = \int_0^\infty \dfrac{dx}{x^4 + ax^2 + 1}$, $I = \int_0^\infty \dfrac{(x^2+1)dx}{x^4 + ax^2 + 1}$, $J = \int_0^\infty \dfrac{(x^2-1)dx}{x^4 + ax^2 + 1}$

$\Rightarrow I(a) = \dfrac{1}{2}(I - J)$, $J \xleftarrow{\ x = u^{-1}\ } -\int_0^\infty \dfrac{(u^2-1)du}{u^4 + au^2 + 1} = -J \Rightarrow J = 0.$

$I = \int_0^\infty \dfrac{\left(1 + \dfrac{1}{x^2}\right)dx}{\left(x - \dfrac{1}{x}\right)^2 + a + 2} = \int_0^\infty \dfrac{d\left(x - \dfrac{1}{x}\right)}{\left(x - \dfrac{1}{x}\right)^2 + a + 2} = \dfrac{1}{\sqrt{a+2}}\left[\tan^{-1} \dfrac{x - \dfrac{1}{x}}{\sqrt{a+2}}\right]_0^\infty = \dfrac{\pi}{\sqrt{a+2}}$

$\Rightarrow I(a) = \dfrac{\pi}{2\sqrt{a+2}} \xrightarrow{\text{미분}} I'(a) = -\dfrac{\pi}{4}(a+2)^{-\frac{3}{2}}$, $I''(a) = \dfrac{3\pi}{8}(a+2)^{-\frac{5}{2}}.$

(2) $I'(a) = \int_0^\infty \dfrac{-x^2}{(x^4 + ax^2 + 1)^2}\,dx$, $I''(a) = 2\int_0^\infty \dfrac{x^4}{(x^4 + ax^2 + 1)^3}\,dx.$

$\therefore$ 준 식 $\xleftarrow{(2)} \dfrac{1}{2}I''(1) \xleftarrow{(1)} \dfrac{\pi}{48\sqrt{3}}$.

906 (1) $I(a) = \int_0^\infty \dfrac{x}{\sqrt{(x^4 + ax^2 + 1)^3}}\,dx$, $I = \int_0^\infty \dfrac{(x + x^3)dx}{\sqrt{(x^4 + ax^2 + 1)^3}}$,

$J = \int_0^\infty \dfrac{(x - x^3)dx}{\sqrt{(x^4 + ax^2 + 1)^3}} \Rightarrow I(a) = \dfrac{1}{2}(I + J).$

(2) $I = \int_0^\infty \dfrac{\left(1 + \dfrac{1}{x^2}\right)dx}{\sqrt{\left(x^2 + a + \dfrac{1}{x^2}\right)^3}} = \int_0^\infty \dfrac{d\left(x - \dfrac{1}{x}\right)}{\sqrt{\left(\left(x - \dfrac{1}{x}\right)^2 + a + 2\right)^3}} \xleftarrow{\ x - \frac{1}{x} = t\ }$

$= \int_{-\infty}^\infty \dfrac{dt}{\sqrt{(t^2 + a + 2)^3}} \xleftarrow{\ t = \sqrt{a+2}\,\tan\theta\ } \dfrac{1}{a+2}\int_{-\frac{\pi}{2}}^{\frac{\pi}{2}} \cos\theta\,d\theta = \dfrac{2}{a+2}.$

(3) $J \xleftarrow{\ x = t^{-1}\ } -\int_0^\infty \dfrac{(t - t^3)dt}{\sqrt{(t^4 + at^2 + 1)^3}} = -J \Rightarrow J = 0. \quad \therefore I(a) = \dfrac{1}{2}I \xleftarrow{(2)} \dfrac{1}{a+2}.$

$\xrightarrow{(1)} I'(a) = -\dfrac{1}{(a+2)^2} = -\dfrac{3}{2}\int_0^\infty \dfrac{x^3}{\sqrt{(x^4 + ax^2 + 1)^5}}\,dx \Rightarrow \therefore$ 준 식 $= \dfrac{2}{3}I'(7) = \dfrac{2}{3^5}$.

907 (1) $\dfrac{1}{1+x} = 1 - x + \cdots \Rightarrow \ln(1+x) = \sum_{n=1}^\infty \dfrac{(-1)^{n+1}x^n}{n}$, $\dfrac{\ln(1+x)}{x} = \sum_{n=1}^\infty \dfrac{(-x)^{n-1}}{n}$

$\therefore$ 준 식 $\xleftarrow{(1)} \int_0^1 \sum_{n=1}^\infty \dfrac{(-x)^{n-1}}{n}\,dx = \sum_{n=1}^\infty \dfrac{(-1)^{n-1}}{n}\int_0^1 x^{n-1}\,dx = \sum_{n=1}^\infty \dfrac{(-1)^{n-1}}{n^2}$

$\xleftarrow{\text{[수열과 급수,13]}} \dfrac{\pi^2}{12}$.

908 (1) $\displaystyle\int_{\frac{5}{2}}^{4}\sin^{-1}\left(\log_2(x-2)\right)dx \xrightarrow{\log_2(x-2)=\sin t} \int_{-\frac{\pi}{2}}^{\frac{\pi}{2}} t(\ln 2)2^{\sin t}\cos t\,dt$

$= \displaystyle\int_{-\frac{\pi}{2}}^{\frac{\pi}{2}} t\left(2^{\sin t}\right)' dt = \int_{-\frac{\pi}{2}}^{\frac{\pi}{2}} x\left(2^{\sin x}\right)' dx.$

$\therefore$ 준 식 $\xleftarrow{(1)} \displaystyle\int_{-\frac{\pi}{2}}^{\frac{\pi}{2}} 2^{\sin x} + x\left(2^{\sin x}\right)' dx = \left[x2^{\sin x}\right]_{-\frac{\pi}{2}}^{\frac{\pi}{2}} = \frac{3\pi}{4}.$

909 준 식 $= \dfrac{1}{\sqrt{a}}\displaystyle\int_0^a x^{\frac{7}{2}}\left(1-\frac{x}{a}\right)^{-\frac{1}{2}}dx \xleftrightarrow{\frac{x}{a}=t} a^4\int_0^1 t^{\frac{7}{2}}(1-t)^{-\frac{1}{2}}dt \xleftarrow[\text{[미분과 증명,904]}]{\text{[정리 82]}}$

$= a^4\dfrac{\Gamma\left(\frac{9}{2}\right)\Gamma\left(\frac{1}{2}\right)}{\Gamma(5)} \xleftarrow{\text{[정리 143]}} 70\left(\frac{a}{4}\right)^4\pi.$

910 (1) $f(x)=ax^2+bx+c \Rightarrow f(0)=c, f(1)=a+b+c, f(2)=4a+2b+c$

$\Rightarrow c=f(0), a=\dfrac{f(2)-2f(1)+f(0)}{2}, b=\dfrac{4f(1)-f(2)-3f(0)}{2}.$

$\therefore$ 준 식 $= \displaystyle\int_0^2 ax^2+bx+c\,dx = \frac{2}{3}(4a+3b+3c)\xleftarrow{(1)}\frac{f(0)+4f(1)+f(2)}{3}.$

911 $\displaystyle\int_0^1 \frac{\tan^{-1}x}{x}dx \xrightarrow{\tan^{-1}x=\theta} \int_0^{\frac{\pi}{4}}\frac{\theta}{\sin\theta\cos\theta}d\theta = \int_0^{\frac{\pi}{4}}2\theta\operatorname{cosec}2\theta\,d\theta\xleftrightarrow{2\theta=x}$

$= \dfrac{1}{2}\displaystyle\int_0^{\frac{\pi}{2}} x\operatorname{cosec}x\,dx \Rightarrow \therefore$ 준 식 $= 2.$

912 (1) $\dfrac{x}{1-x}=\displaystyle\sum_{n=1}^{\infty}x^n \xrightarrow{\text{미분}} \frac{1}{(1-x)^2}=\sum_{n=1}^{\infty}nx^{n-1}\Rightarrow \frac{x}{(1-x)^2}=\sum_{n=1}^{\infty}nx^n \xrightarrow{\text{미분}}$

$\Rightarrow \dfrac{1+x}{(1-x)^3}=\displaystyle\sum_{n=1}^{\infty}n^2x^{n-1}\Rightarrow\frac{x(1+x)}{(1-x)^3}=\sum_{n=1}^{\infty}n^2x^n.$

(2) $[-\ln x]=n$라고 하자. $\Rightarrow n\le -\ln x < n+1 \Rightarrow -(n+1)<\ln x \le -n$

$\Rightarrow e^{-(n+1)}<x\le e^{-n}.$

$\therefore$ 준 식 $= \displaystyle\sum_{n=0}^{\infty}\int_{e^{-(n+1)}}^{e^{-n}}[-\ln x]^2dx\xleftarrow{(2)}\sum_{n=0}^{\infty}\int_{e^{-(n+1)}}^{e^{-n}}n^2dx = \sum_{n=0}^{\infty}n^2e^{-n}\left(1-\frac{1}{e}\right)\xleftarrow{(1)}$

$= \left(1-\dfrac{1}{e}\right)\dfrac{\dfrac{1}{e}\left(1+\dfrac{1}{e}\right)}{\left(1-\dfrac{1}{e}\right)^3} = \dfrac{1+e}{(e-1)^2}.$

913

$$I=\int_3^5 \frac{\sqrt[4]{2x-5}}{\sqrt[4]{2x-5}+\sqrt[4]{11-2x}\,e^{16-4x}}\,dx \xleftarrow{\sqrt[4]{x}\,e^x=g(x)}\int_3^5 \frac{g(2x-5)}{g(2x-5)+g(11-2x)}\,dx$$

$$\xleftarrow{\text{[정리 24,(1)]}}\int_3^5 \frac{g(11-2x)}{g(11-2x)+g(2x-5)}\,dx \xrightarrow{\text{두 식을 더하면}} 2I=\int_3^5 1\,dx=2 \quad \therefore I=1.$$

914 준 식 $=I_n=-\left[\dfrac{\cos(nx)\cos^n x}{n}\right]_0^{\frac{\pi}{2}}-\int_0^{\frac{\pi}{2}}\cos^{n-1}x\cos(nx)\sin x\,dx$

$$=\frac{1}{n}-\int_0^{\frac{\pi}{2}}\cos^n x\sin(nx)-\cos^{n-1}x\sin(n-1)x\,dx=\frac{1}{n}-I_n+I_{n-1}$$

$$\Rightarrow \therefore I_n=\frac{1}{2n}+\frac{1}{2}I_{n-1}=\frac{1}{2n}+\frac{1}{4(n-1)}+\frac{1}{4}I_{n-2}=\dots$$

$$=\frac{1}{2n}+\frac{1}{2^2(n-1)}+\frac{1}{2^3(n-2)}+\cdots+\frac{1}{2^n}=\frac{1}{2^{n+1}}\left(\sum_{k=1}^{n}\frac{2^k}{k}\right).$$

915 $I=\displaystyle\int_a^b \frac{\ln(x+A)}{\ln(AB+(a+b)x-x^2)}\,dx \xleftarrow[\text{조건식}]{\text{[정리 24,(1)]}}\int_a^b \frac{\ln(B-x)}{\ln(AB+(a+b)x-x^2)}\,dx$

$$\xrightarrow{\text{두 식을 더하면}} 2I=\int_a^b \frac{\ln(x+A)(B-x)}{\ln(AB+(a+b)x-x^2)}\,dx \xleftarrow[B-A=a+b]{\text{조건식}}\int_a^b 1\,dx=b-a$$

$$\Rightarrow \therefore I=\frac{b-a}{2}.$$

916 준 식 $=\dfrac{16}{9}\displaystyle\int_0^1 \frac{dx}{\left(\left(\dfrac{2x+1}{\sqrt{3}}\right)^2+1\right)^2} \xleftarrow{\frac{2x+1}{\sqrt{3}}=\tan y}\frac{8\sqrt{3}}{9}\int_{\frac{\pi}{6}}^{\frac{\pi}{3}}\cos^2 y\,dy=\frac{2\sqrt{3}\,\pi}{27}.$

917 (1) $I_n=\displaystyle\int_0^\pi \frac{\sin(nx)}{\sin x}\,dx \xleftarrow{\text{[정리 33]}}\int_0^\pi \frac{e^{inx}-e^{-inx}}{e^{ix}-e^{-ix}}\,dx.$

$$\therefore I_{n+2}-I_n \xrightarrow{(1)}\int_0^\pi \frac{e^{i(n+2)x}-e^{-i(n+2)x}-e^{inx}+e^{-inx}}{e^{ix}-e^{-ix}}\,dx=\int_0^\pi e^{i(n+1)x}+e^{-i(n+1)x}\,dx$$

$$\xleftarrow{\text{[정리 33]}}2\int_0^\pi \cos(n+1)x\,dx=0\Rightarrow I_{n+1}=I_n,\ I_1=\pi,\,I_0=0.$$

$$\therefore I_n=\frac{1+(-1)^{n+1}}{2}\,\pi.$$

918 준 식 $= \displaystyle\int_0^1 \left(\int_0^y x - xy \, dx + \int_y^1 y - xy \, dx \right) dy = \int_0^1 \frac{y^2(1-y)}{2} + \frac{y(1-y)^2}{2} \, dy$

$= \dfrac{1}{2} \displaystyle\int_0^1 y - y^2 \, dy = \dfrac{1}{12}.$

919 (1) $\displaystyle\int_1^{n+1} \frac{[x]}{x^2} dx = \sum_{k=1}^n \int_k^{k+1} \frac{[x]}{x^2} dx = \sum_{k=1}^n k \int_k^{k+1} \frac{dx}{x^2} = \sum_{k=1}^n k \left(\frac{1}{k} - \frac{1}{k+1} \right)$

$\qquad = \displaystyle\sum_{k=1}^n \frac{1}{k+1}.$

(2) $\displaystyle\int_1^{n+1} \frac{[2x]}{x^2} dx \xleftrightarrow{2x=t} 2 \int_2^{2n+2} \frac{[t]}{t^2} dt = 2 \sum_{k=2}^{2n+1} k \int_k^{k+1} \frac{dt}{t^2} = 2 \sum_{k=2}^{2n+1} \frac{1}{k+1}.$

$\therefore$ 준 식 $\xleftrightarrow{x=t^{-1}} \displaystyle\int_1^{\infty} \frac{[2t] - 2[t]}{t^2} dt = \lim_{n\to\infty} \int_1^{n+1} \frac{[2x] - 2[x]}{x^2} dx \xleftrightarrow{(1),(2)}$

$= -1 + 2 \displaystyle\lim_{n\to\infty} \sum_{k=n+1}^{2n+1} \frac{1}{k+1} = -1 + 2 \lim_{n\to\infty} \sum_{t=1}^n \frac{1}{n+t} = -1 + 2 \lim_{n\to\infty} \frac{1}{n} \sum_{t=1}^n \frac{1}{1 + \dfrac{t}{n}}$

$= -1 + 2 \displaystyle\int_0^1 \frac{1}{1+x} dx = \ln 4 - 1.$

920 (1) $\displaystyle\int_0^2 \ln x \, dx = [x \ln x]_0^2 - \int_0^2 1 \, dx = 2\ln 2 - 2.$

$\therefore$ 준 식 $= \displaystyle\int_0^2 \int_0^{\sqrt{2x - x^2}} \frac{\dfrac{1}{x}}{1 + \left(\dfrac{y}{x} \right)^2} + \left(\frac{1}{2} \right) \frac{2y}{x^2 + y^2} \, dy \, dx$

$= \displaystyle\int_0^2 \int_0^{\sqrt{2x-x^2}} \frac{\left(\dfrac{y}{x} \right)'}{1 + \left(\dfrac{y}{x} \right)^2} \, dy \, dx + \frac{1}{2} \int_0^2 \int_0^{\sqrt{2x-x^2}} \frac{(x^2 + y^2)'}{x^2 + y^2} \, dy \, dx$

$= \displaystyle\int_0^2 \left[\tan^{-1} \left(\frac{y}{x} \right) \right]_0^{\sqrt{2x-x^2}} dx + \frac{1}{2} \int_0^2 \left[\ln(x^2 + y^2) \right]_0^{\sqrt{2x-x^2}} dx$

$= \displaystyle\int_0^2 \tan^{-1} \left(\frac{\sqrt{2x-x^2}}{x} \right) + \frac{\ln 2}{2} - \frac{\ln x}{2} \, dx$

$\xleftrightarrow{(1)} \left[x \tan^{-1} \left(\dfrac{\sqrt{2x-x^2}}{x} \right) \right]_0^2 + \dfrac{1}{2} \displaystyle\int_0^2 \frac{x}{\sqrt{2x-x^2}} dx + 1 \xleftrightarrow{x = 1 - \cos\theta}$

$= 1 + \dfrac{1}{2} \displaystyle\int_{-\pi}^{\pi} 1 - \cos\theta \, d\theta = 1 + \dfrac{\pi}{2}.$

921 준 식 $\xleftrightarrow{x-1=t^2} 2\int_{\frac{1}{2}}^{3} \sqrt{t^2+1+2t} + \sqrt{t^2+1-2t}\, dt = 2\int_{\frac{1}{2}}^{3} t+1+|t-1|\, dt$

$= 2\int_{\frac{1}{2}}^{1} 2\, dt + 2\int_{1}^{3} 2t\, dt = 18.$

922 (1) $\displaystyle\int \frac{dx}{(x^2+3)\sqrt{x^2+5}} \xleftarrow{x=\sqrt{5}\tan y} \int \frac{\cos y\, dy}{3\cos^2 y + 5\sin^2 y} = \int \frac{d(\sin y)}{2\sin^2 y + 3}$

$= \dfrac{1}{\sqrt{6}} \tan^{-1}\left(\sqrt{\dfrac{2}{3}}\,\sin y\right) \xleftarrow{\sin y = \frac{x}{\sqrt{x^2+5}}} \dfrac{1}{\sqrt{6}}\tan^{-1}\sqrt{\dfrac{2}{3}}\left(\dfrac{x}{\sqrt{x^2+5}}\right).$

$\therefore$ 준식 $\xleftarrow{[정리\ 24,(7)]} 2\int_{0}^{1} \dfrac{x(x^2+1)}{(x^4+x^2+1)\sqrt{x^4+3x^2+1}}\, dx$

$= 2\int_{0}^{1} \dfrac{\left(1+\dfrac{1}{x^2}\right)dx}{\left(x^2+\dfrac{1}{x^2}+1\right)\sqrt{x^2+\dfrac{1}{x^2}+3}}$

$= 2\int_{0}^{1} \dfrac{d\left(x-\dfrac{1}{x}\right)}{\left(\left(x-\dfrac{1}{x}\right)^2+3\right)\sqrt{\left(x-\dfrac{1}{x}\right)^2+5}} \xleftrightarrow{(1)} \dfrac{2}{\sqrt{6}}\left[\tan^{-1}\left(\sqrt{\dfrac{2}{3}}\,\dfrac{x-\dfrac{1}{x}}{\sqrt{\left(x-\dfrac{1}{x}\right)^2+5}}\right)\right]_{0}^{1}$

$= \dfrac{\sqrt{6}}{3}\tan^{-1}\dfrac{\sqrt{6}}{3}.$

923 (1) $\dfrac{x^{2013}+x^3+1}{3} \geq \sqrt[3]{x^{2016}} = x^{672} \Rightarrow \dfrac{3x^{672}}{x^{2013}+x^3+1} \leq 1.$

(2) $\dfrac{e^x}{e^{[x]}} = e^{x-[x]} \geq e^0 = 1.$

$\therefore$ 준식 $\xleftarrow{(1),(2)} \displaystyle\int_{0}^{1000} e^{x-[x]}\, dx = \sum_{n=0}^{999}\int_{n}^{n+1} e^{x-n}\, dx = \sum_{n=0}^{999}\left[e^{x-n}\right]_{n}^{n+1} = 1000(e-1).$

924 (1) $\displaystyle\int_{0}^{\infty} t^{x-1}(1+t)^{-(x+y)}\, dt \xleftarrow{1+t=u^{-1}} \int_{0}^{1} u^{y-1}(1-u)^{x-1}\, du = B(x,y).$

$\therefore$ 준식 $= \left(\displaystyle\int_{0}^{\infty} x^{-\frac{1}{7}}(1+x)^{-1}\, dx\right)\left(\int_{0}^{\infty} y^{-\frac{2}{7}}(1+y)^{-1}\, dy\right)\left(\int_{0}^{\infty} z^{-\frac{3}{7}}(1+z)^{-1}\, dz\right) \xleftrightarrow{(1)}$

$= B\left(\dfrac{6}{7},\dfrac{1}{7}\right)B\left(\dfrac{5}{7},\dfrac{2}{7}\right)B\left(\dfrac{4}{7},\dfrac{3}{7}\right) \xleftarrow{[미분과\ 증명,\ 904]} \Gamma\left(\dfrac{6}{7}\right)\Gamma\left(\dfrac{1}{7}\right)\Gamma\left(\dfrac{5}{7}\right)\Gamma\left(\dfrac{2}{7}\right)\Gamma\left(\dfrac{4}{7}\right)\Gamma\left(\dfrac{3}{7}\right)$

$\xleftarrow{[정리98]} \dfrac{\pi^3}{\sin\dfrac{\pi}{7}\sin\dfrac{2\pi}{7}\sin\dfrac{3\pi}{7}} \xleftarrow{[수열과\ 급수,\ 45]} \dfrac{8\pi^3}{\sqrt{7}}.$

925 (1) $0 \le x < \dfrac{\pi}{4} \Rightarrow f(x) = \lim\limits_{n \to \infty} \dfrac{1 + \tan^{n+2}x}{1 + \tan^n x}\cos^2 x = \cos^2 x.$

(2) $\dfrac{\pi}{4} \le x \le \dfrac{\pi}{2} \Rightarrow f(x) = \lim\limits_{n \to \infty} \dfrac{1 + \cot^{n+2}x}{1 + \cot^n x}\sin^2 x = \sin^2 x.$

$\therefore 준식 \xleftarrow{\ (1),(2)\ } \displaystyle\int_0^{\frac{\pi}{4}} \cos^2 x\,dx + \int_{\frac{\pi}{4}}^{\frac{\pi}{2}} \sin^2 x\,dx = \dfrac{2+\pi}{4}.$

926 (1) $\dfrac{1}{1-x} = \displaystyle\sum_{n=1}^{\infty} x^{n-1} \xrightarrow{\ 미분\ } \dfrac{1}{(1-x)^2} = \sum_{n=1}^{\infty} n x^{n-1} \Rightarrow \dfrac{x}{(1-x)^2} = \sum_{n=1}^{\infty} n x^n.$

$\therefore 준식 \xleftarrow{\ 1-x^{-1} = e^{-t}\ } \displaystyle\int_0^{\infty} t^2 \left(\dfrac{e^{-t}}{(1-e^{-t})^2} \right) dt \xleftarrow{\ (1)\ } \sum_{n=1}^{\infty} n \int_0^{\infty} t^2 e^{-nt}\,dt \xleftarrow{\ nt = u\ }$

$= \displaystyle\sum_{n=1}^{\infty} \dfrac{1}{n^2} \int_0^{\infty} u^2 e^{-u}\,du \xleftarrow{\ [정리 81],\ [수열과 급수, 12]\ } \dfrac{\pi^2}{3}.$

927 $I = \displaystyle\int_0^{\pi} e^{\cos^2 x} \cos^3(2n+1)x\,dx \xrightarrow{\ [정리 24, (1)]\ } -\int_0^{\pi} e^{\cos^2 x}\cos^3(2n+1)x\,dx = -I$

$\therefore I = 0.$

928 (1) $\displaystyle\int_0^t \dfrac{\ln(1+x)}{x}\,dx \xleftarrow{\ x = ty\ } \int_0^1 \dfrac{\ln(1+ty)}{y}\,dy = \int_0^1 \dfrac{\ln(1+tx)}{x}\,dx.$

(2) $\displaystyle\int_0^1 \dfrac{\ln(1+xt)}{x}\,dt = \left[\dfrac{t}{x}\ln(1+xt) \right]_0^1 - \int_0^1 \dfrac{t}{1+xt}\,dt = \dfrac{\ln(1+x)}{x} - \dfrac{1}{x}\int_0^1 1 - \dfrac{1}{1+xt}\,dt$

$= \dfrac{\ln(1+x)}{x} - \dfrac{1}{x} + \dfrac{\ln(1+x)}{x^2} = \dfrac{\ln(1+x) - x + x\ln(1+x)}{x^2}.$

$\therefore 준식 \xleftarrow{\ (1)\ } \displaystyle\int_0^1 \int_0^1 \dfrac{\ln(1+tx)}{x}\,dx\,dt - \int_0^1 \dfrac{\ln(1+x)}{x}\,dx = \int_0^1 \int_0^1 \dfrac{\ln(1+xt)}{x}\,dt\,dx - \int_0^1 \dfrac{\ln(1+x)}{x}\,dx$

$\xleftarrow{\ (2)\ } \displaystyle\int_0^1 \dfrac{\ln(1+x) - x}{x^2}\,dx \xleftarrow{\ x = y^{-1}\ } \int_1^{\infty} \ln\left(1 + \dfrac{1}{y}\right) - \dfrac{1}{y}\,dy = \int_1^{\infty} \ln(1+x) - \ln x - \dfrac{1}{x}\,dx$

$= \lim\limits_{x \to \infty}\left(\ln(x+1) - \ln x + x\ln\dfrac{x+1}{x} \right) - \ln 4 = \lim\limits_{x \to \infty} \ln\left(\dfrac{1}{x}+1\right) + \ln\left(1+\dfrac{1}{x}\right)^x - \ln 4 = 1 - \ln 4.$

929 (1) $1 \xleftarrow{\ 조건식\ } \dfrac{f'(x)}{f(x)} \Rightarrow \ln|f(x)| = x + c \Rightarrow |f(x)| = e^{x+c} \Rightarrow 1 = |f(0)| = e^c$

$\Rightarrow f(x) = e^x,\ g(x) \xleftarrow{\ 조건식\ } x^2 - e^x.$

$\therefore \displaystyle\int_0^1 f(x)g(x)\,dx = \int_0^1 e^x(x^2 - e^x)\,dx \xleftarrow{\ 부분적분\ } e - \dfrac{e^2+3}{2}.$

930 준 식 $\xrightarrow{x=\sin u} \int_0^{\frac{\pi}{2}} \ln(\sin u)\,du \xrightarrow{[\text{문제 } 13]} -\frac{\pi}{2}\ln 2.$

931 준 식

$$= \int_0^{\frac{\pi}{3}} \frac{10\sin x - 4\sin 3x + 2\cos 4x \sin x}{10\cos x + 4\cos 3x + 2\cos 4x \cos x}\,dx = \int_0^{\frac{\pi}{3}} \frac{3\sin x - 4\sin x \cos 2x + \sin x \cos 4x}{3\cos x + 4\cos x \cos 2x + \cos 4x \cos x}\,dx$$

$$= \int_0^{\frac{\pi}{3}} \tan x \left(\frac{3 - 4\cos 2x + \cos 4x}{3 + 4\cos 2x + \cos 4x} \right)dx = \int_0^{\frac{\pi}{3}} \tan x \left(\frac{2\cos^2 x - 4\cos 2x + 2}{2\cos^2 x + 4\cos 2x + 2} \right)dx$$

$$= \int_0^{\frac{\pi}{3}} \tan x \left(\frac{\cos 2x - 1}{\cos 2x + 1} \right)^2 dx = \int_0^{\frac{\pi}{3}} \tan^5 x\,dx = \int_0^{\frac{\pi}{3}} \tan^3 x \left(\frac{1 - \cos^2 x}{\cos^2 x} \right)dx$$

$$= \int_0^{\frac{\pi}{3}} \tan^3 x\,d(\tan x) - \int_0^{\frac{\pi}{3}} \tan^3 x\,dx = \frac{9}{4} - \int_0^{\frac{\pi}{3}} \tan x \left(\frac{1 - \cos^2 x}{\cos^2 x} \right)dx$$

$$= \frac{9}{4} - \int_0^{\frac{\pi}{3}} \tan x\,d(\tan x) + \int_0^{\frac{\pi}{3}} \tan x\,dx = \frac{3}{4} + \ln 2.$$

932 준 식 $= \int_0^{\infty} \frac{dx}{\left(x + \sqrt{x^2+1}\right)^2} = \int_0^{\infty} \left(\sqrt{x^2+1} - x\right)^2 dx \xleftarrow{\sqrt{x^2+1} - x = t}$

$$= \frac{1}{2} \int_0^1 t^2 + 1\,dt = \frac{2}{3}.$$

933 $\sqrt{x + 2\sqrt{2x-4}} + \sqrt{x - 2\sqrt{2x-4}} = \sqrt{\left(\sqrt{x-2} + \sqrt{2}\right)^2} + \sqrt{\left(\sqrt{x-2} - \sqrt{2}\right)^2}$

$$= \begin{cases} 2\sqrt{x-2}, & (4 \le x \le 5) \\ 2\sqrt{2}, & (3 \le x \le 4) \end{cases}.$$

$\therefore$ 준 식 $= \int_3^4 2\sqrt{2}\,dx + \int_4^5 2\sqrt{x-2}\,dx = 4\sqrt{3} - \dfrac{2\sqrt{2}}{3}.$

934 (1) $f(x) \xleftarrow{\text{조건식}} \dfrac{F'(x)}{G(x)} = \dfrac{G'(x)}{F(x)} \Rightarrow G(x)G'(x) = F(x)F'(x)$

$\Rightarrow F(x)^2 = G(x)^2 + c, \quad c = F(0)^2 - G(0)^2 = 1 \Rightarrow F(x)^2 = G(x)^2 + 1$

$\Rightarrow G(x) = \sqrt{F(x)^2 - 1}.$

$\left(\because G(1) = \dfrac{4}{3}\right) \Rightarrow f(x) = \dfrac{F'(x)}{\sqrt{F(x)^2 - 1}}.$

$\therefore$ 준 식 $\xleftarrow{(1)} \int_0^1 \dfrac{1}{\sqrt{F(x)^2 - 1}}\,d(F(x)) = \left[\ln\left(F(x) + \sqrt{F(x)^2 - 1}\right)\right]_0^1 = \ln 3.$

935 준 식 $\xleftarrow{x^2+1=u}$ $\dfrac{1}{4}\displaystyle\int_2^\infty \dfrac{\ln(u-1)}{u^2}du = \dfrac{1}{4}\left(-\left[\dfrac{\ln(u-1)}{u}\right]_2^\infty + \int_2^\infty \dfrac{du}{u(u-1)}\right)$

$= \dfrac{1}{4}\ln 2.$

936 $\left(\ln(t+\sqrt{t^2+7})\right)' = \dfrac{1}{\sqrt{t^2+7}}$, $\left(\dfrac{\sqrt{t^2+7}}{t+1}\right)' = \dfrac{t-7}{(1+t)^2\sqrt{t^2+7}}$,

$\displaystyle\int_1^3 \dfrac{dt}{(1+t)\sqrt{t^2+7}} \xrightarrow{\sqrt{t^2+7}\,=\,t+z} 2\int_{2\sqrt2-1}^1 \dfrac{dz}{z^2-2z-7} = \dfrac{\sqrt2}{4}\ln(2\sqrt2-1).$

$2x+3=t^2$ 치환, $\therefore$ 준 식 $= \dfrac{1}{\sqrt2}\displaystyle\int_1^3 \dfrac{t\sqrt{t^2+7}}{(1+t)^2}dt = \dfrac{1}{\sqrt2}\int_1^3 \dfrac{t(t^2+7)}{(1+t)^2\sqrt{t^2+7}}dt$

$= \dfrac{1}{\sqrt2}\displaystyle\int_1^3 \dfrac{t-2}{\sqrt{t^2+7}} + \dfrac{(t-7)}{(1+t)^2\sqrt{t^2+7}} + \dfrac{9(1+t)}{(1+t)^2\sqrt{t^2+7}}\,dt$

$= \sqrt2\ln\left(\dfrac{1+2\sqrt2}{7}\right) + \dfrac{5\sqrt2}{2} - 3 + \dfrac{9}{4}\ln(2\sqrt2-1)$

937 준 식 $\xleftarrow{x=te^t}$ $\displaystyle\int_0^1 f(e^{te^t})(t+1)e^t\,dt = \int_0^1 f\left((e^t)^{e^t}\right)(t+1)e^t\,dt \xleftarrow{\text{조건식}}$

$= \displaystyle\int_0^1 e^{2t}(t+1)dt \xleftarrow{\text{부분적분}} \dfrac{3e^2-1}{4}.$

938 $I = \displaystyle\int_0^\infty \dfrac{dx}{(1+x^a)(1+x^2)} \xrightarrow{x=\tan y} \int_0^{\frac{\pi}{2}} \dfrac{dy}{1+\tan^a y} \xleftarrow{[\text{정리 }24,(1)]} \int_0^{\frac{\pi}{2}} \dfrac{dy}{1+\cot^a y}$

$\xrightarrow{\text{두 식을 더하면}} 2I = \displaystyle\int_0^{\frac{\pi}{2}} \dfrac{1}{1+\tan^a x} + \dfrac{1}{1+\cot^a x}dx = \int_0^{\frac{\pi}{2}} 1\,dx = \dfrac{\pi}{2} \Rightarrow \therefore I = \dfrac{\pi}{4}.$

939 (1) $\dfrac{x}{x^4+x^2+1} = \dfrac{x}{(x^2-x+1)(x^2+x+1)} = \dfrac{1}{2}\left(\dfrac{1}{x^2-x+1} - \dfrac{1}{x^2+x+1}\right).$

$\therefore$ 준 식 $\xleftarrow{(1)}$ $\dfrac{1}{2}\displaystyle\int_0^1 \dfrac{1}{x^2-x+1} - \dfrac{1}{x^2+x+1}dx = \dfrac{1}{2}\int_0^1 \dfrac{1}{\left(x-\dfrac{1}{2}\right)^2+\dfrac{3}{4}} - \dfrac{1}{\left(x+\dfrac{1}{2}\right)^2+\dfrac{3}{4}}dx$

$= \dfrac{1}{\sqrt3}\left[\tan^{-1}\dfrac{2}{\sqrt3}\left(x-\dfrac{1}{2}\right) - \tan^{-1}\dfrac{2}{\sqrt3}\left(x+\dfrac{1}{2}\right)\right]_0^1 = \dfrac{\pi}{6\sqrt3}.$

940 (1) $J = \displaystyle\int_{-\pi}^\pi \dfrac{x\sin x}{1+\cos^2 x}dx = 2\int_0^\pi \dfrac{x\sin x}{1+\cos^2 x}dx \xleftarrow{[\text{정리 }24,(1)]} 2\pi\int_0^\pi \dfrac{\sin x\,dx}{1+\cos^2 x} - J$

$\Rightarrow J = -\pi\displaystyle\int_0^\pi \dfrac{d(\cos x)}{1+\cos^2 x} = -\pi\left[\tan^{-1}(\cos x)\right]_0^\pi = \dfrac{\pi^2}{2}.$

(2) $I = \displaystyle\int_{-\pi}^{\pi} \frac{x\sin x \tan^{-1}(e^x)}{1+\cos^2 x}\,dx \xleftarrow{\ \text{[정리 24,(1)]}\ } \int_{-\pi}^{\pi} \frac{x\sin x \tan^{-1}(e^{-x})}{1+\cos^2 x}\,dx \xleftarrow{\ \text{[정리 56,(6)]}\ }$

$= \dfrac{\pi}{2}\displaystyle\int_{-\pi}^{\pi} \frac{x\sin x}{1+\cos^2 x}\,dx - I \Rightarrow \therefore I = \frac{\pi}{4}\int_{-\pi}^{\pi}\frac{x\sin x}{1+\cos^2 x}\,dx \xrightarrow{(1)} \frac{\pi^3}{8}.$

941 준 식 $\xleftarrow{\ \sin x = u\ } \displaystyle\int_0^1 \frac{u^3 \ln u\,du}{\sqrt{1-u^4}} \xleftarrow{\ u^4 = y\ } \frac{1}{16}\int_0^1 \frac{\ln y}{\sqrt{1-y}}\,dy \xleftarrow{\ \text{부분적분}\ }$

$= \dfrac{1}{8}\displaystyle\int_0^1 \frac{\sqrt{1-y}-1}{y}\,dy = -\frac{1}{8}\int_0^1 \frac{dy}{\sqrt{1-y}+1} \xleftarrow{\ \sqrt{1-y}+1=x\ } \frac{1}{4}\int_1^2 \frac{1}{x}-1\,dx = \frac{1}{4}(\ln 2 - 1).$

942 $I = \displaystyle\int_{-\pi}^{\pi} \frac{x\sin x}{1+\left(\dfrac{\sin x}{x}\right)^x}\,dx \xleftarrow{\ \text{[정리 24,(1)]}\ } \int_{-\pi}^{\pi} \frac{x\sin x}{1+\left(\dfrac{\sin x}{x}\right)^{-x}}\,dx \xrightarrow{\ \text{두 식을 더하면}\ }$

$\Rightarrow 2I = \displaystyle\int_{-\pi}^{\pi} x\sin x\,dx = \big[\sin x - x\cos x\big]_{-\pi}^{\pi} = 2\pi \Rightarrow \therefore I = \pi.$

943 $I = \displaystyle\int_{-1}^{1} \frac{\ln(x^2+1)}{1+(x^2+1)^x}\,dx \xleftarrow{\ \text{[정리 24,(1)]}\ } \int_{-1}^{1} \frac{\ln(x^2+1)}{1+(x^2+1)^{-x}}\,dx \xrightarrow{\ \text{두 식을 더하면}\ }$

$\Rightarrow 2I = \displaystyle\int_{-1}^{1} \ln(x^2+1)\,dx = \big[x\ln(x^2+1)\big]_{-1}^{1} - \int_{-1}^{1} \frac{2x^2}{x^2+1}\,dx = 2\ln 2 - 4 + \pi.$

$\therefore I = \ln 2 - 2 + \dfrac{\pi}{2}.$

944 $I_n = \displaystyle\int_0^{\infty} \frac{\ln\dfrac{1}{x}}{(1+x)^n}\,dx$ 라고 하자.

$I_2 = -\displaystyle\int_0^{\infty} \frac{\ln x}{(1+x)^2}\,dx \xleftrightarrow{\ x=y^{-1}\ } \int_0^{\infty} \frac{\ln y}{(1+y)^2}\,dy = -I_2 \Rightarrow I_2 = 0.$

(1) $I_n = -\displaystyle\int_0^{\infty} \frac{\ln x}{(1+x)^n}\,dx = -\int_0^{\infty} \frac{(1+x)\ln x}{(1+x)^{n+1}}\,dx = -\int_0^{\infty} \frac{x\ln x}{(1+x)^{n+1}}\,dx + I_{n+1}$

$= I_{n+1} + \dfrac{1}{n}\displaystyle\int_0^{\infty} x\ln x\left(\frac{1}{(1+x)^n}\right)'\,dx = I_{n+1} + \frac{1}{n}\left\{\left[\frac{x\ln x}{(1+x)^n}\right]_0^{\infty} - \int_0^{\infty} \frac{1+\ln x}{(1+x)^n}\,dx\right\}$

$= I_{n+1} - \dfrac{1}{n}\displaystyle\int_0^{\infty} \frac{dx}{(1+x)^n} + \frac{1}{n}I_n = I_{n+1} - \frac{1}{n(n-1)} + \frac{1}{n}I_n$

$\Rightarrow (n-1)I_n - nI_{n+1} = -\dfrac{1}{n-1}$

$\Rightarrow I_2 - 2I_3 = -1,\ 2I_3 - 3I_4 = -\dfrac{1}{2},\ \ldots,\ (n-2)I_{n-1} - (n-1)I_n = -\dfrac{1}{n-2} \xrightarrow{\ \text{모두 더하면}\ }$

$\therefore I_n = \dfrac{1}{n-1}\left(\displaystyle\sum_{k=1}^{n-2} \frac{1}{k}\right).$

945 (1) $I_a = \displaystyle\int_0^\infty \frac{\ln(1+x^a)}{\ln x}\left(\frac{1}{1+x^2}\right)dx \xleftarrow{\;x=y^{-1}\;} \int_0^\infty \frac{a\ln y - \ln(1+y^a)}{\ln y}\left(\frac{1}{1+y^2}\right)dy$

$= a\displaystyle\int_0^\infty \frac{dy}{1+y^2} - I_a = \frac{\pi}{2}a - I_a \Rightarrow I_a = \frac{\pi}{4}a. \quad \therefore \text{준 식} \xleftrightarrow{(1)} \frac{\pi}{4}(a-b).$

946 $I = \displaystyle\int_{\frac{1}{b}}^b \frac{x\ln x}{(a^2+x^2)(a^2x^2+1)}dx \xleftarrow{\;x=u^{-1}\;} -\int_{\frac{1}{b}}^b \frac{u\ln u}{(a^2u^2+1)(a^2+u^2)}du = -I \Rightarrow \therefore I=0$

947 준 식 $\xleftarrow{\;e^x=u\;} \displaystyle\int_1^\infty \frac{\ln(u+\sqrt{u^2-1})}{u^2}du = \left[-\frac{\ln(u+\sqrt{u^2-1})}{u}\right]_1^\infty + \int_1^\infty \frac{du}{u\sqrt{u^2-1}}$

$\xleftarrow{\;\frac{1}{\sqrt{u^2-1}}=t\;} \displaystyle\int_0^\infty \frac{dt}{1+t^2} = \left[\tan^{-1}t\right]_0^\infty = \frac{\pi}{2}.$

948 $I(n) = \displaystyle\int_0^{\frac{\pi}{4}} \frac{\tan^{-1}(n\sin 2x)}{\sin 2x}dx \Rightarrow I'(n) = \int_0^{\frac{\pi}{4}} \frac{dx}{1+n^2\sin^2 2x} \xrightarrow{\;\tan x = t\;}$

$= \displaystyle\int_0^1 \frac{(t^2+1)dt}{t^4+(2+4n^2)t^2+1} = \int_0^1 \frac{\left(1+\frac{1}{t^2}\right)dt}{t^2+\frac{1}{t^2}+2+4n^2} = \int_0^1 \frac{d\left(t-\frac{1}{t}\right)}{\left(t-\frac{1}{t}\right)^2 + +4(1+n^2)}$

$= \dfrac{1}{2\sqrt{1+n^2}}\left[\tan^{-1}\left(\dfrac{t-t^{-1}}{2\sqrt{1+n^2}}\right)\right]_0^1 = \dfrac{\pi}{4\sqrt{1+n^2}} \xrightarrow{\;\text{양변을 }n\text{으로 적분}\;}$

$\Rightarrow I(n) = \dfrac{\pi}{4}\ln(n+\sqrt{n^2+1}) + c \xrightarrow{\;n=0\;} c = I(0) = 0 \Rightarrow \therefore \text{준 식} = \dfrac{I(5)}{3} = \dfrac{\pi}{12}\ln(5+\sqrt{26}).$

949 (1) $\left(\ln(1+x^2) - \ln(1-x^2)\right)' = \dfrac{4x}{(1+x^2)(1-x^2)}, \left(\dfrac{x^2-1}{x^2+1}\right)' = \dfrac{4x}{(x^2+1)^2}.$

$\therefore \text{준 식} = \dfrac{1}{4}\displaystyle\int_0^{\frac{\pi}{4}} \dfrac{4x}{(x^2+1)^2}e^{\frac{x^2-1}{x^2+1}}\left(\ln(1+x^2)-\ln(1-x^2)\right) + \dfrac{4x}{(1-x^2)(1+x^2)}e^{\frac{x^2-1}{x^2+1}}dx$

$\xleftrightarrow{(1)} \dfrac{1}{4}\displaystyle\int_0^{\frac{\pi}{4}}\left(\left(\ln(1+x^2)-\ln(1-x^2)\right)e^{\frac{x^2-1}{x^2+1}}\right)'dx = \dfrac{1}{4}\left[e^{\frac{x^2-1}{x^2+1}}\ln\left(\dfrac{1+x^2}{1-x^2}\right)\right]_0^{\frac{\pi}{4}}$

$= \dfrac{1}{4}e^{\frac{\pi^2-16}{\pi^2+16}}\ln\left(\dfrac{16+\pi^2}{16-\pi^2}\right).$

950 $I = \displaystyle\int_0^{\frac{\pi}{2}} \frac{\sin 3x}{\sin x + \cos x}\, dx \xleftarrow{\text{[정리 24, (1)]}} - \int_0^{\frac{\pi}{2}} \frac{\cos 3x}{\sin x + \cos x}\, dx \xrightarrow{\text{두 식을 더하면}}$

$\Rightarrow 2I = \displaystyle\int_0^{\frac{\pi}{2}} \frac{\sin 3x - \cos 3x}{\sin x + \cos x}\, dx = \int_0^{\frac{\pi}{2}} \frac{3\sin x - 4\sin^3 x - 4\cos^3 x + 3\cos x}{\sin x + \cos x}\, dx$

$= \displaystyle\int_0^{\frac{\pi}{2}} 3 - 4(\sin^2 x - \sin x \cos x + \cos^2 x)\, dx = \int_0^{\frac{\pi}{2}} 4\sin x \cos x - 1\, dx = 2 - \frac{\pi}{2} \ \Rightarrow \therefore I = 1 - \frac{\pi}{4}.$

951 준 식 $= \displaystyle\sum_{n=1}^{\infty} \int_0^{\frac{\pi}{2}} \sin x \sin(nx)\, dx = \frac{1}{2}\sum_{n=1}^{\infty} \int_0^{\frac{\pi}{2}} \cos(n-1)x - \cos(n+1)x\, dx$

$= \dfrac{\pi}{4} + \dfrac{1}{2}\displaystyle\sum_{n=2}^{\infty}\left[\frac{\sin(n-1)x}{n-1} - \frac{\sin(n+1)x}{n+1} \right]_0^{\frac{\pi}{2}} = \frac{\pi}{4} + \frac{1}{2}.$

952 $\dfrac{1}{1-x} = 1 + x + x^2 + \cdots \Rightarrow \dfrac{1}{(1-x)^2} = 1 + 2x + 3x^2 + \cdots$

$\Rightarrow \dfrac{1}{(1-e^{-x})^2} = 1 + \dfrac{2}{e^x} + \dfrac{3}{e^{2x}} + \cdots \Rightarrow \dfrac{e^x}{(e^x-1)^2} = \dfrac{1}{e^x} + \dfrac{2}{e^{2x}} + \dfrac{3}{e^{3x}} + \cdots$

준 식 $= \displaystyle\int_{\ln 2}^{\ln 3} \frac{xe^x}{(e^x-1)^2}\, dx \xrightarrow{\text{부분적분}} \ln 2 - \frac{\ln 3}{2} + \int_{\ln 2}^{\ln 3} \frac{1}{e^x-1}\, dx \xrightarrow{e^x - 1 = t}$

$= \ln\left(\dfrac{2}{\sqrt 3}\right) + \displaystyle\int_1^2 \frac{1}{t} - \frac{1}{t+1}\, dt = 3\ln\left(\dfrac{2}{\sqrt 3}\right)$

953 준 식 $= \displaystyle\int_{\frac{\pi}{3}}^{\frac{\pi}{2}} \frac{\cos x}{\sin^2 x(1+\cos x)} \sin x\, dx \xleftarrow{\cos x = t} \int_0^{\frac{1}{2}} \frac{t\, dt}{(1-t)(1+t)^2}$

$= \displaystyle\int_0^{\frac{1}{2}} \frac{1}{4}\frac{1}{1-t} + \frac{1}{4}\frac{1}{1+t} - \frac{1}{2}\frac{1}{(1+t)^2}\, dt = \frac{\ln 3}{4} - \frac{1}{6}$

954 준 식 $= \displaystyle\int_0^{\frac{\pi}{2}} \frac{\sec^2 x\, dx}{(\sqrt 3 + \tan x)^3} = \int_0^{\frac{\pi}{2}} \frac{d(\sqrt 3 + \tan x)}{(\sqrt 3 + \tan x)^3} = -\frac{1}{2}\left[\frac{1}{(\sqrt 3 + \tan x)^2} \right]_0^{\frac{\pi}{2}} = \frac{1}{6}.$

955 준 식 $= I$, $x = \dfrac{a^2}{y}$로 치환하면 아래와 같이 된다.

$\Rightarrow I = (\ln a)\displaystyle\int_0^{\infty} \frac{dy}{y^2 + a^2} = (\ln a)\frac{1}{a}\left[\tan^{-1}\left(\frac{y}{a}\right) \right]_0^{\infty} = \frac{\pi \ln a}{2a}.$

956 준 식 $\xleftrightarrow{x^2=t}$ $\dfrac{1}{2}\displaystyle\int_0^\infty t^{\frac{1}{2n}-\frac{1}{2}}(1+t)^{-1}\,dt$ $\xleftrightarrow{[정리82]}$ $\dfrac{1}{2}B\left(\dfrac{1}{2n}+\dfrac{1}{2},\,1-\left(\dfrac{1}{2n}+\dfrac{1}{2}\right)\right)$

$\xleftrightarrow[\text{[정리 98]}]{\text{[미분과 증명,904]}}$ $\dfrac{\pi}{2\sin\left(\dfrac{\pi}{2}+\dfrac{\pi}{2n}\right)}=\dfrac{\pi}{2\cos\left(\dfrac{\pi}{2n}\right)}$.

957 (1) $\displaystyle\int_0^{\frac{1}{\sqrt3}}\dfrac{1}{1-x^4}\,dx=-\dfrac{1}{2}\int_0^{\frac{1}{\sqrt3}}\dfrac{1}{x^2-1}-\dfrac{1}{x^2+1}\,dx=\dfrac{\pi}{12}-\dfrac{1}{4}\ln\left(\dfrac{\sqrt3-1}{\sqrt3+1}\right)$.

(2) $I=\displaystyle\int_{-\frac{1}{\sqrt3}}^{\frac{1}{\sqrt3}}\left(\dfrac{x^4}{1-x^4}\right)\cos^{-1}\left(\dfrac{2x}{1+x^2}\right)dx$ $\xleftrightarrow{[정리24,(1)]}$ $\displaystyle\int_{-\frac{1}{\sqrt3}}^{\frac{1}{\sqrt3}}\left(\dfrac{x^4}{1-x^4}\right)\cos^{-1}\left(\dfrac{-2x}{1+x^2}\right)dx$

$\xleftrightarrow{[정리56,(15)]}$ $\displaystyle\int_{-\frac{1}{\sqrt3}}^{\frac{1}{\sqrt3}}\left(\dfrac{x^4}{1-x^4}\right)\left(\pi-\cos^{-1}\left(\dfrac{2x}{1+x^2}\right)\right)dx=\pi\displaystyle\int_{-\frac{1}{\sqrt3}}^{\frac{1}{\sqrt3}}\dfrac{x^4}{1-x^4}\,dx-I$

$\Rightarrow\therefore I=\dfrac{\pi}{2}\displaystyle\int_{-\frac{1}{\sqrt3}}^{\frac{1}{\sqrt3}}\dfrac{x^4}{1-x^4}\,dx\xleftrightarrow{우함수}-\pi\displaystyle\int_0^{\frac{1}{\sqrt3}}1-\dfrac{1}{1-x^4}\,dx\xleftrightarrow{(1)}\dfrac{\pi^2}{12}-\dfrac{\pi}{\sqrt3}+\dfrac{\pi}{4}\ln\left(\dfrac{\sqrt3+1}{\sqrt3-1}\right)$

958 준 식 $=I$라고 두면, [정리 24, ①]에 의해

$I=\displaystyle\int_{-1}^1\dfrac{\sqrt[3]{1-x}}{\sqrt[3]{1-x}+\sqrt[3]{1+x}}\,dx$이다. 두 식을 더하면, $2I=\displaystyle\int_{-1}^1 1\,dx=2\Rightarrow I=1$.

959 준 식 $=\displaystyle\int_0^1\dfrac{\sqrt{\dfrac{1-x}{1+x}}}{\sqrt{\dfrac{1-x}{1+x}}+1}\,dx$ $\xleftrightarrow{t=\sqrt{\frac{1-x}{1+x}}}$ $\displaystyle\int_0^1\dfrac{4t^2}{(t+1)(t^2+1)^2}\,dt$

$=\displaystyle\int_0^1\dfrac{1}{t+1}+\dfrac{1-t}{t^2+1}+\dfrac{2t-2}{(t^2+1)^2}\,dt=\dfrac{11}{6}+\dfrac{\ln2}{2}$.

960 준 식 $=\displaystyle\int_0^1\dfrac{\sqrt[3]{\dfrac{1-x}{1+x}}}{\sqrt[3]{\dfrac{1-x}{1+x}}+1}\,dx$ $\xleftrightarrow{t=\sqrt[3]{\frac{1-x}{1+x}}+1}$ $6\displaystyle\int_1^2\dfrac{(t-1)^3}{t^3(t^2-3t+3)^2}\,dt$

$=\dfrac{4\ln2}{9}+\dfrac{1}{12}$.

961 준 식 $\xrightarrow{부분적분}-3\displaystyle\int_0^1 x^2\dfrac{d}{dx}(1-x^2)^{10}\,dx=6\displaystyle\int_0^1 x(1-x^2)^{10}\,dx\xrightarrow{1-x^2=u}$

$=3\displaystyle\int_0^1 u^{10}\,du=\dfrac{3}{11}$.

962 준 식 $= I$라고 하면, $I \xrightarrow{[\text{정리 24, (1)}]} \displaystyle\int_0^\pi (\pi - x)(\sin^2(\sin^n x) + \cos^2(\cos^n x))\,dx$

$= \pi \displaystyle\int_0^\pi \sin^2(\sin^n x) + \cos^2(\cos^n x)\,dx - I \Rightarrow \therefore I = \frac{\pi}{2}\int_0^\pi \sin^2(\sin^n x) + \cos^2(\cos^n x)\,dx$

$= \dfrac{\pi}{2}\left(\displaystyle\int_0^{\frac{\pi}{2}} \sin^2(\sin^n x) + \cos^2(\cos^n x)\,dx + \int_{\frac{\pi}{2}}^{\pi} \sin^2(\sin^n x) + \cos^2(\cos^n x)\,dx\right) \xrightarrow{\frac{\pi}{2} - x = t}$

$= \dfrac{\pi}{2}\left(\displaystyle\int_0^{\frac{\pi}{2}} \sin^2(\sin^n x) + \cos^2(\cos^n x)\,dx + \int_{-\frac{\pi}{2}}^{0} \sin^2(\cos^n t) + \cos^2(\sin^n t)\,dt\right) \xrightarrow{-t = x}$

$= \dfrac{\pi}{2}\left(\displaystyle\int_0^{\frac{\pi}{2}} \sin^2(\sin^n x) + \cos^2(\cos^n x) + \sin^2(\cos^n x) + \cos^2(\sin^n x)\,dx\right) = \dfrac{\pi}{2}\int_0^{\frac{\pi}{2}} 2\,dx = \dfrac{\pi^2}{2}.$

963 준 식 $= \displaystyle\int_0^1 \frac{1 - \dfrac{1}{x^3}}{\left(2x + \dfrac{1}{x^2}\right)^3}\,dx \xrightarrow{u = 2x + \frac{1}{x^2}} \int_\infty^3 \frac{1}{2u^3}\,du = -\frac{1}{36}.$

964 (1) $u = \tan^{-1}\left(\dfrac{x}{x+1}\right),\ v = \tan^{-1}\left(\dfrac{1-x}{2-x}\right) \Rightarrow \tan(u+v) = \dfrac{\dfrac{x}{x+1} + \dfrac{1-x}{2-x}}{1 - \dfrac{x}{x+1}\dfrac{1-x}{2-x}}$

$= \dfrac{2x - x^2 + 1 - x^2}{2 + x - x^2 - x + x^2} = \dfrac{1 + 2x - 2x^2}{2}$

$\Rightarrow \tan^{-1}\left(\dfrac{1 + 2x - 2x^2}{2}\right) = \tan^{-1}\dfrac{x}{x+1} + \tan^{-1}\dfrac{1-x}{2-x}.$

준 식 $= I$라고 하자. [정리 24,(1)]에 의해 다음 등식이 성립한다.

$I = \displaystyle\int_0^1 \frac{\tan^{-1}\left(\dfrac{1-x}{2-x}\right)}{\tan^{-1}\left(\dfrac{1 + 2x - 2x^2}{2}\right)}\,dx \Rightarrow 2I = \int_0^1 \frac{\tan^{-1}\left(\dfrac{x}{x+1}\right) + \tan^{-1}\left(\dfrac{1-x}{2-x}\right)}{\tan^{-1}\left(\dfrac{1 + 2x - 2x^2}{2}\right)}\,dx$

$\xrightarrow{(1)} \displaystyle\int_0^1 1\,dx = 1 \quad \therefore I = \frac{1}{2}.$

965 $\triangle ops$넓이 $= \dfrac{\cot\theta}{2},\ f(\theta) = \dfrac{\theta}{2},\ g(\theta) = \dfrac{\cot\theta}{2} - \dfrac{\pi}{4} + \dfrac{\theta}{2}.$

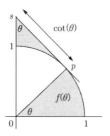

(1) $f(\theta) = g(\theta)$인 θ을 $\overline{\theta}$로 표시하면,

$$\tan\overline{\theta} = \frac{2}{\pi} \Rightarrow \sin\overline{\theta} = \frac{2}{\sqrt{\pi^2+4}} \ , \ \cos\overline{\theta} = \frac{\pi}{\sqrt{\pi^2+4}} \ .$$

$$\therefore \int_0^{\frac{\pi}{2}} s(\theta)\sin\theta \, d\theta = \int_0^{\overline{\theta}} \frac{\theta}{2} \sin\theta \, d\theta + \int_{\overline{\theta}}^{\frac{\pi}{2}} \left(\frac{\cot\theta}{2} - \frac{\pi}{4} + \frac{\theta}{2}\right) \sin\theta \, d\theta = 1 - \frac{\sqrt{\pi^2+4}}{4} \ .$$

966 (1) $\displaystyle\int_{-1}^1 \frac{\tan^{-1}x}{\sqrt{1-x^2}} \, dx \xrightarrow{[\text{정리 24,(1)}]} \int_{-1}^1 \frac{\tan^{-1}(-x)}{\sqrt{1-x^2}} \, dx = -\int_{-1}^1 \frac{\tan^{-1}x}{\sqrt{1-x^2}} \, dx$

$\Rightarrow \displaystyle\int_{-1}^1 \frac{\tan^{-1}x}{\sqrt{1-x^2}} \, dx = 0.$

$\therefore$ 준 식 $= \displaystyle\int_{-1}^1 \frac{\cos^{-1}x}{\sqrt{1-x^2}} \, dx = -\int_{-1}^1 \cos^{-1}x \, d(\cos^{-1}x) = -\left[\frac{(\cos^{-1}x)^2}{2}\right]_{-1}^1 = \frac{\pi^2}{2} \ .$

967 준 식 $= \displaystyle\int_0^1 \frac{1}{(1+x)^{a+2}} \, d(1+x) + \int_0^1 \left(\frac{x}{1+x}\right)^a \left(\frac{1}{1+x}\right)^2 dx \xrightarrow{t = \frac{x}{1+x}}$

$= \dfrac{1}{a+1} - \dfrac{1}{a+1} \dfrac{1}{2^{a+1}} + \displaystyle\int_0^{\frac{1}{2}} t^a \, dt = \dfrac{1}{a+1} \ .$

968 (1) $\dfrac{d}{dx}\left(\dfrac{\sqrt{b+x^2}}{\sqrt{a-x^2} + \sqrt{b+x^2}}\right) = \dfrac{(a+b)x}{\left(\sqrt{a-x^2} + \sqrt{b+x^2}\right)^2 \sqrt{(a-x^2)(b+x^2)}} \ .$

(2) $I = \displaystyle\int_0^{\sqrt{a-b}} \frac{(2x)\sqrt{b+x^2}}{\sqrt{a-x^2} + \sqrt{b+x^2}} \, dx \xrightarrow{x^2 = a-b-u^2} \int_0^{\sqrt{a-b}} \frac{(2u)\sqrt{a-u^2}}{\sqrt{a-u^2} + \sqrt{b+u^2}} \, du$

$\xrightarrow{\text{두 식을 더하면}} 2I = \displaystyle\int_0^{\sqrt{a-b}} 2x \, dx \Rightarrow I = \frac{a-b}{2} \ .$

$\therefore$ 준 식 $= \dfrac{1}{a+b} \displaystyle\int_0^{\sqrt{a-b}} x^2 \left(\dfrac{(a+b)x}{\left(\sqrt{a-x^2} + \sqrt{b+x^2}\right)^2 \sqrt{(a-x^2)(b+x^2)}}\right) dx$

$$\xrightarrow{(1)} \frac{1}{a+b}\int_0^{\sqrt{a-b}} x^2 \frac{d}{dx}\left(\frac{\sqrt{b+x^2}}{\sqrt{a-x^2}+\sqrt{b+x^2}}\right)dx$$

$$\xrightarrow{\text{부분적분}} \left(\frac{a-b}{a+b}\right)\left(\frac{\sqrt{a}}{\sqrt{a}+\sqrt{b}}\right) - \left(\frac{1}{a+b}\right)\int_0^{\sqrt{a-b}}(2x)\frac{\sqrt{b+x^2}}{\sqrt{a-x^2}+\sqrt{b+x^2}}dx \xrightarrow{(2)}$$

$$= \left(\frac{a-b}{a+b}\right)\left(\frac{\sqrt{a}-\sqrt{b}}{2(\sqrt{a}+\sqrt{b})}\right) = \frac{(\sqrt{a}-\sqrt{b})^2}{2(a+b)}\ .$$

969 $I(a) = \int_{-\infty}^{\infty}\dfrac{e^{ax}-e^x}{x(e^{ax}+1)(e^x+1)}dx$ 라고 하자. $I(1)=0$.

$$I'(a) = \int_{-\infty}^{\infty}\frac{e^{ax}}{(e^{ax}+1)^2}dx = \frac{1}{a}\left[-\frac{1}{e^{ax}+1}\right]_{-\infty}^{\infty} = \frac{1}{a} \Rightarrow I(a) = c+\ln a \Rightarrow 0 = I(1) = c.$$

$\therefore$ 준식 $= I(2) = \ln 2.$

970 (1) $e^{i\theta} = \cos\theta + i\sin\theta \Rightarrow \cos\theta = \dfrac{e^{i\theta}+e^{-i\theta}}{2}, \sin\theta = \dfrac{e^{i\theta}-e^{-i\theta}}{2i}.$

$$\therefore \text{준식} = \int_0^{\infty}\frac{x^a}{(x+e^{ib})(x+e^{-ib})}dx = \frac{1}{-e^{ib}+e^{-ib}}\int_0^{\infty}\frac{x^a}{e^{ib}+x}dx + \frac{1}{-e^{-ib}+e^{ib}}\int_0^{\infty}\frac{x^a}{e^{-ib}+x}dx$$

$$= \frac{1}{-2i\sin b}\int_0^{\infty}\frac{(e^{ib}u)^a}{1+u}du + \frac{1}{2i\sin b}\int_0^{\infty}\frac{(e^{-ib}u)^a}{1+u}du$$

$$= \frac{e^{iab}}{-2i\sin b}\left(\frac{\pi}{\sin(\pi a+\pi)}\right) + \frac{e^{-iab}}{2i\sin b}\left(\frac{\pi}{\sin(\pi a+\pi)}\right) \quad (\because [\text{문제 } 40])$$

$$= \frac{\pi}{\sin(\pi a)\sin b}\left(\frac{e^{iab}-e^{-iab}}{2i}\right) = \frac{\pi\sin ab}{\sin(\pi a)\sin b}.$$

971 준 식 $= \int_0^{\infty}\left(\frac{1}{x}\right)\left[\ln(x^2+2kx\cos\alpha+k^2)\right]_{\alpha=a}^{\alpha=b}dx$

$$= \int_0^{\infty}\frac{1}{x}\int_a^b \frac{d}{d\alpha}(\ln(x^2+2kx\cos\alpha+k^2))d\alpha\,dx = -\int_a^b\int_0^{\infty}\frac{2k\sin\alpha}{x^2+2kx\cos\alpha+k^2}dx\,d\alpha$$

$$= -\int_a^b\int_0^{\infty}\frac{2k\sin\alpha}{(x+k\cos\alpha)^2+k^2-k^2\cos^2\alpha}dx\,d\alpha = -\int_a^b\int_0^{\infty}\frac{2k\sin\alpha}{(x+k\cos\alpha)^2+(k\sin\alpha)^2}dx\,d\alpha$$

$$= -2\int_a^b\left[\tan^{-1}\left(\frac{x}{k\sin\alpha}+\frac{1}{\tan\alpha}\right)\right]_0^{\infty}d\alpha = -2\int_a^b\frac{\pi}{2}-\tan^{-1}\left(\frac{1}{\tan\alpha}\right)d\alpha \xrightarrow{[\text{정리 } 56,(6)]}$$

$$= -2\int_a^b\tan^{-1}(\tan\alpha)d\alpha = -2\int_a^b\alpha\,d\alpha = a^2-b^2.$$

972 $I=\displaystyle\int_0^{\frac{\pi}{2}}\ln^2(\sin x)dx,\ \ J=\displaystyle\int_0^{\frac{\pi}{2}}\ln(\sin x)\ln(\cos x)dx,\ \ K=\displaystyle\int_0^{\frac{\pi}{2}}\ln(\sin 2x)dx$

$\overset{[\text{문제 }557,(3)]}{\longleftarrow}-\dfrac{\pi}{2}\ln 2$라고 하자.

(1) $I\overset{[\text{정리 }24,(1)]}{\longleftarrow}\displaystyle\int_0^{\frac{\pi}{2}}\ln^2(\cos x)dx\ \Rightarrow 2I+2J=\int_0^{\frac{\pi}{2}}(\ln(\sin x)+\ln(\cos x))^2\,dx$

$=\displaystyle\int_0^{\frac{\pi}{2}}\left(\ln\frac{\sin 2x}{2}\right)^2dx=\int_0^{\frac{\pi}{2}}(\ln(\sin 2x)-\ln 2)^2\,dx=I-2\ln 2\,K+\frac{\pi}{2}\ln^2 2=I+\frac{3\pi}{2}\ln^2 2$

$\Rightarrow I=\dfrac{3\pi}{2}\ln^2 2-2J.$

(2) $2I-2J=\displaystyle\int_0^{\frac{\pi}{2}}(\ln(\sin x)-\ln(\cos x))^2\,dx=\int_0^{\frac{\pi}{2}}\ln^2(\tan x)\,dx\overset{\tan x=t}{\longleftarrow}\int_0^\infty\frac{\ln^2 t}{1+t^2}\,dt$

$\overset{[\text{문제 }517]}{\longleftarrow}\dfrac{\pi^3}{8}\overset{(1)}{\longrightarrow}\ \therefore J=\dfrac{\pi}{2}\ln^2 2-\dfrac{\pi^3}{48}.$

973 (1) 아래 그림의 영역에서의 가우스 값을 볼 수 있다.

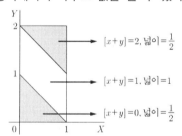

$\therefore$ 준식 $=0\times\dfrac{1}{2}+1\times 1+2\times\dfrac{1}{2}=2.$

974 준 식 $\overset{x=t^{-2}}{\longleftarrow}2\displaystyle\int_1^\infty\frac{[t]}{t^3}dt=2\sum_{n=1}^\infty\int_n^{n+1}\frac{n}{t^3}dt=\sum_{n=1}^\infty n\left(\frac{1}{n^2}-\frac{1}{(n+1)^2}\right)$

$=\displaystyle\sum_{n=1}^\infty\frac{1}{n}-\frac{n}{(n+1)^2}=\sum_{n=1}^\infty\frac{1}{n}-\frac{1}{n+1}+\frac{1}{(n+1)^2}=\sum_{k=1}^\infty\frac{1}{k^2}\overset{[\text{수열과 급수},12]}{\longleftarrow}\frac{\pi^2}{6}.$

975 준 식 $=\displaystyle\int_{\frac{1}{3}}^{\frac{1}{e}}\left[\ln\left[\frac{1}{x}\right]\right]dx+\int_{\frac{1}{e}}^{\frac{1}{2}}\left[\ln\left[\frac{1}{x}\right]\right]dx=\int_{\frac{1}{3}}^{\frac{1}{e}}[\ln 2]\,dx+\int_{\frac{1}{e}}^{\frac{1}{2}}[\ln 2]\,dx=0.$

976 준 식 $=\displaystyle\int_{\frac{1}{4}}^{\frac{1}{3}}\left[\ln\left[\frac{1}{x}\right]\right]dx+\int_{\frac{1}{3}}^{\frac{1}{2}}\left[\ln\left[\frac{1}{x}\right]\right]dx\overset{[\text{문제}975]}{\longleftarrow}\int_{\frac{1}{4}}^{\frac{1}{3}}[\ln 3]\,dx=0.$

고급영재수학 02

수학에서의
정적분 문제와 풀이

지은이   곽성은 · 우경수
펴낸이   조경희
펴낸곳   경문사
펴낸날   2018년 3월 5일 1판 1쇄
등 록   1979년 11월 9일 제313-1979-23호
주 소   04057, 서울특별시 마포구 와우산로 174
전 화   (02)332-2004 팩스 (02)336-5193
이메일   kyungmoon@kyungmoon.com
facebook   facebook.com/kyungmoonsa

값 20,000원

ISBN 979-11-6073-120-0

★ 경문사 홈페이지에 오시면 즐거운 일이 생깁니다.
  http://www.kyungmoon.com

한국과학기술출판협회 회원사